PUTINS WELT

Katja Gloger

PUTINS WELT

Das neue Russland,
die Ukraine und der Westen

BERLIN VERLAG

S. 12: Sasha Mordovets / Getty Images; S. 48: © Hans-Jürgen Burkard; S. 76: Alexey Druzhinin/ AFP / Getty Images; S. 95: © Evgeny Kondakov; S. 120: picture alliance / AP Photo; S. 137: Mikhail Voskresenskiy / AFP / Getty Images; S. 170: Bulent Kilic / AFP / Getty Images; S. 222: © Peter Turnley / Corbis; S. 248: picture alliance / dpa

MIX
Papier aus verantwor-
tungsvollen Quellen
FSC® C083411

© Katja Gloger und Berlin Verlag
in der Piper Verlag GmbH, München / Berlin 2015
Alle Rechte vorbehalten
Umschlaggestaltung: ZERO Werbeagentur, München
Typografie: Birgit Thiel, Berlin
Gesetzt aus der DTL Documenta von Fagott, Ffm
Druck und Bindung CPI books GmbH, Leck
Printed in Germany
ISBN 978-3-8270-1296-8

www.berlinverlag.de

»Die Guten gehn im gleichen Schritt.
Ohne von ihnen zu wissen, tanzen
die andern um sie die Tänze der Zeit.«

Franz Kafka, *Oktavheft G (II,2)*

Für Georg.
Für Hannah und Mara.

Inhalt

Vorwort 9

Das System – Putin verstehen 12
Wirtschaft – In der Falle 48
Ideologie – In historischer Mission 76
Propaganda – Informationskrieger 95
Zivilgesellschaft – Macht und Ohnmacht
    der Opposition 120
Außenpolitik – Putins Welt 137
Die Ukraine, Russland und der Westen –
    An die Grenzen 170
Die Nato und die deutsche Wiedervereinigung –
    »... nicht einen Zentimeter ...« 222
Deutschland und Russland – Enttäuschte Erwartungen 248

Chronologie 283
Putins Welt: von A bis Z 289
Anmerkungen 296

Vorwort

Auch er versuchte wohl, Russland zu verstehen, Winston Churchill: »Es ist ein Rätsel innerhalb eines Geheimnisses, umgeben von einem Mysterium«, sagte er vor über 70 Jahren. Merkwürdig aktuell seine Worte.

Russland – ein Rätsel, ein Geheimnis, ein Mysterium? Im Jahr 2015 jedenfalls scheint Russland ein Land, vereinsamt in der Welt, weder Ost noch West, einmal wieder außerhalb der Zeit stehend. Nach der Landnahme der Krim und der Anzettelung eines unerklärt-erklärten Krieges im Südosten der Ukraine ist die europäische Friedensordnung erschüttert. Europa, selbst zunehmend geschwächt und verunsichert, muss sich einer gefährlichen Herausforderung stellen: Denn dieses neue Russland – es ist Putins Russland – versteht sich als revisionistische Ordnungsmacht auf einem eigenen, eurasischen Kontinent, als moralischer und politischer Gegenpol mit eigener, zivilisatorischer Mission in Abkehr vom Westen. Unter russischer Revision die Charta von Paris, jene gemeinsame Verpflichtung, 1990 von Michail Gorbatschow unterzeichnet, mit der eine Ära des Friedens beginnen sollte: »Nun ist die Zeit gekommen, in der sich die jahrzehntelang gehegten Hoffnungen und Erwartungen unserer Völker erfüllen: unerschütterliches Bekenntnis zu einer auf Menschenrechten und Grundfreiheiten beruhenden Demokratie, Wohlstand durch wirtschaftliche Freiheit und soziale Gerechtigkeit und gleiche Sicherheit für alle unsere Länder.«

Jetzt ist nichts mehr, wie es war.

Seit gut 25 Jahren versuche ich, mich Russland und seinen Menschen zu nähern; wie dankbar ich für ihre Freundschaft bin. Viele Jahre war ich in Russland zuhause. Ich erlebte den Zusammenbruch der Sowjetunion, teilte Ängste, die Hoffnungen eines Aufbruchs. Ich durfte dieses weite Land bereisen, den Spuren seiner Geschichte folgen. Die Steinwüsten der ostsibirischen Kolyma, Ruinen der Todeslager des Archipel GULAG. Die Keller des KGB in der Moskauer Ljubjanka, letzte Zeugnisse der Opfer des Terrors, in Zehntausenden Pappordnern abgelegt. Die Veteraninnen des Großen Krieges, in winzigen Flugzeugen aus Sperrholz und Stoff flogen sie Angriffe gegen die Deutschen; den Heldengeschichten der Männer glaubten sie nie. Die archaische Schönheit entlang der Ufer der mächtigen Flüsse; Flieder, im Mondlicht leuchtend. Die Eisstürme des hohen Nordens; heißer, süßer Tee. Die ökologischen Katastrophenzonen der Industriegebiete mit ihren müde geschufteten Menschen, ihre Würde bewahrend. Präsident Michail Gorbatschow, wie dem Mann des Friedens die Macht entglitt. Die Tage des Putsches im August 1991, zum ersten Mal leisteten die Menschen demokratischen Widerstand. Im Kreml mit Präsident Boris Jelzin, ein trunkener Zar. Zuhause bei Präsident Wladimir Putin – Gespräche über Reformen und Demokratie mit diesem verkanteten, misstrauischen Mann, der nun die letzte Runde des Kalten Krieges neu ausfechten will. Glanz und Glamour seiner Politik der wirtschaftlichen Stabilisierung. Milliardäre, Oligarchen. Die Demonstrationen des »anderen Russland« 2011, weiße Schleifen an Winterjacken. Bürgerrechtler und Journalisten, der gefährlichen Suche nach Wahrheit verpflichtet. Und heute: Ein Land, das zur Festung wird, sich von inneren Feinden bedroht, von äußeren Feinden umzingelt wähnt. Ein Klima der Angst und unterdrückter Wut.

25 Jahre. Es gab eine kurze Zeit des Aufbruchs, in der man glaubte, die Freiheit würde morgen anbrechen, allein auf Hoffnungen und Träumen gebaut. Doch zu groß die Wucht gesellschaftlicher Verwüstungen, zu kurz für viele die Zeit, um sich von der Last dieses schrecklichen russischen Mythos zu befreien: Dass nur Elend und Unglück, unsagbar große Opfer und übermenschliches Heldentum Russland groß und mächtig machen können.

Im Umgang mit Putins Russland gilt es mehr denn je, den Blick zu schärfen, sich von Wunschdenken und Illusionen zu verabschieden. Es gilt, die komplexen Entwicklungen zu beschreiben, die zur Zäsur des Jahres 2014 führten; die strategischen Interessen der Akteure in Ost und West, Missverständnisse, Widersprüche, realpolitische Sollbruchstellen. Dies betrifft etwa angeblich gebrochene Versprechen im Prozess der Wiedervereinigung Deutschlands sowie der Nato-Osterweiterung. Es betrifft auch die Geschichte eines wieder zu entdeckenden Landes mit brüchiger Identität, das nun zum Testfall für Europa wird: die Ukraine. Vor allem aber gilt es, ohne Dämonisierungen jenen entscheidenden Wandel in Russland selbst nachzuvollziehen, der spätestens 2012 mit der Wiederwahl Präsident Putins begann und sich als »Putinismus« manifestiert: ein zunehmend repressives autoritäres Herrschaftssystem, allein den Interessen eines kleinen Machtzirkels dienend. Die wesentliche Ursache für den Konflikt zwischen Russland und dem Westen ist im Legitimationsdefizit des Systems Putin zu suchen. Patriotische Euphorien über die »Heimkehr« der Krim und Russlands »Wiederauferstehung« können seine strukturellen Schwächen nur vorübergehend überdecken.

Ohne Anspruch auf Vollständigkeit soll dieses Buch ein Beitrag zur kritischen Analyse und zur gebotenen rhetorischen Abrüstung sein. Es ist allerdings getragen von meiner Sympathie zu all den Menschen in Russland und in der Ukraine, die nationalistischem Furor und der scheinbar unabänderlichen Rechtlosigkeit ihrer Völker auf bewundernswerte Weise trotzen, voller Mut. Mit gutem Herzen tun sie das, was nötig ist. Sie mühen sich in den täglichen Katastrophen ihres Alltags. Sie sorgen sich um andere. Sie verkaufen ihre Seelen nicht. Erben eines blutigen Jahrhunderts der Revolutionen, der Kriege und des Terrors, möchten sie endlich in Frieden mit sich und ihren Nachbarn leben. Es ist Zuversicht, keine Gewissheit: dass sie da sein werden, wenn Wladimir Putin Geschichte geworden ist.

DAS SYSTEM
Putin verstehen

> *Solange es Putin gibt, gibt es auch Russland.*
> *Ohne Putin – kein Russland.*
>
> Wjatscheslaw Wolodin,
> Erster Stellvertretender Leiter
> der Präsidialverwaltung, 2014[1]

Er spricht. Internationales Wirtschaftsforum
Sankt Petersburg, Juni 2015

Vielleicht war es das Protokoll, das zeremonielle Gehabe, dieses Gefühl, immer unter Beobachtung zu stehen. Vielleicht war es die pompöse Leere dieser Residenz, seine Welt, viel zu gewaltig, um ein Zuhause zu sein. Vielleicht waren es aber auch nur die gelernten Verhaltensmuster eines Geheimdienstoffiziers. Stets blieb er leise, auf merkwürdige Weise gebremst, so verkantet freundlich. Seine Zurückhaltung schien etwas Lauerndes zu haben. Er wirkte misstrauisch, dabei war er durchaus selbstbewusst. »Er musste lange an sich arbeiten, um unbefangen zu wirken«, hatte seine damalige Frau einmal gesagt.

12

Wir waren zu Besuch bei Wladimir Putin, dem Präsidenten Russlands, der renommierte Kanzler-Fotograf Konrad R. Müller und ich, langjährige Moskau-Korrespondentin des *Stern*. Eine Reportage über sein Leben und seine Arbeit sollte es werden, für die wir den Präsidenten über Monate begleiteten. Nach langem Hin und Her hatte er sich Anfang 2002 schließlich überzeugen lassen. Wahrscheinlich hatte sein Einverständnis auch einen politischen Hintergrund: Im Herbst 2001 war Wladimir Putin im Deutschen Bundestag zu Gast. Er war der erste russische Präsident, der vor den deutschen Abgeordneten sprechen durfte. Es ging um Zusammenarbeit und Sicherheit, eine gemeinsame Zukunft in Europa. Als Zeichen seines Respekts vor dem Land Goethes und Schillers hielt er seine Rede auf Deutsch. Er sprach von der Freiheit der russischen Bürger. »Von unserer Seite aus existiert die Berliner Mauer nicht mehr«, sagte er. »Russland ist ein freundliches europäisches Land. Der Kalte Krieg ist vorbei.« Im allgemeinen Wohlwollen gingen seine Mahnungen unter. Schärfer wurde sein Ton, als er über die USA und die Nato sprach: »In Wirklichkeit haben wir aber immer noch nicht gelernt, einander zu vertrauen.«[2]

Vielleicht war seine Zusage an die deutschen Journalisten das: ein Vertrauensversuch.

Im Laufe der Monate trafen wir uns immer wieder, mal in seinem Amtszimmer im Kreml, mal bei ihm zu Hause in seiner Residenz Nowo-Ogarjowo an der Rubljow-Chaussee vor den Toren Moskaus. Zwei mächtige, beigefarbene Ziegelbauten mit hochgeschwungenem Dach, Anklänge an Türme und Zinnen, an der Terrasse wachten große, steinerne Löwen. Darum der makellos gepflegte Park entlang des Moskwa-Flusses, darin asphaltierte Spazierwege. Ein angemessener Ort für den Präsidenten einer Großmacht, vergleichsweise bescheiden gar im Vergleich zu den anderen Anwesen der Gegend hier, den Villen der Oligarchen. Es hieß, wir könnten seine Frau Ljudmilla kennenlernen, aber nie bekamen wir sie zu Gesicht. Dafür durften wir seiner

Tochter Marija beim Klavierspiel zuhören. Wir hatten dem Präsidenten beim frühmorgendlichen einsamen Schwimmen zugesehen, beim einsamen Ritt auf dem eigens angelegten Reitweg, auch beim Judo-Training. Sein Gegner war Gewinner der russischen Meisterschaft, eigens aus Sankt Petersburg herbeigebeten. Schweigend gingen sie einander an, zwei Männer in einem leeren Saal, zu hören allein ihr angestrengtes Atmen.[3]

Er schien besessen von Sport, von einem Bild versammelter Kraft und Stärke, einer, nun ja, breitbeinigen Männlichkeit. So wollte er das Gesicht eines neuen Russlands werden – ganz anders als sein alkoholkranker Vorgänger Boris Jelzin. Einmal hatte er US-Präsident Bill Clinton zu Besuch in Moskau. Clinton war am Ende seiner zweiten Amtszeit auf Abschiedstour. Putin führte seinen Gast durch den Kreml, zeigte ihm das moderne Fitnessstudio, das er einrichten ließ. »Hier verbringe ich viel Zeit«, sagte er. Dann führte er ihn in einen anderen Raum, ein Krankenbett darin, ein Beatmungsgerät. »Und hier verbrachte der letzte Präsident viel Zeit.«[4]

Wie alle hatten auch wir in den Vorzimmern auf ihn gewartet. Wir lümmelten in Sesseln mit viel zu weichen Polstern, wir warteten, wie alle, manchmal stundenlang. Immer kam er zu spät. Warum? Niemand wusste es genau. Weil er es sich leisten konnte, alle warten zu lassen. Weil sich die russische Welt – und nicht nur die – um ihn drehte, nur um ihn. Längst arbeiteten die »Putinisierer« an seinem Image. Es ging dabei von Anfang an um die großen, historischen Linien: Wladmir Putin wollte – und sollte – zum Gründer einer neuen russischen Staatlichkeit werden. Der »Putinomanija« schien das ganze Land zu verfallen: Nach zaristischer Tradition wurde zwei neuen Glocken in einem berühmten Kloster sein Name eingraviert. Zu seinem 50. Geburtstag am 7. Oktober 2002 schenkte man ihm die Kopie einer Zarenkrone, benannte ein Kavallerieregiment nach ihm. Selbst dem Moskauer Maler Dmitrij Wrubel, ein in der Sowjetunion verfolgter Untergrundkünstler, erschien Putin als »Pop-Ikone«,

»unser erster echter Superstar«, wie er sagte: »Wir haben doch jahrzehntelang wider besseres Wissen auf einen guten Helden gewartet. Und jetzt ist er da!«[5]

Das war Wladimir Putin bereits im dritten Jahr seiner ersten Amtszeit: Feldherr eines sich erhebenden Landes, eines neuen Russland. Ein Mann, dem alles glücken sollte, auf fast surreale Weise.

Einmal nahm er uns zu einem Angelausflug mit nach Astrachan, in die staubige Stadt im Süden des russischen Reiches. Hinter Astrachan wälzt sich die Wolga in einem verwunschenen Delta ins Kaspische Meer. Zum Angelausflug starteten zwei Hubschrauber. Sechs Leibwächter begleiteten den Präsidenten, zwei Kommunikationsspezialisten und zwei Offiziere der nuklearen Streitkräfte, verantwortlich für den Atomkoffer. Zwei Ärzte sowie sein persönlicher Adjutant waren dabei, daneben der Pressechef mit drei Mitarbeitern, auch ein Team des russischen Staatsfernsehens. Natürlich war dieser spontane Besuch auf einer abgelegenen »Erholungsbasis« des mächtigen Gaskonzerns Gazprom über Wochen vorbereitet worden. Man hatte einen zweiten Hubschrauberlandeplatz in der Sumpflandschaft angelegt, Sicherheitsoffiziere abkommandiert, Boote herbeigeschafft, auch Freizeitkleidung mit militärischem Tarnmotiv bereitgestellt.

Die Möwen schrien, Schwalben zwitscherten, zartblau gepinselt war der Himmel, ein perfekter Tag. Wladimir Putin schlenderte in freizeitlicher Tarnkleidung umher, 15 Männer verfolgten jeden Schritt. Er besuchte den Pferdestall, streichelte Nüstern und fütterte Zucker, später ritt er ein paar Runden im engen Gatter, 15 Männer warteten. Er sprang aus dem Stand über den menschenhohen Metallzaun, 15 Männer schauten schweigend zu.

Dann röhrten fünf Rennboote amerikanischer Herkunft mit 80 Stundenkilometern die Wolga entlang. Unterwegs warteten Fischer an ihren Netzen. Forschen Schritts stieg Putin zu ihnen in den Kahn. Die Fischer zogen die Netze aus dem Wasser, der

Präsident erkundigte sich nach ihrem Leben. Das Boot mit dem Kamerateam des Kreml-Pools kreiste um die Fischer – es entstand ein herrliches, symbolträchtiges Bild: der Präsident und die Wolgafischer. Am Abend wurde es im staatlichen Fernsehen gezeigt.

Zum Angeln war ein Stück Ufer »vorbereitet« worden, wie es hieß, das Schilf war weitflächig abgeflämmt. Leibwächter postierten sich, die Maschinenpistole schussbereit. Der Präsident warf die Angel, die Umstehenden schauten schweigend zu. Dann bissen die Fische an, einer nach dem anderen, am Ende holte er mehr als ein Dutzend aus der gleichen Stelle im Fluss. Zufall oder nicht – Wladimir Putin schien sich zu freuen. Er sagte: »Wer Suppe essen will, muss seine Fische selbst fangen.« Das sollte man wohl programmatisch verstehen.

Denn mit einer Steuer- sowie einer Landreform hatte Putin damals ein durchaus liberales Wirtschaftsreformprogramm initiiert. Sein Ministerpräsident Michail Kassjanow galt ebenso als »Liberaler« wie Finanzminister Alexej Kudrin und der Minister für Wirtschaftsreformen, German Gref.[6] Beamtengehälter und Renten wurden nun regelmäßig ausgezahlt, gar schrittweise erhöht. Firmengründungen wurden erleichtert, die Gewerbesteuer gesenkt. Die Mehrheit seiner Wähler durfte zum ersten Mal seit Jahren auf Stabilität und einen bescheidenen Wohlstand hoffen. Sie wurden: Konsumenten. Dafür waren sie offenbar bereit, auf politische Mitwirkung oder den Aufbau eines Rechtsstaates zu verzichten. Die »Demokratija« der Jelzin-Jahre war ohnehin zu »Dermokratija« verkommen, zur »Scheißokratie«.[7]

Es bildete sich der »Putin-Konsens«.

Er hatte zu sich nach Hause eingeladen, nach Nowo-Ogarjowo. Hatte Tee gekocht und Butterbrote mit Kaviar zubereitet, er war ein aufmerksamer, ja, charmanter Gastgeber. Er hatte – auf Deutsch – über sein Faible für Romy Schneider geplaudert, aber auch von der »historischen Mission« seines Amtes gesprochen.

Er hatte mit seiner oft so leisen Stimme die Reformen erwähnt, die er in seinem Land durchführte. In unseren Gesprächen fielen Worte wie Demokratie und Marktwirtschaft und »Modernisazija«, Modernisierung. Es hörte sich alles so – »westlich« an. »Ich will echte Marktwirtschaft. Ich will ein echtes Mehrparteiensystem für Russland«, sagte Putin.

Zugleich klangen diese Worte merkwürdig hohl, gestanzt. Irgendetwas stimmte nicht. Als ob er, langjähriger KGB-Offizier im Auslandseinsatz, einem sicheren Gespür folgend nur sagte, was wir – womöglich – hören wollten. Putin propagierte Russland als »demokratisches Land«. Doch für das Räderwerk demokratischer Gesellschaften hatte er offenbar wenig Verständnis. Sie waren weder Modell noch Vorbild für ihn. Debatte und Streit, Machtkämpfe und Interessenausgleich, freie Medien und Parteien, Widersprüche, Wertekritik – all das schien ihm eher Zeichen der Schwäche denn als Stärke. Sein Weg war ein anderer: eine simulierte Demokratie. Unter dem Begriff »gelenkte Demokratie« wurde sie Programm.

Stets verwies der promovierte Jurist auf die »Macht des Gesetzes«. Nicht Unterdrückung, sondern Popularität und Wahlsiege sollten ihm die nötige Legitimität im In- und Ausland verschaffen. Schon wenige Monate nach seinem Amtsantritt hatte er die Kontrolle über die Massenmedien gewonnen. Das Staatsfernsehen mit seinem Monopol über die Seelen der Menschen war – und ist – eines der wichtigsten Instrumente seiner Politik. So wie auch die Mehrheitsparteien der russischen Staatsduma, allen voran Einiges Russland, die 2001 gegründete Partei des Präsidenten. Das Ziel war, Parteien zu schaffen, die über Jahrzehnte Mehrheiten mit erwünschten Wahlergebnissen sichern könnten. Im Kreml war dafür Wladislaw Surkow zuständig, ein junger Mann, der seine Karriere als PR-Mann beim Ölmagnaten Michail Chodorkowskij begonnen hatte, dem einst reichsten Mann Russlands. Die, die ihn kennen – oder zu kennen glauben – beschreiben ihn als ebenso hellwachen wie skrupellosen Mann, der Fotos von Che Guevara, Werner Heisenberg, John Lennon, dem Dichter Joseph Brodksy sowie dem Hip-Hopper Tupac Shakur in seinem Büro stehen hatte.[8] Surkow war zuständig für Putins »gelenkte Demokratie«, die später zur »souveränen Demokratie« erklärt wurde. Wähler galten dabei als »Gemüse«: Sie stehen im Beet und müssen nur regelmäßig mit Versprechen »gegossen« werden.

Schon wenige Wochen nach seiner Wahl im März 2000 hatte Putin begonnen, die »Vertikale der Macht«[9] einzurichten. Sieben von ihm ernannte Super-Gouverneure sollten die Kontrolle der Zentralmacht über die Regionen wiederherstellen, deren meist korrupte Moskauer Statthalter faktisch unabhängig walteten. Fünf seiner »Gesandten« kamen aus dem Geheimdienst oder hatten Beziehungen zu Geheimdiensten. Die »manuelle Kontrolle« – die später immer häufiger auch von Putin selbst ausgeübt werden müsste – ersetzte die »checks and balances«, die Gewaltenteilung westlicher Systeme. Der Aufbau einer unabhängigen Justiz war nicht vorgesehen.

Mit äußerster Brutalität hatte Putin den Zweiten Tschetschenienkrieg geführt – und 2009 beendet. Er hatte erbarmungslose Härte gezeigt und seine Drohung wahr gemacht, die ihm so viel Unterstützung im Volk gebracht hatte: den Gegner noch »auf dem Außenklo«[10] zu vernichten. Zehntausende waren gestorben, es gab Berichte von Folter und Entführungen auch durch die russische Armee, die Hauptstadt Grosny lag in Schutt und Asche gebombt[11] – aber er hatte eine Abspaltung Tschetscheniens von Russland verhindert. Es war ein in seinen Augen legitimes, gar notwendiges Vorgehen: Eine Sezession der autonomen Republik im Nordkaukasus hätte einen unkontrollierten Auflösungsprozess im russischen Vielvölkerstaat in Gang gesetzt – nach dem Zusammenbruch der Sowjetunion den Zerfall Russlands. Putin empörte sich über westliche Kritik am Vorgehen der russischen Armee, vor allem aus den USA. Sie schien ihm heuchlerisch. Auch der spätere schmutzige Deal mit Ramsan Kadyrow, dem brutalen Machthaber Tschetscheniens, gehörte für Putin zur realpolitischen Lösung des Problems: Russland würde Kadyrow finanzieren und freie Hand in Tschetschenien lassen – dafür würde dieser Tschetschenien für Russland »befrieden«.[12]

Er wollte die Sowjetunion nicht wiederherstellen, »back to the USSR« war nie eine Option für ihn. Für ihn ging es vielmehr um ein neues Gleichgewicht der Macht, die legitime Einflusssphäre der einst imperialen russischen Großmacht in den ehemaligen Republiken der Sowjetunion. Im April 2002 flogen wir mit ihm in der »Air Force One« des Kreml zum ersten Gipfeltreffen der Anrainerstaaten des Kaspischen Meeres nach Aschchabad, der Hauptstadt Turkmenistans.[13] Schon damals machte Putin deutlich, dass die rohstoffreichen ehemaligen Sowjetrepubliken Mittelasiens als russische Einflusssphäre betrachtet würden. Viel zu wichtig das Öl und das Gas, die Pipelines und die Nähe zum Iran. Russland würde den strategischen Ambitionen und ökonomischen Interessen der USA in der Region die Stirn bieten. Putins damaliger Pressechef Alexej Gromow, ein kettenrauchender Mann mit sarkastischem Humor, der heute als stellvertretender Leiter der russischen Präsidialadministration die Medien kontrolliert, brachte es schon damals auf den Punkt: Er zeigte aus dem Fenster, unter uns die trockenen Steppen Mittelasiens. »Und das«, sagte Alexej Gromow knapp, »das ist unser.« So wie es später heißen würde: »Krym nasch!« Die Krim ist unser!

Vor allem aber: Mit Putins Amtsantritt kamen Männer zu Macht und oft rasch zu sehr großen Vermögen, die er persönlich kannte. Ihre Loyalität war das entscheidende Kriterium für ihren Aufstieg. Oft kamen sie aus dem Geheimdienst, einst KGB, heute FSB. Einige waren Jugendfreunde, andere galten als »Reformer« und hatten mit Putin Anfang der 90er Jahre in der Petersburger Stadtverwaltung gearbeitet. Wieder andere bekamen als frischgebackene kapitalistische Unternehmer mit ihm zu tun, als Putin das wichtige Petersburger Komitee für Internationale

Beziehungen, KVS, leitete, in dem etwa auch Lizenzen für Rohstoffexporte registriert wurden. Es waren nur wenige Dutzend Männer. Sie rückten auf in Staatsämter, bekamen Minister- und Vorstandsposten bei Staatskonzernen. Sie wurden unentbehrliche Verbindungsmänner zu ausländischen Regierungen und Großinvestoren, sie wurden Banker oder Unternehmer, die milliardenschwere Staatsaufträge erhielten.

Im Jahr 2015 besetzen sie die »Ministerien der Macht«: Innenministerium, Geheimdienste, Militär, Rüstungsindustrie, dazu Staatsanwaltschaft und Steuerfahndung. Als Großunternehmer und »Unternehmerbürokraten«, hochrangige Beamte mit kommerziellen Aufgaben und Ambitionen[14] exportieren sie Öl und Gas, kontrollieren das Pipelinenetz, Häfen und Eisenbahnen, Banken, Medien. Wie aus dem Nichts wurden viele von ihnen zu Milliardären, die Konten offshore, Immobilien auch im Londoner Stadtteil Belgrave, die Kinder auf Elite-Internaten in der Schweiz. Es herrscht »Kapitalismus für Freunde«, wie es Putins ehemaliger Ministerpräsident Michail Kassjanow nannte.[15]

Schon früh errichtete Putin die Fundamente eines Herrschaftssystems, das man später »kleptokratischen Autoritarismus«[16] oder »Putinismus« nennen würde. Oder die »Russland GmbH«.

Im Oktober 2014 war der Erste Stellvertretende Leiter der Präsidialverwaltung Wjatscheslaw Wolodin beim Waldaj-Forum zu Gast. Auf dem Waldaj-Forum treffen sich einmal im Jahr Russland-Experten aus aller Welt. Es dient als Plattform, um die russische Sicht auf die Welt zu erklären.[17] Meist ist auch Wladimir Putin dabei, hält eine Grundsatzrede, beantwortet Fragen, durchaus streitlustig. Wjatscheslaw Wolodin ist im Kreml für die Innenpolitik zuständig. Es hat also durchaus Gewicht, was er sagt. Und er sagte: »Solange es Putin gibt, gibt es auch Russland. Ohne Putin – kein Russland.«[18]

Prägnanter kann man das Wesen des »Putinismus« kaum beschreiben,[19] Triumph und Tragik seiner Macht zugleich: Für Russland soll Putin »alternativlos« sein.

Sein Name, so viel scheint gewiss, wird eine Epoche der russischen Geschichte prägen – doch im Jahr 2015 zumindest bedeutet dies wenig Gutes für die Zukunft seines Landes.

Man beschrieb ihn als »Mann ohne Eigenschaften«, als »Mann ohne Gesicht«,[20] scheinbar rätselhaft sein Aufstieg. Doch mit ihm kamen Vertreter einer Generation an die Macht, die versuchte, das postsowjetische Trauma in der Rückkehr zu vergangener Größe und Einzigartigkeit zu überwinden. Gefangen im Gefühl nationaler Erniedrigung, suchte die Mehrheit durch ihn Trost, später gar Erlösung. Was man im Westen lange nicht verstand: Wladimir Putin ist nicht die Ausnahme russischer Politik und auch nicht der »Deutsche« im Kreml.[21] Die Ausnahme, der »Deutsche« im Kreml, das war eher Michail Gorbatschow. Wladimir Putin, ein Mann mit vielen Eigenschaften, bündelte vielmehr eine tiefsitzende, kollektive Sehnsucht nach Wiederauferstehung und Revanche.

Er war, so viel weiß man, ein geliebtes Kind.[22]

»Man muss in jedem Fall stark sein, egal ob man recht hat oder nicht« – Das Kind der Kommunalka

Wladimir Putin wurde am 7. Oktober 1952 in das Ende der Stalin-Ära geboren. Die Sowjetunion hatte triumphiert, unter unvorstellbaren Opfern den Faschismus besiegt. 27 Millionen Sowjetbürger waren auf den Schlachtfeldern des Zweiten Weltkrieges gestorben. Neben Stalingrad wurde die heldenhafte Verteidigung des eingekesselten Leningrad zum Symbol für den Überlebenswillen eines ganzes Volkes. Fast 900 Tage und drei grauenhafte Winter lang dauerte die Blockade durch die deutsche Wehrmacht mit dem Ziel, die Bevölkerung systematisch verhungern zu lassen. Mehr als eine Million Menschen starben. Frauen, Kinder, Alte, sie verhungerten, erfroren, wurden von Krankheiten dahingerafft. Ein Wunder, wenn man, wie Marija und Wladimir Putin, Blockade und Krieg überlebt hatte. Das junge Arbeiterehepaar war Ende der 30er Jahre aus einem winzigen Dorf im Gouvernement Twer' nach Leningrad gekommen, Arbeitskräfte für die Fabriken der Stadt. Marija hatte die Schule nach vier Klassen verlassen, sie konnte nur schlecht lesen und schreiben. Wladimir war Schlosser, ein guter Arbeiter, klein, stark und schweigsam. Mit Kriegsbeginn 1941 wurde er in die 20. NKWD-Division eingezogen. Diese Truppen des Geheimdienstes verübten Sabotageakte hinter der Front und suchten nach Spionen, Kollaborateuren und anderen sogenannten »Verrätern« und »Volksfeinden« in den eigenen Reihen. Schwerverletzt überlebte Wladimir Putin den Krieg. Eine Granate war vor seinen Beinen explodiert. Er litt sein Leben lang unter den Verwundungen. 32 Jahre dauerte es, bis er als Kriegsinvalide anerkannt wurde – erst dieser Status gab der Familie Hoffnung auf die Zuteilung einer Zweizimmerwohnung.

Die Putins trauerten um zwei Kinder. Wiktor, ihr erstes Kind, war noch als Baby gestorben, er wurde kein Jahr alt. Ihren zweiten Sohn, Oleg, hatten die Eltern zu Kriegsbeginn in einem staatlichen Kinderheim abgeben müssen. Man versprach bessere Versorgung für das Kind. Dort muss der kleine Junge bald gestorben sein, wie es hieß, an Diphterie.[23]

Während der 900 Todestage im eingeschlossenen Leningrad blieb auch Marija Putina irgendwann leblos in der Wohnung liegen. Man wollte ihren verhungerten Körper schon abtransportieren. Dann sah ihr Mann, gerade aus dem Lazarett entlassen, wie sie sich bewegte.[24]

Es glich einem Wunder, aber sie hatten beide den Krieg überlebt.

In der »Heldenstadt Leningrad« durften sich die Putins 1945 in einem kleinen Zimmer in der Basskow-Gasse 12 einrichten. Drei Familien teilten sich die »Kommunalka«, Wohnung 12 im vierten Stock, die Treppe war teilweise ohne Geländer. Die Küche der Gemeinschaftswohnung war im Flur, ein Gasherd, ein Spülstein, kein Fenster. Es gab kein fließendes Wasser, ein Brunnen stand draußen auf dem Hof. Auf dem Treppenabsatz war eine Toilette angebracht, hier sprangen die Ratten. Wie die Putins lebten Millionen Menschen in der Sowjetunion noch viele Jahre nach dem Krieg, überall die Erinnerung an Zerstörung und Hunger und Tod. Meist schwieg man über das Durchlittene. Fragen, gar kritische Fragen über den Krieg waren gefährlich: In Stalins Sowjetunion wurde man schnell als »Volksfeind« verurteilt und in die Lager des Archipel GULAG geschickt. Man schwieg und fand Sinn und Trost im Glauben an die siegreiche Sowjetunion, deren Armeen die Welt vom Faschismus befreit hatten. Wladimir Putin arbeitete in der Jegorow-Fabrik für Eisenbahnwaggons, machte mit 37 Jahren auf der Abendschule seinen Schulabschluss, wurde Parteisekretär seiner Abteilung. Marija schuftete als ungelernte Arbeiterin. Sie war Hausmeisterin, spülte Reagenzgläser in einem Krankenhaus, arbeitete in der Warenannahme einer Bäckerei, später als Nachtwächterin. Sie war eine zerbrechliche, zärtliche Frau, auf einem Auge nahezu blind. Von den Kriegsjahren würde sie sich nie mehr erholen.

Marija Putina war 41 Jahre alt, als ihr drittes Kind zur Welt kam,[25] ein ersehnter, geliebter Junge, sie nannten ihn Wladimir, Kosename Wolodja. Wie Millionen sowjetischer Kinder wuchs Wladimir in der lärmenden Enge der Kommunalka auf, ein schmächtiger, kleiner Junge mit blonden Haaren und dichten schwarzen Augenbrauen, der vielfach gestopfte Strumpfhosen und Filzpantoffeln trug. Und es ging ihnen wohl relativ gut. Offenbar aufgrund der Parteiarbeit des Vaters hatte man ihnen sogar ein Telefon zugeteilt, ein großer Luxus. Der Familie gehörte auch eine kleine Datscha außerhalb der Stadt.[26]

Wie Millionen Sowjetkinder entfloh Wladimir der unerträglichen Enge der Kommunalka auf die Straßen und Innenhöfe seines Viertels. Dort führten die größeren Jungs das Regiment. »Putka« rief man ihn, er fühlte sich frei in diesem »Dschungel«,[27] wie er sagte. Er fluchte ordentlich, prügelte sich mit den Großen, er ließ sich nie beleidigen.[28]

Immer wieder kam Putin später auf sein angebliches Rowdytum zurück, auch dies wurde Teil seines Image: der sowjetische Junge, der es, wenn nötig, mit jedem aufnehmen würde. »Ich war ein richtiger Schlägertyp.«[29] So beschrieb er die Erfahrung, als er, noch ein kleiner Junge, selbst zum ersten Mal verprügelt wurde: »Es war eine richtige Blamage. Ich verstand, dass man in jedem Fall stark sein muss, egal ob man recht hat oder nicht. Man muss immer die Möglichkeit haben, auf eine Beleidigung zu antworten. Und zwar auf der Stelle. Auf der Stelle!«[30]

Stark sein, sich wehren – dieser Grundsatz wurde zum Leitmotiv vieler Entscheidungen des späteren russischen Präsidenten. Etwa in der kleinen ossetischen Stadt Beslan 2004, als mehrheitlich tschetschenische Rebellen in einer Schule Kinder, Lehrer, Eltern als Geiseln nahmen. Während des brutalen Einsatzes der russischen Sicherheitskräfte starben hunderte Kinder. Doch Russland dürfe niemals Schwäche zeigen, so Putin damals: »Denn die Schwachen, die schlägt man.«[31]

Er war wohl, so würde man es heute wahrscheinlich umschreiben, ein hyperaktives Kind, offenbar unterfordert. In der Schule konnte er nicht still sitzen. Während des Unterrichts krabbelte er unter die Schulbank, sprang ständig auf, warf mit Schwämmen, trampelte mit den Füßen auf dem Tisch, nervte die Mitschüler. War unkonzentriert, aufbrausend, nachtragend. Einmal lief er hinaus auf den Balkon vor dem Klassenzimmer und hängte sich ans Geländer, oben im vierten Stock. Dann hangelte er sich von Fenster zu Fenster.[32] Immer wieder prügelte er sich, bestrafte so angebliches Fehlverhalten anderer. Offenbar hatte er keine Angst. Oder wenig Gespür für Risiko.

Seine aggressive Energie steckte er schließlich in die damals populäre neue Kampfsportart »Sambo«, eine Mischung aus Karate und Judo.

Mit 16 Jahren wurde Putin in den Leistungskader der Kampfsportgruppe »Trud«, die Arbeit, aufgenommen. Das harte Training, der Gruppenzwang und der von ihm bewunderte Trainer brachten ihm Disziplin und Geduld bei, Kontrolle über seine Emotionen.

Mit Disziplin und Geduld bewarb sich Wladimir Putin nach seinem Schulabschluss auch beim KGB, dem mächtigen Geheimdienst, vor dem die Menschen so viel Angst hatten. Sich selbst zu bewerben, war eher ungewöhnlich – denn normalerweise wurde man vom KGB auserkoren. Vielleicht wollte er damals auch den Helden der populären sowjetischen Fernsehserien »Die 17 Augenblicke des Frühlings« und »Schild und Schwert« nacheifern, tapfere Spione gegen die Nazis darunter. Jahrzehnte später, als sich Präsident Putin mit elf russischen Spionen traf, die man aus den USA ausgewiesen hatte, soll er gemeinsam mit ihnen den Titelsong der Serie »Schild und Schwert« gesungen haben.[33] Dass Lüge und Verrat zum Geschäftsmodell dieser Organisation gehörten, schien ihn nicht zu stören. Und auch nicht, dass die Mitarbeiter des KGB ebenso gefürchtet wie verachtet wurden. Er studierte eigens Jura, um seine Aufnahmechancen zu verbessern.

Wer damals vom KGB erwählt wurde, »Schild und Schwert« der Partei, hatte gute Chancen, in die sowjetische Elite aufzusteigen, die »Nomenklatura«. Zu Putins ersten KGB-Kollegen gehörten wohl auch Sergej Iwanow und Nikolaj Patruschew. Die beiden Männer besetzten später Schlüsselposten: Iwanow als langjähriger Verteidigungsminister; 2015 als mächtiger Leiter der Präsidialverwaltung, Putins Stabschef. Patruschew war bis 2008 Direktor des FSB, wurde danach Nationaler Sicherheitsberater. Sie wurden zu wichtigen Vertretern jener Gruppe, die später als »silowiki« bekannt werden würden: die Vertreter der Geheimdienste in der Politik, die im Jahr 2015 maßgeblich Russlands Politik bestimmen.

In den 70er und 80er Jahren formierte sich das Weltbild des jungen KGB-Offiziers Putin. Die strukturelle Schwäche des Landes muss ihm bewusst gewesen sein: Der ökonomische Niedergang, die politische Stagnation, die militärische Unterlegenheit.

Vor allem Anfang der 80er Jahre herrschte unter KGB-Chef Jurij Andropow ein fast paranoides Klima. Sowjetische SS-20-Raketen waren auf Westeuropa gerichtet; in der Bundesrepublik wurden amerikanische Pershing-II-Raketen stationiert. In Washington prangerte Präsident Ronald Reagan das »Reich des Bösen« an. Der KGB wiederum hatte in großangelegten Operationen die Überwachung westlicher Ziele verstärkt. Man glaubte: Die USA planen den nuklearen Erstschlag.[34] In diesen Jahren wuchs bei Wladimir Putin die Überzeugung: Die sowjetische Planwirtschaft war dem kapitalistischen Modell unterlegen. Der Westen war ein strategischer Gegner.

Ob er stolz war auf sein Vaterland, die Sowjetunion, fragten wir ihn einmal, als er schon Präsident war. »Nein, leider nicht«, antwortete Putin rasch. »Wir führten doch immer so ein ...«, er suchte nach dem deutschen Wort, »... erniedrigendes Leben.« Später bat er uns, die Frage zu wiederholen: »Nein, nicht alles war schlecht«, sagte er dann, »aber zugleich war in unserem Leben irgendetwas immer falsch.«[35]

Agentenleben – Die Jahre in Dresden

Noch Jahrzehnte später rankten sich Gerüchte um Putins Auslandseinsatz in Dresden 1985 bis 1990. Da war von Reisen in die Bundesrepublik unter dem Tarnnamen »Adamow«[36] die Rede, vom Anwerben westdeutscher Bürger. Gerätselt wurde auch über seine angebliche Beteiligung an der KGB-Operation »Lutsch«, der Strahl: Im Rahmen dieser Operation hatte der KGB Mitarbeiter befreundeter Geheimdienste ausspioniert, auch der Stasi. Dann wiederum sollte eine BND-Agentin namens »Lenchen Sch.« in der Dresdner-KGB Zentrale gearbeitet haben – es wäre eine ungeheuerliche Blamage für Putin gewesen.[37] Doch der Alltag des »Operativbevollmächtigten« Wladimir Putin war wohl eher profan: Er sammelte Informationen, meistens öffentlich Zugängliches, etwa über Parteien und ihre Politiker in der DDR und der BRD, auch über Militäranlagen der USA. Er versuchte, DDR-Bürger mit Westkontakten als inoffizielle Mitarbeiter zu gewinnen. Als Verbindungsoffizier hielt er Kontakt zu den deutschen »Kampfgenossen«, traf sich auch mit IMs der Stasi. Möglicherweise versuchte er auch, in Dresden und der Messestadt Leipzig Kontakte zu Westdeutschen zu knüpfen.[38]

In Dresden lebten die acht KGB-Mitarbeiter mit ihren Familien zusammen in einem Haus im Stasi-Wohnviertel, Radeberger Straße 104. Das Leben war fest normiert: Dienstzeit von 8 bis 18 Uhr. Die Ehefrauen wurden angewiesen, ihren Männern morgens ein warmes Frühstück zu servieren; gegen 12.30 Uhr sollte das Mittagessen auf dem Tisch stehen; gegen 19 Uhr das Abendbrot. Freitags fand der kollektive Saunabesuch statt, Feiertage und Geburtstage wurden gemeinsam begangen. Man blieb, so weit, unter sich. Inoffizielle, unkontrollierte Kontakte zu DDR-Bürgern waren nicht erwünscht.[39] Zu den KGB-Kollegen in der Radeberger Straße gehörte damals auch Sergej Tschemesow.[40] Der Absolvent der Russischen Generalstabsakademie wurde später zu einem der wichtigsten Mittelsmänner des russischen Präsidenten: zunächst als Leiter der russischen Rüstungsexportagentur Rosoboronexport, seit 2007 als Generaldirektor des Staatskonzerns Rostech. Damit unterstehen Tschemesow rund 700 russische Rüstungs- und Industrieunternehmen, die meisten leben von Staatsaufträgen.

Möglicherweise lernte Putin schon in Dresden den Stasi-Offizier Matthias Warnig kennen, einen strebsamen Volkswirt, der unter den Tarnnamen »Hans-Detlef«, »Arthur« bzw. »Ökonom« für den Staatssicherheitsdienst tätig war. Warnig arbeitete im Sektor Wissenschaft und Technik der Hauptverwaltung Aufklärung, Schwerpunkt Industriespionage, war offenbar auch in Düsseldorf tätig. Ein Foto zeigt die beiden 1989 nach einer gemeinsamen Veranstaltung von KGB, Stasi und den sowjetischen Streitkräften.[41] Matthias Warnig wurde 1991 der erste Repräsentant der Dresdner Bank in Sankt Petersburg – damals arbeitete

Putin in der dortigen Stadtverwaltung. Warnig folgte Putin auf dem Weg ins Zentrum der Macht, wurde später unentbehrlicher Kontaktmann zur deutschen Industrie, Gesprächspartner vor allem für den Energiebereich. Als Managing Director des Pipelineprojektes Nord Stream arbeitet er mit dessen Aufsichtsratsvorsitzendem Gerhard Schröder zusammen. 2015 bekleidete Warnig auch wichtige Aufsichtsratsposten in russischen Unternehmen, etwa bei der Bank Rossija und im staatlichen Ölkonzern Rosneft.

Was in diesen Jahren in Gorbatschows Sowjetunion passierte, Glasnost und Perestroika, die Hoffnungen und die Energie des Aufbruchs, muss den Familien in der Radeberger Straße fremd und fern geblieben sein. Nach seiner Rückkehr würde Putin nur die letzte Phase der Perestroika erleben: als Zusammenbruch des Landes und den Ausverkauf an den Westen.

Als Schlüsselerlebnis für Putin wurde jener Tag kurz nach dem Fall der Mauer beschrieben, als sich aufgebrachte DDR-Bürger am 6. Dezember 1989 vor der KGB-Residentur in Dresden versammelten. Dort brannten die Dokumente in den Öfen, »bis die explodierten«, wie Putin berichtete.[42] Seine Bitte um Hilfe beim örtlichen sowjetischen Militärkommandanten blieb unbeantwortet. Er gab sich als Dolmetscher aus, sprach mit den Demonstranten, bis die sich murrend, aber friedlich zerstreuten. Vielleicht wurde dieser Tag für ihn wirklich zum Symbol einer Kapitulation und jener viel zitierten »größten geopolitischen Katastrophe des 20. Jahrhunderts«, als die er den Zusammenbruch der Sowjetunion später bezeichnete.[43]

So beschrieb er die empfundene Schmach: »Mir war klar, dass die Sowjetunion an einer tödlichen Krankheit litt: der Paralyse der Macht. Im Grunde genommen wusste ich, dass der Fall der Mauer unvermeidlich war. Mir tat es nur leid um die verlorene Position der Sowjetunion in Europa. Sie haben einfach alles hingeschmissen und sind gegangen. Ich war so wütend, als ich zurückkam. Alle unsere Arbeit war umsonst.«[44]

Die Paralyse der Macht – sie musste überwunden werden.

Von der »aktiven Reserve« zum Präsidenten –
Das Petersburger Netzwerk

Sie brachten einen gebrauchten Wolga und eine alte Waschmaschine mit, als sie im Februar 1990 nach Leningrad zurückkehrten, die Waschmaschine ein Geschenk von Nachbarn. Sie bekamen eine kleine Zweizimmerwohnung am Stadtrand zugeteilt, die die Familie mit Putins Eltern teilte. Sie hatten keine Möbel, kaum Geld. Vor den Lebensmittelgeschäften standen lange Schlangen. Fleisch wurde knapp. Jeder neue Tag – eine neue Katastrophe.

Oberstleutnant Putin gehörte zunächst zur »aktiven Reserve« des KGB, kam als »Assistent des Rektors für Internationale Fragen« an der Petersburger Universität unter. Er war damit so gut wie arbeitslos. Für die Männer des KGB stand nicht nur die Zukunft der Institution auf dem Spiel, sondern auch ihre eigene. Während der beginnenden »Privatisierung« des KGB verließen Zehntausende den Geheimdienst und wurden Geschäftsleute, fließend die Grenze zur organisierten Kriminalität.[45] Für die Verbleibenden galt es, Einfluss und Macht zu sichern. Man musste neue Verbindungen knüpfen und neue Loyalitäten schaffen. Dazu gehörte auch, die »liberale Opposition« zu infiltrieren und zu beeinflussen.[46] Und einer ihrer wichtigsten Vertreter war damals der populäre Leningrader Politiker Anatolij Sobtschak – Putins ehemaliger Jura-Professor.

Als Anatolij Sobtschak im Mai 1991 zum Bürgermeister der Fünf-Millionen-Stadt gewählt wurde, ernannte er Putin zunächst zum Berater, bald zum Leiter des neu gegründeten »Komitees für Internationale Beziehungen«, kurz KVS. In dieser Position wurde Putin rasch zu einem der einflussreichsten Männer der Stadt.[47] Denn er koordinierte und beaufsichtigte die außenwirtschaftlichen Aktivitäten der Stadtverwaltung, etwa die Erteilung begehrter Exportlizenzen für Rohstoffe. Bald schon überwachte er auch die Arbeit der Sicherheitsorgane, der Staatsanwaltschaft sowie der Gerichte. Er war zuständig für den Kampf gegen Drogenhandel, für Lizenzen an Casinos und tausende Privatunternehmen. Er kümmerte sich auch um die Ansiedlung westlicher Firmen, führte Verhandlungen, auch in der Partnerstadt Hamburg. Er wurde sozusagen zum Mann für Russlands »New Economy«. Ein Mann für freie Marktwirtschaft nach russischer Art. »Er war der eigentliche Bürgermeister der Stadt«, so der ehemalige Hamburger Erste Bürgermeister Henning Vorscherau, »vorsichtig, illusionslos, immer auf der Hut und auf eine merkwürdige Weise furchtlos.«[48]

Mit an Sicherheit grenzender Wahrscheinlichkeit wusste Anatolij Sobtschak, dass Wladimir Putin ein KGB-Mann war. Das war kein Hindernis, sondern einer der wesentlichen Gründe für Putins Einstellung: Ein Mann mit seinen Kontakten und Informationen konnte dem Bürgermeister mehr nützen als schaden. Und Putin würde seinem politischen Mentor loyal durch alle politischen und persönlichen Krisen dienen, während des Putschversuchs im August 1991 gar seine drohende Verhaftung verhindern.[49] Kontakte, Informationen und diskrete Loyalität waren nur wenige Jahre später ein wesentlicher Grund für die Entscheidung des russischen Präsidenten Boris Jelzin, ihn zu seinem Nachfolger zu bestimmen, ihm damit sein persönliches Wohlergehen anzuvertrauen und das seiner sehr wohlhabenden Familie.

In diesen Petersburger Jahren,[50] als der Kapitalismus über das Land fiel wie eine Epidemie und die wichtigste Überlebensregel lautete, dass es keine Regel gibt, formierte sich jene kleine Gruppe von Männern, die Putin später nach Moskau folgen würden, die Gründungsmannschaft der »Russland GmbH«. Es handelte sich dabei nicht nur um »silowiki«. Vielmehr gehörten dieser Gruppe auch eine Reihe junger »liberaly« an, Juristen und eher marktwirtschaftlich orientierte Ökonomen. Und schließlich stießen einige Geschäftsleute dazu, die in Sankt Petersburg zu Geld und Erfolg gekommen waren. Sie alle hatten eine wichtige Lehre aus dem Zerfall der Sowjetunion und den frühkapitalistischen Jelzin-Jahren gezogen: Der Staat musste Kontrolle über die Schlüsselbereiche der Wirtschaft zurückgewinnen. Unternehmer mussten den strategischen Interessen des Staates dienen.[51] Die neuen russischen Staatskapitalisten sollten »mächtigere und bessere Kapitalisten« als die des Westens werden.[52]

Wie Putin arbeiteten viele von ihnen zunächst im Petersburger Bürgermeisteramt, dem Smolnyj-Palast. Putins früherer KGB-Kollege Wiktor Iwanow übernahm die Personalabteilung – fürs Personal war er auch später im Kreml zuständig. Der mutmaßliche ehemalige Mitarbeiter des militärischen Nachrichtendienstes GRU, Igor Setschin,[53] wurde Putins persönlicher Assistent, sein Alter Ego. Beide schrieben ihre Doktorarbeit beim gleichen Professor. Später stieg Setschin zum für Energiefragen zuständigen stellvertretenden Ministerpräsidenten und Vorstandsvorsitzenden des russischen Ölkonzerns Rosneft auf, er gilt als einer der engsten Vertrauten Putins.

In den kleinen Büros des Smolnyj-Palastes arbeiteten damals auch der spätere Gazprom-Chef Alexej Miller und der spätere Staatspräsident Dmitrij Medwedjew. Der Finanzfachmann Alexej Kudrin verantwortete den Haushalt der Millionenstadt – er wurde Russlands Finanzminister. Putins damaliger Stellvertreter Wiktor Subkow wiederum wurde Ministerpräsident und später Aufsichtsratsvorsitzender des Staatskonzerns Gazprom.[54]

Frischgebackene Geschäftsleute gesellten sich dazu, ehemalige Wissenschaftler aus Forschungsinstituten etwa, aber auch frühere KGB-Offiziere.[55] Sie hatten Lizenzen für ihre neu gegründeten Firmen in Putins Komitee für Internationale Beziehungen registriert.

Für die persönliche Sicherheit Putins war schon in Sankt Petersburg der KGB-Offizier Wiktor Solotow zuständig.[56] Mit Putins Wahl zum Präsidenten 2000 wurde Solotow Leiter des präsidialen Sicherheitsdienstes. Im Mai 2014 wurde der Generaloberst zum Chef der rund 200 000 Mann starken Truppen des russischen Innenministeriums ernannt, Putins »Prätorianergarde«, einsetzbar auch bei inneren Unruhen.[57]

31

Er selbst blieb immer bescheiden, sein Anzug aufgetragen, er schien unentbehrlich und unbestechlich. Es gab zwar Gerüchte, später Ermittlungen über Geld und eine Villa in Spanien,[58] aber nie Beweise. »In dieser Zeit hätte ich reich werden können«, sagte er später einmal. »Aber ich wurde es nicht. Das macht heute meinen Wert aus.«[59] Man wusste nur: Am Komsomolskoje-See bei Sankt Petersburg hatte Wladimir Putin 1992 ein knappes Hektar Land erworben, eine kleine Datscha darauf gebaut. Sie brannte wegen eines Kurzschlusses 1996 nieder.[60]

Im November 1996 registrierten Putin und weitere sieben Bekannte die Kooperative »Osero«, der See: Man würde gemeinsam Datschen am Seeufer bauen. Die Mitglieder der Kooperative kamen in den folgenden Jahren sehr schnell zu Macht, Einfluss und persönlichem Reichtum. »Osero« wurde zum Symbol für den Kapitalismus der »Kumpanen-Oligarchen«: Der Milliardär[61] Jurij Kowaltschuk etwa, Gründer und Mehrheitsaktionär der Bank Rossija,[62] von dem US-Behörden 2014 vermuteten, er sei als »Kassenwart« auch für Putins Finanzen zuständig.[63] Auch Wladimir Jakunin, einst Diplomat mit mutmaßlicher KGB-Vergangenheit und erfolgreicher Geschäftsmann, auch er bereits 1990 Aktionär der Bank Rossija. Seit 2003 ist Jakunin Generaldirektor der staatlichen Russischen Eisenbahnen. Er herrscht damit über eines der größten russischen Staatsunternehmen, in dem immer wieder Milliarden versickern.[64]

Weitere Freunde und Bekannte aus Sankt Petersburg wurden unter Putins Präsidentschaft als Unternehmer sagenhaft reich. Die Brüder Arkadij und Boris Rotenberg etwa, Jugendfreunde, die gemeinsam mit Putin im Sambo-Klub trainiert hatten. Die Brüder waren 2015 vor allem im Infrastruktur- und Pipelinegeschäft tätig, auch sie Milliardäre.[65] Bei der Ausrichtung der Olympiade in Sotschi sollen sie Staatsaufträge in Höhe von sieben Milliarden Dollar erhalten haben – allein die machten mehr als die Gesamtkosten der Winterolympiade von Vancouver aus.[66] Seit 2008 kauften die Brüder Rotenberg Tochterfirmen des Staatskonzerns Gazprom und führten sie in der Strojgasmontasch-Gruppe zusammen, einem der größten Unternehmen im russischen Pipelinebau.[67] Und wollten 2015 in staatlichem Auftrag auch mit dem Bau jener Brücke beginnen, mit der die Halbinsel Krim eine von der Ukraine unabhängige Verbindung zum russischen Festland erhalten soll – ein 3,5-Milliarden-Dollar-Projekt, von dem niemand weiß, ob es wirklich realisierbar ist.[68]

2012 soll Arkadij Rotenberg mit dem Münchner Palais an der Oper eine der teuersten Immobilien Deutschlands erworben haben[69]. Als die italienische Regierung im Zuge der verhängten EU-Sanktionen gegen die Brüder Rotenberg im Herbst 2014 mindestens zwei Villen auf Sardinien sowie ein Hotel in Rom konfiszierte,[70] erließ die russische Staatsduma rasch ein Gesetz über Entschädigung aus staatlichen Mitteln. Man taufte es das »Rotenberg-Gesetz«.

Auch der Aufstieg des Ölhändlers Gennadij Timtschenko begann in den 90er Jahren in Sankt Petersburg. Timtschenko arbeitete damals in der Außenhandelsabteilung einer kleinen staatlichen Raffinerie in Kirischi bei Sankt Petersburg. Früh hatte eine Handelsabteilung der Raffinerie eine der begehrten Lizenzen für den Export von Mineralölprodukten erhalten.[71] In diesem Zusammenhang lernten sich Timtschenko und Putin kennen. Später ließ sich Timtschenko in der Schweiz nieder. In Genf ist jene Firma ansässig, die nach offiziellen Angaben bis 2014 mehrheitlich Gennadij Timtschenko und dem Schweden Torbjörn Törnqvist, einem leidenschaftlicher Segler,[72] gehörte: Gunvor.[73] Innerhalb weniger Jahre war Gunvor nach 2003 zu einem der größten Ölhändler der Welt aufgestiegen, zunächst vor allem durch den Verkauf von russischem Öl.[74] Gennadij Timtschenko wurde zu einem der reichsten unter Russlands Milliardaren. Noch im Krisenjahr 2014 stand er mit einem Vermögen von 11,9 Milliarden Dollar auf der *Forbes*-Liste.[75] Dass Wladimir Putin persönlich von Gunvors Milliardengewinnen profitieren soll, wurde nie bewiesen.[76] Allerdings setzten die US-Behörden Timtschenko nach der Annexion der Krim auf ihre Sanktionsliste. Die Begründung: »Timtschenkos Aktivitäten im Energiesektor sollen eine direkte Verbindung zu Putin haben. Putin hat in Gunvor investiert und könnte auch Zugang zu Gunvors Vermögenswerten haben.«[77] Der Konzern wies die Vorwürfe als »hanebüchen« zurück.[78] Gennadij Timtschenko verkaufte seinen Anteil an Gunvor 2014 an seinen schwedischen Geschäftspartner. Seine geschäftlichen Aktivitäten bündelte er zuletzt in der 2007 in Luxemburg gegründeten Volga Resources Group. Er investierte zunehmend auch im russischen Energiesektor.[79]

Putins phänomenaler Aufstieg in Moskau wurde auch durch sein Petersburger Netzwerk möglich. Sein späterer Finanzminister Alexej Kudrin holte ihn als verlässlich-diskreten Hüter der Geheimnisse 1997 in die Liegenschaftsverwaltung des Kreml[80] – in gewisser Weise verdankt Putin ihm seine Karriere. Innerhalb nur eines Jahres wurde er Chef des Geheimdienstes FSB; später Nationaler Sicherheitsberater; 1999 erfolgte seine Ernennung zum Ministerpräsidenten und schließlich zum amtierenden Präsidenten durch Boris Jelzin und dessen »Familie«. Auf ihn hatte man sich bei der langwierigen Suche nach einem »Erben« geeinigt. Denn Wladimir Putin war, so beschrieb es Jelzin, »auf militärische Art standhaft«.[81]

Der frühe Putinismus – Die »Russland GmbH«

Zu dieser Zeit wurde der »Polittechnologe« Gleb Pawlowskij im Maschinenraum des Kreml tätig. Der Politikberater war zuständig für das Image des Mannes, der zwar schon amtierender Präsident war, aber in Wahlen noch vom Volk bestätigt werden sollte. Pawlowskij verhalf dem Mann aus dem scheinbaren Nichts, diesem blassgesichtigen ehemaligen KGB-Offizier von kleiner Statur zu einem Ruf als harter Hund mit russischer Seele. Als er viele Jahre später den Kreml verlassen hatte, beschrieb Pawlowskij das damalige Lebensgefühl des Kandidaten und seiner Wähler. In der Sowjetunion großgeworden, gehörten sie einer Generation an, die das klägliche Ende der Perestroika erfahren mussten: »Putin gehört zu einer sehr großen, politisch nicht genau zu definierenden Schicht, die nach Revanche suchte. Auch ich gehörte dazu. Meine Freunde und ich konnten einfach nicht akzeptieren, was passiert war, und wir wollten nicht länger einfach nur zusehen. Putin gehörte zu denen, die bis Ende der 90er Jahre geduldig auf den Moment der Revanche warteten: auf die Wiederauferstehung dieses großen Staates, in dem wir einst gelebt hatten. Wir wollten nicht zurück zu einem totalitären Staat. Wir wollten vielmehr einen Staat, der respektiert würde. ... In diesem Sinne ist Putin ein sowjetischer Mensch, der sich Revanche zur historischen Aufgabe machte. ... Seine sowjetische Sprache, die Sprache der Geopolitik, sein harter Pragmatismus, der an Zynismus grenzte. Aber Putin ist kein Zyniker.«[82]

Von nun an würde es um Kontrolle gehen. Er sagte es selbst: »Im Kreml kontrolliert mich niemand. Hier kontrolliere ich alle anderen.«[83]

Wie das Handbuch einer Machtübernahme las sich das geheime Dokument, das die damals noch kritische russische Zeitung *Kommersant* kurz nach Putins Wahl Anfang Mai 2000 veröffentlichte: Vorschläge zur »Reform der Administration des Präsidenten der Russischen Föderation«.[84] Der detaillierte Punkteplan enthält konkrete Anweisungen zur Errichtung der landesweiten politischen Kontrolle über Parteien und Medien sowie die Aufforderung zur Diskreditierung oppositioneller Kräfte. Dies sei auch durch »aktive Agitation und Propaganda auf dem gesamten Territorium der Russischen Föderation« zu erreichen.[85] Mitarbeiter aus Geheimdiensten und Sicherheitsstrukturen sollten in die Präsidialadministration entsandt werden. Man musse in der Lage sein, »soziale und politische Prozesse in Russland, aber auch in den Ländern des nahen Auslands«[86] zu steuern.

Es gehört zum Wesen des Systems der »Russland GmbH«: Es geht dabei nicht um Korruption im klassischen Sinn. Es geht vielmehr um Zugänge, Verlässlichkeit, ein gewisses Vertrauen. In diesem System trifft der Präsident die strategischen Entscheidungen. Er macht die Dinge möglich. Bei Interessenkonflikten vermittelt er mögliche Kompromisse.[87] Milliardenaufträge gehen an Freunde, Bekannte, patriotische Unternehmer und loyale Oligarchen. Aber es gilt, das erwünschte Ergebnis zu liefern: Man darf sich keinen Fehler erlauben.[88]

Es entwickelte sich ein hochzentralisiertes System, zugeschnitten auf eine Person. Sie sitzt wie eine Spinne im Netz. Der Präsident fällt die strategischen Entscheidungen.

Das System basiert auf Loyalität und Macht der »silowiki« und der Kontrolle weniger über die entscheidenden ökonomischen Ressourcen. Das System wird durch Mehrheiten in Wahlen legitimiert; der Zugang oppositioneller Kräfte zu den Massenmedien wird dabei ebenso kontrolliert wie die Parteien und die Justiz. Man darf das System verlassen: Die Grenzen sind offen. Die Schlüsselindustrien sind verstaatlicht, auch sie geleitet von loyalen Gefolgsleuten. Die Grenze zwischen privaten Interessen und staatlichen Aufgaben ist aufgehoben, Geld und politische Macht verschmelzen. Staatsunternehmen dienen in Wahlkämpfen als »politische Maschinen«, sie übernehmen die Rolle von »Quasiparteien«.[89] In Seilschaften verflochtene Privatunternehmer, Putins Oligarchen, müssen ihre Verbundenheit zum »CEO« immer wieder unter Beweis stellen. Diese Treue wird mit Posten und Profit belohnt. Das System nutzt Korruption auf allen Ebenen zum Machterhalt: Wer käuflich ist, ist verwundbar. Und über allem und allen steht einer, Gesicht, Brand-Name und höchste Autorität in der »Vertikale der Macht«. Einer, der notfalls auch höchstpersönlich zur »manuellen Kontrolle« greift: ER, der Präsident.

Das Problem dieser simulierten Demokratie war von Anfang an ihr eigener Erfolg. Sie schien doch so effizient in den ersten acht Jahren seiner Herrschaft, als das Bruttoinlandsprodukt wuchs, das Durchschnittseinkommen mit dem Ölpreis stieg und im

Land endlich wieder Ruhe und Stabilität einkehrten, gar ein Gefühl der Sicherheit. Viel später erst merkten die Menschen den Betrug an ihrer Zukunft: Der Reichtum des Landes, seine enormen Rohstoffvorkommen, wurde von einer kleinen Gruppe monetarisiert, die abgeschöpften »Renten« zumeist auf Offshore-Konten transferiert. Für die soziale und ökonomische Modernisierung des Landes blieben nur Brosamen. »Keines der Schlüsselprobleme Russlands ist gelöst«, so der Osteuropaexperte Manfred Sapper: »Die mangelnde Wettbewerbsfähigkeit der Wirtschaft, die durch technologische Rückständigkeit, niedrige Produktivität und geringe Wertschöpfung gekennzeichnet ist, die Rohstofflastigkeit des Außenhandels, die enorme Korruption, der demografische Niedergang, die Abwanderung der besten Köpfe ins Ausland. Die Infrastruktur ist weitgehend veraltet, die Sozialsysteme sind überfordert.«[90] Noch im Jahr 2015 gibt es keine Autobahn, die den Westen mit dem Osten des Landes verbindet. Immer noch ist die Lebenserwartung eines russischen Jugendlichen niedriger als die eines Jugendlichen auf Haiti.[91] Immer noch steht Russland bei der Erteilung von Patenten – zuverlässiges Indiz für die Innovationsfähigkeit einer Volkswirtschaft – auf einem der letzten Plätze: Meldete 2013 etwa Deutschland 32 022 Patente beim Europäischen Patentamt an, reichte Russland gerade einmal 1168 Anträge ein.[92] Immer noch ist Russland eines der korruptesten Länder der Welt.[93] Und während rund 100 Männer mehr als ein Drittel des Volksvermögens kontrollieren, verfügen 50 Prozent aller Erwachsenen über ein Haushaltsvermögen von 871 Dollar – oder weniger.[94] Putins neues Russland scheint so stark – und ist so schwach. Der im Februar 2015 ermordete Oppositionspolitiker Boris Nemzow formulierte die Risiken der Machtkonzentration in einem seiner Berichte knapp: »Willkür, Korruption, Dummheit, Clanwirtschaft, Unprofessionalität und Verantwortungslosigkeit.«[95]

Es sollte ein wunderbarer russischer Sommer werden, dieser Sommer 2010, in dem die Krise des frühen Putinismus begann, trocken heiß, gleißend die Sonne, bilderbuchblau der Himmel, die Menschen waren aus den Städten auf ihre Datschen geflüchtet. Ferienstimmung. Braungebrannte Kinder auf Fahrrädern, Tomaten im Garten, ein Land auf Urlaub. Nach den Wahlen im Frühjahr 2008 war Dmitrij Medwedjew als Präsident im Kreml eingezogen. Wie in der russischen Verfassung festgeschrieben, hatte Wladimir Putin nach zwei Amtszeiten zunächst auf eine erneute Kandidatur verzichtet. Alles sollte »nach dem Gesetz« zugehen, »po sakonu«. Es sollte kein Problem sein: Medwedjew gehörte zu Putins engstem Kreis, sie hatten schon in Sankt Petersburg zusammengearbeitet. Nach seiner Wahl hatte der neue Präsident Putin umgehend zum Ministerpräsidenten ernannt. Eine Amtszeit nur, so war es wohl vereinbart, dann könnte Putin wieder Präsident werden. Rasch initiierte Medwedjew eine Verfassungsänderung: Nach der Wahl 2012 würde die Amtszeit des Präsidenten sechs statt wie bislang vier Jahre betragen. Es sollte kein Problem sein. Putin würde die Weltwirtschaftskrise managen, die steigende Arbeitslosigkeit, Inflation. Dmitrij Medwedjew hingegen, ein Mann von zarter Statur, sollte das neue, moderne Russland auch im Ausland vertreten, die städtische Mittelschicht. Ein Mann mit Smartphone und bald auch mit iPad und eigenem Blog, propagierte er Innovation und Transparenz, ließ sich von kremlkritischen Medien interviewen, stellte sich Fragen über die Machtkonzentration im Kreml. Mitten in der Wirtschaftskrise prangerte er den »Fluch der Ressourcen« an, »wie eine Droge« sei der Handel mit Rohstoffen.[96] Er schloss ein umfassendes nukleares Abrüstungsabkommen mit den USA ab, man sah ihn vergnügt mit Präsident Barack Obama in einer Hamburger-Braterei sitzen. Es war die Zeit des »Reset« mit dem Westen. Die Menschen in Russland schienen sich gar an den neuen Mann zu gewöhnen – und der schien durchaus Gefallen an der Macht zu gewinnen. Einige hofften sogar auf neue »Glasnost«. Offenheit.[97] Ihnen schien er nahezu wie ein Dissident im höchsten Staatsamt.

38

Brennende Wälder, Demonstrationen –
Die Krise des Systems

Doch dann, im heißen Sommer des Jahres 2010, brannten die trockenen Wälder im ganzen Land. Um Moskau standen die Moore in Flammen. Tagelang verdunkelte eine giftige Rauchwolke die Stadt. Im Land brannten Dörfer und Datschen, selbst militärische Einrichtungen waren bedroht. Hunderte, vielleicht tausende Menschen starben. Flüge ins Ausland waren ausverkauft. Hilflos die Feuerwehren, kaputt die Löschwagen und Pumpen, zu gering die Zahl der Löschflugzeuge; und als Wladimir Putin dieses Mal eingriff und höchstpersönlich ein Löschflugzeug steuerte, sahen dies die Bürger nicht mehr als Zeichen der Stärke, sondern der Schwäche. »Sie können uns nicht mehr beschützen«, hieß es landauf, landab. Vielmehr begannen die Bürger, sich selbst zu schützen. Sie verabredeten sich über Facebook und das russische VKontakte, sie packten Lastwagen voller Hilfsgüter, Matratzen, Decken, Lebensmittel, sie organisierten Medikamente, gar Ärzte. Sie erstellten eine Website, russian-fires.ru, fuhren hinaus in die Dörfer. Und all das war zu sehen, 24 Stunden am Tag, auf YouTube, in den Blogs, in den anderen sozialen Netzwerken: die Hilflosigkeit und Unfähigkeit und Lüge des Systems: »Sie können uns nicht mehr beschützen.« Das System aber – es war Wladimir Putin.

Putins bislang unangefochtene Popularität sank. Und im Kreml saß ein Präsident, der zunehmend unabhängiger schien. »Es herrschte eine ständige Angst, dass Medwedjew plötzlich die Regierung auflösen und damit eine neue Ausgangslage schaffen würde«, beschrieb Gleb Pawlowskij die Stimmung. »In Putins Umgebung hieß es, man werde dann im Gefängnis enden.« Woher diese Angst? »In der politischen Elite herrschte die feste Überzeugung, dass jeder vernichtet werde, sobald sich das Machtzentrum verschiebt, Druck durch die Massen entsteht oder eine populäre Führungsfigur auftaucht. Es herrschte das Gefühl ei-

ner großen Verletzlichkeit, Angst vor physischer Vernichtung.«[98]
Für Putins Männer aber gab es nur einen Garanten ihres Überlebens: Wladimir Putin selbst.

Am 24. September 2011 traten Dmitrij Medwedjew und Wladimir Putin auf dem Parteitag der Regierungspartei Einiges Russland im Moskauer Sportpalast Luschniki auf. Dieser Auftritt würde das Land verändern. Medwedjew kündigte an, dass Putin als Präsident in den Kreml zurückkehren wolle. Die monströs große russische Fahne auf der Leinwand, der orchestrierte Applaus, dazu Putin, es erinnerte an einen sowjetischen Parteikongress. Parlamentswahlen würden stattfinden, dann Putins Wahl. Alles schien entschieden. Der Aufbruch der vergangenen Jahre – eine Lüge. Bürgerbeteiligung – eine Farce. Wahlen – ein Fake. Veränderung – verschoben auf den Sankt-Nimmerleins-Tag. Putin, das System – für immer. Für immer?

Sie wollten einfach nicht länger wie Kinder behandelt werden. Sie sahen sich doch als Bürger eines modernen, eines europäischen Landes, in gewisser Weise war es – wie einige Jahre später in der Ukraine – eine Frage der Würde. Der Putin-Konsens drohte zu zerbrechen. Bei den Parlamentswahlen im Dezember 2011 erhielt die Regierungspartei weniger Stimmen als geplant. Vor allem die Menschen in den großen Städten entzogen Putin ihre Unterstützung. In Moskau erreichte Einiges Russland nur 47 Prozent, der niedrigste Wert im ganzen Land. Wahlmanipulationen wurden bekannt. Im Dezember 2011 gingen die Menschen in Moskau auf die Straße, Tausende, dann Zehntausende. Es waren Regierungsangestellte und Hipster, Lehrer und selbsternannte Anarchisten, Menschenrechtler und Zaristen. Sie verschoben den geplanten Weihnachtsurlaub in der Schweiz oder auf Bali, sie kramten ihre wärmsten Sachen aus dem Kleiderschrank, und sie steckten sich eine kleine Schleife an ihre Jacken: eine Schleife weiß und zart wie Schnee. Wie eine friedliche Farben-Revolution.[99] Sie fühlten sich gar wie Dekabristen.[100] In diesen Dezembertagen demonstrierten sie friedlich auf dem Moskauer

40

Sacharow-Prospekt und auf dem Bolotnaja, dem »sumpfigen« Platz gleich gegenüber des Kreml, sie harrten stundenlang aus. Und dann eilten sie stolz und glücklich in die kleinen Cafés der Umgebung, um sich aufzuwärmen und Fotos auf Facebook zu posten. Mochte Putin sagen, was er wollte, landesweit, im Fernsehen: dass ihn die weißen Schleifen an »Kondome« erinnerten.[101] Mochte er behaupten, dass die Demonstranten von den USA, gar von Hillary Clinton persönlich finanziert seien; mochten die Gesundheitsbehörden vor dem Ausbruch einer SARS-Epidemie warnen – sie demonstrierten, sie forderten »Saubere Wahlen!« und hielten ihre Plakate hoch: »Putin ist ein Dieb«, »Russland wird frei sein«, »Weg mit der Partei der Lügner und Diebe«.[102] Sie wollten Veränderung, aber nicht den Sturz des Systems.

Die Demonstrationen dauerten auch nach Putins Wahl zum Präsidenten im März 2012 an. Mit offiziell 64 Prozent hatte er ein – für Kreml-Maßstäbe – erniedrigend schlechtes Ergebnis erzielt. Aber nun war er zurück im Zentrum der Macht, und das System fand seine Antwort auf den Protest: Repression. Die führenden Köpfe der Opposition wurden wegen »Anstiftung zu Massenunruhen« angeklagt. Aber auch friedliche Demonstranten wurden willkürlich zu Jahren im Arbeitslager verurteilt. Die Botschaft war klar und brutal: Wer sich nicht mit dem System arrangiert, wird hart bestraft.

Was drohte, wenn man sich nicht arrangieren wollte, zeigte das Beispiel Xenija Sobtschak.

Kaum eine öffentliche Person in Russland ist so öffentlich wie sie, stets inszeniert sich Xenija Sobtschak mit Perfektion. Ihr Bekanntheitsgrad nähert sich dem von Wladimir Putin, dem Mann, den sie aus Kindertagen kennt.

Sie ist ein Kind der Perestroika. Wuchs auf in den wilden 90er Jahren, der Zeit vieler Umbrüche, sie war verunsichert und neugierig zugleich, fieberte der Zukunft entgegen. »Damals zählte nur Geld, Erfolg und Glamour«, sagte sie. »Wir träumten von Monte Carlo! Es war wie eine Verheißung.«[103] Rasch verinnerlichte sie die Gesetze der neuen Zeit, jeder selbstbestimmte Schritt auf ihren männermordend hohen High Heels ein Sieg über das Chaos des postsowjetischen Lebens. Sie wurde Russlands bekannteste »Tusowschtschiza«, eine schöne, privilegierte, junge Frau mit guten Beziehungen, die für die wirklich wilden Partys lebte und für die wirklich teuren Marken aus dem Westen. »Ich war stolz darauf«, sagte sie. »Wir fragten nicht, woher all das Geld kam, wir wollten es gar nicht so genau wissen. Es war alles zu verführerisch.« Sie studierte Internationale Beziehungen, hatte reiche Freunde. Bald kamen erste Fernsehauftritte, kleine Rollen in drittklassigen Kinofilmen wie »Diebe und Prostituierte« oder »Hitler kaputt«. Sie machte eine Bilderbuchkarriere in Putins System, sie war klug und frech und furchtlos. Sie moderierte »Russia's next Top Model« und jahrelang auch die Serie »Dom-2«, »Haus-2«, die russische Variante von Big Brother: natürlich viel härter, viel mehr Sex als das britische Original. Sie wollte einen Millionär heiraten und tat es dann doch nicht, sie fuhr Porsche Cayenne, verdiente mit Werbeauftritten, investierte in ein Moskauer Edelrestaurant und Wohnungen im Stadtzentrum. Sie war angekommen. Natürlich half ihr Name: Sobtschak. Sie war die Tochter Anatolijs, der als Bürgermeister von Sankt Petersburg Wladimir Putin gefördert hatte. Als Sobtschak später unter Korruptionsverdacht geriet, war es Putin, der ihm in einer nächtlichen Geheimaktion das Flugzeug schickte, das seinen früheren Chef außer Landes brachte. »Er war ein Freund und Mentor für mich«, sagte er. Als Anatolij Sobtschak im Februar 2000 starb, weinte Putin auf der Beerdigung.

Seine Tochter hatte eine eigene Radiosendung und eine Talkshow im kleinen, unabhängigen Fernsehsender »Doschd«, »Der Regen«. Sie stellte kritische Fragen.

Doch dann kam, so berichtete sie es, jener eiskalte Morgen des 10. Dezember 2011, als Zehntausende in Moskau gegen Putin und die manipulierten Parlamentswahlen demonstrierten. Und sie? Wollte zur Maniküre. Draußen wartete ihre Limousine mit

Chauffeur. »Es war so absurd. Nägel feilen, während meine Freunde vielleicht von der Polizei verprügelt würden? Ich fuhr dann zur Kundgebung. Ich wollte einfach nicht mehr schweigen. Niemand kann doch auf Dauer mit Lügen und Heuchelei leben. Und wenn die Regierung schon lügt, müssen wir die Wahrheit sagen.«

Sie nutzte ihren Namen, um in der Öffentlichkeit zu trommeln. Es machte sie selbst noch bekannter. Sie suchte in Wahllokalen nach gefälschten Wahlzetteln, versorgte ein Protestcamp mit Dixi-Klos, unterstützte die Punkfrauen von Pussy Riot und die barbusigen Protest-Feministinnen der ukrainischen Gruppe Femen. Sie drehte Putin-kritische Videos, stellte sie auf YouTube. Oppositionsführer Ilja Jaschin, ein auch politisch leidenschaftlicher junger Mann, wurde ihr Freund. Sie gehörte dem »Koordinierungsrat« der Opposition an, der allerdings nur wenige Monate existierte. »Ich möchte endlich in einem modernen europäischen Land leben«, sagte sie. »In einem zivilisierten Land, in dem Gesetze eingehalten werden. In dem Wahlen ehrlich sind. Und Präsidenten nicht ewig im Amt.«

Am 11. Juni 2012, wenige Wochen nach Putins pompöser Amtseinführung, klingelte es gegen acht Uhr morgens an ihrer Wohnungstür. Sie öffnete im Negligé, glaubte, es sei die Putzfrau. Dann stürmten acht schwer bewaffnete Polizisten das Appartement. »Hättest du einen ordentlichen KGB-Mann geheiratet, wäre dir das nicht passiert«, blaffte einer von ihnen. Fünf Stunden lang durchwühlten sie alles. Sie konfiszierten ihren Reisepass sowie 121 Umschläge. Darin fanden sich umgerechnet 1,5 Millionen Euro in bar, genüsslich wurden die Bilder im staatlichen Fernsehen gezeigt. Trotzig verteidigte sich Xenija Sobtschak: »Ich habe dieses Geld selbst verdient. Ich habe das Recht, es aufzubewahren, wo ich will. In Strümpfen, in Einmachgläsern, hinter meinem Klo, in meinem Safe.«

Die Behörden eröffneten ein Ermittlungsverfahren wegen Steuerhinterziehung, damit drohten ihr bis zu sieben Jahren Lagerhaft. Xenija Sobtschak verstand: An ihr wurde ein Exempel statuiert. Selbst für sie, die bislang unter dem Schutz des Systems stand, würden fortan neue Regeln gelten. Wenn sie sich nicht arrangieren würde, verlöre sie ihren sozialen Status und vielleicht sogar ihre Freiheit. Im Laufe der Monate wurde ihre Kritik milder. Die Beziehung zu ihrem Freund ging in die Brüche. Das Ermittlungsverfahren wurde eingestellt, sie bekam ihr Geld zurück. Sie behielt ihre Talkshow – nach dem Quasi-Sendeverbot des TV-Senders »Doschd«[104] hatte dieser ohnehin kaum noch Zuschauer. Auf der jährlichen Pressekonferenz des Präsidenten durfte sie nun auch weiterhin kritische Fragen stellen. Fast väterlich zugetan antwortete ihr Putin.[105] Zuletzt war sie Chefredakteurin eines Modemagazins und spielte an einem Moskauer Theater.

Er aber stand am frühen Abend des 4. März 2012 vor 100 000 Unterstützern, die man seit dem frühen Morgen in Bussen aus dem Moskauer Umland herangekarrt hatte, um dem neu gewählten Präsidenten zu huldigen. Es war ein kalter Abend, die Straßen säumten Sondereinheiten der OMON mit ihren Schildern und Schlagstöcken. Er stand auf einer Bühne vor dem Roten Platz, im Hintergrund die hohen Mauern des Kreml, vor ihm die Fahnen und die Menschen. »Wir haben gesiegt«, rief Wladimir Putin. Für einen Moment schien seine Stimme zu zittern, dann wurde sie zornig. Russlands Feinde, die mit ihren »Provokationen Russland als Staat zerstören und die Macht usurpieren wollen«, seien besiegt. »Ruhm für Russland!«[106] Die Kameras des staatlichen Fernsehens zeigten auf sein Gesicht. Tränen? Es schien, als liefen Wladimir Putin Tränen über die Wangen.[107] Es sei nur der kalte Wind gewesen, hieß es später.[108]

Belagerte Festung Russland – Putinismus als Mobilmachung

Das System schaltete nun in den »Überlebensmodus«, wie es die Moskauer Politologin Lilia Schewzowa beschrieb[109], die milde

Form des frühen Putinismus schlug um in »offenen Autoritarismus«,[110] Repression und aggressive Mobilmachung der Gesellschaft. Seit 2012 wurden immer mehr Entscheidungen im Kreml direkt gefällt. Wichtige Behörden, wie etwa das Oberste Ermittlungskomitee, wurden im Kreml angesiedelt. Berater und Bevollmächtigte des Präsidenten übernahmen strategische Planungsaufgaben, wie etwa Igor Setschin für den Bereich Energie. Damit verlor die Regierung letzte Kontroll- und Koordinierungsfunktionen. In wichtigen Großstädten wurden Bürgermeisterwahlen abgeschafft. Nichtregierungsorganisationen gerieten durch neue Gesetze zur Registrierung sogenannter »ausländischer Agenten« sowie über »unerwünschte ausländische Organisationen« unter massiven Druck.[111] Der Zugang zu oppositionellen Nachrichtenportalen wurde erschwert. Auch die Eliten waren nun nicht mehr sicher. Unabhängige Wissenschaftler wurden aus Universitäten und Thinktanks gedrängt, Oligarchen zur patriotischen »deofschorisazija«: Sie sollten ihr Kapital aus dem Ausland zurückholen und fortan in Russland investieren. Die russische Wirtschaft sollte autark werden. »Das Regime betreibt heute eine staatliche Mobilmachung in einer ›belagerten Festung‹«, schrieb der russische Publizist Nikolaj Petrow. »Der neue Kurs, der eine umfassende Konfrontation mit dem Westen bedeutet, ist nicht dem Augenblick entsprungen … Selbst die Ereignisse in Kiew waren nur der äußere Anlass für das endgültige Umschwenken. Vielmehr liegt dieser Kurs in der Logik des Regimes und hatte sich schon lange angedeutet. Das in den vergangenen 15 Jahren entstandene Oligarchen-Regime hatte eine derartige Monopolisierung der Kontrolle über Politik und Wirtschaft erreicht, dass jede Offenheit und erst recht eine weitere Öffnung – sei es durch mehr Einbindung in die Weltwirtschaft, sei es durch mehr echte politische Konkurrenz – dieses Monopol bedrohten.«[112]

Weder die Krise in der Ukraine noch die angebliche Einkreisung, gar Bedrohung durch die Nato sind die entscheidende Ursache für Putins radikale Abkehr vom Westen. Die Annexion der Krim und der verdeckte Krieg im Osten der Ukraine stehen auch im Zusammenhang mit der innenpolitischen Krise des Winters 2011/2012. Der friedliche Protest wurde als direkte Bedrohung der »Russland GmbH« wahrgenommen. Die Massendemonstrationen in der Ukraine und der Machtwechsel in Kiew 2014 verstärkten diese Furcht. Nach Putins Wiederwahl im März 2012 schuf die selektive Repression rasch ein Klima der Unsicherheit und Angst. Seitdem verließen Hunderttausende das Land,[113] vor allem junge, gut ausgebildete Menschen. Die klügsten Köpfe sehen in Russland keine Zukunft mehr für sich. Sie sehen keine Zukunft für Russland mehr.

Aber mehr noch – und gefährlicher: Der in den ersten Jahren eher pragmatische Putinismus wurde nun zunehmend ideologisiert. Dazu wurden Feindbilder aus sowjetischer Zeit ebenso wie Sehnsüchte nach imperialer Größe und vor allem ein russisch-orthodoxer Nationalismus mobilisiert.

Wladimir Putin beschwor nun die einzigartige Mission Russlands. Seine Sprache radikalisierte sich. Am 12. Dezember 2013 trat er durch die mächtigen, vergoldeten Türen des prachtvollen Georgssaals im Kreml, um in seiner jährlichen »Botschaft an die Föderale Versammlung«, seiner Rede zur Lage der Nation, die »russische Idee« zu verkünden. Das Entwicklungsmodell des Westens führe nicht zu mehr Stabilität und Ordnung in der Welt, sagte er, sondern letztlich nur zu »Barbarei und Blut«. Russland trage fortan die »historische Verantwortung«, seine eigenen, traditionellen Werte zu verteidigen: die wahren christlichen Tugenden der russischen Orthodoxie. »Welikaja Rossija«, das Große Russland, würde von nun an seinen eigenen Weg gehen. Seinem Beispiel als »führendes Land« würden andere folgen. Russland würde sein: ein konservatives Bollwerk gegen die »chaotische Dunkelheit«.[114]

Was man im Westen nicht verstand: Instinktsicher traf Wladimir Putin die Seele der müdegelebten, schweigenden Mehrheit. Denn jetzt, zwei Jahrzehnte nach Ende des Kalten Krieges, würde endlich die ersehnte Revanche erreicht. Eine gewisse Vergeltung für angebliche Demütigungen, für Enttäuschungen, Krisen, Armut, Zukunftsängste, verlorene Identität. Nun fand man neue Erfüllung in der Abwehr eines äußeren Feindes: Die angebliche »Aggression der Nato«, die »imperiale Strategie der USA«, die »Dekadenz des Westens« und vor allem der – obwohl doch von Russland angezettelte – Krieg im Osten der Ukraine, das Leiden und Sterben der Menschen, legitimierten die innere Mobilmachung. Diente die heroische Inszenierung seiner Person schon lange als Projektionsfläche kollektiver Sehnsüchte, sollten Wladimir Putin und sein Land nun zunehmend zu einer Einheit verschmelzen: zur Festung Russland. Während in Kiew die Menschen auf dem Majdan für eine andere, eine europäische Zukunft demonstrierten, wurde die Olympiade von Sotschi zum »Triumph seines Willens«.[115] Putins Popularität stieg und stieg. Im März 2014 explodierte sie in rauschhafter Hysterie. Wie ein Schlachtruf hallte es durch das Land: »Krym nasch!« Die Krim ist unser! Nie wieder würde man sich demütigen lassen. Revanche!

Die Annexion der Krim war in vielerlei Hinsicht eine Zeitenwende: Der ohnehin schon kleine prowestliche Teil der russischen Elite wurde nun noch kleiner. Sie hatte keinen Einfluss auf den politischen Entscheidungsprozess mehr. Für kritische Beobachter kam die Annexion der Krim gar einem »Umsturz« gleich, der Machtergreifung einer Putin-»Junta«, der es fortan nicht mehr allein um Geld, sondern vor allem um Geopolitik gehe.[116] Im Sommer 2015 wurden vorgezogene Parlaments-, gar Präsidentschaftswahlen geplant: Sie sollen die neuen Machtverhältnisse absichern.

Und so soll es nach seinem Willen sein: ohne Putin – kein Russland.

WIRTSCHAFT
In der Falle

> »Stürmst nicht auch du dahin, mein Russland,
> wie eine flinke Troika, die niemand einholen kann? ...
> mit neidischem Blick treten die anderen Völker
> und Staaten zur Seite und machen ihm Platz.«
>
> Nikolai Gogol[1]

Trügerischer Boom. Das Finanzzentrum
»Moskau-City« im Bau, 2009

Geheimnisumwittert war sie, eine fast verbotene Straße, noch gar nicht so lange ist es her. Im Südwesten Moskaus beginnt die Rubljowo-Uspenskoje-Chaussee, kurz Rubljowka. Einem schmalen Band gleich läuft sie parallel zum Moskwa-Fluss. So war sie früher: Kiefern, sanfte Hügel, schiefe Holzhäuschen mit verknorrten Apfelbäumen im Garten. Man war ganz nah an der großen, tosenden Stadt und schien doch weit weg, in einem anderen, ursprünglichen Russland. Romantisch fast.

Schon immer war die Rubljowka eine Straße der Mächtigen. Iwan der Schreckliche ließ hier Falken fliegen, Katharina die Große pilgerte zu einem Kloster.[2] Zu sowjetischen Zeiten lebten die kommunistischen Generalsekretäre und Politbüromitglieder entlang der Rubljowka, ließen sich in streng abgesperrten Sanatorien behandeln. Michail Gorbatschow lebt hier, Boris Jelzin fiel hier einst im Alkoholrausch von einer Brücke. Hier standen die Datschensiedlungen des KGB und des sowjetischen Schriftstellerverbandes – und wer einmal ein Wochenendhaus ergattert hatte, gab es nie wieder her. Ausländer durften die Rubljowka nur mit Sondergenehmigung befahren, selbst ein Sonntagsausflug an den kleinen Moskwa-Badestrand in Nikolina Gora musste beim sowjetischen Außenministerium angemeldet werden. Immer war die Rubljowka irgendwie etwas Besonderes.

Irgendwann hatte meine Freundin Marina, so will ich sie nennen, beschlossen, ausgerechnet entlang der Rubljowka eine Datscha zu suchen, ein kleines Stück Glück in der Nähe der Stadt. Ein Sommerhäuschen für die Kinder, ein Garten für Kartoffeln und Gemüse. Sie dachte wie immer sehr praktisch: Die Rubljowka war die Straße der Mächtigen. Also würde sie stets asphaltiert sein. Anders als viele Straßen außerhalb der Stadt, die sich im Frühjahr und im Herbst in unpassierbare Schlammwüsten verwandelten. Und im Winter wäre sie stets von Schnee und Eis befreit.

Nach langem Suchen fand Marina schließlich ein wackeliges Häuschen aus Holz in der Nähe der Rubljowka. Hinter der Bahnstation Usowo ging es links ab, an der Geflügelsowchose vorbei rechts, und dann waren es nur noch ein paar Kilometer durch Fichtenwälder, an brachliegenden Feldern und Wiesen vorbei. Ein rumpeliger Weg durch das kleine Dorf bei Gorkij-9, ein kleiner Bach, am Ufer der Zeltplatz für ein Sommerlager der Pioniere. Weiter hinten im Wald, raunte man, waren Soldaten der nuklearen Streitkräfte stationiert, wohl Luftabwehr. Marina renovierte das alte Häuschen, sie beschaffte Baumaterialien, bohrte einen Brunnen, und irgendwie gelang es ihr sogar, einen Anschluss an die Erdgasleitung zu organisieren. So war die Datscha

49

nun auch im Winter bewohnbar – und die Wohnung in der Moskauer Innenstadt könnte man im Notfall vermieten. Es waren die wilden 90er Jahre, alles war im Aufbruch und unwägbar zugleich. Mit bewundernswerter Tatkraft begegneten die Menschen allen Unsicherheiten und Krisen dieser Jahre. Ständig stellte sich ihr Leben auf den Kopf. Und doch versuchten sie, immer das Beste daraus zu machen. Eine kleine Datscha, Apfelbäume, drumherum Wiesen, und im Winter versanken wir bis zu den Hüften im Schnee.

Im Jahr 2000 bezog auch der neue russische Präsident Wladimir Putin eine Residenz entlang der Rubljowka:[3] seine Villa in Nowo-Ogarjowo, nur ein paar Kilometer Luftlinie von Marinas Datscha entfernt. Oft empfängt der Präsident hier seine Gesprächspartner, manchmal noch weit nach Mitternacht. Putin, heißt es, ist ein Nachtarbeiter.

Der Präsident hatte seine Amtszeit mit durchaus liberalen Wirtschaftsreformen begonnen. Steuersenkungen und ein neues Bodengesetz gehörten dazu, der Landkodex. Nun konnte man Land kaufen – und verkaufen. Russlands Bürger wurden zu Landbesitzern. Es war eine Revolution – in jeder Hinsicht. Und die Rubljowka wurde zum Symbol einer neuen Zeit: einer Epoche des Wohlstands und der Stabilität, die Putin eingeläutet hatte.

Jeder wollte an die Rubljowka, auf Tuchfühlung zur Macht. Oligarchen und weniger reiche »bisnesmeny«, Parlamentsabgeordnete, Minister, Schauspieler, Künstler, die jungen Kreativen. Der damals reichste Mann in Russland, der Öl-Oligarch Michail Chodorkowskij, hatte gleich mehrere Hektar im Dörfchen Schukowka gekauft. Hier hatte er für sich und seine engsten Geschäftspartner gebaut, Teilhaber des Yukos-Konzerns, auch ihre Villen hinter hohen Zäunen, bewacht von Sicherheitspersonal. »Apfelgarten« nannte er die kleine Siedlung.

In Marinas Dorf wurde das Weideland der ehemaligen Kolchose privatisiert. Sie nahm ihr Erspartes, ergatterte ein Stück Wiese in der Nachbarschaft, einige Hundert Quadratmeter groß.

Es lag günstig entlang der Erdgasleitung. Man kann ja nie wissen, sagte sie, wie immer praktisch denkend: Es wäre eine Investition »na tschornyj den«, für den schwarzen Tag also, Zeiten der Not. Überall in der Gegend sah man nun stolze Landbesitzer, die hohe Zäune um ihr Eigentum zogen. Sie frästen Wege frei, gruben Brunnen und Sickerschächte. Sie bauten. Und wie sie bauten! Die neuen »Datschen« waren keine Datschen mehr: Immer mächtiger wurden die Häuser, nun aus Ziegeln, monströs-hässlich manchmal, mehr Festung als Haus, viele Türmchen, manche mit lindgrüner Fassade und knallroten Dächern. Ein Geschäftsmann errichtete eine ganze Siedlung mit hässlichen Eigentumswohnungen – so teuer, dass die meisten unverkäuflich blieben. Ein anderer Unternehmer spendete eine Kirche, angeblich aus schlechtem Gewissen. Ihre vergoldete Kuppel leuchtete im Sonnenuntergang. Ein Supermarkt eröffnete, bald florierte ein Gartenbaumarkt mit importierten Setzlingen aus den Niederlanden und Bäumen aus Deutschland, später kam ein offenbar von Indern finanziertes privates Krankenhaus im Nachbarort dazu.

Die Villen der wirklich Reichen bekam man nicht zu Gesicht, sie lagen versteckt in weiträumig abgesperrten Arealen. Schlösser à la Versailles, osmanische Paläste, gigantische Palazzi in italienischem, grotesk große Landhäuser in englischem Stil – manche mit Wärmeleitungen im Boden der gepflegten Parkanlagen, die im Winter den Schnee schmelzen ließen.

Die Arbeit wurde von Bautrupps vornehmlich aus Tadschikistan, Usbekistan, dem Kaukasus und aus der Ukraine erledigt, auch dies ein Zeichen der neuen Zeit. Aus den ehemaligen Sowjetrepubliken kamen ganze Armeen billiger Arbeitskräfte in Putins Russland, es wurden Millionen. Meist hausten sie in halbfertigen Gebäuden oder Kellern zu menschenunwürdigen Bedingungen. Schlecht bezahlt, oft miserabel behandelt, Menschen zweiter und dritter Klasse – Russlands Arbeitssklaven.

Die Nähe zur Rubljowka lockte reiche Investoren an, sie kauften, was sie kriegen konnten. Die Grundstückspreise explodierten, bald wurde das Land knapp. In den exklusiven Lagen nahe der Chaussee wurden bis zu 20 000 Dollar für eine »sotka« gezahlt, 100 Quadratmeter, Makler riefen 20, 30, 50 Millionen Dollar für eine Villa auf. Man munkelte von Korruption in großem Maßstab. Es hieß, einer der begehrtesten, weil lukrativsten Posten in Russland sei der des Gouverneurs des Gebietes Moskau – auf seinem Tisch landeten viele Privatisierungseingaben und die entsprechenden Bauanträge gleich mit.

Die Rubljowka veränderte sich in rasender Geschwindigkeit.

Es verschwanden die kleinen Marktstände, auf denen früher Händler aus Aserbaidschan und Georgien Obst und sündhaft teure langstielige Rosen verkauft hatten. Restaurants entstanden, die »Zarenjagd« etwa, eines der teuersten im Land. Shoppingcenter, Kosmetikstudios, Supermärke voller Importwaren, frischer Hummer, teuerste französische Rotweine. Schließlich das »Barvikha Luxury Village« mit der Bentley-Vertretung, den vielkarätigen Diamanten bei Graff und »Billionaire Italian Couture«, all das in eleganten Flachbauten mit Fassaden aus edlem Holz ... Und morgens staute sich der Verkehr auf der nur zweispurigen Straße so, dass man für die 20 Kilometer in die Moskauer Innenstadt manchmal drei Stunden brauchte und mehr. Auch dieses Problem wurde später gelöst – durch eine achtspurige private Umgehungsautobahn.

Doch die Rubljowka ist mehr als die »Meile der Milliardäre«, die hier einen kleineren Teil ihres sonst auf Offshore-Konten gesicherten Kapitals angelegt haben. Es gibt viele Rubljowkas im Land, Erfolgsgeschichten, klein und groß, reich und weniger reich. Denn zum ersten Mal in ihrem Leben machte Wladimir Putin die Menschen seines Landes zu Konsumenten.

Es war auch Marinas persönlicher Sieg über die Vergangenheit. Nie wieder sollte sich die Not wiederholen, die noch Anfang der 90er Jahre geherrscht hatte. Vielen war sie direkte Folge der Perestroika, des Zusammenbruchs der Sowjetunion: Die immer noch leeren Geschäfte, die elenden Schlangen davor, manchmal wurde sogar das Brot knapp.[4] Staatsangestellte blieben monatelang ohne Lohn, Renten wurden verspätet ausgezahlt. Nie wieder sollte sich das kriminelle Chaos der 90er Jahre unter Jelzin wiederholen, die »voucherisazija«, die nichts weiter war als ein gigantischer Raubzug: Damals wurden Russlands Werktätige zu »Eigentümern« der Fabriken und Unternehmen, in denen sie arbeiten. Ihre Anteile erhielten sie in sogenannten Vouchern. Die meisten verkauften sie rasch für lächerlich wenig Geld auf »Auktionen« an Privatunternehmer mit Zugang zu Kapital und Politik: an die späteren Oligarchen. Als der russische Staat 1998 zahlungsunfähig wurde, verloren viele Menschen dann auch noch ihre kargen Ersparnisse über Nacht. Immer war alles irgendwie im freien Fall. Doch jetzt, unter Wladimir Putin, dachten die Menschen zum ersten Mal an eine Zukunft. Löhne und Gehälter stiegen – noch nie verdienten die Russen so viel wie in den ersten acht Jahren seiner Herrschaft. Korruption, die gekaufte Justiz? Jeder will seinen Teil abhaben, hieß es. Die neuen Milliardäre, Putins Freunde? Das war schon immer so, hieß es. Die gelenkte Demokratie? Es funktioniert doch ... Die Menschen hatten Arbeit, sie besaßen ein Stück Land, sie bauten ein Haus. Sie kauften bei Ikea und in deutschen Baumärkten ein. Und hofften, wie Marina, dass sie ihren Kindern eines Tages sogar etwas vererben können. Es glich einem Wunder – Putins Wunder. Und »stabilisazija« wurde zum neuen Mantra.

Die Reformen des starken Staates – Putins Wirtschaftswunder

Zwei Tage bevor der damalige Ministerpräsident Wladimir Putin in einer Fernsehansprache von Präsident Boris Jelzin zu dessen Nachfolger ernannt wurde, stellte er am 29. Dezember 1999 sein Programm vor, die Millenniumsbotschaft: »Russland an der Schwelle zu einem neuen Jahrtausend«.[5] Darin verurteilte er die falsche Wirtschaftspolitik der Sowjetunion scharf: »Fast 70 Jahre lang marschierten wir in eine Sackgasse.« Putin forderte seine Landsleute auf, ihre selbstverschuldeten Probleme selbst zu lösen. Sonst würde Russland auf den Status eines Entwicklungslandes zurückfallen – »zum ersten Mal seit 200 bis 300 Jahren«. Das klang nach Westen und nach Marktwirtschaft.

Doch nicht allein westliche Wirtschaftsreformen würden Russlands Überleben sichern. Es brauche vielmehr »russische Werte« wie Patriotismus, das Volkskollektiv und vor allem den Glauben an den starken Staat. »Für das russische Volk ist der starke Staat keine Anomalie, nicht etwas, das man bekämpfen muss, sondern ist im Gegenteil der Garant von Ordnung sowie Initiator und maßgeblich treibende Kraft allen Wandels.«

Der Staat als Quelle von Ordnung und Wandel zugleich – es ist bis heute ein Schlüssel zum Verständnis dieses Mannes: Wladimir Putin definiert sich als »gosudarstwennik«, ein Mann des starken Staates. Es entsprach wohl auch seinem Selbstverständnis als KGB-Offizier, denn schon immer hatten sich die Kader des Geheimdienstes als »Männer des Staates« verstanden.[6] Dem starken Staat müssten die Menschen loyal dienen – dafür sorge er für sie: der Staat mit seinem Präsidenten an der Spitze.

Diesem Ziel diente auch seine Wirtschaftspolitik. Wladimir Putin war weder Markt- noch Planwirtschaftler, war weder Kapitalist noch Kommunist – er ging pragmatisch vor. Während seines Jurastudiums in Leningrad hatte er eine Abschlussarbeit über internationales Handelsrecht geschrieben. Seine Doktorarbeit im Fach Ökonomie 1996 behandelte die Frage der »strategischen Planung«. Er orientierte sich dabei offenbar weitgehend an einem amerikanischen Lehrbuch.[7] In einem Staat gelte es stets, strategische Reserven für Notfälle zu bilden. Unerlässlich dafür: finanzielle Souveränität sowie die Kontrolle über die entscheidenden Produktionsmittel des Staates, also die wichtigsten Industrien und Rohstoffe. Außerdem hatte er es in seinen Petersburger Ämtern schon früh hautnah mit hungrigen Kapitalisten aller Art zu tun – westlichen wie russischen. Diese Erfahrungen bestärkten ihn nur darin: Freie Marktwirtschaft ist für Russland keine Option.[8] Putin wollte den Kapitalismus vielmehr mit dessen eigenen Waffen schlagen: mit einem System des Staatskapitalismus, das er und loyale Gefolgsleute kontrollieren würden.[9] Es wurde die ökonomische Basis des Putinismus.

Nach seiner Wahl hatte Putin den Rechtsanwalt und erfolgreichen Geschäftsmann German Gref zum Minister für Wirtschaftsreformen ernannt. Auch Gref kannte Putin, wie den späteren Finanzminister Alexej Kudrin, noch aus Sankt Petersburg, der Putin Mitte der 90er Jahre nach Moskau geholt hatte. Die »jungen Liberalen«, zu denen auch Putins Premierminister Michail Kassjanow und Wirtschaftsberater Andrej Illarijonow gehörten,[10] arbeiteten einen Reformplan aus: die »Strategie 2010«, auch »Gref-Plan« genannt. Auch der Ökonom Igor Yurgens gehörte damals zum Kreis der Reformer. »Es war eine wunderbare Zeit«, erinnert er sich im Moskauer »Café Puschkin« bei einem doppelten Espresso ohne Zucker. »Es schien, als unterstütze uns Putin. Damals glaubten wir, dass er aus Russland eine Art zweites Polen machen wolle, ein wirtschaftlich reformiertes Land auf dem Weg nach Westen. Ein Land wie Polen – nur zehnmal größer. Aber das war eine falsche Hoffnung.«[11]

Denn Putin wollte kein zweites Polen. Er wollte Kontrolle über ein mächtiges, wiederauferstandenes Russland. Es wäre den USA ebenbürtig. Und es könne sich – falls nötig – den USA auch entgegenstellen.[12]

In den ersten Jahren seiner Präsidentschaft veranlasste er Reformen, die man als »westlich«, gar »liberal« beschreiben kann. Die Bodenreform setzte Putin gegen massiven Widerstand im (damals noch nicht gleichgeschalteten) russischen Parlament[13] durch. Mit seiner Steuerreform führte er 2001 eine »flat tax« von 13 Prozent für Personen ein, Unternehmen wurden mit 24 Prozent besteuert. Aufgrund der niedrigen Steuersätze stiegen die Steuereinnahmen: Viele versteuerten ihre Einkünfte – oder wenigstens einen Teil davon – jetzt zum ersten Mal. »Sich legal machen«, nannte man das. Die knallhart-konservative Fiskalpolitik von Finanzminister Kudrin wiederum hatte den raschen Abbau der Auslandschulden sowie den Aufbau finanzieller Reserven zum Ziel.

Als Putin an die Macht kam, war Russland faktisch bankrott. Acht Jahre später war das Land schuldenfrei – und nicht nur das: Es hatte seine Kreditschulden an den Internationalen Währungsfonds (IWF) sogar dreieinhalb Jahre früher als nötig zurückgezahlt[14] und 2006 seine Restschulden in Höhe von 23 Milliarden Dollar gegenüber den westlichen Kreditgebern des »Pariser Klubs« beglichen. Zugleich legte Kudrin massive Gold- und Devisenreserven an, mit mehr als 550 Milliarden Dollar im Jahr 2008 nach Japans und Chinas die drittgrößten der Welt.[15] Dazu kam der russische »Stabilisierungsfonds«, in dem Rücklagen gebildet wurden. Später wurde er in den »Reservefonds« sowie den »Fonds für Nationalen Wohlstand« geteilt, einem staatlichen Investitionsfonds.[16] Russlands neu gewonnene »Unabhängigkeit« wurde im Staatsfernsehen wie ein Sieg nach schwerem Kampf zelebriert.

Und tatsächlich würde sich mit der endlich erreichten »finanziellen Souveränität« ab 2006 auch Putins Außenpolitik substanziell verändern.[17]

Der Erfolg der frühen Jahre war vor allem auf Öl gebaut, Russlands wichtigster Ressource, und dies sollte später verhängnisvoll werden. Zwar wuchs das Bruttosozialprodukt mit der zunächst steigenden russischen Ölproduktion und den ebenfalls steigenden Weltmarktpreisen für das wichtigste Exportgut des Landes. Zwischen 2001 und 2011 verdoppelte sich die russische Ölproduktion, der Ölpreis vervierfachte sich.[18] Und mit dem Ölpreis stiegen auch die Preise für Gas und all die anderen russischen Schätze, für Gold, Nickel, Aluminium, Holz, für Stahl, Chemikalien, Düngemittel und Zement. China gehörte zu den größten Kunden, unersättlich schien dort der Hunger auf russische Rohstoffe. Hunderte Milliarden kamen in diesem Rohstoffsuperzyklus ins Land, leicht verdientes Geld, das Putin zur Verfügung stand.

Mit den steigenden Gewinnen stiegen Steuereinnahmen und Löhne – nicht aber die Arbeitsproduktivität in den meist veralteten Industriebetrieben: Noch 2014 betrug sie gerade einmal 40 Prozent der durchschnittlichen Arbeitsproduktivität in Deutschland.[19] Mit den steigenden Gewinnen wurden Importe finanziert, für Maschinen, Medikamente, Chemieprodukte und all die maßlos überteuerten Konsumgüter, die nun ins Land kamen. Ausländische – auch deutsche – Firmen waren dick im Geschäft. Für die hohen Margen nahm man Risiken wie juristische Probleme und die wuchernde Korruption gern in Kauf.

Die staatliche Kontrolle über Schlüsselindustrien wie etwa Energie, Rüstung, Finanzen oder Transport stand für Putin stets außer Frage. Die größten russischen Unternehmen sind mehrheitlich in Staatsbesitz, ebenso die sechs größten russischen Banken.[20] Nach Angaben des IWF bestreiten der russische Staat sowie die von ihm kontrollierten Unternehmen 71 Prozent des russischen Bruttoinlandsprodukts.[21] Staat und staatlich kontrollierte Großunternehmen gaben nun milliardenschwere Großprojekte in Auftrag: Pipelines, Gasverflüssigungswerke, Flughäfen, Eisenbahnstrecken, später auch die Infrastruktur für die Olympiade in Sotschi. Daran wiederum verdienten vor allem einige private Großunternehmer, darunter langjährige Bekannte Putins, Jugendfreunde. Sie wurden zu »Königen der Staatsaufträge«[22], stiegen zu Milliardären auf. Wer sehen wollte, der konnte früh sehen: Der Reichtum des weiten Landes wurde vornehmlich unter Putins loyalen Gefolgsleuten und ihren Kindern aufgeteilt.[23] Die Teilhaber der »Russland GmbH« schöpften die Renten ab. Aber sie schufen kein Wachstumspotenzial.

Die alten sowjetischen Krankheiten wurden nicht behoben: Misswirtschaft und Ineffizienz, wuchernde Bürokratie und Korruption. Und Probleme konnte nur einer lösen, höchstpersönlich: er, der »chosjain«. Noch so ein russisches Wort, das nur schwer zu übersetzen ist: Es bedeutet Besitzer, strenger Chef, Herr im Haus und umsichtiger Hüter zugleich. Der »chosjain«: Wladimir Putin.

Legendär seine Auftritte in Krisensituationen, wenn er die »manuelle Kontrolle« übernahm. Während der Finanzkrise 2009 etwa, als die Wirtschaftsleistung stärker zurückging als in den Ländern der EU und manche Betriebe monatelang keine Löhne mehr zahlten. In Pikaljowo bei Sankt Petersburg blockierten Beschäftigte der örtlichen Betonfabrik damals aus Verzweiflung die Fernstraße nach Moskau. Als der Stau 400 Kilometer erreicht hatte, eilte Putin im Hubschrauber herbei. Er zitierte die Verantwortlichen zum Rapport, die Sitzung wurde im Fernsehen übertragen. »Sie haben tausende Menschen zu Geiseln Ihres Ehrgeizes, Ihrer Unprofessionalität oder einfach nur Ihrer trivialen Gier gemacht«, las er ihnen die Leviten. »Wo ist sie denn nun, die soziale Verantwortung unserer Geschäftsleute?«[24] Man schaute betreten und ziemlich zerknirscht, auch der Milliardär Oleg Deripaska war darunter, Besitzer der Betonfabrik. Wie einen Schuljungen rief ihn Putin zu sich. Er habe eine Anweisung zur sofortigen Auszahlung der Löhne zu unterschreiben. »Und geben Sie mir meinen Stift zurück!«[25]

Später wurden Gerüchte laut: Der Verlauf der Sitzung soll abgesprochen gewesen sein, die Schimpftiraden ebenfalls.[26] Oleg Deripaska hatte während der Finanzkrise Kredite in Höhe von mehreren Milliarden Euro vom russischen Staat erhalten, um seine Betriebe zu retten.[27]

Putins Milliardäre beeilten sich jedenfalls, ihr Geld außer Landes zu schaffen: »ofshorisazija« wurde zum Synonym für Kapitalflucht. Seit 2008 waren es mehr als 500 Milliarden Euro,[28] allein im Krisenjahr 2014 154 Milliarden Dollar – beinahe zehn Prozent des russischen Bruttoinlandsprodukts.[29] Das Geld floss in Investmentfonds, Firmenbeteiligungen und hyperteure Immobilien in Europa und den USA. Es wurde schick, Weingüter in Frankreich zu kaufen. Mit Investorenvisa und den damit verbundenen Aufenthaltsgenehmigungen erleichterte Großbritannien die Ansiedlung zahlungskräftiger Kunden aus Russland. Die teuersten Immobilien in Mayfair wurden noch teurer, die von »Lifestyle Consultants« realisierten Wünsche der verwöhnten Kundschaft noch exklusiver. Man begründete Kunstsammlungen, eröffnete Restaurantketten, und auch »Hedonismus«, der angeblich teuerste Weinladen der Welt, wird von einem russischen Hundertfachmillionär betrieben.[30]

Konsequente Investitionen in Innovation, Diversifizierung oder die Modernisierung der Industrie und Landwirtschaft sowie der maroden Infrastruktur aber blieben vergleichsweise gering. Investiert wurde vor allem in den Bau von Immobilien und – Einkaufszentren.[31]

Schon im Wachstumsjahr 2007 schrieb jeder vierte, im globalen Finanzkrisenjahr 2009 bereits jeder dritte russische Industriebetrieb Verlust.[32]

Der trügerische Boom

Doch zunächst boomte es in Russland, es war wie ein Rausch. Die Wirtschaft wuchs um sechs, sieben, gar acht Prozent pro Jahr. Noch nie verdienten die Menschen so viel wie unter Präsident Putin: 2013 war das russische Durchschnittseinkommen auf 11 000 Euro jährlich gestiegen[33] – man war auf dem besten Weg, wie es Putin versprochen hatte, Portugal zu überholen.[34] Für viele vervielfachten sich ihre Einkommen innerhalb weniger Jahre. Händeringend wurden Fachkräfte gesucht, etwa in der Ölindustrie. Ihre Gehälter waren oft höher als etwa in Deutschland. Spekulanten fluteten die Finanzmärkte mit Geld. Jahrelang kannte der Kurs der Moskauer Börse nur eine Richtung: nach oben. Städte wie Moskau glühten vor Energie, es schien ein Leben auf der Überholspur, 24/7. Bei der Eröffnung ihrer gigantischen »flagship stores« überboten sich die Luxuslabel mit rauschenden Partys. Karl Lagerfeld kam und Giorgio Armani, Stars und Superstars ließen sich blicken. Alles war Glamour und Glitzer, die Frauen wunderschön, quasi über Nacht wurden Milliardäre geboren, alles und alle waren käuflich, alles war möglich. Und möglich nur hier, in Putins Russland.[35]

Meine Freundin Marina konnte ihre Moskauer Stadtwohnung an Ausländer vermieten. Sie brauchte die Einnahmen auch, um Rücklagen zu bilden. Zwar hatte sie jahrelang als Englisch-Dolmetscherin für ausländische Firmen gearbeitet, doch sie wusste: Ihre Rente würde umgerechnet höchstens ein paar Hundert Euro betragen. Doch sie konnte sich nun ein besseres, westliches Auto leisten, kaufte ein bei Ikea und bei Auchan, machte Urlaub auf Zypern. Natürlich besaß sie Computer und Smartphone, später wurde auch ihre Datscha wireless. Sie war keine Ausnahme – im Gegenteil: Unter Wladimir Putin entstand zum ersten Mal in der Geschichte Russlands eine breitere, städtische Mittelschicht. Sie zählte schließlich 30 Millionen Menschen.[36] Viele von ihnen standen in Staatsdiensten, arbeiteten in Ministerien oder Verwaltungen. Dort ergaben sich meist gute Chancen auf »Zusatzverdienste«. Sie arbeiteten als Rechtsanwälte, als Softwareentwickler, gründeten ihre eigenen kleinen Firmen, Reisebüros etwa. Auch die »kreativnyj klass« gehörte dazu, Designer, Künstler, DJs. Irgendwie konnten sie es sich leisten, am Wochenende zu Partys nach Berlin zu fliegen und zu Weihnachten Yoga in Thailand zu buchen, oft als Maskottchen im Schlepptau der Reichen.

Auch Marina war ihrem Präsidenten dankbar. Und doch machte sie sich Sorgen. Wie zynisch die Menschen wurden, wie gleichgültig. Es ging nur noch um Geld, den schnellen Profit, egal wie, es war wie eine Sucht, Korruption die Norm. Wie mitleidlos die Menschen um ihr materielles Glück kämpften – koste es, was – und wen – es wolle.

Gigantische Gewinne wurden ins Land gespült: Bis zu 2,2 Billionen Dollar »windfall profits«, also unerwarteter Gewinne durch veränderte Marktlagen, füllten die russische Staatskasse bis zur Krise 2014 allein aufgrund der steigenden Ölpreise.[37] Auf diesen Billionen nur allzu leicht verdienter Dollar beruhte der soziale Vertrag, den Putin mit seinen Wählern schloss: steigende Gehälter für den wuchernden Apparat der Staatsangestellten,[38] soziale Wohltaten für Rentner und Arbeiter in den Monostädten und auch für die Millionen sozial Benachteiligter auf dem Land. Armut und Arbeitslosigkeit sanken. Doch bald floss immer mehr Geld in Militär und Sicherheitsministerien. Seit 2008 wurden gigantische Rüstungsprogramme aufgelegt: Im Jahr 2014 wurden 33 Prozent des Staatshaushaltes für Verteidigung und »nationale Sicherheit« ausgegeben. Zur Finanzierung des maroden staatlichen Gesundheitssystems hingegen standen lediglich vier Prozent zur Verfügung.[39] Selbst in der reichen Hauptstadt Moskau wurden Patienten staatlicher Krankenhäuser aufgefordert, notwendige Medikamente etwa für eine Operation selbst mitzubringen.

Es passierte, was passieren musste: Im Jahr 2005 konnte Putin die Staatsausgaben noch mit einem Ölpreis von 20 Dollar pro Barrel finanzieren. Acht Jahre später musste der Ölpreis bereits 103 Dollar pro Barrel betragen, um den wuchernden Staatshaushalt zu decken.[40] Der Ölpreis aber stieg nicht weiter. Im Gegenteil: Er fiel dramatisch. Denn Öl war im Überangebot. Die USA waren zu einer Supermacht des Öls aufgestiegen, ihre Fördermengen gleichauf mit denen Saudi-Arabiens. Die Fracking-Revolution in Texas und den Rocky Mountains hatte es möglich gemacht. »Wir stehen am Beginn einer neuen Ära in der Geschichte des Öls und seines Preises«, so Daniel Yergin, einer der führenden Ölexperten der Welt. »Von unerwarteten Schocks wie politischen Krisen oder Krieg einmal abgesehen, gehört ein Preis von 100 Dollar oder mehr für einen Barrel Öl für viele Jahre der Vergangenheit an.«[41]

Abhängig vom Öl und vom Gas wie ein Junkie vom Koks, ist Russland im Jahr 2015 ähnlich verletzlich, wie es die Sowjetunion Anfang der 1980er Jahre war. Auch damals war der Ölpreis hoch, die Exporte in den Westen stiegen. Man fühlte sich mächtig und unverletzbar – bis der Preis wenige Jahre später auf 10 Dollar pro Barrel gefallen und das Land faktisch bankrottging. Es bedeutete den Beginn von Gorbatschows Perestroika – und den Anfang vom Ende der Sowjetunion.

Aus der Geiselhaft der globalen Energiepreise befreite Putin Russland nicht, und das ist der eigentliche Betrug an der Zukunft der Menschen in seinem Land. »Russland ist eine primitive Ökonomie, die auf Rohstoffen und endemischer Korruption basiert«, klagte schon 2009 der damalige russische Präsident Dmitrij Medwedjew. »Wir haben in den vergangenen Jahren nicht das getan, was wir hätten tun müssen.«[42]

Stagnation und Niedergang – Putins Wirtschaftskrise

In kaum einem industrialisierten Land der Welt sind die sozialen Unterschiede so groß wie in Putins Russland: Während die Zahl der russischen Dollar-Milliardäre zwischen 2001 und 2015 von 8 auf 88 stieg,[43] meldete das russische Statistikamt im Sommer 2015, die Zahl der Armen sei innerhalb eines Jahres von 19 auf 22,9 Millionen angewachsen. Als arm in Russland gilt, wer mit umgerechnet weniger als 15 Dollar pro Tag auskommen muss.[44] Immer noch lebt ein Viertel der russischen Bevölkerung in den 400 »Monogoroda«. Diese »Monostädte« wurden vor Jahrzehnten gegründet, um einen dominanten Industriebetrieb wie etwa eine Nickelhütte im arktischen Norilsk oder eine Autofabrik in Togliatti mit Arbeitskräften zu versorgen. Sie sind oft schlecht zu erreichen, die Maschinenparks der Fabriken meist hoffnungslos veraltet. Ob Straßen, Schulen oder Krankenhäuser – die Infrastruktur verrottet. Immer noch leben die Menschen in verfallenden Häusern, ohne Klo, oft ohne fließendes Wasser; wer hier noch Arbeit hat, verdient oft weniger, als es zum Überleben braucht.[45] Viele Löhne und Renten sind so niedrig, dass man davon noch nicht einmal das Wohngeld zahlen kann: Strom,

Heizung, Wasser, Telefon.[46] Arbeitsplätze werden weiterhin mit Milliarden aus dem Staatshaushalt subventioniert, auch dies ein Grund, warum die Arbeitslosenzahlen so niedrig sind.[47] So werden Millionen Menschen irgendwie bezahlt für Arbeit, die sie irgendwie leisten – oder auch nicht. Viele dieser Arbeitsplätze wären in westlichen Ländern längst Rationalisierungsmaßnahmen zum Opfer gefallen. Millionen Menschen produzieren Waren, die kaum konkurrenzfähig sind. Welche Produkte »Made in Russia« sind schon wirklich begehrt im Rest der Welt, könnte man unhöflich fragen, außer Wodka und – Kalaschnikows?[48]

Die Sanktionen des Westens seien für die Probleme verantwortlich, hieß es 2015 in Moskau. Der Westen sei schuld am Verfall des Ölpreises, vor allem die USA und deren Verbündeter Saudi-Arabien, der weltgrößte Ölproduzent. Verschwörungstheorien kursierten. Der Vorsitzende des russischen Sicherheitsrates und ehemalige Geheimdienstchef Nikolaj Patruschew sah bereits im Zusammenbruch der Sowjetunion das »Werk der CIA«; jetzt drücke Amerika den Ölpreis, um Russland gezielt zu schwächen. Auch Putin sah finstere Mächte am Werk, allen voran die USA. Die Krise sei vor allem auf Faktoren von außen zurückzuführen, erklärte er. Die westlichen Regierungen und »die politischen und wirtschaftlichen Eliten mögen uns lieber, wenn wir arm und elend sind und die Hand zum Betteln ausstrecken«.[49]

Doch das ist falsch. Die russische Wirtschaft stagnierte seit der Finanzkrise von 2008/2009, wuchs bereits 2013 nur noch um 1,5 Prozent. Die Stagnation war vor allem auf fehlende Investitionen zurückzuführen, also letztlich auf mangelndes Vertrauen. Putins Kapitalismus des starken Staates basierte ja vor allem auf informellen Netzwerken und persönlichen Beziehungen. Für all die, die außerhalb dieses Zirkels blieben, war das Risiko einer Unternehmensgründung viel zu hoch: Gesetze wurden umgangen, Richter waren käuflich, Unternehmer wurden bedroht, profitable Firmen gewaltsam übernommen – oft gedeckt durch die korrupte lokale Polizei. »Rejderstwo« nannte man das in Anlehung an das englische »to raid«: plündern, überfallen, eine Razzia durchführen. Immer deutlicher wurde, wie nötig Strukturreformen waren, vor allem Rechtssicherheit und der Kampf gegen Korruption. Das aber hätte den Status quo der herrschenden Elite bedroht. »Wer sehen wollte, konnte früh sehen, wohin die miserable Wirtschaftspolitik der russischen Regierung führt«, sagte der russische Ökonom Sergej Gurijew im Dezember 2014. »Schon vor dem Fall der Ölpreise wuchs die russische Wirtschaft kaum noch. Die Kapitalflucht hatte sich beschleunigt. Aktien russischer Unternehmen waren nur halb so hoch bewertet wie Aktien vergleichbarer Unternehmen in Schwellenländern. Warum? Weil Investoren schon lange das Vertrauen in die Zukunft der russischen Wirtschaft verloren haben. Jetzt rächt sich Russlands selbstgemachte Abhängigkeit vom Öl.«[50]

Als Direktor der renommierten Moskauer »New Economic School« galt Sergej Gurijew jahrelang als einer der liberalen Vorzeigeökonomen Russlands. Er beriet die russische Regierung. Doch dann sagte er zu, als ihn Ministerpräsident Dmitrij Medwedjew 2011 bat, an einem Gutachten über den Prozess gegen den inhaftierten Oligarchen Michail Chodorkowskij mitzuarbeiten. Gurijew kam zu dem Schluss, der Mann sei grundlos in Haft. Bald darauf begannen die Drohungen. Er habe sich für sein Gutachten wohl bezahlen lassen, hieß es. Dann wurde er aufgefordert, den Ermittlungsbehörden alle E-Mails der vergangenen fünf Jahre zur Verfügung zu stellen. Gurijew nahm diese Warnungen ernst: 2013 verließ er das Land, ging nach Paris. Dort lehrt er an der Sciences Po. Die Lage erinnere an die letzten Jahre der Sowjetunion, so Gurijew: an Breschnjews Zeit des »sastoj«, der lähmenden Stagnation.

Fallstudie: Rosneft oder der Fluch des Öls

Kaum ein Unternehmen symbolisiert Erfolg und Misserfolg der Wirtschaftspolitik Putins so wie Rosneft, der »Nationale Champion«. Rosneft: eines der größten Ölförderunternehmen der Welt. Der mächtigste Ölkonzern des Landes, zu 70 Prozent staatlich. Rosneft: das Kronjuwel der »Russland GmbH«.

Noch vor 20 Jahren war Rosneft ein winziges Staatsunternehmen aus der Konkursmasse der Sowjetunion. So chaotisch das Konglomerat, dass sich noch nicht einmal die gierigsten Oligarchen für einen Kauf interessierten. Als er Präsident wurde, plante Wladimir Putin zunächst eine Fusion von Rosneft mit dem Gasriesen Gazprom. So sollte ein globaler Energiegigant unter seiner Kontrolle entstehen, eine nicht versiegende Finanzquelle und ein Instrument politischer Macht. Im Juli 2004 setzte er Igor Setschin als Vorsitzenden des Aufsichtsrates von Rosneft ein.

Igor Setschin[51] gilt als einer der engsten Vertrauten Putins. Der mutmaßliche ehemalige Mitarbeiter des sowjetischen Militärgeheimdienstes GRU hatte als Armeedolmetscher in Angola gearbeitet. Der Mann mit Auslandserfahrung und Portugiesisch-Kenntnissen wurde Putins persönlicher Assistent in der Petersburger Stadtverwaltung, rasch unentbehrlich, sein Alter Ego.[52] Beide waren Anhänger des starken Staates, des kontrollierten Marktes und einig auch in ihrer misstrauischen Sicht auf die Welt, die sie voller Gegner und Feinde wähnen. Setschin folgte Putin in den Kreml, diente ihm als Büroleiter und stellvertretender Stabschef. Früh wurde er zuständig für Russlands Energiesektor.

Den einen ist er Russlands »Energiezar«, andere erinnert er an Darth Vader. Jedenfalls sind wohl nur wenige in Russland so einflussreich wie Igor Setschin, dieser meist so grimmig schauende detailbesessene Mann, der Tag und Nacht zu arbeiten scheint und behauptet, er habe für politische Angelegenheiten keine Zeit. Er ist der wohl machtigste Vertreter der einflussreichen Männer aus den Geheimdiensten und Sicherheitsapparaten in Politik und Wirtschaft. Putin ermöglichte Setschins Aufstieg. Man könnte aber auch sagen: Setschin gehört zu den Männern, die Putin möglich machten.

Als Aufsichtsratschef von Rosneft sollte Setschin 2004 die Fusion mit Gazprom managen. Entscheidend dafür aber war der Zugriff auf das damals größte und modernste russische Ölförderunternehmen, das zum Yukos-Konzern gehörte: Yuganskneftegaz. Yukos – das war Michail Chodorkowskij. Ein Jahr zuvor war der damals reichste Mann Russlands in Sibirien verhaftet worden.[53] Mit Chodorkowskijs Verhaftung Ende 2003 und dem Beginn des Prozesses wegen Steuerhinterziehung war Beobachtern klar: Yukos würde zerschlagen werden. Für den 19. Dezember 2004 war eine Auktion für den Verkauf von Yuganskneftegaz geplant. Gazprom sollte bieten, ein Konsortium deutscher Banken den dafür nötigen Milliardenkredit finanzieren, möglicherweise spann Bundeskanzler Gerhard Schröder im Hintergrund die Fäden.[54] In letzter Sekunde platzte der Deal,[55] Gazprom zog sein Gebot zurück. Yuganskneftegaz wurde am Sonntag, den 19. Dezember 2004 in einer nur zweiminütigen Auktion zu einem Preis von 9,35 Milliarden Dollar[56] an eine Firma mit dem Namen »Baikal Finance Group« verkauft. Niemand kannte die Baikal Finance Group. Als Firmenadresse wurde ein Haus in der Provinzstadt Tula angegeben, dort waren unter anderem ein Wodkaladen und ein Reisebüro registriert. Das Startkapital betrug umgerechnet 280 Euro. Der Kaufpreis wurde durch einen Kredit der staatlichen »Sberbank« garantiert.[57] Erst ein Jahr später wurde bekannt: Der größte Teil des Kredits war vom staatlichen chinesischen Ölkonzern CNPC finanziert worden – Vorauszahlungen für künftige Öllieferungen von Rosneft an China.[58]

Nur drei Tage nach der Auktion wurde die Baikal Finance Group von Rosneft gekauft. Als »vollkommen normalen Vorgang« bezeichnete dies Putin auf seiner jährlichen Pressekonferenz am 23. Dezember 2004.[59] So wurde Rosneft quasi von einem Tag auf den anderen zum zweitgrößten Ölkonzern Russlands – und bald zum größten. Die geplante Fusion mit Gazprom fand dann nicht mehr statt.

Der Staatsgigant Rosneft sollte zum Wachstumstreiber für Russlands Wirtschaft werden. Die Kontrolle aber würde vom Kreml ausgehen. Einige wenige Männer würden so letztlich auch über die ökonomische Zukunft Russlands entscheiden.

Schon 2006 brachte Setschin Teile von Rosneft an die Börse – mit zehn Milliarden Dollar der damals größte Börsengang in der russischen Geschichte. In den folgenden Jahren expandierte der Konzern. Setschin investierte in Bohrinseln vor Sachalin, kaufte Raffinerien in Deutschland,[60] wurde im Mai 2012 Vorstandsvorsitzender. Sein größtes Geschäft, ein Jahrhundertgeschäft, sollte 2013 der Kauf des russisch-britischen Ölkonzerns TNK-BP werden. Rosneft zahlte 55 Milliarden Dollar. Es war ein sensationelles Geschäft – vor allem für die vier Verkäufer von TNK, darunter Michail Fridman, schon lange einer der reichsten Männer Russlands, sowie Wiktor Wekselberg, auch er ein Veteran der Milliardärsliste von *Forbes*.[61] Der britische Konzern BP erhielt für seinen Anteil 17 Milliarden in bar und rund 19 Prozent der Rosneft-Aktien.[62]

Für den entscheidenden Moment des Geldtransfers auf ein Treuhänderkonto hatten die russischen Verkäufer einen politisch neutralen Ort gewählt, eine zuverlässige Bank: Frankfurt, die Büros der Deutschen Bank.[63]

Rosneft musste für den Kauf Kredite von über 40 Milliarden Dollar bei ausländischen Banken aufnehmen. Die Kredite sollten aus den laufenden Einnahmen bedient werden, dem Cashflow.

Hochverschuldet, war Rosneft nun größter Ölkonzern der Welt. Russlands mächtigster unter den großen Staatskonzernen, zweitgrößter Steuerzahler des Landes, lieferte er 40 Prozent der russischen Ölproduktion.[64] Rosneft war nun wie eine der Monsterbanken an der Wall Street vor Ausbruch der Finanzkrise: »Too big to fail«. Zu groß, um pleitezugehen.

Setschin hatte grandiose Pläne: die Eroberung der Arktis. Die Erschließung des arktischen Schelfs mit seinen gigantischen

Ölreserven sei »herausfordernder als die erste Landung auf dem Mond und wird vergleichbar hohe Investitionen erfordern«,[65] sagte er, manche Beobachter erinnerten diese Worte an sowjetische Zeiten. Bis zu 13 Milliarden Tonnen Öl seien dort zu erschließen. Im Laufe der Zeit werde das Öl aus der Arktis die alten Ölfelder Westsibiriens ersetzen. Russlands Zukunft wurde – buchstäblich – auf Eis gelegt.

Woher aber, wenn nicht aus dem Westen, sollte die Technologie für »deep offshore« in der Arktis kommen? Für Tiefwasser-Bohrungen im Nordmeer, inmitten driftender Eisberge, in Stürmen, bei Temperaturen von minus 30 Grad und niedriger? Woher die Experten? Wer würde die hochkomplexe Logistik organisieren, tausende Menschen, Spezialschiffe, die Technik? Setschin brauchte ausländische Partner. Er verhandelte eine strategische Zusammenarbeit mit ExxonMobil: »Die Beziehungen zwischen den USA und Russland wurden durch historische Stereotype behindert«, warb er noch im April 2012. »Aber wir sind schon lange keine Gegner mehr. Es ist an der Zeit, dass wir strategische Partner werden.«[66]

Nur zwei Jahre später waren aus strategischen Partnern wieder strategische Gegner voller »historischer Stereotype« geworden. Putin annektierte die Krim. Die USA und die EU verhängten Sanktionen. Sie trafen Rosneft massiv. Die sektoralen Sanktionen verboten die Lieferung von Technologie und Ausrüstung vor allem für die Ölindustrie – also Rosneft. Die Finanzsanktionen wiederum kappten Finanzierungsmöglichkeiten: Westliche Banken durften sechs russischen Öl- und Rüstungsunternehmen sowie fünf Staatsbanken nur noch Kredite oder Darlehen mit einer Laufzeit von maximal 30 Tage gewähren. Gleiche Regeln galten für die Refinanzierung vorhandener Kredite.[67] Auch Igor Setschin selbst stand auf der Sanktionsliste der USA.

Welch ein herrlich frischer Sommertag es war, wie gemacht für seinen Auftritt.[68] Eine Villa inmitten märkischer Kiefern am Ufer des Berliner Wannsees, sehr teure, sehr moderne Kunst an den Wänden, die Terrasse mit Blick auf das sonnenglitzernde Wasser, ein leichter Wind. Kaffee und Streuselkuchen, deutsche Wirtschaftsprominenz gab sich die Ehre, auch Außenamts-Staatssekretär Markus Ederer und der ehemalige Kanzlerberater Horst Teltschik waren gekommen. Die halbstaatliche Deutsche Energie-Agentur dena sowie United Europe, der Thinktank des ehemaligen RWE-Chefs Jürgen Grossmann, hatten Igor Setschin zum Vortrag geladen.

Setschins Berliner Auftritt sollte durchaus ein Signal sein, eine vertrauensbildende Maßnahme – auf beiden Seiten.

Er kam staatsmännisch mit großem Tross, den russischen Botschafter und seine leitenden Manager im Schlepptau. Gehilfen hatten Dutzende bunter Erfolgsstatistiken für seine PowerPoint-Präsentation ins Deutsche übersetzt. Maßanzug in tiefem Dunkelgrau, darin feiner Nadelstreifen, das abwehrend-kantige Gesicht. Optimistisch gab er sich, siegesgewiss. Als ob die Welt nicht könne ohne Rosneft, ohne ihn. Setschin las seinen Vortrag vom Blatt ab: Rosneft sei größter russischer Investor in Deutschland. Rosneft werde die größten noch unerschlossenen Ölreserven der Welt erobern. Die Erschließung des arktischen Schelfs werde gelingen. Dutzende Milliarden Dollar werde man in den kommenden Jahren investieren. Milliarden gebe es zu verdienen, auch für westliche, deutsche Unternehmen. »Wir sind mehr als attraktiv für unsere Partner.« Und wenn die Deutschen nicht investieren? »Dann werden andere kommen. Man bombardiert uns mit Angeboten«, sagte Igor Setschin, seine Drohung in verlockendes Lächeln kleidend.

Im Oktober 2014 meldete Setschin einen ersten Erfolg im arktischen Schelf: In der Karasee sei man auf Öl gestoßen. »Pobeda«, der Sieg, werde das neue Feld heißen, das nordlichste der Welt. Da hatten sich die amerikanischen Firmen wie ExxonMobil oder Schlumberger bereits zurückgezogen. Die Eroberung der Arktis ist auf unbestimmte Zeit verschoben. Sie würde sich ohnehin nur bei einem hohen Ölpreis rechnen.

Zugleich aber liefern die alten Ölfelder Westsibiriens, die »Brownfields«, immer weniger. Immer aufwändiger und teurer wird es, das Öl aus den versiegenden Quellen zu pumpen, immer tiefer muss man bohren. Auch die Erschließung der Vorkommen in den extrem kalten Weiten Ostsibiriens rechnet sich – wenn überhaupt – nur bei einem hohen Ölpreis. Und auch dafür braucht es Ingenieure, Technologie, Infrastruktur. Experten rechnen deshalb mit einem Rückgang der russischen Ölproduktion von bis zu 20 Prozent bereits innerhalb der kommenden zehn Jahre.[69]

Im Spätsommer 2014 war Rosneft mit mehr als 45 Milliarden Dollar verschuldet. Der Aktienkurs fiel rapide.[70] Die Marktkapitalisierung des Unternehmens – also der Gesamtwert seiner Aktien – betrug nur noch 41 Milliarden Dollar.[71] Und Milliarden Dollar Schuldendienste standen an.

Bereits Ende 2014 wollte Igor Setschin an Russlands finanzielle Reserven: Er soll um bis zu 43 Milliarden Dollar Unterstützung aus dem Fonds für Nationalen Wohlstand gebeten haben. Die russische Regierung verweigerte dies.[72] Zu dieser Zeit geschah auch Merkwürdiges mit Baschneft, einem schnell wachsenden, profitablen Ölunternehmen, das mehrheitlich dem Milliardär Wladimir Jewtuschenkow gehörte. Doch im Herbst 2014 begann das Präsident Putin direkt unterstellte »Komitee für Sonderermittlungen« mit Untersuchungen wegen möglicher Geldwäsche und des Diebstahls von Aktien. Jewtuschenkow wurde unter Hausarrest gestellt.[73] Schon sprach man von einem zweiten Fall Chodorkowskij. Im November 2014 akzeptierte Jewtuschenkow das Urteil eines Moskauer Stadtgerichtes über die Herausgabe von 79 Prozent der Baschneft-Aktien an den russischen Staat. Es heißt, Rosneft interessiere sich für den Kauf dieser lukrativen Aktien.[74]

Als die Moskauer Wechselstuben am Abend des 15. Dezember 2014 schlossen, mussten die letzten Kunden rund 80 Rubel für einen Euro zahlen, so viel wie nie zuvor. Die russische Währung schien immer schneller zu verfallen. Schon in den Monaten zuvor hatte der Rubel 60 Prozent seines Wertes gegenüber dem Euro verloren.[75] Die Inflation betrug 2014 bereits 11 Prozent. Eklatant der Preisanstieg bei Grundnahrungsmitteln: Zucker war nun 40 Prozent teurer, der Preis für Buchweizen war um 80 Prozent gestiegen, Weißkohl, Schweinefleisch, Obst, Milchprodukte wurden immer weniger erschwinglich. Wütend protestierten sogar die sonst so satten Abgeordneten der Staatsduma: Hatte sich in der Kantine doch der Preis für »kascha«, den traditionellen Frühstückshaferbrei, verdreifacht.[76] Die Sanktionen des Westens seien dafür verantwortlich, hieß es. Stolz verteidigte man Putins »Anti-Sankzija«, die Gegensanktionen: Er hatte den Import von Lebensmitteln aus der EU und den USA verboten. Man werde nun Milch und Cognac aus »vaterländischer« Produktion trinken, hieß es. Mit dem neuen Entwicklungsmodell der Importsubstitution könne Russland autark werden. Das Problem war nur: Der vaterländische Cognac schmeckte nicht so gut wie der aus Frankreich, und die vaterländische Milch war knapp – Russland muss mindestens 25 Prozent seiner Milch importieren, dazu Käse, Butter und Milchprodukte aller Art.[77] Experten berechneten, dass bei weiter steigenden Preisen etwa 30 Prozent der Familien mit niedrigen Einkommen an den Rand der Überlebensfähigkeit gedrängt werden könnten.[78] Auf einmal war es wieder in aller Munde, das Wort, das schon vergessen schien: »krisis«. Die Krise.

Im Laufe des 15. Dezember schien alles in den freien Fall überzugehen. Es schien, als kollabiere der Rubel. Innerhalb eines einzigen Tages verlor er 19 Prozent seines Wertes.[79] In den Tagen darauf versuchten Russlands krisenerprobte Bürger zu retten, was zu retten war: Sie stürmten die Geschäfte. Sie kauften Kühlschränke, Elektronik, Computer, Möbel, Autos, als ob es kein Morgen gäbe. In Sankt Petersburg standen sie stundenlang an, um U-Bahn-Münzen zu erwerben, sie kauften Buchweizen und »tuschonka«, die übersüße nahrhafte Kondensmilch, und selbst der Kommentator der sonst so kremltreuen Zeitung *Moskauer Komsomolze* verzweifelte: »Aus unserem Leben ist plötzlich aufs

Neue das Gefühl der Stabilität verschwunden, der Kontrolliertheit des politischen Prozesses. Das Gefühl, dass Putin ein Zauberer eigener Art ist, dem alles gegeben ist: die Krim, die Amurtiger, der Rubelkurs.«[80]

Was war geschehen? Den ersten Hinweis gab Putins langjähriger Finanzminister Alexej Kudrin über Twitter: Anlass war offenbar die Ausgabe von Anleihen in Höhe von mehr als 600 Milliarden Rubel durch – Rosneft. Dem Vernehmen nach wurden diese von staatlichen Banken gekauft. Die russische Zentralbank wiederum soll diese Anleihen als Sicherheit für Kredite an russische Banken akzeptiert haben. Die genauen Umstände der Zeichnung blieben unklar.[81] Aber offenbar gingen Investoren davon aus, Rosneft werde die Rubel in Dollar tauschen, um fällige Kredittranchen in Höhe von sieben Milliarden Dollar bei ausländischen Banken zu bedienen. Und man spekulierte auch darüber, dass weitere russische Staatskonzerne oder Banken einen »Bailout« durch den Staat bekommen könnten.[82]

Ein einziger Tag, eine einzige Firma, Putins Staatskonzern, brachte die russische Wirtschaft für kurze Zeit an den Rand des Kollaps. »Jetzt platzt die Putin-Blase«, notierte der amerikanische Ökonom und Nobelpreisträger Paul Krugman spitz, »denn sein Russland ist eine extreme Variante des Kapitalismus der Kumpane, eine Kleptokratie, in der loyale Anhänger gigantische Summen abschöpfen konnten. Die Korruption, die Putins Regime gestützt hat – jetzt lässt sie Russland in einer echten Notlage zurück.«[83]

Auch wenn sich der Rubelkurs wieder leicht stabilisierte und der russische Staatshaushalt vom niedrigen Kurs zunächst in gewisser Weise profitierte,[84] bleibt die Wirtschaft 2015 in einem Teufelskreis gefangen: Nach Angaben der russischen Zentralbank waren russische Unternehmen und Banken Ende 2014 mit 500 Milliarden Dollar im Ausland verschuldet, allein die Banken mit 160 Milliarden Dollar.[85] Eine Bankenkrise schien nicht mehr ausgeschlossen. Zwar kann die russische Regierung den staatlichen Reservefonds nutzen, um Staatsunternehmen und Banken zu stützen, und auch, um den Staatshaushalt zu finanzieren.[86] Über die Verteilung der Gelder des mit rund 66 Milliarden Dollar ausgestatteten Fonds für Nationalen Wohlstand aber entschied seit März 2015 nur noch einer: Wladimir Putin.[87] Immer mehr konzentrierte sich die Macht über die finanziellen Ressourcen des Landes in den Händen einiger weniger. Doch wenn der Ölpreis nicht deutlich steigt, reichen die Rücklagen noch: zwei Jahre.[88] Das Vertrauen westlicher Investoren in die russische Wirtschaft ist erschüttert. Russische Investoren sollten mit dem Appell an patriotische Gefühle und der strengen Aufforderung zur »deofschorisazija« davon überzeugt werden, ihr Kapital nach Russland zurückzuführen. Bis auf wenige Ausnahmen beeilten die sich allerdings, ihr Kapital im Ausland noch besser zu sichern. An der Rubljowka standen nun Häuser zum Verkauf. Man gewährte Preisnachlässe: Die angeblich teuerste Villa Russlands etwa, geforderter Preis 100 Millionen Euro, könnte durchaus für 80 Millionen zu haben sein.[89]

Es sind wohl traurige Zeiten für Alexej Kudrin, diesen ruhigen, versammelten Mann, der Putins Wirtschaftswunder der ersten Jahre erst möglich machte. Russland – und Putin – verdanken ihm viel. Nur wenige kennen Wladimir Putin so gut wie Alexej Kudrin.[90] Fast elf Jahre lang diente Kudrin seinem Präsidenten getreu als Finanzminister. Die finanzielle Stabilisierung Russlands ist vor allem seinen Reformen zu verdanken, er galt als einer der wenigen »Liberalen«, auf die Putin hören wollte.

Doch 2011 wurde Kudrins Kritik lauter. Denn trotz des damals so hohen Ölpreises von mehr als 100 Dollar pro Barrel wuchs die russische Wirtschaft kaum noch. Die Gewinne aus den Ölexporten hatten den Staatshaushalt aufgebläht, sie flossen vor allem in die Rüstungsindustrie, ineffiziente Staatskonzerne und gigantische Großprojekte wie die geplante Olympiade in Sotschi. So aber würde die Abhängigkeit vom Öl – und den globalen Energiepreisen – immer größer, mahnte Kudrin. Eine Krise, gar eine

»finanzielle Katastrophe« sei dann unausweichlich, warnte er bereits 2011.[91] Er kritisierte das massive Rüstungsprogramm seiner Regierung, das 2015 fast vier Prozent des Bruttoinlandsprodukts erreichen würde: »Die Sowjetunion ist nicht zuletzt wegen des Wettrüstens untergegangen«, begründete er diese Kritik später. »Damals haben wir viele Panzer und Kampfflugzeuge produziert, die Menschen aber standen mit ihrer Lebensmittelkarte in der Schlange. Diesen Fehler dürfen wir nicht wiederholen. Je länger wir wirtschaftliche und politische Reformen hinauszögern, desto schlimmer kommt es.«[92] Zunehmend isoliert, wurde Alexej Kudrin im September 2011 entlassen, vielleicht wollte er auch entlassen werden. Man sah ihn dann auf einer der Anti-Putin-Demonstrationen des Winters 2011/2012, er kritisierte die »getürkten« Präsidentschaftswahlen. Als Direktor des Moskauer »Komitees für bürgerliche Initiativen« möchte er die russische Zivilgesellschaft stärken.

Auch 2015 mahnte Kudrin tiefgreifende Reformen an, warnte vor Massenentlassungen, weiterer, massiver Kapitalflucht[93] und prognostizierte eine lange Phase der Stagnation.[94] Allein die direkten und indirekten Kosten der Angliederung der Krim bezifferte er auf 150 bis 200 Milliarden Dollar.[95] Manchmal hatte er noch Kontakt zu Wladimir Putin, legte ihm Analysen vor, Zahlen.[96] Kudrin hatte keine Anhaltspunkte dafür, dass der Präsident seinem Rat folgen würde.[97]

»Krisis«. Auch meine Freundin Marina spürt die allgemeine Verunsicherung. Sie sorgt sich um die Arbeitsplätze ihrer beiden Söhne. Es ist schwer geworden, ihre Moskauer Wohnung zu vermieten. Ihr vor Jahren erworbenes Stückchen Land verkaufte sie. Noch reichen die Ersparnisse. Wir verhungern nicht, sagt sie. Doch manchmal scheint es ihr, als ob sich alles nur im Kreis drehe, als ob es keinen Fortschritt geben könne in ihrem Land. Putin hält sie die Treue. Sie sei bereit, den Preis für die Heimkehr der Krim und den russischen Weg zu zahlen, sagt sie. Sie bezeichnet sich nun wieder als »Patriotin« ihres Landes.

An einem Abend dieser Zeitenwende saßen wir am Tisch in der Küche der Datscha, tranken Tee und kramten in unseren Erinnerungen. So lange kennen wir uns schon, beinahe ein Erwachsenenleben lang. Haben so viel miteinander erlebt. Wir hatten Gorbatschows Hoffnungen geteilt, die schlimmen Jelzin-Jahre durchstanden, über das Stabilitätswunder der ersten Putin-Jahre gestaunt. An diesem Abend aber schlich sich eine ungewohnte Fremdheit ein, zum ersten Mal in all den Jahren. Wir diskutierten nicht mehr, wir stritten: über die Ukraine und die Krim, Putin und die Politik des Westens, über unsere Werte. Wir gehen jetzt unseren eigenen Weg, sagte Marina mit gewissem Stolz. Und manchmal schien es mir, als schaue sie mich voller Mitleid an. Sehr gläubig geworden, sucht sie nun das heilige Russland. Sie hat ihre Wahrheit gefunden.

Wir umarmten uns zum Abschied, ein wenig fester vielleicht als sonst. Wir wollen Freunde bleiben, versicherten wir einander, uns vertrauen, ein Leben lang. Ja, das wollen wir.

IDEOLOGIE
In historischer Mission

>»Endlich hat der neue Kalte Krieg begonnen.«
>
>Alexander Prochanow,
>Chefredakteur, *Sawtra*[1]

Die dritte Amtszeit. Inauguration des Präsidenten,
Moskau, Kreml, Mai 2012

Wie glücklich er war, an diesem 18. März 2014, als sein Präsident durch die vergoldeten Türen des prächtigen Georgssaals im Kreml schritt, hoch schlug sein altes Herz. Endlich, endlich war es so weit. Ein historischer Tag. Wladimir Putin verkündete den Sieg, die Heimkehr der Krim ins russische Reich. Wie er da stand, stolz, den euphorischen Applaus entgegennahm. Wie er über die »Wiederherstellung der historischen Gerechtigkeit« sprach, die Krim in ihrer sakralen Bedeutung gar mit dem heiligen Tempelberg in Jerusalem verglich.[2] Und wie Putin dann sagte: »Russland wird sich der Unterwerfungspolitik des Westens nicht beugen!« Wie mächtig die Rufe durch die Reihen der Zuhörer hallten: »Russland! Russland!« Und Prochanow rief mit: »Russland! Russland!« Endlich war es so weit, er hätte es kaum noch zu hoffen gewagt: »Endlich hat der neue Kalte Krieg begonnen!« Es war der Tag, an dem sich Alexander Prochanow mit seinem Präsidenten versöhnte.

Er will nicht sentimental sein, aber doch: Dieser 18. März 2014 war einer der glücklichsten Tage seines Lebens. Alexander Prochanow, geboren 1938, lässt sich auf das durchgesessene Sofa in seinem Büro am Moskauer Frunse-Ufer 18 fallen, über dem mächtigen Bauch wölben sich blaue Hosenträger. Wie er diesen historischen Moment herbeigesehnt hat! Die »Heimkehr« der Krim, die »Volkserhebung« im Osten der Ukraine, die Konfrontation mit den USA. Ja, die Zeit der Abrechnung ist gekommen.[3]

Alexander Prochanow ist ein recht bekannter russischer Schriftsteller und Chefredakteur der ultranationalistischen Zeitung *Sawtra*, »Der Morgen«. Jahrzehntelang hatte er als Militärkorrespondent vor allem für die sowjetische Parteizeitung *Prawda* gearbeitet und so überzeugend über glorreiche Taten aus Afghanistan, Nicaragua und Angola berichtet, dass man ihn als »Nachtigall des Generalstabs« und »Odensänger des Staates« bezeichnete.[4] Das Ende der Sowjetunion war ihm »Verrat«, im August 1991 unterstützte er den Putschversuch gegen Michail Gorbatschow. In einem offenen Brief rief er damals mit dem »Wort an das Volk« zur Rettung der Sowjetunion und des russischen Vaterlandes auf. Seine Zeitung *Den*, »Der Tag«, wurde zum Sammelbecken der radikalnationalistischen Opposition gegen Gorbatschow und Jelzin, stets gegen Demokratie und gegen die USA. *Den* wurde 1993 verboten, kurz darauf gründete Prochanow die *Sawtra*. Die Zeitung erscheint in kleinsten Auflagen – unklar, wie sie sich finanziert.

Er breitet sich auf dem Sofa aus, lacht sein dröhnendes Lachen. Er steckt voller Energie, und wenn man von seinen zotigen Witzen auf einen Charakter schließen wollte, dann ist Alexander Prochanow ganz sicher ein Mann, der das Leben umarmt. Eine Mischung aus armem Poeten, glühendem Agitator und gnadenlosem Partisan. Wenn er nicht so alt wäre – er würde sofort aufbrechen, um im Donbass für die heilige russische Sache zu kämpfen! Mit Stolz erwähnt er, dass Igor Strelkow zu den Autoren seiner Zeitung gehörte. Der ehemalige Mitarbeiter des russischen Militärgeheimdienstes GRU war 2014 auf der Krim aktiv und zettelte später den Aufstand der Separatisten, nein, der »Volkswehr« in der Ostukraine an. Möglicherweise war er auch für den Abschuss der Malaysia-Airlines-Passagiermaschine MH17 mitverantwortlich, bei dem 298 Menschen starben. Für Prochanow trägt natürlich die Regierung in Kiew die Verantwortung für den Abschuss, der Kampf in der Ostukraine ist ihm eine Sache der »heiligen Gerechtigkeit«. Und sagt: »Wir haben keine Angst vor dem Westen mehr. Russland hat nun seine eigene Axt.«

Sein kleines Büro ist ein Kaleidoskop seines neuen Russlands. In einem Wandschrank stehen orthodoxe Kreuze neben roten Sowjetsternen, ein Georgij-Bändchen, dazwischen ein byzantinischer Adler aus Porzellan, eine Wodka-Präsentflasche. Im Sekretariat nebenan hängt ein größeres Porträt von Josef Stalin an der Wand. Zu Tee und Fischli-Kräckern erklärt Prochanow nun die neue russische Welt. Vier Imperien habe Russland durchlebt: die Kiewer Rus, die Moskauer Zaren, die Epoche der Romanows und schließlich Stalins »Rotes Imperium«. Jetzt aber sammle sich in Russland eine besondere »geistige Energie«. Schon bald werde daraus ein neues russisches Reich entstehen: das »Fünfte Imperium«.

Präsident Putin, so Prochanow, habe eine neue Elite der starken Männer aus den Sicherheitsapparaten und dem Militär geschaffen. Jetzt begründe der Präsident eine neue russische Zivilisation, das neue Imperium, das sich endlich den »westlichen Imperien« entgegenstellen könne, dem »Sodom« des Westens: der EU und den USA. Deswegen begrüße er den neuen Kalten Krieg. Und sein Präsident? Auch Wladimir Putin habe eine substanzielle Wandlung vollzogen: »Er sieht Russland nun als Schicksal.«[5]

Geistige Energie – Fünftes Imperium – Schicksal – all das könnte man als kruden ideologischen Mischmasch abtun, die Gedankenwelt einer ewig gestrigen Minderheit. Aber im Jahr 2015 ist Alexander Prochanows Sicht offenbar keine Minderheitsposition mehr. Im Jahr nach der Annexion der Krim scheint es vielmehr, als finde die Mehrheit im Land zunehmend Identität in einem nationalkonservativen Konsens. In einem gefährlichen Gebräu aus chauvinistisch-neoimperialen Träumen,[6] sentimentalem Volkstum, militant-orthodoxem Christentum und schamloser Geschichtsklitterei. Antisemitismus und Stalinismus mischen sich darunter ebenso wie Fremdenfeindlichkeit und Homophobie. Innere Feinde werden identifiziert, Putin selbst sprach von einer »Fünften Kolonne« und »allerlei National-Verrätern«.[7] Es scheint, als finde ein »eurasisches« Land Identität in der Konfrontation mit dem Westen. Und folge jetzt endlich etwas, das nur Russland verstehen kann: der »russischen Idee«.

Die Suche nach nützlicher Vergangenheit –
Die »russische Idee«

Schon in den 90er Jahren hatte man unter Präsident Boris Jelzin nach griffigen Ideen gesucht, die das geistige Vakuum der geplagten russischen Nation füllen, den Marxismus-Leninismus ersetzen und den Phantomschmerz über den Verlust sowjetischer Größe lindern sollten. Das Versprechen des Westens mit seinen universellen Prinzipien wie Menschenrechten, Rechtsstaatlichkeit, Pluralismus und Demokratie sollte es allerdings nicht sein. Es hätte bedeutet, einen echten Transformationsprozess einzuleiten. Daran waren die neuen Eliten des Landes allerdings nicht sonderlich interessiert: denn für sie bedeutete das Ende der Sowjetunion ja nicht die Stunde null. Vielmehr baute die alte Elite neue Macht und neue Geschäfte auf den alten sowjetischen Parteistrukturen der Nomenklatura auf. Es ging also um die Konstruktion einer neuen nationalen und kulturellen Identität: eine »geistige und moralische Wiedergeburt Russlands«.[8]

Mitte der 90er Jahre ließ Jelzin einen landesweiten Wettbewerb für die »beste nationale Ideologie« ausschreiben, daraus entstand das ethnisch orientierte Konzept der »russischen Idee«. 1996 debattierte die Staatsduma über ein Gesetz zur Verankerung dieser »Idee«: Die verpflichtende Vermittlung russischer Geschichte sowie der Grundlagen der Orthodoxie in den Schulen sowie explizit russischer[9] geistig-moralischer Werte, der westlichen Moderne überlegen. Als Wortführer trat schon damals Dmitrij Rogosin auf, später Vorsitzender der nationalistischen Partei »Rodina«, das Vaterland. Rogosin machte dann als Botschafter Russlands bei der Nato Karriere, 2015 war er als stellvertretender Ministerpräsident zuständig für den militärisch-industriellen Komplex und beriet Putin in Fragen der Militärindustrie.

Als Mittler zwischen alten Traditionen und russischer Wiedergeburt sollte die orthodoxe Kirche auftreten. 1997 endete ein Treffen von Vertretern der orthodoxen Kirche mit Gesandten des russischen Innenministeriums mit dem Appell, die Orthodoxie als offizielle Doktrin wiedereinzuführen.[10] Auch der russische Geheimdienst KGB interessierte sich für die »russische Idee« und die Werte der Orthodoxie – wenig verwunderlich, denn die russisch-orthodoxe Kirche war schon immer biegsames Instrument in den Händen weltlicher Herrscher.[11]

Die Vorlage für Russlands geistige Zukunft fand man in der vorrevolutionären russischen Geschichte des 19. Jahrhunderts. So ließ Boris Jelzin die sterblichen Überreste des 1917 ermordeten Zaren Nikolaus II. und seiner Familie in der Familiengruft in Sankt Petersburg beisetzen, 2010 wurde der Zar von der orthodoxen Kirche zum Märtyrer erklärt. Begründungen für die neue russische Idee lieferte auch die alte »Uwarow-Doktrin«. Unter Zar Nikolaus I. wurden die Thesen seines Erziehungsministers Sergej Uwarow zur imperialen Staatsdoktrin: »Orthodoxie, Autokratie, Nationalität«.[12] Die Uwarow-Doktrin war ein Aufruf zur Sammlung der russischen Nation – und eine Kampfansage an die freiheitlichen Ideen der Französischen Revolution. Während der Napoleonischen Kriege waren viele russische Offiziere durch Westeuropa gekommen. Nach ihrer Rückkehr verbreiteten sie revolutionäre Gedanken wie Freiheit, die Abschaffung von Leibeigenschaft und Zensur, gar der Autokratie. Im Dezember 1825 verweigerten russische Gardeoffiziere den Eid auf den neuen Zaren Nikolaus I. Er schlug die Revolte der »Dekabristen« erbarmungslos nieder: Die Anführer wurden öffentlich gehängt, rund 100 Offiziere zu Zwangsarbeit verurteilt und nach Sibirien verbannt. Nikolaus I. herrschte 30 Jahre lang. Er ging als »Gendarm Europas« in die Geschichte ein.[13]

Die Prinzipien der Uwarow-Doktrin fanden sich – wenn auch in anderen Worten – in Wladimir Putins »Millenniumsbotschaft« Ende Dezember 1999 wieder. Das Manifest war die faktische Regierungserklärung des gerade ernannten Präsidenten: »derschawnost« – Russland als Großmacht. »Gosudarstwennitschestwo« – Russland als starker, zentralisierter Staat. Und »patriotism« – Patriotismus.[14]

Putin war – und ist – ein überzeugter »gosudarstwennik«: Vertreter eines starken Staates, der über Wohl und Wehe seiner Bewohner entscheiden darf. Er glaubt, schon aufgrund der Mentalität der Menschen sei Russland dazu bestimmt, eine Großmacht zu sein.[15] Er bekannte sich früh öffentlich zum orthodoxen Christentum: Damit festigte er seine Popularität vor allem unter den Frauen, seinen Stammwählerinnen. Seine Mutter, erzählte er, habe ihn heimlich taufen lassen. Keinesfalls habe es der Vater wissen dürfen, überzeugter Kommunist und Parteisekretär seiner Fabrikabteilung. Später habe sie ihm dann einen kleinen Anhänger in Form eines Kreuzes gekauft, den trägt er bis heute.

Doch er war zunächst viel zu pragmatisch, um sich auf eine Weltanschauung festzulegen, gar eine neue Staatsideologie zu formulieren. Geschichte diente ihm als nützliche Vorlage zur Manipulation der Massen und lieferte bald auch die geostrategische Begründung seiner Außenpolitik.

Nostalgie nach der Sowjetunion befriedigte er, indem er den 9. Mai, Siegestag im Zweiten Weltkrieg, wieder mit patriotischen Gefühlen füllen ließ. Lenin blieb in seinem Mausoleum, Stalin wurde, vorsichtig zunächst, als siegreicher Kriegsherr reaktiviert. Die Besinnung auf die imperiale Vergangenheit Russlands wiederum fand ihren Ausdruck in Putins Appellen an eine »patriotische Erziehung« und in der Fortsetzung des Restaurationsrausches seines Vorgängers: Denkmäler zaristischer Militärführer wurden wiedererrichtet, im Kreml Porträts russischer Zaren aufgehängt; tausende Kirchen und Klöster wurden restauriert, vergoldete Kuppeln im ganzen Land. Wiederaufgebaut war auch die pompöse Christus-Erlöser-Kathedrale im Herzen Moskaus, Zentralkirche der Orthodoxie. Als Symbol des Sieges über Napoleon errichtet, hatte sie Stalin sprengen lassen, um dort einen 415 Meter hohen »Palast der Sowjets« zu bauen. Das monströse Projekt musste wegen des sandigen Untergrundes aufgegeben werden, später wurden die Fundamente als kreisrundes Freibad »Moskwa« genutzt. In der Erlöser-Kathedrale schrien die jungen Frauen von Pussy Riot 2012 ihr »Punk-Gebet« gegen die unheilige Allianz von Kirche und KGB in die Welt: »Schwarze Kutte, goldene Epauletten!« Sie hatten einen sehr symbolischen Ort gewählt.

Als neuen russischen Feiertag führte Putin den 4. November ein, zum Gedenken an den Aufstand gegen die polnische Besatzung im Jahr 1612, als die »Zeit der Wirren« im Moskauer Großfürstentum endete und der Wiederaufbau des russischen Staates begann. In der russischen Nationalhymne schließlich ersetzten Zeilen über Russlands imperiale Größe die alten sowjetischen Strophen. Die unter Stalin 1943 eingeführte – und von Jelzin abgeschaffte – Melodie der sowjetischen Staatshymne wurde wiederaufgelegt, es war wohl kein Zufall: Sie stammt aus einer patriotischen Oper, die unter Zar Nikolaus I. gespielt wurde. Ihr Titel: »Ein Leben für den Zaren«.[16]

Zur Begründung der Wirtschaftspolitik kam bald Pjotr Stolypin zu neuen Ehren, Premierminister des letzten Zaren Nikolaus II., ein weitsichtiger Reformer – und Vertreter des starken Staates. Seine Agrarreform ermöglichte Russlands Bauern zum ersten Mal in der Geschichte eigenen Landbesitz. Revolutionäre ließ Stolypin hinrichten. Mehr als 5000 Todesurteile verhängten die von ihm eingeführten Standgerichte. Mit zwei Zitaten Stolypins, der 1911 einem Attentat zum Opfer fiel, stellte sich Putin in die Tradition des russischen Wirtschaftsreformers: »Gebt dem Staat 20 Jahre innere und äußere Ruhe, und Ihr werdet das heutige Russland nicht wiedererkennen!« Und – an den Westen gerichtet: »Sie wollen bedeutende Erschütterungen, wir wollen ein bedeutendes Russland.«[17]

Eher irritiert registrierten westliche Experten allerdings Putins offenkundige Bewunderung des Religionsphilosophen Iwan Iljin, der in den 20er Jahren des vergangenen Jahrhunderts nach Berlin emigriert war. Der erbitterte »weiße« Gegner der »roten« bolschewistischen Revolution sympathisierte viel zu lange mit Hitlers radikalem Antikommunismus.[18] Iljin propagierte die zentrale Bedeutung des christlich-orthodoxen Glaubens für Russland, vor allem aber den sogenannten »wahren Nationalismus«: Das »geistige Feuer« der nationalen »russischen Idee« bringe »Menschen zum aufopfernden Dienst und das Volk zum geistigen Aufschwung«. Zu viel Freiheit hingegen habe nur zu Zügellosigkeit und Versklavung geführt.[19]

Mehrfach zitierte Putin Iljin in seinen Reden zur Lage der Nation. Er veranlasste die Überführung seiner sterblichen Überreste aus der Schweiz nach Moskau, legte Blumen am neuen Grab am Donskoj-Kloster nieder.[20] Iljins Werk *Unsere Aufgaben* gehorte zu den drei Büchern, die der Kreml 2013 als Weihnachtslektüre an alle Gouverneure des Landes sowie hochrangige Politiker der Regierungspartei Einiges Russland verschicken ließ. Geschah das, so rätselte man, weil Putin die so lange verfemten zaristischen »Weißen« rehabilitieren wollte, Verlierer des Bür-

83

gerkrieges nach der Oktoberrevolution 1917? Oder liebäugelte er mit Iljins Idee des »wahren Nationalismus«? Zunehmend schien Putin auf den »russischen Sonderweg« als moralische Legitimation des Systems zu setzen.

Konterrevolution – Russlands Souveränität und das »wahre Russentum«

Seit Beginn seiner dritten Amtszeit 2012 brach sich offenbar auch bei Putin eine Reideologisierung Bahn, und sie »hat bereits ein erstes Opfer zu verzeichnen: das Bekenntnis zur Demokratie«.[21] Die Proteste des Winters 2011/2012 hatten gezeigt, wie brüchig der »Putin-Konsens« geworden war. Die Demonstrationen sollen Putin tief verstört haben. Journalisten mit guten Kontakten machten damals gar »panikartige Angst« im Kreml aus.[22] Die mit Putins Namen verbundene »Ära der Stabilität« drohte zu enden. Russlands Wirtschaft steckte in einer Modernisierungsblockade. Lange vor dem Ausbruch der Ukrainekrise zeigten die Zahlen: In Russland würde eine Phase ökonomischer Stagnation beginnen.[23]

Es galt, neuen Sinn zu schaffen, eine neue, tiefergehende Legitimation des Präsidenten und seines Systems zu finden: Es galt, das Land um den Kreml herum zu konsolidieren, die »Unseren« von den »Anderen« zu trennen, »Freunde« von »Feinden«. An der geostrategischen Front wurden mit den USA und der Nato alte Feindbilder, die »russische Idee« mit radikalem Konservatismus und zunehmend nationalistischen Heilsversprechen aufgeladen.[24] Von Russland als demokratisch verfasstem Staat ist seit 2012 kaum noch die Rede. Allerdings sind die »Grundlagen der orthodoxen Kultur« Pflichtfach an allen russischen Grundschulen.

Es entstand – ein neuer Putin. Der Mann des starken Staates wurde nun zum missionarischen Retter Russlands, Bewahrer christlicher Werte.[25] Welch eine Ironie der Geschichte: Aus dem KGB-Offizier wurde so etwas wie ein Gesandter Gottes.[26] Als

»Wunder Gottes« hatte Putins Herrschaft ja auch schon Patriarch Kirill bezeichnet.[27]

Bereits in seiner Neujahrsansprache 2012 rief Putin dazu auf, sich auf das »wahre Russentum« zu besinnen. Denn Russentum bedeute Solidarität – im Gegensatz zum Individualismus des Westens. Russentum bedeute Spiritualität – im Gegensatz zum moralischen Verfall des Westens.[28] Russlands »Souveränität«, beschwor Putin, werde nur durch die patriotische Einheit des russischen Volkes errungen, das sich hinter seinem starken Herrscher sammelt. Im Umkehrschluss bedeutet dies: Kritik an Staat und Herrscher gilt als Angriff auf Russlands Souveränität und die Nation.

Basierend auf dem »genetischen Code« der Nation, führt Russland nun einen schicksalhaften Abwehrkampf gegen die dekadent-zerstörerischen Werte des Westens: »Wir können beobachten, wie viele der euroatlantischen Länder de facto ihre Wurzeln ablehnen«, erklärte Wladimir Putin den Teilnehmern des Waldaj-Klubs im September 2013, »einschließlich der christlichen Werte … Sie verleugnen moralische Prinzipien und alle traditionellen Identitäten: nationale, kulturelle, religiöse und selbst sexuelle. Sie setzen eine Politik durch, die die Familie mit gleichgeschlechtlichen Partnerschaften gleichsetzt, den Glauben an Gott mit dem Glauben an Satan.«[29] So wird die Dämonisierung des Westens zu Sinn und Schicksal der einzigartigen russischen Nation: In einer Welt des Chaos und der Dunkelheit nimmt Russland die heilige Verantwortung auf sich, Ordnung zu schaffen und zu erhalten. Damit definierte sich der Konflikt mit dem Westen nicht nur geostrategisch oder ökonomisch, sondern auch kulturell. Es begann: Russlands Konterrevolution gegen die Moderne.

Überzeugungstäter – Russlands »eurasische« Bestimmung

Von Alexander Prochanows Redaktionsstube am Moskauer Frunse-Ufer führt der Weg an den Rand der wuchernden Stadt. In einem »Busines Zentr« am Andropow-Prospekt hat sich der General einquartiert. Sowjetatmosphäre. Der Assistent steht tüchtig stramm, und kaum ist die Tür geschlossen, bittet der General mit verschmitztem Lächeln darum, rauchen zu dürfen. Generaloberst a. D. Leonid Iwaschow ist auch im Westen durchaus bekannt. Während der Kosovokrise 1998 etwa war er für die Verhandlungen mit den Militärs der Nato zuständig. General Iwaschow gehörte schon immer zu denen, die sich auf der rechten Seite der Geschichte wähnen. Die USA und Russland, erklärt er, seien natürliche Gegner. Es ist ihr Schicksal, ihre Bestimmung: Völker wie die Russen, die »der Erde verhaftet« seien, seien Bewahrer. »Völker des Meeres« wie die Amerikaner hingegen seien naturgemäß »Eroberer«. »Wir haben vollkommen unterschiedliche Vorstellungen von der Zivilisation«, sagt Iwaschow.[30] Er gibt sich als Anhänger des Eurasianismus zu erkennen, jener Ideologie, der zufolge sich die Völker der »eurasischen Kontinentalmasse« und die »maritim-expansionistischen« Völker wie Briten und Amerikaner auf ewig unvereinbar gegenüberstehen.[31] Für immer vorbei die Zeiten, in denen Michail Gorbatschow ein »europäisches Haus« plante und Boris Jelzin ein Groß-Europa – die EU und Russland als irgendwie geartete Einheit – propagierte. Nun finde Russland zu seiner eurasischen Bestimmung zurück.

Der Westen werde beherrscht von der Finanzoligarchie, die Nato sei eine aggressive Organisation, sie diene allein den Interessen des internationalen Finanzkapitals. Iwaschow lobt den »Genossen Stalin, der nun zu uns zurückkehrt«. Putins Annexion der Krim, die er »Wiedervereinigung« nennt, bestätigt ihn nur: endlich vorbei die Zeiten des »geostrategischen Selbstmordes«, damals, als Putin sich dem Westen angebiedert habe.[32]

Die Meinung des Generals findet durchaus Verbreitung. Er halte Vorträge am renommierten Moskauer Institut für Internationale Beziehungen, sagt er, er tritt regelmäßig im Fernsehen auf, auch der Armeekanal »Swesda«, »Der Stern«, sendet öfter längere Interviews mit ihm. Wichtiger aber ist das informelle Netz-

werk: Iwaschow gehört zu den Mitgliedern des »Isborskij Klub«,
dessen Präsident wiederum Alexander Prochanow ist. Der »Klub
der Anhänger eines starken Staates«[33] wurde im September 2012
in der nordrussischen Stadt Isborsk nahe der estnischen Grenze
gegründet. Zu den Feierlichkeiten in einem orthodoxen Kloster
reiste der russische Kulturminister Wladimir Medinskij an, ein
Mann, der Kulturpolitik als Waffe im Kampf um die patriotische
Gesinnung nutzt.[34] Zu den Gründungsmitgliedern des Klubs
gehört auch Sergej Glasjew.[35] Putins Berater zu Fragen der eurasischen Integration bezeichnet die Ukraine als von den USA »be-
setztes« Land, beherrscht von den amerikanischen Geheimdiensten, die er mit Hitlers Gestapo vergleicht.[36] Glasjew steht seit
April 2014 auf der Sanktionsliste der EU. Auch dem stellvertretenden Premierminister und Berater Putins in Fragen der Militärindustrie Dmitrij Rogosin wird zumindest geistige Nähe zum
Klub nachgesagt. Mit Beginn der Ukrainekrise wurde auch Rogosin auf die Sanktionslisten der USA und der EU gesetzt.

Der »Isborskij Klub« hat sich zum Ziel gesetzt, die »Ideologie
des russischen Staates zu erschaffen«. Es gelte nun, die beiden
Traditionen russischer Staatlichkeit zusammenzuführen: »Die
Tradition der russischen Zaren, Sammler des Imperiums, und die
Tradition Stalins, Bauherr der sowjetischen Zivilisation.«[37]

So sieht es auch Alexander Dugin[38], ein nur schwer zu erklä-
render Mann mit harten Augen und einem Bart à la Dostojewski. Er ist: einer der führenden Denker der russischen Rechten.
Wortführer des »Neo-Eurasianismus«. Faschist. Großrussischer
Nationalist. Kriegstreiber. Russischer Imperialist. Sympathisiert
mit Stalin ebenso wie mit dem Dritten Reich. Einigen gilt er als
Heilsbringer und Großdenker, anderen als belesener Mischma-
schphilosoph mit Hang zum Okkulten.[39] »Wir brauchen eine Partei des Todes«, hatte er einmal geschrieben. »Eine Partei Gottes,
eine russische Analogie der Hisbollah.«[40]

Auch seine Thesen scheinen Konjunktur zu haben – oder haben zu dürfen: Dugin berät den ehemaligen Vorsitzenden des

russischen Parlaments, tritt im Fernsehen auf, hat Freunde in der Präsidialadministration.[41] Nähe zu, gar Einfluss auf den russischen Präsidenten habe er allerdings nicht, sagt er. Er kenne Putin gar nicht persönlich. Doch: »Putin ist alles. Putin ist unersetzbar.« Und wer sich gegen ihn wende, müsse »psychisch krank« sein.[42]

Alexander Dugin begann seine Karriere Anfang der 90er Jahre in der antisemitischen russischen Organisation Pamjat', gründete eine eigene Partei: Ewrasija, Eurasien. Schrieb ein 600-Seiten-Epos über Verschwörungstheorien, in dem Michail Gorbatschow als Doppelagent beschrieben wird: *Konspiratologija*. 2008 wurde er Leiter des »Zentrums für konservative Studien« an der Moskauer Lomonossow-Universität, einer der größten Universitäten des Landes. Er rief – »man muss töten, töten, töten«[43] – allerdings so vehement zu Krieg und Endsieg im Osten der Ukraine auf, dass er im September 2014 seine Professur niederlegen musste.

Dugin gehört zu den Apologeten des russischen »Neo-Eurasianismus«. In den Jahren zwischen den beiden Weltkriegen entstand das Konzept des »Eurasianismus«.[44] Der Begriff wurde vor allem von russischen Schriftstellern und Religionsphilosophen im Exil geprägt: Es war die Idee eines autonomen Russland, das sich vom europäischen Imperialismus der Nachkriegszeit befreie und seine Erfüllung als friedliche Führungsmacht in einem eurasisch-kontinentalen Raum finde, besiedelt von in Harmonie lebenden gleichberechtigten Völkern. Über den Begriff »Eurasien« schlich sich später das Wort »Imperium« zurück nach Russland.[45] »Eurasien« wurde zunehmend zum Kampfbegriff, Eurasianismus zu Dugins »Neo-Eurasianismus«. Er sieht Russland als expansive Führungsmacht eines zukünftigen Großreiches, zu dem ehemalige Sowjetrepubliken wie die Ukraine oder Kasachstan und alle ethnischen Russen gehören.[46] Dugins Eurasien muss Krieg führen, eine historische Mission: den wahren Gegner im unausweichlichen Konflikt der Zivilisationen zu besiegen – die USA.

Diese zerstörerischen Mythen kursieren nun in Russland, sie mobilisieren gegen innere und äußere Feinde und finden auch in Teilen der russischen Elite Gehör. Doch mit dieser Ideologie ist kein Staat zu machen. Noch finden sich keine Anhaltspunkte dafür, dass sich Wladimir Putin dem imperialen Eurasianismus Dugins verschrieben hat. Putins »Eurasische Wirtschaftsunion« ist vor allem pragmatisches Mittel zum ökonomischen Zweck: Sie soll der wirtschaftlichen Konsolidierung des postsowjetischen Wirtschaftsraums dienen – unter russischer Führung.

Bislang lässt sich Putin nicht auf eine Weltanschauung, gar Ideologie festlegen. Unberechenbarkeit, Überraschung und ideologische Flexibilität gehörten schon immer zu seinen strategischen Stärken. Es zeigte sich im Osten der Ukraine: Zunächst propagierte auch Putin die Idee von »Noworossija«, »Neurussland«. Doch als sich im Herbst 2014 herausstellte, dass sich die Menschen im Osten der Ukraine mehrheitlich nicht für »Noworossija« begeistern wollten und der Krieg in den selbsternannten »Volksrepubliken« zu eskalieren drohte, rückte er – zumindest vorübergehend – von »Noworossija« ab. Doch es bleibt die Idee der »heiligen Rus«, des einheitlichen Kulturraumes slawisch-orthodoxer Russen, zu dem nach Moskauer Verständnis auch die Ukraine gehört. So sagte es Putin: »Wir sind faktisch ein Volk.«[47]

Auch wenn es noch zu früh ist, von einer neuen russischen Staatsideologie zu sprechen: Unübersehbar – und an faschistisches Gedankengut erinnernd – ist die aggressiv-nationalistische Aufladung der »russischen Idee« und die radikale Abkehr vom demokratischen Wertekanon des Westens, der nur noch als dekadent, schwach und überflüssig dargestellt wird. Das Russland Putins hingegen wird als überlegenes Gegenmodell idealisiert. In der durch Massenmedien manipulierten Wahrnehmung der Mehrheit erlebt ihr von Feinden umzingeltes Land nun endlich eine Wiedergeburt. Immer wieder hört man es in Gesprächen, einem Aufschrei gleich: »Wir werden nicht weiter auf den

Knien vor Euch liegen!« Zunehmend totalitär auch Putins Vo-
kabular: heilig, Nation, Spiritualität, Satan, Mission, Einzigartigkeit, genetischer Code, Russentum, Verteidigung, Fünfte Kolonne, National-Verräter ...»Es besteht die sehr praktische Gefahr«,
so Hans-Joachim Spanger von der Hessischen Stiftung für Friedens-und Konfliktforschung, »dass Russland in Europa wieder
zu dem wird, was es in unterschiedlicher Verkleidung schon des
Öfteren war: der aggressive Antipode der Aufklärung und des
Liberalismus«.[48]

Bettgenossen: Taktische Koalitionen mit Europas Rechten

Damit aber eröffnen sich Chancen für Koalitionen mit all denen
dort im Westen, die – wie Putin – Europa als dekadent, schwach
und überflüssig sehen und in Ablehnung alles scheinbar Frem-
den auf nationale Wiedergeburten hoffen. Es ist kein Wunder,
dass vermeintliche »Russland-Versteher« oft (rechts-)radikale
Europa-Gegner sind. Dass man antiamerikanisch ist, versteht
sich ohnehin von selbst. Gezielt werden Gemeinsamkeiten gesucht und gefördert, auch finanziell. Kontaktpflege zu Neofaschisten von der ungarischen Jobbik-Partei und der bulgarischen
Ataka gehört dazu ebenso wie die Umgarnung des französischen
Front National. Während ihres Moskau-Besuches im Juni 2013
wurde die FN-Vorsitzende Marine Le Pen von hochrangigen Vertretern des Kreml empfangen, darunter auch Dmitrij Rogosin.
Großzügig der russische Kredit für den Kampf der zukünftigen
Präsidentschaftskandidatin gegen das »Monster Europa«: mindestens neun Millionen Euro, abgewickelt über die First Czech
Russian Bank, ein russischer Geschäftsmann soll behilflich gewesen sein.[49] Rechte EU-Abgeordnete aus Frankreich, Belgien,
Italien und Österreich traten als internationale Wahlbeobachter
beim »Referendum« über die Angliederung der Krim an Russland auf.[50]

Im März 2015 trafen sich europäische Rechtsradikale zum »Internationalen Russischen Konservativen Forum« in Sankt Petersburg. Organisiert wurde die Veranstaltung von der russischen Rodina-Partei.[51] Man beschwor die gemeinsamen »christlichen Werte und Moralvorstellungen« und forderte die Beendigung des »Kalten Krieges gegen Russland«.[52] Die griechischen Neofaschisten der »Goldenen Morgenröte« und der italienischen »Forza Nuova« waren zu Gast, die rechtsradikale »Partei der Schweden« – und auch der ehemalige Parteivorsitzende und jetzige Europaabgeordnete der NPD, Udo Voigt, der in die Rolle des friedliebenden deutschen Patrioten schlüpfte: »Wir sind für Russland und gegen die USA.«[53]

Einig in ihrer Abscheu gegenüber libertären Werten wissen sich Russlands moralische Saubermänner auch mit Gleichgesinnten in Deutschland. Die deutsche Sehnsucht nach einer Verständigung mit Russland wird geschickt genutzt, um Einfluss zu nehmen. Gilt es doch, die geschlossene europäische Front gegen die russische Politik in der Ukraine aufzubrechen und zugleich die Europäische Union zu schwächen. Ganz im Sinne von Marine Le Pen: »Wie verbessert man die Europäische Union? Indem man sie zum Einsturz bringt.«[54]

Als Vehikel dienen etwa die »Compact-Konferenzen« des einschlägig bekannten Journalisten und Aktivisten Jürgen Elsässer. Einst journalistisch auch für das *Neue Deutschland* tätig, warb Elsässer als Herausgeber des rechtspopulistischen Magazins *Compact* schon früh für Putins Russland: »Ein Mann will Frieden.« Vorläufiger Höhepunkt der geistig-moralischen Offensive: Das Kompendium gesammelter »Reden Wladimir Putins an die Deutschen«.[55] Natürlich berichtete auch das russische Staatsfernsehen wiederholt über Elsässers »Friedensaktivitäten«.[56]

Die Compact-Konferenz in Leipzig Ende November 2013 etwa stand unter dem Motto: »Zukunft der Familie – Werden Europas Völker abgeschafft?«.[57] Thilo Sarrazin hielt das Eingangsreferat, Frauke Petry von der AfD sprach über die Versäumnisse

91

deutscher Familienpolitik. Als Kooperationspartner und möglicher finanzieller Sponsor[58] trat das »Institut für Demokratie und Zusammenarbeit« auf, eine russische Stiftung mit Sitz in Paris, geleitet von der Historikerin Natalija Narotschinskaja. Die ehemalige Abgeordnete der Rodina-Partei versteht sich als Kämpferin gegen die angebliche Erosion moralischer Werte, die sich ihrer Ansicht nach auch in der »sexuellen Umerziehung« der Kinder manifestiert.

Im November 2014 widmeten sich die Teilnehmer in Berlin dem populären Thema »Frieden mit Russland«. In der Eröffnungsrede rief Natalija Narotschinskaja zum Widerstand gegen die »angloamerikanische« Dominanz auf. AfD-Außenpolitiker Alexander Gauland referierte über die Notwendigkeit eines engen deutschen Bündnisses mit Russland, eine Art Sonderweg. Die illustre Versammlung wurde durch einen kurzen Auftritt Egon Bahrs gekrönt,[59] und in der Lobby des Berliner Maritim-Hotels lagen einschlägige verschwörungstheoretische Bücher zum Verkauf.

Prominenter Redner war auch Wladimir Jakunin, Generaldirektor der Russischen Eisenbahnen und langjähriger Putin-Bekannter aus gemeinsamen Petersburger Zeiten.[60] Zwar ist es ihm trotz Milliardenetats bislang nicht gelungen, das marode russische Eisenbahnnetz zu modernisieren, auch wollen weder Gerüchte über die KGB-Vergangenheit[61] des ehemaligen Diplomaten noch über sein wie auch immer verdientes Milliardenvermögen verstummen.[62] Umso eifriger kämpft Jakunin – zugleich Co-Vorsitzender des Franko-Russischen Dialogs[63] – an der moralischen Front, natürlich auch gegen die USA und die »globale Finanzoligarchie«.[64]

Obwohl er bereits auf der US-Sanktionsliste stand, durfte Wladimir Jakunin einige Monate zuvor auf der Berliner Europa-Konferenz des wirtschaftsnahen Deutsch-Russischen Forums auftreten und den »vulgären Ethno-Faschismus« des Westens geißeln. Für den Vorsitzenden des Deutsch-Russischen

Forums, den langjährigen Brandenburger Ministerpräsidenten und kurzzeitigen SPD-Vorsitzenden Matthias Platzeck, offenbar kein Grund, auf Distanz zu gehen: Kurz darauf reiste Platzeck nach Rhodos, um dort am von Jakunin gegründeten »Dialog der Zivilisationen« der Organisation »World Public Forum« teilzunehmen und davor zu warnen, »Russland zu bestrafen«.[65]

Dieses Russland aber lässt sich nicht mehr bestrafen – es ist schon viel weiter. Es geht seinen eigenen Weg, folgt seinem Schicksal. Und: einem offenbar von Gott gesandten Präsidenten.

Im April 2015 zeigte das russische Staatsfernsehen eine zweieinhalbstündige Dokumentation: »Der Präsident – 15 Jahre an der Macht«.[66] Weggefährten erzählten, ehemalige Minister, natürlich auch Putin selbst. Eine Jubelbilanz: Putin rettete Russland vor dem Zerfall, vor Krieg, Terror und dem ökonomischen Zusammenbruch, holte schließlich auch noch die Krim nach Hause.

Doch weil in Dokumentationen dieser Art keine Sekunde dem Zufall überlassen wird, fielen einige Botschaften auf. Etwa, wie sich der Präsident für das Interview platzierte – oder platzieren ließ. Ein pompöser Saal, goldene Ornamente im Hintergrund. Der Glanz und die Weite des Saals, in der Mitte ein Sessel, wie immer so selbstbewusst breitbeinig der Präsident, schon ewig jung sein Gesicht. Der Präsident: ein Mann, entschlossen sein Reich formend.

Minutenlang wurde auch Putins Begegnung mit einem, ja, Maultier gezeigt. Es geschah während einer Pilgerfahrt zum griechischen Kloster Athos, heiliger Ort der russischen Orthodoxie. Man zeigte Putin am Steuer eines kleinen Geländewagens, offenes Fenster, er fuhr selbst. Ein Maultier lief eine Weile neben dem Wagen her, blieb dabei stets auf Augenhöhe mit dem Präsidenten. Am nächsten Tag wiederholte sich die Szene. Ausführlich kommentierte ein Mönch: Diese Begegnung musste ein »Zeichen Gottes« an den Präsidenten gewesen sein. Der Präsident: ein Mann, bescheiden einer göttlichen Bestimmung dienend.

Zuletzt wies Putins Sprecher Dmitrij Peskow den Weg in die Zukunft. Eine neue Generation sei unter Putin herangewachsen. »Menschen, die gelernt haben, das Wort Patriotismus auszusprechen. Es ist eine Generation, die stolz darauf ist, die Fahne Russlands an ihrer Kleidung zu tragen.«

Vielleicht geht es wirklich darum, es könnte kaum schlimmer sein: unter der Führung eines von Gott gesandten Präsidenten einen neuen russischen Menschen zu schaffen. Den Putin-Menschen.

PROPAGANDA
Informationskrieger

>*»Nichts ist wahr und alles ist möglich.«*
>
>Peter Pomerantsev,
>TV-Produzent und Buchautor[1]

Erzieher des Volkes. »Nachrichten der
Woche«-Moderator Dmitrij Kiseljow, Moskau, 2014

Die Sanktionen? Ach. Er zuckt mit den Schultern, erlaubt sich ein knappes Lächeln. Er will es als Kompliment betrachten: dass die Europäische Union ausgerechnet ihn, einen Verteidiger der Meinungsfreiheit, im März 2014 unter Sanktionen gestellt, ein Einreiseverbot verhängt hat.[2] Ihm sei kein anderer Fall bekannt, in dem Sanktionen einen Journalisten trafen. Damit entlarve sich die EU doch nur selbst, sagt er, ihre angeblichen Werte. Denn mit dieser Entscheidung stelle sie ja das Recht auf Meinungsfreiheit unter Sanktionen. Dmitrij Kiseljow lächelt. Die Sanktionen treffen ihn nicht. Schade nur um einen verlorenen Urlaub mit seinen Kindern. Wollte er ihnen doch die Einsamkeit,

Schönheit und Weite im Norden Norwegens nahebringen. Dmitrij Kiseljow mag Norwegen, das naturverbundene Leben dort. Er studierte skandinavische Philologie, arbeitete zehn Jahre in der Norwegen- und Polen-Redaktion von Radio Moskau, sendete auf Norwegisch.[3] Europa ist ihm eigentlich ganz nah. Kiseljow spricht auch Englisch, Französisch und Schwedisch, seine Liebe gilt dem Jazz. Den Urlaub in Norwegen jedenfalls musste er absagen. Er nahm dann eine Einladung nach Japan an. Sei's drum.[4]

Dmitrij Konstantinowitsch Kiseljow, geboren 1954, gebührt die durchaus zweifelhafte Ehre, als erster Journalist auf einer Sanktionsliste der Europäischen Union zu stehen. Er sei eine »zentrale Figur der Regierungspropaganda«, heißt es in der Begründung.

Denn Dmitrij Kiseljow ist sehr wohl ein Großpropagandist des Kreml, ein Meinungsmacher an entscheidenden Fronten: Zum einen verantwortet und moderiert Kiseljow die populäre Sendung »Westi Nedeli«, »Nachrichten der Woche«, die jeden Sonntag zwei Stunden lang zur besten Sendezeit im staatlichen Fernsehsender »Rossija-1« zu sehen ist. Wichtiger noch: Putin ernannte ihn Ende 2013 zum Generaldirektor der »Internationalen Russischen Nachrichtenagentur Rossija Segodnja«, kurz »Russland Heute«.[5] Damit verantwortet Dmitrij Kiseljow das Bild, das Menschen weltweit von Russland und vom Westen haben sollen. Aus Russland kommen dabei die Wahrheiten, die im Westen angeblich gezielt unterdrückt werden – und die passenden Interpretationen gleich mit. Zu »Russland Heute« gehören die staatliche Nachrichtenagentur »Ria Nowosti«, die Agentur »Sputnik News«, die in 30 Sprachen vor allem über Radiofrequenzen und im Internet sendet, natürlich auch auf Deutsch: »Sputnik« berichtet über das, worüber andere schweigen«. Zu »Russland Heute« gehört die in Berlin ansässige Videonachrichtenagentur »Ruptly«, die unter dem Motto »Nachrichten ohne die Augen zu verschließen« seit 2013 Bewegtbilder aus der ganzen Welt für Kundschaft in aller Welt produziert. Flaggschiff des Nachrichtenkonzerns aber ist der von ihm nur formal unabhängige Fernsehsender »Russia Today«, kurz »RT«, der mit 700 Millionen Zuschauern weltweit zu den erfolgreichsten Nachrichtensendern gehört. Zu empfangen auf Englisch, Spanisch, und Arabisch, im Internet auch auf Französisch und Deutsch, dazu ein populärer Kanal auf YouTube. »RT« wirbt mit der »alternativen Perspektive« auf globale Ereignisse: »Question More«. In dieser russischen Parallelrealität suchen – und finden – nun all die ihre Wahrheit, die sie bei den angeblich interessengesteuerten »Systemmedien« und der »Lügenpresse« des Westens nicht mehr finden – oder nicht mehr finden wollen.[6]

Mit »Russland Heute« geht Russlands Informationskrieg global.

Gemeinsam mit einem Kollegen aus Dänemark trafen wir uns zu einem ersten Gespräch mit Dmitrij Kiseljow in der Zentrale von »Russland Heute«, diesem noch sowjetisch-grauen Betonklotz am Moskauer Subowskij Bulwar. Ein moderner Konferenzraum in Orange, Kiseljow nimmt Tee mit Zitrone. Er ist zurückhaltend, fast vorsichtig. Ein belesener Mann, Detailkenntnisse in russischer wie deutscher Geschichte. Nie war Russland freier als heute, sagt er uns. Auch sei die Pressefreiheit in Russland größer als in den USA. »Schreiben Sie ruhig, dass ich zynisch bin.« In einer multipolaren Welt könnten die USA keinen Führungsanspruch mehr erheben. Jedes Land habe sein eigenes, nationales Modell, vertrete eigene Interessen – auch medial.[7]

So kann auch Dmitrij Kiseljow in gewisser Weise zu Recht sagen: »Meine Priorität ist die Wahrheit.«

Die Wahrheit hat viele Facetten, das gilt auch für Kiseljows Biografie. Gorbatschows Glasnost und Jelzins Freiheitsdurcheinander ermöglichten ihm rasche Karriere im »Ersten Fernsehprogramm« »ORT«. Dort, im »Perwyj Kanal«, machte er sich einen Namen als blitzschneller Nachrichtenmann und als unabhängiger, kritischer Journalist: 1991 weigerte er sich mutig, die Interpretation des Kreml über die Unabhängigkeitsbewegung im Baltikum und den Einsatz sowjetischer Panzer zu verbreiten.[8] Im September 2000 zog er nach Kiew, arbeitete dort erfolgreich für den Sender »ICTV«,[9] der dem Milliardär Wiktor Pintschuk gehört. Er führte westliche Standards ein, berichtete über Korruption und Amtsmissbrauch. Seine Zeit in Kiew erklärt er heute mit einer »romantischen Verirrung«. Die Manipulationen und der amerikanische Einfluss während der Orangen Revolution 2004 hätten ihm die Augen geöffnet.[10] Westliche Journalisten reproduzieren Werte, sagt er, »aber mir wurde klar, dass wir Werte hervorbringen müssen«.[11] Zur Wahrheit könnte allerdings auch gehören, dass Kiseljow offenbar im Auftrag von »ICTV« 2004 die damalige Präsidentschaftskandidatur des als Putin-Mann geltenden Wiktor Janukowitsch unterstützte. Nach dessen Wahlniederlage war für ihn kein Platz mehr in Kiew.[12] Kiseljow kehrte nach Moskau zurück, verschrieb sich Putin und dem Kreml.

Er lädt zur Aufzeichnung seiner Sendung »Nachrichten der Woche« ins Fernsehstudio ein. Will zwei Stunden Wahrheit zeigen, volles Programm. Noch auf dem Weg von seinem Büro ins Studio ordnet er die aktuelle Weltlage ein. Es sieht sehr, sehr düster aus: Amerikas Imperialismus, die Terroristen des IS, in Kiew die Protofaschisten, und auch Angela Merkel nur ein Vasall der USA.

Nach diesem Muster donnern die »Nachrichten der Woche« jeden Sonntag auf die Menschen ein; Reportagen aus einer Welt im Krieg, die USA sind schuld. Mehrere Kameras zeichnen die Sendung aus unterschiedlicher Perspektive auf. So scheint Kiseljow allgegenwärtig, fast übermächtig präsent. Er sitzt, er steht, er geht, dreht sich abrupt nach rechts, nach links, er gestikuliert, wie Salven die atemberaubend schnellen, scharfen Moderationen. Man kann sich ihnen – und ihm – kaum entziehen, es ist eine zweistündige Tour de Force, nein, ein apokalyptischer Ritt. Ein Spiel mit den Ängsten und Vorurteilen der Menschen. Der Präsident der Ukraine, der »Krieg um jeden Preis« will. Das unheilvolle Werk ausländischer Organisationen im Land, tätig einzig mit dem Ziel, Russland zu schaden. Und immer wieder Obama, wie er mit seinen Bomben der Welt die Vorherrschaft der USA aufzwingen will; allein Russland wehrt sich. Schneidend dazu die Kommentare über die zynische Interessenpolitik des Westens, die moralische Arroganz, die Dekadenz, die Schrecken sexueller Früherziehung, der Verrat an den Menschenrechten – das alles scheint überzeugend und ist doch einseitig und falsch. Mit böser Ironie nimmt sich Kiseljow auch die winzige liberale russische Opposition vor, die wenigen noch verbliebenen kritischen russischen Geister. Auch sie seien bezahlt vom Westen, Russlands unwürdig. Wie Steckbriefe präsentiert er ihre Porträts, erbarmungslos freigegeben zur Jagd, und das ist vielleicht das Widerwärtigste in dieser Sendung.

Tausendmal hat Kiseljow das schon gehört und gelesen: dass er ein gefährlicher Agitator sei und ein zynischer Propagandist des Systems. So oft wurde er zitiert mit seinen Kommentaren über Homosexuelle, denen verboten werden sollte, Blut oder Organe zu spenden.[13] Oder mit seiner Drohung an die USA: »Russland ist das einzige Land, das die USA in radioaktiven Staub verwandeln kann.« Oder mit seiner zwölfminütigen Ode zu Putins 60. Geburtstag im Oktober 2012: »Unter seinen Vorgängern im 20. Jahrhundert ist er nur mit Stalin vergleichbar.«[14] Er meinte es als Kompliment.

Propaganda? »Mit unserer Arbeit verteidigen wir uns gegen die Lügen des Westens«, sagt er. »In gewisser Weise sind wir das Schutzschild unseres Vaterlandes. Ob wir einen Informationskrieg führen? Ja, natürlich. In diesem globalen Informationskrieg werden wir siegen. Denn wir berichten die Wahrheit. Als Journalist verstehe mich durchaus als Lehrer. Ich erwecke einen neuen Geist in den Menschen. Den Geist Russlands. Sie sollten wissen, um was es mir, meinem Land wirklich geht: Es geht um Gerechtigkeit! Und wir leben bereits in einem neuen Russland. Es ist ein neues Land mit neuen Menschen.«[15]

Gewalt als Norm, Politik als grelles Spektakel –
Das russische Fernsehen

Lange, lange vorbei die Zeiten, als graugesichtige Sprecher im Staatsfernsehen die gähnend langweiligen offiziösen Wahrheiten vom Blatt ablasen. Putins Fernsehen, wichtigste Informationsquelle für 95 Prozent der russischen Bevölkerung, ist hochmodern. Bunt, laut, unterhaltsam, emotional, schnell und sehr »live«. Dutzende Reporter berichteten 2014 allein aus der Ostukraine, sie verfolgten den Krieg hautnah: Mörserfeuer, Granaten, Raketen, Tote, Blut und Tränen, Hunger, all das natürlich aus russischer Sicht. In sogenannten Talkshows lassen sich sogenannte Experten und Politiker aufeinanderhetzen wie Gladiatoren im alten Rom. Politik wird nur noch als grelles Spektakel dargestellt.[16] Es gewinnt: die Position des Kreml. Auf Fakten kommt es dabei nicht an – auch für die Zuschauer nicht, schon gar nicht, wenn es um patriotischen Furor geht. Radikal und aggressiv im Ton, gleicht die virtuelle Realität des politischen Fernsehens einer Endlosschleife der Gewalt – und als schienen Konflikte nur mit Gewalt lösbar. Dabei ist nicht mehr wichtig, ob etwas »falsch« oder »richtig« ist. Die Grenze zwischen Fakten und Fiktion verschwimmt: Fakten sind Fiktion – und Fiktion wird zu Fakten. Jeden, jeden, jeden Tag hämmern sich die neuen russischen Wahrheiten in die Köpfe und Seelen der Menschen: So schaffen Russlands Medien eine neue, konfuse Realität, der sich kaum noch jemand entziehen kann. Und jeder – fast jeder – dreht sich verwirrt und verängstigt mit in der Spirale eines gigantischen, kreischenden Spektakels. »Eine Wanne voller Blut jeden Abend im russischen Fernsehen ist eine politische Norm geworden«, sagt der ehemalige Spindoktor des Kreml, Gleb Pawlowskij.[17]

Nachrichten werden manipuliert, auf die »russische Sicht« getrimmt, im Zweifel auch erfunden. Die angebliche Kreuzigung eines dreijährigen Kindes durch ukrainische Nationalisten in Slowjansk? Eine Lüge.[18] Aber jeder sprach davon. Ein Mann, offenbar Schauspieler, posierte im Fernsehen sowohl als prorussischer Aktivist als auch als Russland-Gegner.[19] Und das Foto der schönen Krankenschwester Serowa, die angeblich von ukrainischen Soldaten misshandelt und mit einer Axt geköpft wurde? Es war ein Foto der quicklebendigen ehemaligen Pornodarstellerin Marina Ann Hantzis alias Sasha Grey, die nie im Kriegsgebiet war.[20] Als ausländischen Experten befragte man zur (angeblich mehrheitlich russlandfreundlichen) deutschen Position in der Ukrainekrise auch einen »Professor« namens Lorenz Haag. Einen Mann, den man Deutschland nun wirklich nicht kennt.[21]

Das Ergebnis ist messbar. Die Umfragen des letzten noch existierenden unabhängigen Meinungsforschungsinstituts Lewada-Zentr zeigen es: 1989 fragte es, ob Russland Feinde habe. Damals antworteten 13 Prozent mit »Ja«. Auf die gleiche Frage antworteten 2013 – noch vor Ausbruch der Ukrainekrise – 78 Prozent mit »Ja«.[22] Im März 2015 waren zwei von drei Befragten überzeugt: Russland wird durch innere und äußere Feinde bedroht.[23] »Unsere Umfragen zeigen eine rasante Radikalisierung und Militarisierung des Denkens«, sagte mir Lewada-Direktor Lew Gudkow, ein ebenso freundlicher wie trauriger Mann, der seit 1988 versucht, die russische Seele in Statistiken zu fassen. »Mit mächtigen Propagandakampagnen werden die Menschen jetzt gegen äußere und innere Feinde gerichtet. So aggressiv und demagogisch habe ich dies noch nie erlebt. Es ist, als ob uns etwas Fürchterliches bevorsteht. Unaufhaltsam rollt es auf uns zu. So muss es in den 30er Jahren gewesen sein. Wir können uns nicht wehren. Und vielleicht wollen wir uns gar nicht mehr wehren.«[24]

Auf allen Kanälen –
Putins mediale Machtergreifung

Die Kontrolle der Massenmedien bildet eine der Säulen des Putinismus. Die durch Medien gesicherte Popularität des Präsidenten und politisches »Agendasetting« waren für die gesteuerte Legitimation des Systems durch die Mehrheit der Wähler von Anfang an unerlässlich. Um echte Medien- und Meinungsfreiheit ging es nie. Nur ein scheinbarer Widerspruch, dass für kritische Medien durchaus Platz bleibt: Solange Kritik nur eine kleine Minderheit erreicht, wird sie toleriert. Kritische, sogenannte »nesystemnye«-Medien liefern dem Kreml verlässliche Informationen über Stimmungen und Probleme, sie sind Ventil für Unzufriedenheit und steter Beweis für demokratische Vielfalt: So stützt die »gelenkte Pressefreiheit« das System.

Nur vier Tage nach Putins offizieller Amtseinführung, am 11. Mai 2000, stürmten Dutzende maskierte und schwer bewaffnete Männer der Steuerpolizei sowie des Geheimdienstes die Zentrale der russischen Holding »Media-Most«. Vordergründig ging es um nicht bediente Kredite. Doch über Media-Most kontrollierte der ambitionierte russische Oligarch Wladimir Gusinskij den damals größten und erfolgreichsten privaten Fernsehsender »NTV«, dazu Radiostationen wie den kritischen Moskauer Lokalsender Echo Moskwy. »NTV« galt als unabhängiger Sender, im Prinzip Jelzin-freundlich, aber durchaus kremlkritisch, vor allem in der Berichterstattung über den Tschetschenienkrieg, den Putin brutal führte. Überaus populär die wöchentliche Satire-Sendung »kukly«, »Die Puppen«, in der Putin auch mal als böser Zwerg verhöhnt wurde.[25] Nach seiner vorübergehenden Verhaftung verkaufte Wladimir Gusinskij seine Anteile der Media-Most Holding vollständig an den staatlichen Gaskonzern Gazprom, bald verließ er das Land.[26]

Ende August 2000 wurde Boris Beresowskij zu einem Treffen mit Putin in den Kreml zitiert. Beresowskij gehörte zu den einflussreichsten Oligarchen der 90er Jahre. Er war maßgeblich an der Entscheidung beteiligt, Putin zu Jelzins Nachfolger zu ernennen. Der damals so unbekannte Präsidentschaftskandidat wurde den Wählern mit einer massiven PR-Kampagne seines Senders »ORT«, des wichtigen »Ersten Kanals«, nahegebracht. Beresowskij brüstete sich immer wieder damit, er habe »Putin geschaffen«.[27] Doch nach Putins Wahl war Beresowskij bald in Opposition zu seinem »Produkt« gegangen. Putin hatte unmissverständlich klargemacht, dass er politische Ambitionen der Oligarchen nicht dulden werde.[28] Sehr kritisch fiel die ORT-Berichterstattung über Putin nach dem Untergang des Atom-U-Bootes »Kursk« im August 2000 aus. Der Präsident habe sich nicht genug gekümmert, hieß es, sei in seiner Ferienresidenz bei Sotschi geblieben, habe noch nicht einmal im Ausland um technische Hilfe gebeten. Letztlich habe also Putin den qualvollen Erstickungstod der 118 Männer an Bord der »Kursk« zu verantworten.[29] Die Fernsehbilder verzweifelter Ehefrauen, die letzten Notizen der eingeschlossenen Besatzung, die man nach der Öffnung des gesunkenen Bootes durch niederländische Experten fand – die Tragödie der »Kursk« war ein politisches und mediales Desaster für Putin. Nur wenige Monate nach seinem Amtsantritt fielen seine Popularitätswerte mit der »Kursk« tief auf den Meeresgrund, schrieb damals ein russischer Journalist.

Während ihres Treffens Ende August 2000 forderte Putin Boris Beresowskij unmissverständlich auf, seine Mehrheitsanteile am Sender »ORT« zu verkaufen. »Ich will die Kontrolle über ORT«, soll Putin gesagt haben. »Ich werde es selbst managen.«[30] Noch im Jahr 2000 verkaufte Beresowskij seine Anteile, wenig später war der wichtigste russische Fernsehsender wieder unter staatlicher Kontrolle. Beresowskij selbst floh ins Londoner Exil. »Du warst einer derjenigen, die mich baten, Präsident zu werden«, soll sich Putin von Beresowskij verabschiedet haben. »Warum beschwerst du dich dann?«[31]

Noch nicht einmal ein Jahr nach seinem Amtsantritt hatte Putin die Kontrolle über die wichtigsten Fernsehsender gewonnen. Chefredakteure und Redaktionsleiter wurden ausgewechselt, viele Journalisten gingen freiwillig. In den folgenden Jahren wurden die meisten der noch verbliebenen kritischeren Formate gestrichen, oft wegen angeblicher Sparmaßnahmen. Krimis, Spielshows und – zunächst – amerikanische Serien füllten die

Sendeplätze. Bis 2008 erlangte der Kreml – direkt und indirekt – die Kontrolle über 90 Prozent der russischen Medien.[32] Das Fernsehen ist eine Abteilung des Machtapparates, so die russische Journalistin Irina Petrowskaja über das Ergebnis einer systematischen Gleichschaltung.[33]

Erst das Fernsehen machte aus dem graugesichtigen Apparatschik einen populistischen Präsidenten. Es sichert jene strukturelle Majorität der russischen Wähler, die man die »Putin-Mehrheit« nennt. Putin: Ein ewig junger Mann, aktiv und sportlich – niemals würde er werden wie die Uralt-Generalsekretäre der Vergangenheit, zittrig und stotternd wie Breschnjew. Oder wie Gorbatschow, der Mann aus der Provinz mit seinen selbstverliebten Endlos-Reden. Oder wie Boris Jelzin mit seinen peinlichen betrunkenen Auftritten. Auch wenn man sich im Westen über seine scheinbar albernen Stunts[34] mokierte, so vordergründig manipuliert – er war anders. Der russische Actionheld: als einsamer Reiter in den Bergen des Altaj-Gebirges, mit nacktem Oberkörper, die Kette mit dem orthodoxen Kreuz auf der Brust. Der russische Kleinbürger: in einem gelben Lada auf der Fahrt durch Russlands fernen Osten, auf den endlosen Straßen tuckernd. Der Gläubige: bei Kirchenbesuchen, eine Kerze anzündend. Der It-Boy: beim Auftritt mit Jugendlichen in einer populären Hip-Hop-Show. Der Sportler: beim Eishockey, skifahrend. In einem Fluss schwimmend. Der Tierfreund: mit Hundewelpen und Amurtigern, einen Eisbären markierend, mit Kranichen fliegend. Der Hüter der russischen Geschichte: im Schwarzen Meer tauchend, zwei antike Amphoren findend – so offensichtlich war diese Manipulation, dass sie selbst der Kreml zugestehen musste. Aber für die »Partei der Fernsehzuschauer« wurde Putin so zu einem »echten« Menschen. Ein Präsident zum Anfassen und eine Art überirdischer Saubermann zugleich.

So sieht die russische Fernsehlandschaft im Jahr 2015 aus: Das »Erste Programm« »ORT« erreicht 99 Prozent der Menschen in Russland. Es gehört zu 51 Prozent dem Staat. Je 25 Prozent der

Aktien halten der bislang unter allen Präsidenten erfolgreiche Oligarch Roman Abramowitsch sowie die »Nationale Mediengruppe« NMG. An der NMG-Gruppe ist der Mehrheitsaktionär der Bank Rossija, Jurij Kowaltschuk, beteiligt, loyaler Gefolgsmann Putins. Zur NMG gehören auch die Sender »Ren TV«[35], der »Fünfte Kanal« sowie eine der größten Tageszeitungen des Landes, *Iswestija*. Im Herbst 2014 wurde eine junge Frau zur Vorstandsvorsitzenden der Medienholding ernannt: Alina Kabajewa, ehemalige Weltmeisterin und Olympiasiegerin in der Disziplin »Rhythmische Sportgymnastik« und langjährige Abgeordnete der Kreml-Partei »Einiges Russland«. Seit Jahren ranken sich Gerüchte über eine Beziehung zwischen Alina Kabajewa und Wladimir Putin, die mehr oder weniger zweideutig dementiert werden. Als die Zeitung »Moskowksij Korrespondent« allerdings ohne Absprache mit der Kreml-Administration über eine mögliche Scheidung Putins und die »Hochzeit des Jahrhunderts« mit Kabajewa berichtete,[36] wurde das Mediengesetz verschärft. Die Zeitung hatte ihr Erscheinen da bereits eingestellt.[37]

Der zweite Kanal »Rossija« sowie Dutzende regionale Fernseh- und Hörfunkanstalten und Internetportale wie vesti.ru gehören zur staatlichen Medienholding WGTRK, Nachfolgerin des sowjetischen Staatkomitees für Fernsehen und Radio. »NTV«, einst der lebendigste und kritischste Fernsehsender des Landes, wird von Gazprom-Media kontrolliert und ist damit faktisch in staatlicher Hand. »NTV« gilt heute als einer der aggressivsten Pro-Kreml-Kanäle.[38] Ein Beispiel: Die »Dokumentationen« aus der Serie »Beruf: Reporter« mit dem Titel »Die 17 Freunde der Junta« und »Weitere 17 Freunde der Junta«, die im Spätsommer 2014 ausgestrahlt wurden.[39] In ihnen wurden Kritiker der russischen Ukraine-Politik denunziert. Sie machten mit der Kiewer »Junta« gemeinsame Sache, hätten Konten im Westen, seien antipatriotisch, Verräter des Vaterlandes, Teil der »Fünften Kolonne«. Am 1. März 2015 wollte »NTV« den oppositionellen Politiker Boris Nemzow in bekannter Manier als »Agent« des Westens darstellen: »Wie wird der russische Majdan geplant?«, hieß es im Trailer zur Sendung »Anatomie des Protestes – 3«: »Warum unternehmen unsere Revolutionäre Reisen in die Schweiz? Warum treffen sie sich unter strikter Geheimhaltung mit ausländischen Diplomaten?« Für jenen 1. März hatte die Opposition zu einem Protestmarsch in einem Moskauer Vorort aufgerufen. Die Sendung wurde kurzfristig gestrichen: Zwei Tage zuvor war Boris Nemzow ermordet worden.[40]

Nach einem Präsidentenerlass aus dem Jahr 2009 müssen die Kanäle »ORT«, »Rossija« und »NTV« landesweit kostenlos ausgestrahlt werden. Seit 2011 werden diese Lizenzen ohne Ausschreibung verlängert. Andere müssen sich bei der staatlichen Medienaufsicht um Lizenzen bewerben.[41] Schließlich ist Monopolfernsehen dieser Art nicht nur politisches Instrument, sondern auch ein sehr werbeintensives Geschäft für Sender und Produzenten.[42]

Direkte Kontrolle und Zensur sind in dieser neuen Medienrealität kaum noch nötig. Regelmäßig finden Treffen mit den meist sehr gut bezahlten Chefredakteuren und Sendeverantwortlichen statt. Dann gibt Alexej Gromow, seit vielen Jahren im Kreml zuständig für die strategische Führung der russischen Medien und einer der wenigen, die direkten Zugang zu Wladimir Putin haben, im lockeren Gespräch die Richtlinien vor: Welche Themen müssen in den kommenden Wochen behandelt werden? Wie sollen sie interpretiert, kommentiert werden? Wer ist Freund, wer Feind? Jeder weiß, was dann zu tun ist und wie. Und für Notfälle gibt es immer noch die »wertuschka« aus sowjetischen Zeiten, das Telefon ohne Tastatur: Damit kann man nur Anrufe entgegennehmen. Etwa die aus dem Kreml.[43]

Die Regeln des modernen russischen Journalismus formulierte Alexej Wolin, stellvertretender Minister für Tele- und Massenkommunikation, 2013 in einer Rede vor Journalistik-Studenten der Moskauer Universität: »Wir müssen den Studenten präzise beibringen, dass sie später für IHN arbeiten werden und dass ER ihnen sagt, was zu schreiben ist und was nicht zu schreiben ist, und dass ER das Recht dazu hat, denn ER bezahlt sie.«[44]

Nur selten gewährt man Außenstehenden Zugang zum Maschinenraum der Manipulation. Der ehemalige Moskauer BBC-Korrespondent Angus Roxburgh hatte Glück: 2006 verpflichtete er sich für drei Jahre bei der amerikanischen PR-Firma Ketchum und deren Brüsseler Partner GPlus als Berater für Putins Pressesprecher Dmitrij Peskow. Ketchum hatte für anfangs knapp eine Million Dollar Honorar im Monat den Auftrag, Putins Image im Westen aufzupolieren und die anstehende russische G8-Präsidentschaft medial vorzubereiten, später auch die Olympiade in Sotschi. Eine Ausschreibung hatte nicht stattgefunden, Finanzfragen wurden über eine russische Bank geklärt, so tauchte der Posten »Ketchum« nicht im russischen Staatshaushalt auf. »Das größte Problem war, dass die Russen nicht wirklich verstanden, wie westliche Medien funktionieren«, so Roxburgh. »Sie waren wirklich davon überzeugt, dass man für eine positivere Darstellung bezahlen könne. Sie glaubten, dass Journalisten das schreiben, was ihnen von ihren Chefredakteuren oder Regierungen befohlen wird. Und sie wollten jene Journalisten bestrafen, die kritisch über sie berichteten.«[45] Ketchums größter Erfolg soll die Platzierung eines Gastbeitrages des russischen Präsidenten in der *New York Times* gewesen sein, in dem sich Putin im September 2013 direkt an die Menschen in den USA wandte und vor einem US-Militärschlag in Syrien warnte.[46] Noch im Herbst 2014 arbeitete Ketchum für die russische Regierung. Im März 2015 wurde der Vertrag von russischer Seite aus wegen des andauernden »Informationskrieges« gekündigt.[47]

»LifeNews« ist, wenn man so will, ein klassisches Medien-Produkt des Putinismus. Unabhängig und unzensiert, aber immer auf Kreml-Linie und meist vorauseilend darüber hinaus, vor allem in der Ukrainekrise. Hartnäckig halten sich Gerüchte über enge Beziehungen zu den russischen Geheimdiensten. »LifeNews« ist eine Website voller aktueller Videos, darunter Livestreams, auch auf YouTube zu sehen, eine Art News of the World für die digitale Welt. Frauen und Autos und Sex gehören dazu, Mord und Totschlag, Katastrophen und Skurrilitäten aller Art allerorts in Russland und im Rest der Welt. Vor allem aber liefert LifeNews »Breaking News« rund um die Uhr. Die ersten Bilder von Edward Snowden in Moskau? »LifeNews«. Die ersten Sequenzen einer Kreml-Überwachungskamera nach dem Mord an Boris Nemzow? »LifeNews«. Mitschnitte – von wem auch immer erstellt – abgehörter Telefonate russischer Oppositioneller? »LifeNews«. Der Anschlag auf Charlie Hebdo? Rasch wusste ein Experte auf »LifeNews« Antwort: Er sei wohl von den amerikanischen Geheimdiensten organisiert worden.[48] Der Mord an Boris Nemzow? Vielleicht aus Rache? Vielleicht, weil er seine Freundin zu einer Abtreibung in einer Schweizer Privatklinik gezwungen habe? Die Politik des russischen Präsidenten dagegen ist sakrosankt. »LifeNews«-Gründer Aram Gabreljanow preist Putin als »Vater der Nation«.[49] Für Informationen und Material werden »Agenten« bezahlt, so die Umschreibung für die offenbar systematische Bestechung von Amtsträgern. Seine Mitarbeiter beziehen Gehälter von bis zu 10 000 US-Dollar im Monat – um damit, wie es heißt, auch ihre »Agenten« zu pflegen.[50]

Mit einem Bein im Gefängnis – Vom Alltag unabhängiger Journalisten

Wie können unabhängige Journalisten in diesem Klima arbeiten? Hassmails und Drohanrufe gehören zum beruflichen Alltag, auch der ökonomische Druck ist immens: Lokalzeitungen, die über Korruption örtlicher Behörden berichten, droht die Schließung, etwa aufgrund von »Feuerschutzmaßnahmen« oder »Steuerprüfungen«. Von »moralischem Burnout« sprechen viele, von der Schere im Kopf, von der Angst um die Familie und auch um das eigene Leben. Paul Chlebnikow, Chefredakteur des Wirtschaftsmagazins *Forbes Russia*, wurde 2004 aus einem fahrenden Auto heraus in Moskau erschossen. Der Prozess gegen zwei Verdächtige aus Tschetschenien endete mit einem Freispruch, neue Ermittlungen blieben bislang erfolglos. Die investigative Reporterin Anna Politkowskaja von der *Nowaja Gaseta* berichtete vor allem über den Tschetschenienkrieg. Sie enthüllte mafiose Strukturen, Korruption, Entführungen und Folter – sowohl auf russischer als auch auf tschetschenischer Seite.[51] Während eines Inlandfluges reichte man ihr vergifteten Tee, sie überlebte nur knapp.[52] Am 7. Oktober 2006, dem Geburtstag Wladimir Putins, wurde sie im Aufgang ihres Moskauer Wohnhauses erschossen. Nach zwei langjährigen, umstrittenen Prozessen wurden fünf Männer verurteilt. Die wahren Auftraggeber des Mordes waren noch 2015 nicht bekannt.[53] Michail Beketow, Chefredakteur der Lokalzeitung *Chimkinskaja Prawda* aus der Moskauer Vorstadt Chimki, engagierte sich für die Rettung des Waldes seiner Stadt, durch den eine Autobahn nach Sankt Petersburg gebaut werden sollte.[54] 2008 wurden Beketow von Unbekannten Schädel und Beine zertrümmert. Fortan schwerbehindert und kaum noch in der Lage, zu sprechen, starb Michail Beketow 2013 an den Spätfolgen seiner schweren Verletzungen.[55] Die Journalistin Anastassija Baburowa von der *Nowaja Gaseta* wurde im Januar 2009 auf offener Straße in Moskau offenbar von rechtsextremen Nationalisten erschossen.[56] Der kreml-kritische Journalist Oleg Kaschin von der Zeitung *Kommersant* wurde im November 2010 vor seiner Wohnung in Moskau von Unbekannten mit zwei Eisenstangen angriffen und so schwer verletzt, dass er ins Koma fiel und nur knapp überlebte.[57]

Dies bedeutet nicht, dass Morde im Auftrag oder mit Wissen des Kreml begangen werden. Doch sie wurden in einem Klima zunehmenden Hasses und der Gewalt möglich – und bleiben zumeist unbestraft. In den meisten Fällen wurden die Ermittlungen eingestellt.[58]

Kritische Journalisten arbeiten mit einem Bein im Gefängnis. Nach den Protesten gegen Putin im Winter 2011/2012 wurden die Gesetze systematisch verschärft: So gilt »Verleumdung« seit Sommer 2012 wieder als Straftat. Seitdem wurden Hunderte verurteilt, meist Journalisten und Blogger. Das Gesetz über »Landesverrat und Spionage« wurde erweitert: Unter »Landesverrat« fällt nun alles, was die Sicherheit Russlands gefährden könnte, und kann mit bis zu acht Jahren Arbeitslager bestraft werden. Das Gesetz über die Massenmedien wurde um den sogenannten »Schimpfwort-Paragrafen« ergänzt, später kam der Paragraf über die »Beleidigung religiöser Werte« dazu, die fortan mit bis zu drei Jahren Lagerhaft geahndet werden kann.[59] Es bleibt offen, was konkret unter diese Tatbestände fällt. Im Herbst 2014 folgte das Gesetz über die Beteiligung ausländischer Verlage an russischen Medien, die ab Januar 2016 nicht mehr als 20 Prozent betragen darf. Denn einige russische Medien in ausländischer Hand seien bereits Teil der »Fünften Kolonne«, hieß es bei der Vorlage des Gesetzentwurfes in der Duma.[60] Im Frühsommer 2015 wurde es russischen Medien verboten, über Verluste russischer Truppen zu berichten, die sich in Sondereinsätzen befanden: denn Putins Kriege kennen keine eigenen Opfer, sie kennen nur Siege.

Noch berichtet das Wirtschaftsmagazin *Forbes Russia*, in Russland herausgegeben vom Axel Springer Verlag, immer wieder kritisch über die Milliardenverflechtungen der »Russland GmbH«. Noch traut sich die Wirtschaftszeitung *Vedomosti*, ein Joint Venture unter anderem mit der *Financial Times*,[61] konsequent das, was in anderen Ländern normaler Journalismus ist. Noch erscheint das politische Wochenmagazin *The New Times* unter Leitung der erfahrenen Journalistin Ewgenija Albaz. Und immer noch überrascht die vom russischen Milliardär und Vielfachunternehmer Alexander Lebedjew finanzierte kleine, unermüdliche *Nowaja Gaseta* mit investigativen Berichten aus dem Inneren des Kreml.

Und wie durch ein Wunder sendet »TV Doschd« – »Der Regen« – immer noch, irgendwie, wenn auch nahezu unter Ausschluss der Öffentlichkeit. »Doschd« ging 2010 auf Sendung. Der kleine Sender fand seine Zuschauer vor allem in der aufstrebenden Moskauer Mittelklasse, der »kreativnyj klass«. Gegründet und finanziert von der Moskauer Medienunternehmerin Natalija Sindejewa, sendete »Doschd« fast ausschließlich live aus einer Etage der renovierten ehemaligen Schokoladenfabrik »Oktober« im Herzen der Stadt. Hier hatten Galerien, Cafés und Bars mit Blick auf die Moskwa eröffnet. Und mittendrin »Doschd« mit dem pinken Regenschirm-Logo, den pinken Stellwänden im Studio und dem jungen Chefredakteur Michail Sygar in seinem vier Quadratmeter großen Büro.[62] »Doschd« sollte lebendiges Fernsehen sein, jung und bunt und optimistisch und immer ehrlich. Weder pro-, noch anti-Kreml, weder pro-, noch anti-Opposition: »Wir machen normalen Journalismus.« Selbstverständlich zeigte »Doschd« zu Putins dritter Amtseinführung auch die Demonstrationen gegen ihn. Minister der russischen Regierung wurden ebenso interviewt wie die kritische Schriftstellerin Ljudmila Ulizkaja und der wohl bekannteste russische Oppositionelle, Alexej Nawalnyj.[63]

Im Februar 2014 sendete »Doschd« auch Bilder vom Majdan-Platz in Kiew. Vielleicht war dies der entscheidende Schritt zu weit – vielleicht war es aber auch einen Monat zuvor jene Frage, die ein Historiker in einer Diskussionsrunde über die Belagerung von Leningrad durch Hitlers Wehrmacht 1941 gestellt hatte, der mehr als eine Million Menschen zum Opfer fielen. Hätte sich die Stadt ergeben sollen, um so Menschenleben zu retten?, lautete die politisch vielleicht nicht sehr korrekte Frage.[64] Die Sache wurde zur Staatsaffäre: Medien berichteten landesweit, Veteranen protestierten gegen die angebliche Verunglimpfung sowjetischen Heldentums. Die Redaktion entschuldigte sich bei den Zuschauern für verletzte Gefühle. Doch es war wohl der Anlass gefunden, nun auch »Doschd« in die Schranken zu weisen. Innerhalb weniger Wochen wurden dem Sender faktisch alle Kabel- und Satellitendienste gekündigt. Die Betreiber gaben in privaten Gesprächen zu, vom Kreml unter Druck gesetzt worden zu sein.[65] Innerhalb kürzester Zeit verlor »Doschd« 90 Prozent seiner Zuschauer. Die Werbekunden stiegen aus. Duma-Abgeordnete forderten den Generalstaatsanwalt in Briefen auf, die Finanzierung des Senders genau zu prüfen. Die Steuerprüfung rückte an, dann kündigte der Vermieter. »Dabei«, sagt Michail Sygar, »waren wir nie radikal. Was sich geändert hat? Wir haben es mittlerweile mit einer ganz anderen Form von Propaganda zu tun. Journalisten sind jetzt Soldaten in einem Krieg.«[66]

Im Februar 2015 fand »Doschd« eine neue Heimat in der Moskauer Designfabrik »Flakon«.[67] Man sendet noch – im Internet, das Programm ist nunmehr kostenpflichtig.[68] Man hofft auch auf Crowdfunding. Und will für das winzig kleine, treue Publikum berichten, solange es eben geht.

»Und im Ernstfall zeigen wir ihnen, was nötig ist« – Informationskrieg im Westen

Wenn Journalisten »Soldaten« sind, dann ist Information die wichtigste Waffe in einem nunmehr global geführten Krieg. Schon lange sind Desinformation und Manipulation bewährte »aktive Maßnahmen« von Geheimdiensten in Ost und West, die Geschichte des Kalten Krieges ist voll davon. Tausende KGB-Mitarbeiter waren dafür abgestellt.[69] Im Jahr 2015 aber treffen Professionalität und Perfidie der russischen Propagandamaschinerie auf tief verunsicherte Menschen im Westen, vor allem in Deutschland. Es mischen sich: die Angst vor einem Krieg in Europa, sachliche Kritik an den USA ebenso wie populistischer Antiamerikanismus. Dazu Fremdenfeindlichkeit, rechtskonservativer Nationalismus, Wut auf die politischen Eliten. Medien gelten als gleichgeschaltet: als »Lügenpresse« eben oder »Systemmedien«.

Das Narrativ der russischen Auslandsmedien bedient diese Ängste und Vorurteile. Denn Russlands Informationskrieger wollen den Westen mit seinen eigenen Mitteln schlagen: mit dem Menschenrecht auf freie Meinung und Pressefreiheit. Vielfalt und Diskurs, Komplexität und Widersprüche dienen als Beweis für fehlende Objektivität. Wenn Objektivität ohnehin nicht existiert, so die Logik, braucht es auch Abwägung und Fairness nicht mehr. Dann ist alles Propaganda. So wird einseitige, bewusst verzerrte Systemkritik zum journalistischen Grundgesetz. Auf dem rechten Weg bleibt allein: Russland.

Es geht also nicht mehr allein um »soft power«,[70] jene Mittel der Selbstdarstellung, mit denen Regierungen in Ost und West ein positives Image ihres Landes vermitteln und öffentliche Meinung im Ausland beeinflussen wollen. Zu den Instrumenten russischer »soft power« gehörten anfangs Aufträge an westliche PR-Agenturen oder auch die Gründung des Waldaj-Forums 2004. Putin, der bei dem Treffen internationaler Russland-Experten regelmäßig mitdiskutiert, mokierte sich zwar in privaten Gesprächen über zu freundliche Fragen, kritisierte zugleich aber den mangelnden Erfolg der Bemühungen um ein besseres Image: »Ich sehe keine klaren Ergebnisse unserer Treffen in Ihren Veröffentlichungen, obwohl ich davon überzeugt bin, dass Sie unser Land immer besser verstehen. Wir würden es begrüßen, wenn Sie Ihre Erkenntnisse auch Ihren Lesern und Zuschauern vermitteln würden, um die massiven Vorurteile zu bekämpfen, die im Westen vorherrschen.«[71]

Der Georgienkrieg 2008 brachte die Wende. In westlichen Medien wurde Russland als Aggressor dargestellt, der gut englisch sprechende georgische Präsident Michail Saakaschwili als Opfer – für den Kreml eine grobe Manipulation der Fakten, ein Sieg der USA im Kampf um die öffentliche Meinung.[72] Es kam zu einem Strategiewechsel. 2010 lagen erste, von Militärs ausgearbeitete Entwürfe vor. Es solle nunmehr wieder vorrangig um Desinformation, Manipulation, Propaganda und Demoralisierung gehen.[73] So wurden Russlands Auslandsmedien Instrument der »nicht-linearen Kriegsführung«, jener hybriden Strategie der

Ausdehnung und Absicherung, die der russische Generalstabschef Walerij Gerassimow im Januar 2013 dann so formulierte: »Die Regeln des Krieges haben sich verändert.« Politische Ziele seien nicht mehr allein durch konventionelle Feuerkraft zu erreichen, sondern durch den »breit gestreuten Einsatz von Desinformationen, von politischen, ökonomischen, humanitären und anderen nichtmilitärischen Maßnahmen, die in Verbindung mit dem Protestpotenzial der Bevölkerung zum Einsatz kommen.«[74]

Fast erstaunt gab der Nato-Oberkommandierende US-General Philipp Breedlove im September 2014 zu Protokoll, in der Ukraine[75] erlebe er einen regelrechten Informations-»Blitzkrieg«.[76]

Aber es geht nicht allein um die Ukraine. Es geht um Verunsicherung, Verwirrung und Spaltung des Westens. Denn Russlands moderner Informationskrieg ist: ein Krieg gegen die Information.[77]

Der Fernsehkanal »Russia Today« kämpft in diesem Krieg um die Herzen und Köpfe an vorderster Front. Mit einem Budget von umgerechnet 263 Millionen Euro ausgestattet,[78] soll »RT« den »alternativen Blick« auf die Welt bieten. So forderte es Präsident Putin bei seinem Besuch im brandneuen Moskauer »RT«-Hauptquartier 2013: Es gelte, das »Monopol der angelsächsischen Massenmedien zu brechen«.[79] Das Problem ist nur: Es geht nicht um einen alternativen Blick. Es geht um den Blick des Kreml.[80]

2005 gegründet, dümpelte »Russia Today« zunächst im medialen Mainstream. Anfangs versuchte man, mit positiven Nachrichten aus Russland ein positives Bild zu vermitteln. Seit 2008 aber wird die Politik des Westens selbst, vor allem der USA, in den Mittelpunkt gestellt. Ob extrem links oder extrem rechts: Westliche Kritiker des Westens wurden zu – scheinbar objektiven – Kronzeugen. Und »Russia Today« änderte seinen Namen in das neutraler klingende Kürzel »RT«.

Vor allem in den USA wurde »RT« in den vergangenen Jahren zur Erfolgsstory: Eine Alternative zum erzrepublikanischen

Supermachtkampfsender »Fox News«, aber auch zu langweilig-neutraleren Programmen wie »CNN«. Amerikanisch aufgemacht, Schwerpunkt Auslandsberichterstattung, junge, energische Moderatorinnen, Dokumentationen und lange Interviews mit stets provozierenden Thesen: die Bankenkrise, die Occupy-Bewegung, soziale Ungerechtigkeit, die Kriege der USA im Irak und Afghanistan, die doppelzüngige Moral in der Ukrainekrise und die bittere Realität von Guantánamo. Dazu US-Journalistenlegende Larry King mit einer Talkshow, auf Sendung auch Julian Assange. In den USA und Großbritannien gehört »RT« mittlerweile zu den meistgesehensten Auslandssendern. Für weitere Verbreitung sorgt kluges Marketing wie etwa der »RT«-Kanal auf YouTube. Anderen Sendern stellt »RT« kostenlos einen Teil seines Materials zur Verfügung, Übersetzung wahlweise in Englisch, Spanisch oder Arabisch inklusive.[81]

Und weil es keine »objektive Wahrheit« gibt, sind Konspirationstheoretiker gefragte Experten, die ungefiltert ihre Wahrheiten verbreiten dürfen – und sollen. So seien die Bombenanschläge beim Bostoner Marathon wohl Teil einer US-Verschwörung und 9/11 ein »inside job«.[82] Hinter der Ebola-Epidemie in Afrika steckten womöglich die USA.[83] Zur Lage im angeblich islamistisch unterwanderten Deutschland sowie im Nahen Osten äußert sich als Experte Manuel Ochsenknecht, Chefredakteur des rechtsradikal-völkischen Magazins *Zuerst!*.[84] Nigel Farage von der europafeindlichen britischen UKIP-Partei tritt auf, der Saddam-Hussein-Unterstützer George Galloway präsentiert eine Sendung über die Voreingenommenheit der westlichen Medien. Und dazwischen »neutrale« Berichte etwa über die Unterdrückung der russischen Bevölkerung auf der Krim durch die ukrainischen Machthaber oder den angeblichen Abschuss der Passagiermaschine MH17 durch ein Kampfflugzeug der ukrainischen Armee.

Im März 2014 kündigte die Washingtoner »RT«-Moderatorin Liz Wahl vor laufender Kamera. Sie könne Putins Politik nicht länger »weißwaschen«[85]. Drei Monate später verließ die britische »RT«-Moderatorin Sarah Firth den Sender: Sie habe die Desinformationen im Zusammenhang mit dem Abschuss von MH17 nicht mehr verteidigen können.[86] Dabei arbeitete sie zunächst gerne bei »RT«: junge, engagierte Kollegen, Aufbruchstimmung und sehr gute Bezahlung. Die Einstiegsgehälter lagen bei über 6000 Euro im Monat netto, berichtete sie.[87]

Seit Ende 2014 ist »RT« mit der Sendung »Der fehlende Part« fünfmal in der Woche auch auf Deutsch zu sehen. »RT Deutsch« sendet im Internet – unklar, ob aus Kostengründen oder mangels Lizenz für terrestrische oder Kabelverbreitung. Auch im »fehlenden Part« wird jeder Interviewpartner – ob er will oder nicht – zum Werkzeug mehr oder weniger geschickter Manipulation, in der es letztlich um Systemkritik am Westen und seinen Medien geht.[88] »Medienverdrossenheit wird als journalistisches Programm verkauft«, beschreibt der Tübinger Medienwissenschaftler Bernhard Pörksen das Konzept, so suche »staatlich gelenkte Öffentlichkeit« den Schulterschluss mit einer selbsternannten Gegenöffentlichkeit[89]. Man könnte es auch als Strategie der Zersetzung beschreiben: Wenn niemand mehr glaubwürdig ist und nichts mehr Bestand hat, wenn Werte zerfallen, dann werden auch die russischen Wahrheiten – wahr. In bestechender Logik folgerte Iwan Rodionow, gern eingeladener Gast deutscher Talkshows und Chefredakteur der in Berlin ansässigen russischen Videoagentur »Ruptly«, die auch »RT Deutsch« produziert: »Objektivität ist nur ein anderes Wort für Russland-Bashing.«[90]

Mit gerade einmal 25 Jahren wurde die Journalistin Margarita Simonjan 2005 zur Chefredakteurin von »Russia Today« ernannt. Zuvor hatte sie als Reporterin des Staatssenders »Rossija« im Kreml-Pool gearbeitet, 2011 gehörte sie zu Putins Wahlkampfstab. »Russia Today« sei das »Verteidigungsministerium« des Kreml, erklärte sie, »eine Waffe wie jede andere auch«.[91] In Friedenszeiten erscheine ein Auslandssender nicht unbedingt nötig. Aber im Krieg könne er entscheidend sein. »Eine Armee grün-

det man ja auch nicht erst eine Woche vor Kriegsbeginn«, so Simonjan. Es gehe darum, einen Kanal zu schaffen, »an den sich
die Leute gewöhnen, der ihnen gefällt – und im Ernstfall zeigen
wir ihnen, was nötig ist«.[92]

Im Mai 2014 tauchte ein Foto von ihr auf, Hacker hatten es
online gestellt: Sie war zu Besuch im Kreml, hielt einen Blumen-
strauß in der Hand. Gerade war sie von Präsident Putin mit dem
Orden für »Verdienste am Vaterland« ausgezeichnet worden. Den
hatten 300 russische Journalisten und Chefredakteure für ihre
»objektive Berichterstattung« über die Ereignisse auf der Krim
erhalten.[93]

Vielleicht kommt der Wahrheit sogar nah, was Margarita Simonjan einem amerikanischen Journalisten sagte: »Ihnen glauben die Menschen nicht mehr. Aber sie glauben uns. Sie glauben,
dass unser Bild der Welt näher an der Realität ist.«[94]

Putins Trolle erledigen den Rest. Seit dem Ausbruch der Ukrainekrise werden soziale Netzwerke und Meinungsforen westlicher Medien offenbar gezielt von prorussischen Kommentaren
überschwemmt.[95] Das Muster ist immer das gleiche: Lob für Putin, verhöhnende Kritik am Westen und die oft hassvolle Verunglimpfung von Journalisten. Die Moskauer ARD-Korrespondentin Golineh Atai berichtete über die Wirkungen dieser Kampagnen
auch auf ihre Heimatredaktionen: »Die meisten Journalisten in
dem Land, in dem ich lebe, begreifen sich mittlerweile als Informationskrieger. Sie reden ganz offen über ihre Mission. Und sie
sehen auch mich als Informationskriegerin an. Sie drängen mich
geradezu in die Rolle der Kriegerin hinein. Ich will aber Journalistin sein! Nicht Kriegerin! . . . Ich werde überrollt von der Spin-
Lawine, von der Inszenierungsmaschinerie des Kreml. Sie hat
eine so fantastische Ausstrahlungskraft, dass mittlerweile alle
meine deutschen Freunde gar nicht mehr wissen, worum es in
der Ukraine und in Russland geht. Nur noch müde Zweifel sind
übrig geblieben: ›Nichts ist wahr. Alles ist möglich.‹ Während
der Zuschauer Vertrauen in mich verliert, verliere ich Vertrauen

in die Heimatredaktionen, in langjährige Kollegen, in journalistische und intellektuelle Vorbilder. Ich erlebe, wie die Angst in das Programm hineinspielt. Ich höre jeden Tag von den Kollegen in Deutschland, dass sie bestimmte Wortmeldungen und Formulierungen vermeiden, ›wegen der Beschwerden‹.«[96]

Dass eine bezahlte Armee von Putin-Trollen wirklich existiert, zeigen die E-Mails, die die Hacker-Gruppe »Anonymus International«[97] ins Netz stellte. Ihnen zufolge analysiert die Petersburger »Agentur zur Analyse des Internets« westliche Internet-Medien und soziale Netzwerke ausführlich und legt »Zielmedien« fest. Facebook und Twitter gehören immer dazu. Rund 400 Mitarbeiter[98] erhalten exakte Anweisungen, was oder wer zu welcher Tageszeit in welcher Sprache zu kommentieren ist. Die Sprache soll möglichst deftig und provozierend sein. Themen und Schlüsselwörter wie etwa: »Nato-Truppen in der ukrainischen Armee« und Interpretationen wie: »Mord an Nemzow von ukrainischen Oligarchen inszeniert, um Russland zu schaden«, werden vorgegeben. Gepostet werden müssen auch weiterführende Links zu den verunglimpfenden Cartoons, die von der Agentur selbst produziert werden. Die Mitarbeiter der »Farm der Trolle« müssen Produktionsquoten erfüllen: Täglich mindestens 50 Kommentare auf Nachrichtenportalen und 50 Tweets sowie die Bearbeitung mehrerer Facebook-Seiten.[99] Durch massenhafte Posts sollen es die Kommentare in die Trends der meistdiskutierten Themen etwa bei Twitter bringen und so für weitere Verbreitung sorgen. Gearbeitet wird in 12-Stunden-Schichten, Monatsverdienst umgerechnet 700 Dollar, manchmal mehr.[100] Im Sommer 2015 nahmen russische Trolle offenbar auch den neuen Instagram-Account der Bundeskanzlerin ins Visier.

Zu den Auftraggebern gehört den Dokumenten zufolge der Petersburger Unternehmer Jewgenij Prigoschin. In den 90er Jahren unterhielt Prigoschin das Casino »Conti«, damals führte Putin in der Petersburger Stadtverwaltung die Aufsicht über das Glücksspiel der Stadt. Prigoschins »Concord«-Gruppe betreibt mehrere

Restaurants, beliefert Schulen und das Militär und catert auch bei offiziellen Anlässen. Daher sein Spitzname: »Putins Koch«. Die »Agentur zur Analyse des Internets« schickte ihre Abrechnungen an die Firma Concord. Tätigkeitsberichte gingen auch an einen Mann mit dem Namen »Wolodin« – möglicherweise Wjatscheslaw Wolodin, der für Innenpolitik zuständige Erste Stellvertretende Leiter der Präsidialadministration.[101]

Nichts ist wahr und alles ist möglich: Fast machtlos scheinen die Menschen der neuen russischen Realität der Lügen, Halbwahrheiten, Verdrehungen und Verschleierungen ausgeliefert. Eher verzagt bislang die Reaktionen im Westen: Der Etat für russischsprachige Programme der Deutschen Welle soll erhöht werden – um 3,5 Millionen Euro.[102] Das Auswärtige Amt stellte einen »Realitätscheck« für seine Mitarbeiter zusammen: 18 »Russische Behauptungen« – und 18 vorformulierte Antworten.[103] Vor allem auf Druck der baltischen Staaten gründete die Europäische Union im Frühjahr 2015 eine Task Force: »Mythbuster« soll russische Lügen und Halbwahrheiten entlarven.[104] Man denkt über die Gründung eines russischsprachigen Fernsehprogramms nach, das auch in den baltischen Staaten ausgestrahlt werden könnte, dort, wo große russische Minderheiten leben.[105]

Am Anfang aber steht eine einfache Erkenntnis. Russlands Informationskrieg ist, was er ist: ein Krieg. Und dieser Krieg wird geführt gegen: jeden von uns.

ZIVILGESELLSCHAFT
Macht und Ohnmacht
der Opposition

> »Dieses Regime empfinde ich
> als persönliche Beleidigung.«
>
> Ewgenija Albaz, Chefredakteurin,
> The New Times[1]

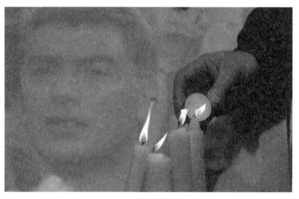

Gedenken. Nach dem Attentat auf Boris Nemzow,
Sankt Petersburg, Februar 2015

Sie hatten gerne zugesagt, ein Treffen in Moskau, »post-Krim«, vier politisch engagierte Frauen aus drei Generationen. Wir wollten ein Gespräch über die Zeitenwende in ihrem Land und die Rolle der russischen Zivilgesellschaft führen. Ljudmila Alexejewa bestand darauf, unsere Gastgeberin zu sein. Kein Gespräch über diese ernsten Themen ohne anständiges Essen, hatte die alte Dame am Telefon angekündigt. Und so versammelten wir uns an einem lauen Moskauer Abend in ihrer lichten Wohnung am Moskauer Staryj Arbat. Heute eine Fußgängerzone mit Restaurants und Geschäften voller Russenkitsch-Souvenirs, lebten im 19. Jahrhundert Adelige und revolutionäre Schriftsteller am Alten Arbat, und auch zu sowjetischen Zeiten galt die Gegend als begehrtes Wohnviertel der Intelligenzija, der russischen Intellektuellen. Überbordend gedeckt der Tisch, Ljudmila Alexejewa hatte das traditionelle blau-weiße Porzellan aus der russischen Gschel-Fabrik aus dem Schrank geholt, Wein, Moosbeerensaft, Piroggen, Salate, später Granatäpfel und Kuchen und sehr heißer schwarzer Tee.

Es kamen: Nadeschda Tolokonnikowa und Marija Aljochina, zwei schöne junge Frauen, Mitgründerinnen der Punkrock-Aktivistinnen-Gruppe Pussy Riot. Beinahe schüchtern saßen sie am Tisch. Wenige Monate zuvor waren sie im Rahmen einer allgemeinen Amnestie des russischen Präsidenten aus dem Arbeitslager entlassen worden. Im August 2012 hatte sie ein Moskauer Gericht wegen »Rowdytums aus religiösem Hass« zu zwei Jahren Lagerhaft verurteilt. Zwei Jahre – weil sie in der Moskauer Christus-Erlöser-Kathedrale mit einer lärmenden, ziemlich geschmacklosen und sehr kurzen Aktion vor der Ikonostase angeblich die »soziale Ordnung unterwandert« hatten. In ihrem vulgären »Punk-Gebet« hatten sie die unheilige Allianz zwischen Kirche, Geheimdienst und Staat angeprangert und die Mutter Gottes – wenn auch vergebens – um Erlösung von Putin gebeten. Gerichtsverfahren und Urteil gegen die beiden jungen Frauen und ihre Band-Kollegin Jekaterina Samuzewitsch waren im Ausland auch von Politikern hart kritisiert worden. Amnesty International bezeichnete sie als politische Gefangene – im konservativen Russland aber unterstützte die Mehrheit das Urteil.[2] Nach ihrer Entlassung reichte man sie im Westen wie kostbare Trophäen von Veranstaltung zu Veranstaltung. Sie wurden weltberühmt, Ikonen des Protestes gegen Putin. Man verlieh ihnen Preise, gab Konzerte für sie. Das US-Hochglanzmodemagazin *Vogue* machte ein Fotoshooting mit den »Staatsfeindinnen«.[3] Politiker schüttelten ihnen die Hand, sie hatten einen Auftritt in der legendären TV-Serie »House of Cards«; es schien, als wollten sie sich gegen die internationale Heldinnenvermarktung auch gar nicht wehren. Sie trennten sich von den anderen, anonymen Aktivistinnen von Pussy Riot[4] – aber Nadeschda und Marija blieben: Pussy Riot.

Neben den beiden jungen Frauen fand sich an diesem Abend Ewgenija Albaz ein, journalistisches Schwergewicht Russlands. Sie wolle deutlich machen, dass nicht alle Menschen in Russland Putins Kurs unterstützen, sagte sie. Nach ihrem Journalismusstudium an der Moskauer Lomonossow-Universität schrieb sie anfangs über Wissenschaftsthemen. Sie hatte zehn Jahre Ausreiseverbot, weil sie sich nicht vom KGB anwerben lassen wollte. Erst mit Beginn von Gorbatschows Perestroika konnte sie sich kritischen Themen widmen: den katastrophalen sozialen Zuständen und vor allem der ungebrochenen Macht des Geheimdienstes KGB, heute FSB, den sie als entscheidende Machtbasis Putins sieht. Schon 1993 bekam sie Ärger, als sie eine Artikelreihe über die Macht des KGB veröffentlichte. Es würde nur Unfrieden säen, hieß es damals schon. Es war einer der größten Fehler der Perestroika und der Jelzin-Jahre, dass diese Vergangenheit nicht aufgearbeitet wurde, sagte sie.

Ewgenija Albaz wurde 2009 Chefredakteurin eines der letzten kritischen Wochenmagazine Russlands: *The New Times*. Modernes Layout, Politik satt. Sie führte das erste Interview mit Michail Chodorkowskij nach dessen Freilassung, die *New Times* berichtete ausführlich über den Krieg im Osten der Ukraine, über den wachsenden russischen Nationalismus, die perfide Propaganda, die Hintergründe des Mordes am Kremlkritiker Boris Nemzow. Mit dem Slogan »Sind Sie frei?« wirbt sie um Abonnenten. Noch kann das Magazin existieren, die Auflage ist, wie bei allen kritischen Medien in Russland, klein. Nie würde Ewgenija Albaz ihr Land freiwillig verlassen: »Wer sich nicht gegen das System wehrt, macht sich mitschuldig.«[5]

Unsere Gastgeberin Ljudmila Alexejewa, fast 90 Jahre alt, ist die Grande Dame der sowjetischen Dissidenten. Dissidenten: die, die anders denken. Sie lehnten die totale Lüge des sowjetischen Lebens ab, nach den Jahren des Schweigens unter Stalin wollten sie endlich öffentlich aussprechen, was sie denken, es war zwangsläufig Kritik am System. Für diese Freiheit gingen sie ins Straflager, wurden in psychiatrischen Kliniken eingesperrt oder – wie der spätere Friedensnobelpreisträger Andrej Sacharow – in die Verbannung geschickt. Seit einem halben Jahrhundert engagiert sich Alexejewa für die Menschenrechte in ihrem Land. Als Vorsitzende der 1976 gegründeten Moskauer Helsinki-Gruppe dokumentiert sie Verstöße gegen die Menschenrechte, setzt sich für Andersdenkende und Verfolgte ein: Vermittlung von Rechtsanwälten, Dokumentation und öffentlicher Protest. Wegen ihrer Tätigkeit musste sie 1977 ins Exil und konnte erst 1993 nach Moskau zurückkehren. Die alte Dame kann kaum noch laufen, die Mühen des Alters, sagte sie, aber wenn es sein müsse, ginge sie auch demonstrieren. In den vergangenen Jahren gehörte sie zur Vereinigung Strategie-31: Die kleine Gruppe demonstrierte regelmäßig für die Achtung von Artikel 31 der russischen Verfassung, der das Recht auf Versammlungs- und Demonstrationsfreiheit festschreibt.[6] Im Moskauer Stadtgericht verfolgte Ljudmila Alexejewa auch die Prozesse gegen die Demonstranten vom Bolotnaja-Platz, die 2012 friedlich gegen Putin protestiert hatten. Viele von ihnen wurden wegen angeblicher Anstiftung zum Massenaufruhr zu Straflagerhaft verurteilt. Mit der Politik wollte sie sich nie gemeinmachen – dennoch gehört Alexejewa seit 2004 dem auch in der Opposition umstrittenen »Rat für die Entwicklung der Zivilgesellschaft und der Menschenrechte« an, der Präsident Putin in Menschenrechtsfragen beraten soll.[7] So könne sie wenigstens versuchen, Einfluss zu nehmen. Über die Zukunft der Moskauer Helsinki-Gruppe allerdings machte sich Alexejewa wenig Illusionen: Lediglich ihre Bekanntheit halte die Behörden davon ab, die Gruppe unter irgendeinem Vorwand zu schließen.

So saßen wir an jenem Moskauer Abend und versuchten, das neue Russland zu verstehen. Vier Frauen, drei Generationen, jede auf ihre Weise in Opposition zum System, noch hoffte jede auf eine bessere Zukunft für ihr Land. Nadeschda Tolokonnikowa und Marija Aljochina, beide Mitte zwanzig, wollen nach ihren erniedrigenden Erfahrungen im Arbeitslager nun etwas Praktisches leisten. Freiheit bedeute Verantwortung, sagten sie: Sie gründeten die Organisation Zone des Rechts,[8] die sich für die Rechte Gefangener einsetzt. Ihre Mitarbeiter – vor allem Freiwillige – sitzen am Telefon, geben psychologische und juristische Beratung, sammeln Informationen über Arbeitsbedingungen, Willkür, Gewalt und Todesfälle in den russischen Straflagern. Das begleitende Projekt »Mediazona«[9] soll mit Nachrichten und Berichten für Öffentlichkeit sorgen, um Gesetzesänderungen zu erreichen. Das sei natürlich völlig aussichtslos, sagte Nadedscha Tolokonnikowa: »Aber wir versuchen es trotzdem.« Ihre Zone des Rechts soll ein Protest auch gegen die Rechtlosigkeit in der russischen Freiheit sein.

Die Journalistin Ewgenija Albaz setzte auf die Kraft der Aufklärung, hoffte auf eine neue Generation der Widerständler in Russland, auf Menschen mit demokratischem Patriotismus. Sie wolle ihr Land nicht dem Pöbel überlassen, der Machtelite, die das Geld in Russland stehle und selbst im Westen lebe, ihre Kinder ins Ausland schicke: »Dieses System beschmutzt die Menschen. Um des Geldes willen ist alles erlaubt. Dieses Regime geht davon aus, dass jeder gierig und käuflich ist. Dass niemand Ehre oder Würde empfindet und sein Vaterland wirklich liebt. Deshalb empfinde ich dieses Regime als persönliche Beleidigung!« Die Menschenrechtlerin Ljudmila Alexejewa zählte weiterhin auf anständige und ehrliche Menschen. Menschen, die ihre Überzeugungen nicht verraten wollen, das Recht auf Würde einfordern: »Wie kleine Sterne strahlen sie für uns, und sie erheben uns alle.«

In gewisser Weise war es ein Gespräch wider besseres Wissen.

»Dass jemand Macht über uns hat,
über uns herrschen darf« – Generation Putin

Es sei ein schreckliches Vorurteil, hatte Ewgenija Albaz gesagt,
dass die Russen nicht reif seien für Demokratie: »Die Machthaber haben den Menschen das Recht auf demokratische Wahlen
genommen.« Auch hatten Umfragen aus dem Januar 2014 gezeigt, dass nur 29 Prozent der russischen Wähler bereit waren,
eine erneute Präsidentschaftskandidatur Putins zu unterstützen.[10] Aber in den vergangenen Jahren wuchs eine neue Generation heran. Die amerikanische Politikwissenschaftlerin Ellen Mickiewicz untersuchte ihre Einstellungen, mehr als ernüchternd
die Ergebnisse ihrer Studie über die »Generation Putin«:[11] junge
Menschen, gut ausgebildet und gut informiert, in sozialen Netzwerken aktiv, die meisten sprechen fließend Englisch. Doch sie
sind apolitisch und vollkommen desillusioniert. Sie kritisieren
den korrupten Staat – und hofften zugleich auf einen sicheren
Arbeitsplatz in der Verwaltung oder einem Ministerium. Als Einzelne betrachten sie sich als einen Niemand, weder fähig noch
willens, in irgendeiner Weise Politik zu beeinflussen. Es sind
Kinder einer atomisierten, postsowjetischen Gesellschaft, die in
Putin einen Führer suchen. Überwältigend ihr Antiamerikanismus und ihre Fremdenfeindlichkeit. Und je gebildeter sie sind,
desto größer die Nostalgie nach der Sowjetunion – einem Land,
das die meisten von ihnen nie kennengelernt haben.

Vielleicht hatte die zynische Passivität der »Generation Putin« auch damit zu tun, dass sich in Russland nie eine echte zi-
vilgesellschaftliche Kultur entwickeln konnte. Jurij Lewada,
Doyen der russischen Soziologie und Gründer des gleichnami-
gen Meinungsforschungszentrums, einer der letzten unabhängigen Institutionen des Landes, verwies darauf, dass Russland nie
eine liberale Demokratie kennenlernte. Daher konnten freiheit-
liche Traditionen wie Menschenrechte oder Toleranz nicht einmal in den gebildeten Bevölkerungsschichten Wurzeln schlagen.

Bereits 2004 zeigten seine Zahlen: »Die Zahl derer, die die Demokratisierung als ›von außen aufgezwungen‹ und den politischen Pluralismus als schädlich empfinden, ist bedeutend größer als die Zahl derjenigen, die dies positiv bewerten.«[12] Immer blieb der Staat allmächtig, immer schien der Einzelne ohnmächtig. Und obwohl alle Meinungsumfragen das Misstrauen der Bürger gegen ihren korrupten Staat bestätigten, forderten sie zugleich allumfassende Fürsorge, gar politische Kontrolle durch den Staat. Als »Untertanenkultur« bezeichnete der russische Politikwissenschaftler Boris Makarenko dieses fast schizophren anmutende Verhalten.[13] »Menschen mit roten Seelen« nennt die Schriftstellerin Swetlana Alexijewitsch, die feine, mitfühlende Chronistin der Zeitläufte, all die Bewohner der ehemaligen Sowjetunion, die nie eine Chance auf Freiheit bekamen: »Was haben sie in den Jahren, in denen die Sowjetunion existierte, alles erlitten, was haben sie überlebt«, sagte sie mir während eines Gespräches in ihrer belarussischen Heimatstadt Minsk. »Sie begingen Heldentaten, brachten unvorstellbare Opfer, zeigten wahre Größe. Aber zugleich sind sie – sind wir – immer noch Sklaven. Denn in der Sowjetunion lebten wir wie in einem gigantischen Gefängnis. Und wir gewöhnten uns an ein Sklavenleben. Man war alle Verantwortung los, man musste sich um nichts kümmern. All das sitzt sehr tief in uns, wir haben es noch nicht überwunden. Dass jemand für uns entscheidet. Dass jemand Macht über uns hat, über uns herrschen darf. Und all jene an der Macht, die uns vielleicht hätten lehren können, was Freiheit bedeutet, sind selbst nur rohe Gewalt gewöhnt. Dass jemand einfach so, ohne wirklichen Grund, über ein Leben entscheiden, es zerstören kann. So wurden auch die groß, die heute an der Macht sind. Und nach diesen Gesetzen handeln sie. Es ist zum Verzweifeln.«[14]

Immer waren es Einzelne, einige wenige, die dem System trotzten. Man bewunderte sie, verehrte sie als politische Märtyrer – und richtete sich in der eigenen Ohnmacht ein. Zwar endete die politische Totalkontrolle der Sowjetzeit mit dem Aufbruch der Perestroika, zwar gründeten sich damals Zehntausende sogenannter »gesellschaftlicher Organisationen« und demonstrierten Anfang der 90er Jahre Hunderttausende für Demokratie – doch die Bewegungen und Parteien der Perestroika-Zeit zerstritten sich meist rasch, zerbrachen oder blieben ohne nennenswerten Einfluss als winzige Oppositionsparteien in der Staatsduma zurück.

In den ersten acht Jahren seiner Präsidentschaft hatte es Putin nicht mit echter Opposition zu tun. Sein Stabilitätsversprechen und die wirtschaftliche Gesundung Russlands verschafften ihm unangefochtene Popularität. Die Grenzen standen offen – die Menschen konnten reisen, viele unter ihnen kamen in diesen Jahren zum ersten Mal in ihrem Leben ins Ausland. Die wichtigen Medien des Landes, vor allem das Fernsehen, hatte er bald nach seinem Amtsantritt unter die Kontrolle des Kreml gestellt. Die zivilgesellschaftlichen Organisationen wurden 2004/2005 einer eigens geschaffenen, dem Justizministerium nachgeordneten Behörde unterstellt. Der »Föderale Dienst für Registrierung« erwirkte die Auflösung zehntausender NGOs, meist unter Vorgabe von formalen Gründen. Später übernahm die russische Staatsanwaltschaft die Aufgaben des Registrierungsdienstes.[15] Verbliebene politisch aktive NGOs konnten so im Zweifel ohne großes Aufhebens verboten werden. »Polittechnologen«, also PR-Berater und Politstrategen, erkundeten die Stimmung im Land, definierten Themen und berieten den Kreml in Fragen der Öffentlichkeitsarbeit. Meinungsumfragen, das jeweilige Rating des Präsidenten, wurden zu einem der wichtigsten Herrschaftsinstrumente, man sprach schon von einer »reitingokratija«.

2005 hatte die »souveräne Demokratie« die »gelenkte Demokratie« der ersten Jahre abgelöst. Es sollte sich eine Partei der Macht im russischen Parlament etablieren: die Putin-Partei Einiges Russland. Ihre Wahlsiege wurden durch die Auswahl geeigneter Kandidaten, komplizierte Wahlgesetze, bürokratische Willkür gegen Konkurrenz und im Zweifel auch Manipulationen gesichert. Als Mehrheitspartei in der Staatsduma hatte sie fortan Gesetze abzusegnen.[16] Und es war ja immer ein offenes Geheimnis, wie gewinnbringend ein Abgeordnetenposten sein kann.

Der Protest der »Nichteinverstandenen«

In dieser simulierten Demokratie wird Opposition kanalisiert und kooptiert. Moderat-liberale und nationalistische Parteien sind im Parlament vertreten, solange sie nicht stören: Sie bündeln Gruppeninteressen und sind als »systemnye partij«, Systemparteien, in das Herrschaftssystem integriert – und waren aus diesem Grund auch nie eine echte Alternative für kritisch gesinnte Wähler. Nur scheinbar widersprüchlich, dass kritische Zeitungen und vorsichtig oppositionelle gesellschaftliche Organisationen existieren, auch Demonstrationen sind durchaus erlaubt. Als demokratisch-legitimierende Elemente übten sie wichtige Informations- und Kontrollfunktionen für den Kreml aus: Sie kanalisierten soziale Probleme und lokale Proteste etwa gegen Umweltzerstörung,[17] Behördenwillkür, Unfähigkeit[18] oder Korruption.

Die NGO Golos etwa, »Die Stimme«, beobachtete seit dem Jahr 2000 Wahlen, machte auf Unregelmäßigkeiten und Manipulationen aufmerksam, bildete Wahlbeobachter aus. Bis 2012 erhielt Golos finanzielle Unterstützung von der staatlichen amerikanischen Entwicklungshilfeagentur USAID.

Der Anwalt Alexej Nawalnyj wiederum wurde durch seinen investigativen Blog[19] bekannt, in dem er Korruption und Willkür anprangerte und belastende Dokumente veröffentlichte. Er kaufte Aktien staatsnaher oder vorwiegend staatseigener Konzerne. Als Minderheitsaktionär hatte er das Recht, die Offenlegung von Zahlen und Firmenverflechtungen zu verlangen – und veröffentlichte die Ergebnisse. Zunehmend politisch aktiv und nationalistisch gesinnt, wurde er zum führenden Kritiker von

Putins »Partei der Gauner und Diebe«. Unerschrocken und charismatisch – »Nawalnyj« wurde ein Markenname. Aufmerksam verfolgte man seine Aktivitäten – einer wie er konnte durchaus gefährlich werden.

Während der ersten beiden Amtszeiten Putins kam es nur einmal zu einer größeren Protestwelle: Urplötzlich gingen Anfang 2005 Russlands Rentner auf die Straße. In fast allen Regionen des Landes demonstrierten sie gegen ein Gesetz, das staatliche Subventionen für Medikamente und den öffentlichen Personennahverkehr abschaffte. Für viele Rentner war es eine Überlebensfrage. Sie organisierten sich meist spontan, blockierten Straßen. Die Regierung wurde von den Protesten überrascht, in Sorge vor Ausweitung der Proteste wurde das Gesetz rasch als »übereilt« zurückgenommen. Es war ein erster Hinweis auf das Dilemma eines hybriden Systems, das autoritäre Herrschaft mit demokratischen Elementen verbinden soll:[20] Unvollständige Information, fehlende Öffentlichkeit und mangelhafte Repräsentation von Interessen etwa in Parteien führten zu einer politischen Fehleinschätzung.

Erneut, wie aus dem Nichts, gingen die Menschen 2011 in Moskau auf die Straße und forderten: »Russland ohne Putin«. Während der globalen Finanzkrise 2008 hatte sich die wirtschaftliche Lage in Russland dramatisch verschlechtert. Davon war besonders die junge, urbane Mittelschicht betroffen. Aus Unsicherheit und Unmut wurde Protest, als im Herbst 2011 deutlich wurde, dass Putin und Medwedjew eine Absprache getroffen hatten. Nach den anstehenden Wahlen 2012 würde Putin erneut Präsident, für mindestens eine dritte Amtszeit. Bis zu hunderttausend Menschen gingen in Moskau auf die Straße, erst demonstrierten sie gegen eklatante Fälschungen bei den Duma-Wahlen, den »Wahlen ohne Wahl«, dann auf dem Bolotnaja-Platz auch gegen Putin selbst. Es drohte, was man im Kreml am meisten fürchtete: ein Aufstand der eigentlich passiven, nun aber enttäuschten Putin-Mehrheit. Es drohte vielleicht gar das Erwachen der

»schlummernden Nichteinverstandenen«, die der russische Soziologe Igor Eidman beschrieb – all derer, die, unzufrieden mit der tiefen sozialen Spaltung der Gesellschaft und der entwürdigenden Korruption, nun mehr Gerechtigkeit forderten.[21] Was aber Herrschern im Kreml droht, wenn sich die Menschen wirklich gegen sie wenden, dass wusste der geschichtsbewusste russische Präsident sehr wohl.

Die Demontage der Zivilgesellschaft

Der Kreml reagierte nach gewohntem Muster: Man machte zunächst Konzessionen. Das Fernsehen ließ Putin-Gegner öfter zu Wort kommen, neue, liberalere Wahlgesetze wurden verabschiedet, direkte Gouverneurswahlen und Großdemonstrationen in Moskau erlaubt. Doch umgehend nach Putins Wiederwahl im März 2012 schaltete das Regime auf Repression. Es begann die Demontage der ohnehin nur schwach ausgebildeten russischen Zivilgesellschaft. Mitte 2012 verabschiedete die Staatsduma das »Agentengesetz«. Seitdem waren Nichtregierungsorganisationen verpflichtet, sich als »ausländische Agenten« registrieren zu lassen und diese Bezeichnung in allen Aktivitäten zu nennen, wenn sie Fördergelder aus dem Ausland erhielten.[22] »Ausländischer Agent« – das Wort wurde in Russland eindeutig im Sinne geheimdienstlicher Tätigkeit verstanden. Es klang nach »Fünfter Kolonne« und »National-Verräter« – nach Feind. Zunächst traf es vor allem amerikanische Organisationen, die US-Entwicklungshilfeagentur USAID erklärte Ende 2012 ihren Rückzug aus Russland.[23] Im Frühjahr 2013 wurden hunderte russischer NGOs strengen Überprüfungen durch Steuerbehörden und Gesundheitsämter, aber auch durch den Geheimdienst FSB unterzogen. Das Meinungsforschungszentrum Lewada-Zentr und seinen Direktor Lew Gudkow etwa traf es gleich viermal.[24] Damit wurde die Arbeit vieler Organisationen lahmgelegt. Im Mai 2015 verabschiedete die Staatsduma schließlich das Gesetz über »unerwünschte ausländische Organisationen«: Demnach kann es juristischen Personen, aber auch Individuen verboten werden, Geld aus dem Ausland anzunehmen oder mit bestimmten ausländischen Organisationen zusammenzuarbeiten. Das Gesetz richtete sich damit also nicht nur gegen ausländische Organisationen wie etwa die Moskauer Büros der deutschen Parteienstiftungen, sondern auch gegen russische NGOs, die auf Stipendien oder Förderung aus dem Ausland angewiesen waren. Das Ziel war, das entstehende Vakuum durch staatlich kontrollierte Organisationen zu füllen, also eine Art Zivilgesellschaft des Kreml zu schaffen, die vor allem kulturelle und soziale Aufgaben wahrnehmen sollte.[25] Denn ausländische NGOs, so beschrieb Putin die angebliche Unterwanderungsstrategie des Westens, durchkämmten auf der Suche nach talentierten jungen Menschen sogar die russische Provinz, um sie mit Geld der russischen Heimat zu entreißen und ins Ausland zu locken. Es folgten Gesetze zur schärferen Kontrolle des Internets und sozialer Netzwerke, Verurteilungen friedlicher Bolotnaja-Demonstranten sowie die Mediengesetze des Herbsts 2014 und Frühsommers 2015, die den ohnehin geringen Spielraum für unabhängigen Journalismus noch weiter beschränken.[26]

Von Anfang an unter Druck auch die Bewegung »Open Russia«, die der ehemalige Öl-Oligarch Michail Chordorkowskij nach seiner Entlassung aus dem Straflager gegründet hatte, nunmehr im Exil lebend. »Open Russia« sollte eine Art Brutkasten der russischen Zivilgesellschaft sein. Mit einem Internetportal, Diskussionsveranstaltungen und Workshops sollte der europäisch orientierte Teil der russischen Gesellschaft über die Zustände im Land informiert und zu sozialem wie politischem Engagement angeleitet werden, etwa zur Kandidatur bei den Parlamentswahlen 2016. Chordorkowskij hoffte auf die zehn bis fünfzehn Prozent der Bevölkerung, die noch westlich-europäisch orientiert waren.[27] »Open Russia« erging es wie allen: Für geplante Veranstaltungen fanden sich keine Räume oder sie wurden in letzter

Minute etwa unter Verweis auf Brandschutz abgesagt; Besucher wurden eingeschüchtert, manche vom Geheimdienst FSB zu Befragungen »eingeladen«. Ein Plakat im Moskauer Stadtzentrum verhöhnte Michail Chodorkowskij und Alexej Nawalnyj als Teilnehmer einer Homosexuellen-Parade in rosa Minishorts. Es war nur eines von vielen Hetzplakaten gegen Kritiker des Systems.[28]

In der Hoffnung, er werde eine katastrophale Niederlage erleiden und damit im politischen Aus landen, hatte man die Kandidatur Alexej Nawalnyjs bei den Moskauer Bürgermeisterwahlen 2013 nicht verhindert. Doch nach seinem unerwarteten Erfolg – er erhielt knapp 28 Prozent der Stimmen – wurden für Lokal- und Regionalwahlen die Auswahl der Kandidaten und die Bedingungen für die Registrierung von Parteien fortan noch strenger kontrolliert.[29] Nawalnyj selbst, wegen angeblicher Veruntreuung und vermeintlichen Diebstahls von Firmengeldern bereits zu mehreren Jahren Lagerhaft auf Bewährung verurteilt, wurde fortan regelmäßig unter Hausarrest gestellt oder kurzzeitig inhaftiert, sein Bruder zu dreieinhalb Jahren Straflager verurteilt.[30] Wie bedrohlich Nawalnyj dem Kreml erscheinen musste, zeigte die SMS, die der Direktor der staatlichen Nachrichtenagentur TASS am 16. April 2014 von einem hochrangigen Mitarbeiter des Kreml erhielt. TASS habe ein Foto von Nawalnyj und seiner Frau veröffentlicht, hieß es in der Nachricht, die Darstellung sei viel zu positiv, sie erinnere an »Hollywood und Erfolg«. Man werde das »in Ordnung bringen«, lautete die Antwort des TASS-Mannes wenige Minuten später.[31]

Einen strategischen Sieg über Unmut und Opposition aber brachte die Kette der Ereignisse, die die Mehrheit der Russen – darunter auch erklärte Putin-Kritiker – hinter dem Präsidenten sammelten: die grandiosen Olympischen Spiele von Sotschi, die Annexion der Krim, der Kampf der »Volkswehr« um »Noworossija« im Südosten der Ukraine und auch die vermeintlich ungerechten Sanktionen des Westens gegen das russische Volk.[32] Und wer sich, wie die wenigen »liberaly«, noch gegen die nationalpatriotische Welle stemmte, war nun nicht mehr Kritiker, sondern: Gegner und Feind.

Unverdrossen und leidenschaftlich hatte sich einer dagegengestemmt, seit Jahren schon: Boris Nemzow, einst Vizepremier unter Präsident Jelzin, Gouverneur, Abgeordneter der Staatsduma und zuletzt einer der beiden Vorsitzenden des kleinen oppositionellen Parteienbündnisses RPR-Parnass. Er hatte demonstriert, Anti-Putin-Aufrufe unterschrieben, immer wieder wurde er verhaftet. Er hatte faktenreiche Berichte über Korruption in der Ära Putin veröffentlicht,[33] zuletzt arbeitete er an einem Bericht über russische Truppen in der Ostukraine: *Putin. Der Krieg.*[34] Nemzow hatte allen Grund, um sein Leben zu fürchten: »Die Fünfte Kolonne. Fremde unter uns« stand schon 2014 unter seinem Porträt, aufgehängt mitten im Moskauer Zentrum. Nemzow gab sich gelassen. Die Anfeindungen charakterisierten ja nicht ihn, sondern das Regime, sagte er. »Das hätte man sich auch im Deutschland der 30er Jahre vorstellen können.« Aber er werde seine Position nicht wegen irgendwelcher Drohungen ändern.[35]

Am späten Abend des 27. Februar 2015 war Boris Nemzow, aus einem Restaurant am Roten Platz kommend, in Begleitung seiner Freundin auf dem Weg nach Hause. Es war nicht weit, einmal über die Moskwa-Brücke gleich am Kreml, sie gingen zu Fuß. Später zeigten Bilder der Verkehrsüberwachungskameras, wie ein Schneeräumfahrzeug neben ihm stoppte. Es verdeckte die Sicht auf den Mörder. Vier Schüsse aus einer Makarow-Pistole trafen Boris Nemzow aus nächster Nähe in Rücken und Hinterkopf. Er starb noch am Tatort. Das Attentat war ein politisches Symbol: Kritiker sollen überall und immer um ihr Leben fürchten müssen. Aber vielleicht war der Auftragsmord in nächster Nähe zu Putins Arbeitszimmer im Kreml auch eine Warnung an den russischen Präsidenten: dass er nicht von seinem Kurs abweichen, in der Ukrainekrise keinesfalls Kompromisse mit dem Westen eingehen solle? Anfang März wurden mehrere Tatverdächtige festgenommen, die meisten aus der autonomen Republik Tschetschenien. Von finanzieller Unterstützung aus Moskau abhängig, hatte deren Oberhaupt und Gewaltherrscher Ramsan Kadyrow zwar unverbrüchliche Treue zu Putin geschworen, trat aber immer selbst- und machtbewusster auf. Tschetschenische Freiwillige des Bataillons »Smert«, »Der Tod«, sollen auch im Osten der Ukraine gekämpft haben. Zehntausende bewaffnete Männer unterstehen Kadyrows Kommando, sie sind auch in Moskau präsent. Aber all das waren Spekulationen in einer Atmosphäre wachsenden Hasses, in der man von (westlichen) »Provokationen« sprach und von inneren Feinden. Die neu gegründete »Anti-Majdan«-Bewegung demonstrierte in Moskau, ihre stramm organisierten und gut informierten Schlägertrupps bereit, Putin-Kritiker klein zu halten – mit allen Mitteln.

Es war eine der letzten großen Demonstrationen in Moskau, Zehntausende kamen an diesem nasskalten 1. März 2015: die Trauerkundgebung für Boris Nemzow. Noch viele Wochen später lagen rote Nelken und Rosen am Tatort auf der Brücke über die Moskwa, gleich vor den Toren des Kreml. Mehrmals wurden sie weggeräumt. Immer wieder wurden neue Blumen niedergelegt

Für viele der schweigenden »Nichteinverstandenen« stellt sich nicht mehr die Frage, ob sie das Land verlassen sollten, sondern nur noch: »Wann?« Allein in den ersten acht Monaten des Jahres 2014 wanderten mehr als 200 000 Russen aus, sie gingen ohne großes Aufheben, die meisten jung, sie hatten studiert, die zukünftige Elite eines Landes.[36] Mit ihnen gingen Schriftsteller, Künstler, Ökonomen, Journalisten, Wissenschaftler. Viele von ihnen waren zunehmend unter Druck geraten. Sie wollten nicht mehr auf irgendeine ferne, demokratische Zukunft hoffen. Auch der bekannte Schauspieler Alexej Serebrjakow hatte seine Wahl getroffen: Er war nach Kanada emigriert. Serebrjakow spielte in dem vielfach preisgekrönten, so eindringlich russisch-realitätsnahen Film »Leviathan« die Hauptrolle. »Leviathan« wurde 2015 auch für einen Oscar nominiert, in Russland aber als »unpatriotisch« gebrandmarkt. »Ich möchte nicht, dass meine Kinder in einem aggressiven System plumper Intoleranz aufwachsen«, erklärte Serebrjakow seinen Schritt.[37]

Die »Putin'sche Emigration«[38] hat begonnen.

Was bleibt? Die unermüdliche Arbeit weniger, mutig und traurig, der leuchtenden »kleinen Sterne«, von denen Ljudmila Alexejewa sprach. Frauen wie Walentina Tscherewatenko aus dem südrussischen Nowotscherkassk, die seit über zwanzig Jahren die NGO »Frauen vom Don« leitet. Walentina Tscherewatenko hilft kriegstraumatisierten Frauen aus Tschetschenien, klärt über Bürgerrechte auf, setzt sich für eine Polizeireform ein. Auf Spenden aus dem Ausland angewiesen, ist die Organisation seit 2015 als »ausländischer Agent« registriert. Es bleiben Männer wie Dmitrij Simin, einst erfolgreicher Unternehmer, der mit den Programmen seiner Familienstiftung »Dinastija« Wissenschaft und Bildung in Russland fördert.[39] Die Juristen der NGO Agora in Kasan, die Gesetzesverstöße öffentlich machen und Rechtshilfe leisten.[40] Es bleiben: einige Künstler, Musiker, Schriftsteller, Stimmen der Dämmerung. Journalistinnen wie Ewgenija Albaz und Marija Stepanowa mit ihrem Portal »Colta.ru«, die sich weder bestechen noch entmoralisieren lassen.[41] Und natürlich, noch: Russlands historisches Gedächtnis, die geduldigen Frauen und Männer der Gesellschaft »Memorial«.[42] Seit 1989 ist Memorial der Aufarbeitung des Stalinismus verpflichtet. Akribisch hüten die Mitarbeiter die Wahrheit über die Geschichte in ihrem Archiv in dem kleinen Memorial-Haus in der Moskauer Karetnyj-Gasse; sorgsam behüten sie die Namen der Opfer, Millionen sind es. Sie bewahren ihre Geschichten, Fotos, die letzten Briefe aus den Lagern des Archipel GULAG.[43] Aber nur wenige kommen, sie zu lesen. Ein zentrales staatliches Denkmal für die Opfer des Stalinismus steht in Russland bis heute nicht. Allerdings diskutierte man im Sommer 2015, das Denkmal für den Gründer des sowjetischen Geheimdienstes, Felix Dserschinskij, wiederaufzubauen – mitten in Moskau, gleich am Ljubjanka-Platz vor dem Hauptquartier des russischen Geheimdienstes FSB, einst KGB. Im August 1991 hatten Demonstranten das Denkmal im Namen der Demokratie demontiert.[44] So schließt sich der Kreis.

Noch leuchtet es, das Licht der »Nichteinverstandenen« – doch sie spüren, die Türen nach Europa schließen sich wieder einmal, wohl für lange Zeit. Wer aber Russland den gebotenen Respekt erweisen will: der ehrt sie, allen voran.

AUSSENPOLITIK
Putins Welt

> »Der Westen nutzte Russlands Schwäche aus.
> Aber Russland wird sich mit dieser
> demütigenden Position niemals abfinden.«
> Michail Gorbatschow, 1995[1]

Auferstanden. Am Tag des Sieges auf dem Roten Platz, Moskau, 9. Mai 2015

Das Telefon klingelte, so erzählte er es später, und zu seiner großen Überraschung war der russische Außenminister am Apparat. Ob er nicht über einen Besuch in Moskau nachdenken wolle? Es war so ziemlich das Letzte, womit Nato-Generalsekretär George Robertson zu diesem Zeitpunkt Anfang 2000 rechnete. Nach den Luftangriffen der Nato auf Serbien im März 1999 stand es um die Beziehungen zu Russland nicht gerade zum Besten. Und in Moskau führte ein neuer Mann die Amtsgeschäfte des Präsidenten. Von Wladimir Putin wusste man wenig mehr, als dass er einst KGB-Offizier und russischer Geheimdienstchef gewesen war. Noch versuchte man in Washington und den Hauptstädten Europas, den neuen russischen Präsidenten zu entschlüsseln. Aber kaum hatte der am 1. Januar 2000 sein Büro im Kreml bezogen, lud er Robertson nach Moskau ein. So war der Generalsekretär der Nato am 16. Februar 2000 der erste hochrangige Politiker aus dem Westen, den Putin empfing.[2]

Die beiden verstanden sich auf Anhieb. Robertson schenkte Putin ein antiquarisches Buch über den Hof der Zaren; Putin bemühte sich höflich, englisch zu sprechen, er lernte die Sprache gerade in einer Art Crashkurs. Er wolle die Beziehungen zur Nato auf eine neue Grundlage stellen, erklärte Putin unumwunden: »Ich weiß, was ich will. Und ich möchte, dass Russland ein Teil Europas ist. Denn dort liegt Russlands Schicksal.«[3]

Für die einzige, kurze Verwirrung sorgte das Transportmittel. Robertson war – ausgerechnet – in einem Flugzeug der deutschen Luftwaffe nach Moskau gekommen. Irritiert fragte Putin nach dem Grund. Da die Nato selbst keine Flugzeuge habe, erklärte ihm Robertson, stelle wie üblich jeweils ein Mitgliedsstaat den Transport des Generalsekretärs. An diesem Tag waren die Deutschen an der Reihe, ein Zufall, mehr nicht.

Es schien, da war ein Mann auf dem Weg nach Westen, als bekenne sich der neue Präsident zu gemeinsamen, demokratischen Werten, wie Russland sie in der Charta von Paris zehn Jahre zuvor formuliert hatte. Es klang jedenfalls optimistisch und zukunftsorientiert, beinahe so, als ob Russland nun einen festen Platz in der Welt des Westens suchte. In einer Welt, in der der Begriff »Kalter Krieg« endgültig der Vergangenheit angehören würde.

Am 18. März des Jahres 2014 verkündete Wladimir Putin im mächtigen Georgssaal des Kreml seinem Volk, nein, der Welt die Wiedereingliederung der Krim in die Russische Föderation. Es wurde eine in jeder Hinsicht historische Rede, bruchlos wechselnd zwischen »Paranoia und Größenwahn«,[4] wie kundige Putin-Versteher später anmerkten: Sie markierte die Abkehr Russlands vom Westen. Nun sprach ein scheinbar ganz anderer Putin: Ohne Unterlass versuche der Westen, Russland in die Ecke zu drängen, sagte er, vielfach von stürmischem Applaus unterbrochen, »weil wir eine unabhängige Position einnehmen ... und uns nicht in Heuchelei ergehen«. Ohne Unterlass schaffe der Westen – allen voran die USA – mit der »Macht der Gewehrläufe« vollendete Tatsachen hinter Russlands Rücken: »Sie glauben an ihre Ausschließlichkeit und Einzigartigkeit und daran, das Schicksal der Welt zu entscheiden.« Russland aber werde jedem weiteren Versuch widerstehen, »uns zurechtzustutzen und aufzuteilen wie einst Jugoslawien«. Auf der Krim, in der Ukraine und anderswo – kein Opfer sei groß genug, um die »russische Welt« zu verteidigen, erläuterte er wenig später: Selbst der Tod »ist schön, wenn er den Menschen dient, als Tod für einen Freund, für sein Volk oder sein Heimatland«.[5]

Und schon im Frühjahr 2014 stand in einem Entwurf über die Grundlagen »staatlicher Kulturpolitik« zu lesen, was fortan als revisionistisches Diktum für die Menschen in Russland – und im Rest der Welt – gelten soll: »Russland – das ist nicht Europa.«[6]

Mit der völkerrechtswidrigen Annexion der Krim und dem unerklärt-erklärten Krieg im Osten der Ukraine zog Putin 2014 eine neue Grenze zum Rest der Welt, dem expansionistischen Leitmotiv der Zarin Katharina der Großen folgend, der Deutschen auf dem Zarenthron: »Ich kann meine Grenzen nur verteidigen, indem ich sie ausdehne.«[7] Spätestens 2014 wurde die bisherige Prämisse westlicher Russlandpolitik endgültig widerlegt, wonach von Russland keine Bedrohung mehr ausgeht.[8] Es war ein Wendepunkt in den Ost-West-Beziehungen. Jetzt ist nichts mehr, wie es war. Und der Begriff »Kalter Krieg« wieder hochaktuell.

Wie ist diese Abkehr vom »Projekt des Westens«[9] zu erklären? Wie ist es zu erklären, dass die von Putin zunächst so begrüßten universellen Werte wie Menschenrechte, Demokratie und Rechtsstaatlichkeit im Jahr 2015 nur noch als Zeichen von Schwäche und moralischer Dekadenz gesehen werden, von Fäulnis und Verfall? Wie soll man umgehen mit der politischen Führung eines Landes, die sich offenbar in der Rolle des entfesselten Terminators gefällt – und sich zugleich als Opfer angeblich CIA-gelenkter Verschwörungen geriert?

Der Westen sei schuld,[10] folgen »Russland-Versteher« dem gar nicht so neuen russischen Narrativ: die Einkreisung durch USA und Nato, aber auch die expansionistische EU, ansonsten mangelndes Verständnis für die Sicherheitsinteressen des russischen Bären, des »Herrn der Taiga«, der sie niemandem überlassen werde, wie es Putin selbst beschrieb. Wobei dieser Bär nicht vorhabe, in andere Klimazonen zu ziehen, weil es für ihn dort »nicht bequem« sei[11] – wenn auch die russische Taiga seit 2014 bis in den Südosten der Ukraine zu reichen scheint.

Der Westen ist schuld? Zu lange glaubte man im Westen, dass es für die russischen Machteliten keine vernünftige Alternative zur Westorientierung gebe. Man glaubte, selbst einen wie Putin könne man »managen« und vom friedenssichernden Zweck einer »Modernisierungspartnerschaft« überzeugen. Er würde schon verstehen, dass man keine bösen Absichten hegte. Man hoffte, dass Putin ein pragmatisches Interesse an Wohlstand und Demokratie in den Ländern habe, die einst Sowjetrepubliken waren. Für die ersten drei Jahre seiner Amtszeit stimmte das so weit auch: Putin brauchte den Westen. Er wollte Russlands verlorenen Großmachtstatus durch ökonomische Modernisierung und begrenzte Integration in westliche Strukturen wiederherstellen. Die strategischen Ziele russischer Außenpolitik aber hatten sich seit den 90er Jahren nicht geändert, auch Putin hatte sie immer wieder formuliert: Ebenbürtigkeit mit den USA, ein neues Gleichgewicht der Macht, Russland als eigenständiges, einzigartiges Machtzentrum mit einer Zone »privilegierter« Interessen in postsowjetischen Staaten. Das anfängliche russische Bekenntnis zum Westen und seinen Werten wurde im Westen zur Projektionsfläche romantisch gefärbter Illusionen über die Bereitschaft zu demokratischem Wandel in Russland selbst, und vielleicht liegt darin der eigentliche, strategische Fehler. Schon im 19. Jahrhundert beschrieb der russische Schriftsteller Fjodor Tjutschew das Problem: »Lange Zeit waren die Vorstellungen des Westens von Russland ähnlich denen der Zeitgenossen von Kolumbus über die Neue Welt. Es war derselbe Irrtum, dieselbe optische Täuschung.«[12] Oder, wie es der kundige Interpret russischer Außenpolitik Sergej Karaganow dann im Februar 2015 zugespitzt zusammenfasste: »Man war unfähig zu verstehen, dass Russland und die Mehrheit der anderen Länder des (europäischen, d. A.) Kontinents weitgehend in unterschiedlichen Zeitaltern gelebt haben. Wir waren – und sind – unterschiedlich, in sozioökonomischer, moralischer und psychologischer Hinsicht.«[13]

Aus russischer Sicht jedenfalls ist es ganz einfach: Nicht Putin, sondern die Politiker des Westens leben in jener »anderen Welt«, die Kanzlerin Merkel beschrieb.[14]

Der Westen konnte Russland nicht »verlieren«. Russland, »Bär in seiner Taiga«, wollte nie wirklich dazugehören. Russland und der Westen – es ist auch eine Geschichte strategischer Missverständnisse.

Die 90er Jahre – »Gleiche Partnerschaft zwischen Ungleichen«

1990, als der KGB-Oberstleutnant Wladimir Putin nach seiner Rückkehr aus der DDR in den Trümmern der Sowjetunion seinen Neustart suchte, war Boris Jelzin Russlands Präsident: ein ebenso machtbewusster wie brutal-lebensfroher Mann, der den Wodka zu sehr liebte und auch deswegen zu vielerlei Überraschungen fähig war. Irgendwie war Russland auf dem Weg zur Demokratie, irgendwie auch nicht. Das Land faktisch bankrott, auf westliche Kredite angewiesen. Ökonomische Schocktherapien fruchteten wenig, sowjetkapitalistische »Unternehmer« bereicherten sich in den Wirren des Umbruchs; nicht zu unterschätzen auch die national-kommunistische Opposition, die schon unter Gorbatschow gegen die deutsche Wiedervereinigung in der Nato, den angeblichen Ausverkauf Russlands an den Westen Sturm gelaufen war.

In Washington favorisierte Präsident Bill Clinton, frisch im Amt, eine Vertiefung der Beziehungen. Durch Konvergenz, Integration und echte Partnerschaft sollte der fragile demokratische Transformationsprozess in Russland unterstützt werden. »Russia First« hieß die neue außenpolitische Devise in Washington.

Persönliches spielte eine Rolle. Clinton mochte Jelzin, diesen »großen Bär von einem Mann, voller Widersprüche«, wie er in seinen Memoiren schrieb. »Im Vergleich zu den realistischen Alternativen hatte Russland Glück, ihn an der Spitze zu haben.«[15] Für Boris Jelzin wiederum war Bill Clinton so etwas wie ein kleiner Bruder. Insgesamt 18 Mal trafen sie sich,[16] zelebrierten eine manchmal rabaukige Polit-Freundschaft, die als »Bill and Boris Show« bekannt wurde. Von ihnen eingesetzte hochrangige Regierungskommissionen[17] sollten Netzwerke dauerhafter Verständigung schaffen.

Zugleich sah man besorgt auf die innenpolitische Entwicklung in Russland: Dort wuchs die Opposition gegen Jelzin so schnell wie das ökonomische Chaos. Im Oktober 1993 revoltierten seine Gegner, ernannten einen Gegenpräsidenten. Jelzin reagierte ebenso kühn wie verantwortungslos: Er ließ Panzer in der russischen Hauptstadt auffahren. Sie beschossen das besetzte Parlament an der Moskwa, mehr als 100 Menschen starben. Es grenzte an ein Wunder, dass die Gewalt nicht weiter eskalierte. Es war der Anfang vom Ende der kurzen Phase demokratischer Reformen in Russland. Zum Machterhalt bediente sich Jelzin nun zunehmend der alten Machtstrukturen.

Sicherheitspolitische Erwägungen führten Präsident Clinton und seine rechte Hand für Russland, Strobe Talbott,[18] zur »strategischen Allianz mit Reformen in Russland«, die Clinton 1993 erklärte.[19] Zum einen sollte demokratische Transformation in Russland unterstützt werden: Demokratien führen keinen Krieg gegeneinander, hieß es in Washington, sie lösen Konflikte in der Regel friedlich. Dazu würde Russlands Integration in politische und ökonomische Institutionen des Westens beitragen: eine Mitgliedschaft im G7-Klub der großen Industrienationen, Kredite des Internationalen Währungsfonds, die Aufnahme in den Europarat. Vor allem aber galt es, nuklear abzurüsten. Groß die Sorge, dass hochangereichertes Uran aus demontierten russischen Nuklearsprengköpfen in falsche Hände geraten könnte.[20] Und in anderen ehemaligen Sowjetrepubliken, in Weißrussland, Kasachstan und vor allem in der Ukraine waren immer noch atomare Langstreckenraketen stationiert: Allein in der faktischen Atommacht Ukraine waren es 176 Interkontinentalraketen mit 1240 Sprengköpfen, dazu 1081 nukleare Mittelstreckenraketen und taktische Atomwaffen aller Art.[21]

Clinton setzte durch, dass der damalige ukrainische Präsident Leonid Krawtschuk dem Abtransport und der späteren Vernichtung der auf ukrainischem Territorium stationierten Nuklearwaffen zustimmte.[22] Dafür garantieren die Nuklearmächte USA, Großbritannien und Russland 1994 die Souveränität und territoriale Integrität der Ukraine. Nur zögernd stimmte Boris Jelzin diesem später so oft zitierten und 2014 von Russland gebrochenen Budapester Memorandum zu.[23]

Aber die Welt, so kann man es sagen, wurde damals ein wenig sicherer.

Und doch: Die »Bill and Boris Show« konnte nicht darüber hinwegtäuschen, wie belastet das Verhältnis zwischen den beiden Supermächten blieb. Denn was dem Westen als »gemeinsamer Aufbruch zu neuen Ufern« galt, erschien aus Moskauer Sicht »als permanenter Rückzug und in den 1990er Jahren zudem als Balancieren am Abgrund«.[24]

Bereits Jelzins Politik schwankte zwischen Kooperation und

Konfrontation mit dem Westen. Immer wieder fühlte er sich auch persönlich als Vasall behandelt, schien ihm Russland gar als »Kolonie« der USA.[25] Seit spätestens 1993 war die »romantische Phase«[26] der russischen Außenpolitik vorbei, die ein demokratisches Russland als natürlichen Verbündeten des Westens sah. Man besann sich vielmehr auf die imperiale Vergangenheit, die Einzigartigkeit Russlands: Bereits in den 90er Jahren wurden »Großmacht«, »Gleichgewicht« und das »nahe Ausland« zu Schlagworten einer in Wahrheit gar nicht so neuen russischen Außenpolitik.[27] Weitsichtig muten im Nachhinein die Ratschläge an, die Sergej Karaganow, heute einer der einflussreicheren außenpolitischen Strategen des neuen Russland, bereits 1992 gab: Millionen Russischsprachige hätten sich nach dem Zerfall der Sowjetunion außerhalb der russischen Staatsgrenzen wiedergefunden; ihr Potenzial, ihre Sprache und Kultur müsse genutzt werden, um Einfluss auf die Länder des nahen Auslands zu gewinnen: »Wir müssen sie unter unsere politische Kontrolle bringen, um so eine machtvolle politische Enklave zu schaffen, die zur Basis unseres politischen Einflusses wird.«[28]

Anfang 1996 wurde der als prowestlich geltende russische Außenminister Andrej Kosyrew durch den 2015 verstorbenen Ewgenij Primakow ersetzt, einer wohlbekannten Figur des sowjetischen Polit-Establishments. Der Arabien-Spezialist, langjährige sowjetische Mittelsmann zum irakischen Diktator Saddam Hussein und ehemalige Direktor des russischen Auslandgeheimdienstes SWR formulierte »Multipolarismus« als nationales Interesse eines eurasischen Russland. Russland sei sowohl ein europäisches als auch ein asiatisches Land in einer multipolaren Welt und dazu bestimmt, einen eigenen Weg zu finden. Das »nahe Ausland«, also die in der Gemeinschaft der Unabhängigen Staaten GUS zusammengeschlossenen ehemaligen Sowjetrepubliken, wurde zur Zone »vitalster russischer Interessen« erklärt.[29] Als »größte militärische Gruppierung der Welt«[30] müsse die Nato aufgelöst und durch ein System kollektiver Sicherheit ersetzt werden – konkrete Vorschläge allerdings blieb man schuldig.

Nicht Integration in eine zunehmend globalisierte Welt war schon in den 90er Jahren das Ziel russischer Außenpolitik, sondern die Schaffung eines neuen Gegengewichts. Dies musste enge Partnerschaften mit den USA oder der EU schon deshalb ausschließen, weil sich Russland damit in eine Gefolgschaft begeben hätte – unvereinbar mit dem Führungsanspruch einer exklusiven Großmacht. Das Konzept der »multipolaren Welt« eröffnete die Möglichkeit vielerlei taktischer Allianzen. Eine strategische Entscheidung musste nicht getroffen werden.[31]

Für die postsowjetischen Menschen war der Kalte Krieg nicht vorbei. Sie hofften auf »den Westen«, ohne genau zu wissen, was das bedeutete. Hofften auf rasche Hilfe, raschen Wohlstand und Glück, auf die »Marlboro Men« eben, die als lebendgroße Pappfiguren auf Moskauer Straßen von amerikanischen Träumen kündeten.[32] Aber sie blieben in der Dauerkatastrophe des mörderischen Alltags zurück. Sie hatten unter unvorstellbaren Opfern den Zweiten Weltkrieg gewonnen – jetzt aber schienen sie als Verlierer der Geschichte, vom Westen scheinbar herumgeschubst, gedemütigt, erniedrigt.

Was viele Menschen in Russland nicht erkannten: Westliche Werte wie Demokratie und Rechtsstaatlichkeit wurden in den folgenden Jahren nicht vom Westen verraten, sondern von den eigenen, korrupten Eliten. Bald nutzten sie Ängste und Feindbilder als Legitimation zur Machtabsicherung und materiellen Bereicherung. Den rasch wieder in Machtpositionen etablierten Männern aus Militär und Geheimdiensten war der Westen ohnehin suspekt: die Auflösung der Sowjetunion jene »größte geopolitische Katastrophe«, von der Putin später sprach, die Wiedervereinigung Deutschlands in der Nato »ein Verrat« Gorbatschows.[33] Und auch die propagierte neue Sicherheitsordnung für Europa galt ihnen als »Versailles in Samthandschuhen«[34] – letztlich nur ein Schachzug im geostrategischen »Great Game« der USA.

145

Die Osterweiterung der Nato oder
die Quadratur des Kreises

Die Sollbruchstellen zwischen Ambition und Ohnmacht zeigten
sich an drei Fronten: am Raketenabwehrprogramm ABM, der
Osterweiterung der Nato und den Kriegen im zerfallenden Jugoslawien.

1972 hatten die USA und die Sowjetunion den Vertrag über
Raketenabwehr ABM unterzeichnet. Erstmals begrenzte ein Vertrag Defensivwaffen und erhöhte damit die gegenseitige Ver-
wundbarkeit der Großmächte: Die Angst vor der eigenen Vernichtung sollte einen direkten Erstschlag mit Nuklearraketen
ausschließen. Für die Sowjetunion war der ABM-Vertrag sakrosankt, er zementierte ihren Status als Supermacht. In den USA
aber hatte schon Ronald Reagan mit seiner »Star Wars«-Initiati-
ve SDI die Entwicklung eines weltweiten Raketenabwehrsys-
tems vorangetrieben.[35] Der ABM-Vertrag sollte beendet werden.
Dem innenpolitischen Druck der Republikaner im Kongress
versuchte Clinton mit einem Kompromiss zu begegnen: Ein
modifizierter ABM-Vertrag könne erhalten werden, indem zunächst nur eine Raketenbasis in Alaska errichtet würde.[36] So
groß der russische Widerstand, dass Gespräche über das Thema
noch nicht einmal »Verhandlungen« genannt werden durften.
Man musste von »Konsultationen« sprechen.[37] Selbst die verliefen im Sand; nach der einseitigen Kündigung des ABM-Vertrags
durch Präsident Bush Ende 2001 würden sich die Fronten weiter verhärten.

Die Frage der Nato-Osterweiterung hingegen berührte den
Kern russischer Identität. Gehörte Russland wirklich zu Europa? Wollte sich dieses weite Land nach der Auflösung des Warschauer Paktes 1991 in europäische Sicherheitsstrukturen integrieren, gar in ein westliches Militärbündnis? War es überhaupt
möglich, ein »gemeinsames europäisches Haus« zu bauen, so
wie es Michail Gorbatschow im Sinne der damaligen Konver-

genztheorie skizziert hatte, einer Annährung und späteren Verschmelzung der beiden Blöcke? Konnte man eine »Sicherheitsgemeinschaft von Vancouver bis Wladiwostok« bilden, wie es der damalige deutsche Außenminister Hans-Dietrich Genscher formuliert hatte? Immerhin: 1990 hatten 34 Staaten die Charta von Paris unterzeichnet, darunter auch die Sowjetunion. Die Spaltung Europas wurde für beendet, Demokratie und das Selbstbestimmungsrecht der Völker zur verbindlichen Norm des neuen Europa erklärt. Eine Absichtserklärung für eine ferne Zukunft, aber ein Anfang, vielleicht gar Grundstein einer neuen Friedensordnung in Europa.

Die realpolitische Antwort der USA auf die Frage nach den Mechanismen dieser europäischen Friedensordnung hingegen hieß: Nato-Osterweiterung. Erst eine Erweiterung der Nato nach Osten schaffe durch Integration neuer Mitgliedsstaaten in das Regelwerk des demokratischen Westens die erwünschte Stabilität – und sichere damit den Frieden in Europa. Russland sollte dabei nicht an den Rand gedrängt werden – eine wie auch immer geartete Einbindung sollte russische Isolation verhindern. Stabile, demokratische Staaten im Herzen Europas seien auch im Interesse Russlands, politisch wie ökonomisch. Zum ersten Mal könne Russland auf dauerhaften Frieden an seiner Westgrenze bauen.

Und Länder wie Polen, Ungarn, die Tschechische Republik und bald auch die baltischen Republiken drängten auf eine Mitgliedschaft in der Nato, sie hatten ja ihre eigenen, sehr leidvollen Erfahrungen mit Russlands Verständnis von »Einflusssphäre«: Während die Nato sich zunehmend als Sicherheitsorganisation mit massiv reduzierten amerikanischen Truppen in Europa definierte,[38] stand für die neuen Mitgliedstaaten die kollektive Verteidigung im Vordergrund, Artikel 5 des Nato-Vertrags. Sie wollten nach Europa – und Sicherheit vor Russland.

Sehr wohl war man sich in Washington, Brüssel und auch in Berlin darüber im Klaren, dass eine Ausdehnung der Nato nach

Osten zu innenpolitischen Verwerfungen in Russland führen würde. Man könne die Reformen in Russland nicht retten, indem man die Reformen in Mittel-und Ostmitteleuropa riskiere, sagte der damalige deutsche Verteidigungsminister Volker Rühe, CDU.[39] Der Westen habe seine Versprechen gebrochen, lautete bald die Moskauer Klage; auch unter westlich orientierten russischen Politikern[40] wuchs die Überzeugung: Letztlich ginge es bei der Nato-Osterweiterung doch nur um eine Eindämmung Russlands. Boris Jelzin warnte Clinton vor einem »Kalten Frieden«.[41] Der Reformer Anatolij Tschubais fürchtete, die Osterweiterung liefere Nationalisten und Kommunisten, Militärs und Geheimdienstlern Munition gegen liberale Reformen in Russland.

In den folgenden Jahren versuchte die Clinton-Regierung, mit einer Doppelstrategie beide Ziele zu erreichen: Die Nato-Osterweiterung und zugleich Einbindung und Rückversicherung Russlands als privilegierten sicherheitspolitischen Partner der USA. Die gut gemeinte »equal partnership between unequals« glich dem Versuch einer Quadratur des Kreises.

Denn während Boris Jelzin den Anspruch formulierte, eine »Großmacht« zu sein, ein Gleicher unter Gleichen im Konzert der Großmächte, sah sich Russland, »vom Olymp der Supermacht abgestiegen in die Niederungen einer zahlungsunfähigen Bananenrepublik«,[42] in der Rolle des Juniorpartners.

Während Russland aus Moskauer Sicht substanzielle Zugeständnisse machte – die Auflösung des Warschauer Paktes, der Abzug russischer Truppen aus dem Baltikum, sogar russische Friedenstruppen unter Nato-Kommando in Bosnien –, wollten die Vereinigten Staaten zunächst kaum mehr zugestehen als Symbole:[43] In die »Partnerschaft für den Frieden« etwa konnten 1994 zwar alle Staaten des ehemaligen Warschauer Paktes sowie die ehemaligen Sowjetrepubliken eintreten; Russland aber war dort nur eines von vielen neuen Ländern. Gleiches unter Gleichen eben.

Zugleich wurde die Lage in Russland selbst immer unübersichtlicher. Nur dank einer massiven staatlichen Fernsehkampagne, einer Milliarden-Unterstützung durch russische Oligarchen und amerikanischer PR-Hilfe[44] wurde Boris Jelzin 1996 überhaupt wiedergewählt. Die Reformen drohten zu scheitern, Ressentiments gegen den Westen wuchsen, und der alkohol- und herzkranke Präsident war immer häufiger abwesend, manchmal wochenlang.

Aus Sicht der USA und ihrer westlichen Verbündeten schien es daher Anfang 1997 strategisch geboten, gar notwendig, die Osterweiterung durchzusetzen.[45]

Die Nato-Russland-Grundakte von 1997, der damit gegründete – und 2002 massiv aufgewertete – Nato-Russland-Rat waren das substanzielle Zugeständnis des Westens an Russland. Es war der Versuch, dauerhafte Strukturen privilegierter Kooperation zu schaffen: Damit sagten die Mitglieder der Allianz zu, weder Nuklearwaffen noch »substanzielle Kampftruppen« in den neuen Mitgliedsstaaten zu stationieren. Die Beschränkung auf die politische Dimension der Osterweiterung sollte Rahmenbedingungen für eine gemeinsame europäische Sicherheitspolitik schaffen. Zum ersten Mal bekam Moskau eine Mitsprache über alle Tätigkeitsfelder des Bündnisses, die nicht die kollektive Verteidigung betrafen. Was Moskau nicht bekam: das erwünschte Vetorecht.[46]

In den Kernfragen kollektiver Verteidigung sowie künftiger Erweiterungen blieb Moskau außen vor. Eine echte Integration Russlands wäre für die Nato ein riskantes Abenteuer mit ungewissem Ausgang geworden: Russlands Großmachtanspruch, der erklärte Anspruch auf eine Einflusszone im »nahen Ausland«, die Grenze zu China, die Instabilität des größten Landes der Erde. Im Hinblick auf echte Integration waren – und bleiben – Russland und die Nato inkompatibel.[47]

Kaum jemand beschrieb russische Verletzungen schon damals besser als Michail Gorbatschow: »Der Westen nutzte Russlands

149

Schwäche aus.« Die Politik des Westens sei bestimmt von »klarer Missachtung und Geringschätzung«. »Aber Russland wird sich mit dieser demütigenden Position niemals abfinden.«[48]

1999 traten Polen, Ungarn und die Tschechische Republik der Nato bei, 2004 folgten sieben weitere Staaten, darunter auch die drei baltischen Republiken. Damit erreichte die Nato die Westgrenze Russlands. Mit der »Big-Bang-Erweiterung« erhielten die neuen Mitgliedsstaaten zugleich die Perspektive einer EU-Mitgliedschaft. Nun wurde auch die Europäische Union Teil russischer Bedrohungsszenarien. Sogar die Ukraine schien sich zunehmend nach Westen zu orientieren: Hatte diese sich 1990 noch für bündnisfrei erklärt, trat sie der Partnerschaft für den Frieden mit der Nato bei und unterzeichnete 1997 eine Nato-Ukraine-Charta über militärische Zusammenarbeit.

Die Nato-Osterweiterung wurde von dem Historiker und Russland-Diplomaten George F. Kennan bereits 1997 als »verhängnisvollster Fehler der amerikanischen Politik in der Ära nach dem Kalten Krieg« beurteilt: Sie entzünde »nationalistische, antiwestliche und militaristische Tendenzen« in Russland und zwänge die russische Außenpolitik in Richtungen, »die uns entschieden missfallen werden«. Es drohe, so Kennan, ein neuer Kalter Krieg.[49]

So blieben beide Seiten in ihren strategischen Dilemmata gefangen: Auf westlicher Seite ging es nie um eine Auflösung der Nato. Ihre Mitgliedsstaaten waren weder in der Lage noch wirklich willens, Russland in das Militärbündnis zu integrieren. Es blieb, und das war nicht wenig: der ernste Versuch sicherheitspolitischer Kooperation mit Russland in einem abgespeckten, defensiven Militärbündnis sowie die letztlich auch für Russland stabilisierende Integration der Staaten Mittel- und Osteuropas – wenn auch zu westlichen Bedingungen. »Der Westen sah die Nato-Osterweiterung durchaus als Möglichkeit, den Frieden in Richtung Europa zu tragen«, so der amerikanische Politikwissenschaftler John Mearsheimer, in der Ukrainekrise einer der

schärfsten Kritiker westlicher Politik.«Er sah es nicht als Mittel
zur Eindämmung Russlands. Das Problem war nur: Die Russen
sahen das anders.«[50]

Jelzins Russland wiederum wollte im Konzert der westlichen
Mächte gleichberechtigt mitbestimmen, sich aber zugleich die
Handlungsfreiheit einer ambitionierten Großmacht bewahren,
zu der auch Kontrolle über die Staaten der unmittelbaren Nachbarschaft gehörte.[51] Sicherheit wurde als territorialer Sicherheits-
gürtel definiert, als Einflusszone und Puffer. Man wollte auf Augenhöhe mit den USA kooperieren, ging aber zunehmend auf
irrlichternden Abgrenzungskurs.

Hätte es einen Ausweg gegeben? Letztlich hätte ihn nur Russland selbst finden können: durch einen konsequenten Reformprozess, ein Generationenwerk. Dieser Reformprozess hätte fein-
fühlige, zurückhaltende und geduldige Begleitung durch Staaten
und Institutionen des Westens erfordert. Er hätte vielleicht durch
eine zeitliche Staffelung der Nato-Osterweiterung und ein Angebot eingeschränkter russischer Mitgliedschaft in der Nato,
etwa nach französischem Vorbild, unterstützt werden können.
Nach dem Amtsantritt von US-Präsident George W. Bush 2001
aber änderten sich die Prämissen auf amerikanischer Seite grundlegend: Der neokonservativen Allianz galt es nunmehr, den»uni-
polaren Moment« der Weltgeschichte zu nutzen. Und in Russland hatten jene die Überhand gewonnen, die zwar ökonomische
Öffnung wollten, aber keinesfalls eine Transformation des Macht-
systems.

Aus Sicht der USA und ihrer westlichen Verbündeten schien
Russland Ende der 90er Jahre immerhin: angebunden.

Die unterschwelligen Spannungen eskalierten während des
letzten Jugoslawienkrieges im Kosovo. Das christlich-orthodoxe Serbien galt als panslawistischer Verbündeter Russlands auf
dem Balkan. Nur unter Protest hatte Boris Jelzin die erste Militärintervention der Nato gegen Serbien 1995 hingenommen, die
den Völkermord in Bosnien stoppen sollte.»Es ist schlimm ge-

151

nug, dass Ihr uns einfach mitteilt, was Ihr tun werdet, ganz gleich, ob es uns gefällt oder nicht«, beschrieb der damalige russische Außenminister Andrej Kosyrew seinem amerikanischen Gesprächspartner die russische Gefühlslage. »Aber streut nicht auch noch Salz in die Wunde, indem Ihr uns weismachen wollt, dass es in unserem Interesse liegt, Euren Befehlen zu gehorchen.«[52]

Im März 1999 – nur zwei Wochen nach der Aufnahme Polens, Ungarns und der Tschechischen Republik in die Nato – flog die Allianz Luftangriffe gegen die serbische Hauptstadt Belgrad, um die Gewalttaten der serbischen Armee im mehrheitlich muslimischen Kosovo zu stoppen. Völkerrechtlich war der Einsatz ohne UN-Mandat mehr als zweifelhaft.[53] Zwar kam ein Waffenstillstand schließlich auch mit russischer Hilfe zustande, doch aus Moskauer Sicht legten die USA mit der Intervention im Kosovo den Grundstein für eine unipolare Weltordnung.

Wie einige Jahre zuvor in Bosnien sollten internationale Truppen unter Nato-Kommando den Waffenstillstand im Kosovo garantieren. Auch russische Soldaten sollten zur KFOR[54] gehören. Gegen den massiven Widerstand der russischen Militärs hatte Jelzin dies durchgesetzt – ein letzter Versuch, russischen Einfluss auf dem Balkan zu wahren. Generaloberst Leonid Iwaschow,[55] ranghöchster Militär in der russischen Delegation, forderte allerdings nachdrücklich eine eigene Kontrollzone im Kosovo, unabhängig von der Nato, einen »Sektor«.

Clintons Unterhändler, Staatssekretär Strobe Talbott, war gerade in Moskau, als russische Luftlandetruppen den Flughafen von Pristina besetzten, noch bevor Nato-Truppen die Grenze zum Kosovo überquert hatten. US-General Wesley Clark wollte daraufhin die Landebahn blockieren lassen. Erst die Intervention des britischen Generals und Oberkommandierenden vor Ort, Michael Jackson, verhinderten die drohende militärische Konfrontation: »Sir, Ihretwegen werde ich keinen Dritten Weltkrieg beginnen.«[56]

In Moskau traf Strobe Talbott damals den neuen russischen Sicherheitsberater: Wladimir Putin. Später erinnerte Talbott die Begegnung als ein »gruseliges Zusammentreffen«. Ein Mann, kühl, professionell und vordergründig höflich, der seine »kontrollierte Verachtung« kaum verhehlen wollte. »Doch was mich wirklich entsetzte, war die selbstgefällige Gelassenheit und Schamlosigkeit, mit der Putin log. Er musste genau wissen, was die russischen Militärs im Kosovo vorhatten. Aber er tat so, als liefe alles nach Plan. Er sagte uns sogar, er hätte noch nie von einem Iwaschow gehört. Dabei war General Iwaschow der ranghöchste militärische Vertreter der Delegation, die über den Waffenstillstand verhandelte.«[57] In seinen Memoiren schrieb Boris Jelzin später, er selbst habe dem Plan seiner Militärs zur Einnahme des Flughafens Pristina zugestimmt: »Wir waren zu einer letzten Geste der Eigenständigkeit verpflichtet ... Es ging darum, zu zeigen: Russland hat sich moralisch nicht besiegen und sich nicht in den Krieg hineinziehen lassen.«[58]

Wie das Verhalten Putins zum »Augenöffner« für die US-Regierung wurde, bestätigten die Luftangriffe der Nato alle Urteile auf russischer Seite. Die amerikanische Russland-Expertin Fiona Hill sieht darin einen Wendepunkt auch für Putin persönlich: »Die Militärintervention wurde nicht als Anstrengung wahrgenommen, eine humanitäre Krise zu lösen, sondern als Mittel, den Einfluss der Nato auf dem Balkan zu vergrößern. Es kam nun zu einer Neubewertung der Zusammenarbeit mit der Nato und den USA.«[59]

Ob aus persönlicher Empörung oder nüchtern-nationalistischem Kalkül: Noch 15 Jahre später, in seiner Rede über die Wiederangliederung der Krim, nahm Putin auf die Kosovo-Krise Bezug: »Obwohl ich es mit meinen eigenen Augen mitansehen musste, war es schwer zu glauben, dass am Ende des 20. Jahrhunderts eine europäische Hauptstadt, Belgrad, wochenlang unter Raketenbeschuss lag. ... Die USA ziehen es vor, sich in ihrer praktischen Politik nicht an internationales Recht, sondern an das Gesetz der Gewalt zu halten.«[60]

Partnerschaft und begrenzte Integration –
Putin in seiner ersten Amtszeit

Nur sechs Monate nach dem gefährlichen Zwischenfall im Kosovo war Putin amtierender Präsident – und die Kosovo-Krise schien vergessen. Erstaunliches schien zu passieren: Putins Einladung an Nato-Generalsekretär Robertson; auch in seinem ersten Interview mit einem westlichen Medium am 5. März 2000 in der BBC schien er zu werben: »Russland ist Teil der europäischen Kultur«, sagte er. »Ich kann mir mein Land einfach nicht isoliert von Europa vorstellen, von dem, was wir oft als zivilisierte Welt beschreiben. Daher fällt es mir schwer, die Nato als Feind zu sehen.« Ob Russland der Nato beitreten könne? Warum nicht, sagte Putin da: »Wenn Russland ein gleichwertiger Partner ist. Ich kann das nur wieder und wieder betonen.«[61] Wenige Monate später, im Juni 2000, traf er Bill Clinton. Und fragte auch ihn, ob Russland der Nato beitreten könne.[62]

Verortete Putin sein Land nunmehr doch in Europa? Oder suchte er eine Atempause für Russland, damit dieses wieder erstarken könne? Imitierte er nur die Werte des Westens, machte eine Weile gute Miene zum bösen Spiel?[63] Jedenfalls kamen amerikanische Russland-Experten schon 2001 nach sorgfältiger Analyse zu dem Schluss: Putin werde jede Gelegenheit nutzen, um den Einfluss Amerikas in der Welt zu unterwandern und den Einfluss Russlands zu stärken. Der russische Präsident werde ein »großes Ärgernis«, falls die USA nicht zur Zusammenarbeit zu seinen Bedingungen bereit seien.[64]

Er wollte, so viel scheint sicher, auch in den Beziehungen zum Westen einen Neubeginn. Vom Westen gewinnen lassen aber wollte er sich nie.

Die außenpolitischen Ziele hatte er in seiner »Millenniumsbotschaft« abgesteckt, sie klangen so ... westlich. »Wir haben gelernt, die Vorteile der Demokratie zu schätzen, einen Rechtsstaat, persönliche und politische Freiheit. Die Geschichte zeigt, dass

Diktaturen und autoritäre Regierungsformen nicht von Dauer sind. Nur demokratische Systeme sind es.«[65] Zugleich definierte er den Begriff »derschawnost«, Russland als Großmacht mit historisch begründetem imperialem Anspruch. Darum ging es: Russland als moderne Großmacht mit geopolitischer Gestaltungskraft in einer multipolaren Welt wiederauferstehen zu lassen, dabei eine Balance der Macht zwischen den USA und Russland zu finden.

Unter diesen Bedingungen würde Putins wiederauferstandenes Russland von niemandem bedroht werden – und es wäre auch keine Bedrohung für andere.[66]

Er ging pragmatisch vor, ergebnisorientiert, als ökonomischer Modernisierer mit Hang zum Autoritären wurde er im Westen rasch akzeptiert. Um Russlands Souveränität wiederherzustellen, galt es vor allem, das Land finanziell und ökonomisch zu stabilisieren. Dazu brauchte Putin den Westen als Wirtschaftspartner. Es galt, Investoren zu locken und handelspolitische Erleichterungen zu erreichen, auch eine Aufnahme in die Welthandelsorganisation WTO. Sicherheitspolitisch musste die nukleare Ebenbürtigkeit zu den USA erhalten, mussten die Kündigung des ABM-Vertrages und neue Nato-Erweiterungsrunden verhindert werden.[67]

»Ich will, dass er sich wohlfühlt«, beschrieb George W. Bush das Ziel des ersten Gipfeltreffens mit Wladimir Putin im slowenischen Ljubljana 2001.[68] Die persönliche Diplomatie wurde ein voller Erfolg – für Wladimir Putin, der als KGB-Offizier gelernt hatte, seine Gesprächspartner glauben zu lassen, er sei wie sie. Auf eine Frage Bushs erzählte ihm Putin von dem kleinen Anhänger in Form eines Kreuzes, dem Geschenk seiner Mutter, das er aus der Asche seines niedergebrannten Wochenendhauses gerettet habe. »Das spricht Bände«, antwortete Bush, »darf ich Sie Wladimir nennen?«; und der Mann des Glaubens war so beeindruckt, dass er Putin auf der abschließenden Pressekonferenz zum Entsetzen seiner Berater einen »ehrlichen, aufrichtigen Mann«

nannte: »Ich habe ihm in die Augen gesehen. Und ich habe seine Seele erkannt.«[69] Skeptischer der damalige Außenminister Colin Powell: »Ich habe ihm in die Augen gesehen, und was ich sah, war der KGB.«[70]

Als am 9. September 2001 die Terroranschläge auf das New Yorker World Trade Center die Welt erschütterten, war Putin der erste Staatschef, der Bush anrief und versprach, den Kampf gegen den Terror zu unterstützen: »Das Gute wird über das Böse triumphieren.«[71] In gewisser Weise waren ihm die Terroranschläge auch Rechtfertigung für den Krieg, den er gegen Separatisten in Tschetschenien führte. Putin bot seine Zusammenarbeit im Afghanistankrieg an – versuchte aber zugleich, die Einrichtung amerikanischer Militärbasen in Mittelasien zu verhindern. In ehemaligen Sowjetrepubliken wie Usbekistan oder Tadschikistan waren die USA auf Flughäfen und Infrastruktur angewiesen, um ihre Transportrouten zu sichern. Doch US-Militärbasen würden zur Verbreitung von Demokratie führen, argumentierte schon 2001 Putins langjähriger Vertrauter, Verteidigungsminister Sergej Iwanow: Dies werde negative Folgen für Russland haben.[72] Die Autokraten Mittelasiens aber sahen eine Chance, sich von Moskau zu emanzipieren, und auch finanziell war die amerikanische Bitte für sie attraktiv. Putin lenkte schließlich ein. Großzügig war er mit Ratschlägen über al-Qaida und Afghanistan: Einmal traf er US-Verteidigungsminister Donald Rumsfeld, redete ohne Unterbrechung 90 Minuten auf ihn ein.[73]

Im November 2001 lud Bush den russischen Präsidenten auf seine Ranch in Crawford, Texas, ein. Es regnete in Strömen, sie saßen in Jeans und Pulli, aßen Steaks und Maisbrot, Sicherheitsberaterin Condoleezza Rice spielte am Klavier, und man sprach von »historischen Veränderungen in den Beziehungen zwischen Russland und den USA«.[74]

Es hatte etwas von politischen Flitterwochen, zwei Männer, zwei große Mächte auf Augenhöhe – innerhalb kurzer Zeit schien Wladimir Putin erreicht zu haben, was sein Vorgänger Boris

Jelzin ein Jahrzehnt lang nicht schaffte: Russland und sein Präsident gehörten nun als Partner zum Klub der wenigen ganz Großen, die fortan die neue Weltordnung gestalten würden. Selbst als Bush im Dezember 2001 den ABM-Vertrag einseitig kündigte, schien Putin nicht ernsthaft beunruhigt: Es sei ein Fehler, sagte er, aber er sehe »keine Bedrohung der nationalen Sicherheit der Russischen Föderation«.[75] Auch über die Osterweiterung der Nato verlor Putin lange kein Wort. Man deutete es als indirektes Einverständnis. Das aber war es nicht: Putin wollte nicht als Verlierer dastehen. Und ein grundsätzlich konstruktives Verhältnis zum Westen galt auch Putin als unentbehrlich für Russlands Sicherheit – in diesem Sinne war er zunächst Erbe der Ära Gorbatschow.[76]

Er ließ sich alle Optionen offen. So sondierte er in den ersten beiden Jahren seiner Amtszeit mehrmals eine Mitgliedschaft Russlands in der Nato – trotz seines Schlüsselerlebnisses im Kosovo. Der damalige Bundeskanzler Gerhard Schröder unterstützte diese Vorschläge als »visionären außenpolitischen Ansatz«.[77] Doch Putin suchte eine exklusive Partnerschaft – auch in der Nato auf Augenhöhe mit den USA. Gut möglich auch, dass Putin das langwierige Prozedere einer Aufnahme und die damit verbundenen notwendigen innenpolitischen Reformen nicht im Detail geläufig waren: Während eines Treffens mit Nato-Generalsekretär Robertson im Oktober 2001 fragte ihn Putin: »Wann werden Sie Russland einladen, in die Nato aufgenommen zu werden?« Darauf Robertson: »Wir laden niemanden ein. Man muss sich um eine Mitgliedschaft bewerben. Dann erfolgt ein Integrationsprozess, und wenn der erfolgreich ist, wird eine Empfehlung zur Mitgliedschaft ausgesprochen.« Putin habe darauf geantwortet, er werde sich nicht in eine Warteschlange mit allen möglichen unwichtigen Ländern stellen.[78] Selbst wenn er es je wirklich wollte: Eine Nato-Mitgliedschaft Russlands wurde jedenfalls von Putin rasch ad acta gelegt.

Aber noch Ende 2002 war die Wahrnehmung im Westen:

Noch nie waren die Beziehungen zwischen Russland und den USA besser als zu diesem Zeitpunkt. Von einer »Achse Putin–Bush« schrieb damals die französische *Le Monde*.[79] Und der Kalte Krieg, notierte man in Washington, sei nun endgültig vorbei.

Im Mai 2003 feierte sich das neue Russland, Putins Russland, während der pompösen Feierlichkeiten zum 300. Geburtstag Sankt Petersburgs, der Stadt, die einst als »Fenster zum Westen« gegründet wurde. Putins prächtig restaurierte Residenz, der Konstantin-Palast vor den Toren der Stadt, Wasserspiele auf der Newa, das Feuerwerk. Die ganze Welt war bei ihm zu Gast: die USA, ein Treffen der G8, Asien, die gesamte EU. Den Europäern empfahl Putin enge Beziehungen zu Russland, damit sich auch die EU zum »unabhängigen Machtzentrum in der Weltpolitik« entwickeln könne.[80] Es schien: Russland war wiederauferstanden. Geachtet und respektiert.

Die »Freiheitsagenda« und das Virus der Revolutionen

Wie 1999 wurde das Jahr 2003 zur Zäsur. Wie für den größeren Teil der Welt war der zweite Irakkrieg auch für Wladimir Putin Beweis für das gefährliche Supermachtstreben der USA und die gezielte Schwächung der Vereinten Nationen – dem damals letzten Ort, an dem Putin mit seinem Vetorecht in die Weltläufte eingreifen konnte. Folgerichtig schloss er sich der Anti-Irak-Koalition Deutschlands und Frankreichs an und favorisierte nun intensive Wirtschaftsbeziehungen zur EU.[81] In den USA trat die »Freedom Agenda« anstelle von Kooperation. Immer lauter wurde dort die Kritik an den Demokratiedefiziten in Russland, den undurchsichtigen Machtstrukturen und Putins autoritärem Durchregieren. Der wiederum demonstrierte neue russische Stärke und vertrat alte Verschwörungstheorien auch im Umgang mit dem zunehmend irritierten US-Präsidenten mit einer belehrenden Großspurigkeit, die man in den USA recht zutreffend als

»cockiness« bezeichnet. Einmal stritt er mit Bush über Handels-
fragen. Auf die Erhöhung von Zöllen für Stahlimporte in die
USA hatte Putin mit einem Importverbot amerikanischen Ge-
flügels reagiert. Die Vereinigten Staaten, so Putin zu Bush, lieferten gezielt minderwertiges Fleisch nach Russland: »Ich weiß,
es gibt unterschiedliche Fabriken. Solche, die Hühner für den
amerikanischen Markt verarbeiten, und andere mit Hühnern
speziell für Russland.«[82]

Als Idealismus verkauft, war die messianische »Agenda der
Freiheit« US-Machtpolitik pur. Und drang in Moskaus Hinterhof vor, in jene postsowjetischen Staaten, die in Moskau als direktes Einflussgebiet betrachtet wurden. Noch mehr als zehn
Jahre nach dem Ende der UdSSR waren die meisten ehemaligen
Sowjetrepubliken eng miteinander verflochten. In den Republiken Mittelasiens und im ölreichen Aserbaidschan herrschten
autokratische Clans. In Georgien und in der Ukraine sah es nicht
viel anders aus: Auch dort glichen die politischen Systeme der
Putin'schen »gelenkten Demokratie«: Manipulierte Wahlen simulierten Demokratie, die Wirtschaft wurde von Staatskonzernen und mächtigen Oligarchen kontrolliert, die wiederum Mil-
liardengeschäfte mit russischen Geschäftspartnern machten.
Korruption grassierte, Parlamentssitze waren käuflich, Massenmedien kontrolliert. Vor allem die Ukraine glich einer Tochter-
firma der »Russland GmbH«.

Und ausgerechnet hier, in der strategisch wichtigen Kauka-
susrepublik Georgien[83] und in der Ukraine, revoltierten nun junge Eliten. Westlich orientiert, hatten sie Englisch oder Deutsch
gelernt, kommunizierten per SMS, vernetzten sich über das Internet. Sie wollten irgendwie nach Westen, nach Europa, das
postsowjetische Syndrom überwinden. Nichtregierungsorganisationen vor allem aus den USA unterstützten sie, die NGOs
wurden zum Teil auch von der amerikanischen Regierung finanziert. Aber auch der amerikanische Milliardär George Soros,
in Ungarn geboren, Überlebender des Holocausts und leiden-

schaftlicher Gegner der Bush-Regierung, unterstützte die Zivilgesellschaft mit Millionenbeträgen. 2003 und 2004 gingen junge Bürger gegen manipulierte Wahlen in Georgien und in der Ukraine auf die Straße. In Georgien verteilten sie rote Rosen, in der Ukraine schwenkten sie die orangen Fahnen der Oppositionspartei: Die friedlichen Farben-Revolutionen. In Georgien wurde Michail Saakaschwili zum neuen Präsidenten gewählt, ein hochemotionaler Mann, der in den USA studiert hatte und bald gut mit den Neocons in Regierung und Kongress vernetzt war. In der Ukraine erzwangen die Demonstranten auf dem Majdan 2004 jene Neuwahlen, die Moskaus Mann, Wiktor Janukowitsch, verlor.[84]

Die Farben-Revolutionen mussten von Putin als direkte, auch persönliche, Bedrohung gesehen werden: Was heute in Kiew oder Tbilissi passierte, könnte schon morgen in Moskau stattfinden. Es galt zu verhindern, dass sich das »orange Virus« in Russland verbreitete. Und sich die USA mit der Nato im postsowjetischen Raum festsetzten, darauf aus, die Menschen zu Feinden Russlands zu machen. Aus russischer Sicht verfolgten die USA letztlich nur ein Ziel: »regime change« in Moskau. Was man in den USA nicht verstehen wollte: Die Nato-Osterweiterung stellte zwar keine Gefahr für die nationale Sicherheit Russlands dar, doch sie bedrohte die Machtinteressen der politischen Elite. Und das machte den entscheidenden Unterschied.[85]

2014 gab der Vorsitzende des Russischen Sicherheitsrates, Nikolaj Patruschew, einen Einblick in die Bedrohungslage, die man im Kreml schon zehn Jahre zuvor empfunden haben muss: Der ehemalige KGB-Offizier gehört zu den frühen Gefolgsleuten Putins, sie hatten sich wohl schon in den 70er Jahren während ihrer Ausbildung in Leningrad kennengelernt. In dem Interview mit der staatlichen russischen Zeitung *Rossijskaja Gaseta* ging es um die Ukraine. Über Jahrzehnte hätten die USA alles darangesetzt, die Sowjetunion zu zerschlagen und Russland zu schwächen, erklärte Patruschew. Ob in Tschetschenien, auf dem Balkan oder in der Ukraine – überall hätten die USA Kontrolle ausgeübt, mit ihren Finanzspritzen die Revolutionen in Georgien und der Ukraine verursacht. Und hätten in der Ukraine »eine ganze Generation« mit »Hass gegen Russland« und dem »Mythos europäischer Werte vergiftet«.[86]

In den USA wurden die Farben-Revolutionen zum Lackmustest der Freiheitsagenda. Man müsse eine harte Position gegenüber Russland und seinem KGB-Präsidenten einnehmen, es eindämmen, alle Bedenken wurden beiseitegewischt. Amerikanische Senatoren forderten nun Russlands Ausschluss aus der G8,[87] und Vizepräsident Richard Cheney erklärte unumwunden: »Es ist klar, dass in der heutigen Welt unsere Werte und unsere strategischen Interessen ein und dasselbe sind.«[88] Obwohl sich weder in der Ukraine noch in Georgien Mehrheiten für einen Nato-Beitritt fanden, bereitete die Nato auf Druck der USA nun eine dritte Erweiterungsrunde vor.[89] In der georgischen Haupstadt Tbilissi wurde eine Straße nach George W. Bush benannt, er lobte Michail Saakaschwili als »wahren Freund der Freiheit«, während der sich über Putin rüpelhaft als »Liliputin« lustig machte.[90] Amerikaner machten erste Geschäfte in Georgien, so auch Randy Scheuermann, der später außenpolitischer Berater des republikanischen Hardliners Senator John McCain wurde. Und während die Kritik an Putin immer schriller wurde, hofierte man die autoritären Herrscher in den öl- und gasreichen mittelasiatischen Staaten und in Aserbaidschan – ein weiterer Beleg für die zynische Doppelmoral der amerikanischen Administration.

Aus Moskau aber meldete sich ein anderer Putin. Er erklärte die Epoche des erzwungenen Rückzugs für beendet. In seiner zweiten Amtszeit war er unumstrittener Chef der »Russland GmbH«, das Land ökonomisch stabilisiert, nach vorzeitiger Rückzahlung seiner Auslandsschulden nun auch finanziell souverän. Europa und China waren wichtige Handelspartner, europäische Unternehmen investierten. Öl, Gas und Pipelines konnten auch als politische Waffe[91] eingesetzt werden. Als nunmehr souveräne

Großmacht würde sich Russland allen westlichen Einkreisungs-
bemühungen widersetzen. In seiner zweiten Amtszeit konnte
es sich Wladimir Putin leisten, offensiver vorzugehen: Er musste nun nicht mehr nach den Regeln des Westens spielen.

So hatte George W. Bush während eines Gipfeltreffens in Bra-
tislava im Februar 2005 ein ganz anderes Erweckungserlebnis
mit dem Mann, dessen Seele er einst ergründet hatte. Wenige
Tage später berichtete er dem damaligen britischen Premier To-
ny Blair von seinem Gespräch mit Putin: »Es war ziemlich un-
angenehm. Nicht feindselig, eher wie eine Schülerdebatte, all diese kindischen Argumente. Es war kein Durchkommen. Ich saß
da, eine Stunde und fünfundvierzig Minuten, und es nahm einfach kein Ende. Einmal machte mich der Dolmetscher so wütend,
dass ich ihm beinahe eine Ohrfeige verpasst hätte. Er hatte diesen mokierenden Ton, beschuldigte Amerika. Er war einfach nur
sarkastisch.«[92]

»Jetzt reicht's«: Außenpolitik von München über Bukarest nach Tbilissi

»Russland verlässt den Westen«, ahnte der russische Politikwissenschaftler Dmitrij Trenin schon im Sommer 2006: »Bis vor
kurzem sah sich Russland als Planet Pluto im Sonnensystem,
weit entfernt vom Zentrum, aber immer noch ein Teil desselben.
Jetzt hat Russland das Sonnensystem verlassen: Russlands politisches Führungspersonal schafft sich nun sein eigenes Sonnensystem, in dem Moskau das Zentrum ist. Im Kreml geht man
davon aus, dass Russland als großes Land keine Freunde habe.
Keine andere Großmacht wolle ein starkes Russland, aber viele
ein schwaches Russland, das sie ausbeuten und beeinflussen
könnten.«[93]

Die amerikanischen Pläne zur Errichtung der Infrastruktur
für ein Raketenabwehrsystem in Polen und der Tschechischen
Republik, der militärische Fußabdruck nahe der russischen Gren-

ze, waren nicht Grund, sondern Anlass für eine erste Abrechnung. »Dostali«, soll Putin gerufen haben: »Jetzt reicht's.«[94]

Seine wochenlang vorbereitete Rede[95] auf der Sicherheitskonferenz in München im Februar 2007 war aus russischer Sicht eine Einladung zum »ernsthaften Dialog«,[96] aus westlicher Sicht eine Brandrede. Putin verdammte nun offen den Unilateralismus der USA, den »faktisch ungebremsten Einsatz militärischer Macht als Mittel internationaler Politik«. Die Osterweiterung der Nato – eine »Provokation«. Die amerikanische Raketenabwehr – eine Militarisierung des Weltraums. Die USA – voller »ideologischer Vorurteile« und »doppelter Standards«. Er wolle sich nicht von einem Land über Demokratie belehren lassen, einem »Herrn und Meister«, der selbst nicht lernen will.[97]

Die Münchner Rede las sich wie ein erster Entwurf einer »Putin-Doktrin«: Der Westen ist schuld. Europa und die USA haben Russland zu akzeptieren, wie es ist. Russland lässt sich nicht mehr eindämmen. Russland ist: endlich Gegenpol.

Fast identisch Putins Rede ein Jahr später, auf dem Nato-Gipfel in Bukarest, rhetorisch gemeint seine Frage: Welchen Gegner wolle die Nato eigentlich bekämpfen? Obwohl nach Umfragen die Mehrheit der Menschen gegen eine Aufnahme in die Nato waren, hatten die Regierungen der Ukraine und Georgiens die Teilnahme am »Membership Action Plan« MAP beantragt. Das bedeutete: Am Ende eines längeren Prozesses politischer, ökonomischer und militärischer Reformen im Land würde die Mitgliedschaft in der Nato beantragt und gewährt. In drei ausführlichen Sitzungen, sogenannten »deep dives«, hatten die Russland-Experten aus dem amerikanischen Außenministerium, den Geheimdiensten und dem Nationalen Sicherheitsrat Bush und Cheney gebrieft und ihre Bedenken geäußert.[98] Auch Frankreich und Deutschland waren gegen die Aufnahme der beiden Länder in den MAP-Prozess. Kanzlerin Merkel schien es, was es ja auch war: eine unnötige Provokation Russlands. Außerdem waren beide Länder instabil und korrupt, die friedlichen Farben-Revolutionen längst verblasst, Georgiens Präsident Michail Saakaschwili unberechenbar. Zudem waren in Georgien Territorialfragen ungelöst: Zwei autonome Gebiete hatten sich schon in den 90er Jahren faktisch von Georgien abgespalten und mit russischer Unterstützung eigene Machtstrukturen geschaffen. Arm, korrupt und abhängig von Moskau waren Abchasien und Südossetien klassische Beispiele für einen »frozen conflict«, einen eingefrorenen Konflikt, den Moskau jederzeit eskalieren lassen konnte.

Als die Delegationen am 2. April in Bukarest eintrafen, war die Stimmung gereizt wie selten in den vergangenen Jahrzehnten. Schon beim Abendessen kam es zu Schreiereien.[99] Als der deutsche Außenminister Frank-Walter Steinmeier die »frozen conflicts« auf georgischem Staatsgebiet ansprach, schleuderte ihm einer seiner Kollegen aus den neuen Nato-Mitgliedsländern wütend entgegen, schließlich sei während des Kalten Krieges auch Deutschland ein »frozen conflict« gewesen. Der polnische Außenminister Radek Sikorski beschuldigte die Deutschen, mehr Rücksicht auf Russland als auf die eigenen Verbündeten zu nehmen. Vergleiche zur Appeasement-Politik gegenüber Nazi-Deutschland wurden laut.[100] Es glich einem Tribunal über die … Russland-Versteher.

Bis zum letzten Moment blieb unklar, was passieren würde. Schließlich redete Angela Merkel auf die Außenminister aus den osteuropäischen Nato-Staaten ein, die die weitere Osterweiterung befürworteten. Sie nutzte dabei eine ihrer wirksamsten Waffen: ihre guten Russischkenntnisse.[101] Am Ende schrieb sie den entscheidenden Satz auf ein Blatt Papier: »Wir kamen heute überein, dass diese Länder Nato-Mitglieder werden.«[102] Kein Aufnahmeprozess, kein Datum, die Nato-Mitgliedschaft beider Länder wurde damit faktisch auf den Sankt-Nimmerleins-Tag verschoben. Es war klassisch Merkel: eine Zusage und Absage zugleich, ebenso vage wie konkret, eine gesichtswahrende Maßnahme für alle Seiten.

Als erster russischer Präsident nahm Wladimir Putin als Gast am Nato-Gipfel teil.[103] Schon zuvor hatte er von einer »roten Linie« in Bezug auf Georgien und die Ukraine gesprochen.[104] Auf einer Sitzung des Nato-Russland-Rates explodierte er: »George, du musst verstehen«, wandte er sich an den amerikanischen Präsidenten. »Die Ukraine ist doch gar kein richtiger Staat. Was ist die Ukraine schon? Ein Teil ihres Territoriums liegt in Osteuropa. Aber der größere Teil, der wurde ihr von uns geschenkt.«[105]

Der Gipfel von Bukarest markierte eine Zäsur: Die Nato-Osterweiterung wurde faktisch gestoppt. Doch im lange schwärenden, anfangs eher symbolischen Konflikt untermauerte Wladimir Putin die errungene russische Gestaltungsmacht nun mit Panzern. Ende Juli 2008 marschierten russische Truppen an der Grenze zu Georgien auf – ein Manöver, wie es hieß. Schon seit Monaten war es zu gegenseitigen Provokationen gekommen.[106] Mit dem Beschuss der südossetischen Stadt Tschinwali, bei dem auch mehrere Russen getötet wurden, lieferte Michail Saakaschwili schließlich den Vorwand zum Einmarsch. Fünf kurze Tage dauerte der Georgienkrieg, massive Cyberangriffe legten die georgische Kommunikationsstruktur lahm, dann standen russische Truppen kurz vor der Hauptstadt Tbilissi. Saakaschwilis Bitte um Lieferung von Stinger-Raketen wurde in Washington abgelehnt: Georgiens wegen würden die USA keinen Krieg mit Russland riskieren.[107] Die EU half bei der Vermittlung eines Waffenstillstands in letzter Minute, am 12. August reiste Frankreichs Staatspräsident Nicolas Sarkozy nach Moskau, um dort mit Wladimir Putin[108] zu verhandeln. Aussagekräftig dieser kolportierte Teil ihres Gespräches: »Ich würde Saakaschwili am liebsten an seinen Eiern aufhängen«, sagte Putin. »Hängen?«, fragte Sarkozy. »Warum nicht?«, so Putin. »Die Amerikaner haben doch auch Saddam Hussein gehängt.« »Aber möchten Sie so enden wie Bush?« »Oh, da haben Sie einen Punkt«, antwortete ihm Putin.[109]

Bereits im Georgienkrieg praktizierte Putin genau das, was er den USA jahrelang vorgeworfen hatte: doppelte Standards, die selektive Interpretation des Völkerrechts und gewaltsame Grenzziehung entlang einer Einflusssphäre. Seine nach jahrzehntelan-

gem, erniedrigendem Rückzug wiedererrungene Großmacht-
stellung würde Russland durch Kontrolle über die »früheren
Grenzlande des russischen Imperiums« sichern, sie würden als
ökonomisches Reservoir sowie militärischer Puffer gegen unerwünschte Übergriffe anderer Großmächte dienen.[110] »Heute ist
es Georgien«, orakelte der damalige US-Sicherheitsberater Stephen Hadley düster, »und morgen nimmt er sich die Krim.«[111]

Revision und russische Ordnung – Putin in seiner dritten Amtszeit

Interessanterweise führte der Georgienkrieg nicht zu einer neu-
en Eiszeit zwischen Ost und West. Im Gegenteil: Nach dem Re-
gierungswechsel in Washington bemühte sich Präsident Barack
Obama um einen Neustart in den Beziehungen. Nun hieß es erneut »Russia First«. Damals drückten Außenministerin Hillary
Clinton und ihr russischer Kollege Sergej Lawrow bei einem
Treffen in Genf im März 2009 symbolisch auf einen roten »Reset«-Knopf, wobei sich die fehlerhafte russische Übersetzung
mit »Überlastung«[112] als durchaus prophetisch erweisen sollte.
Erneut versuchte die US-Regierung eine Doppelstrategie: Das
grundsätzliche Bekenntnis zu Demokratie und Menschenrechten – zwangsläufig eine Kritik an Putins System – sollte von Feldern pragmatischer, sicherheitspolitischer Zusammenarbeit ge-
trennt werden. Realpolitisch schien Kooperation bei Themen wie
Iran, nuklearer Abrüstung und Terrorismusbekämpfung möglich.[113] Eine Isolierung Russlands sei keine langfristige Strategie, hieß es in Washington, in Berlin rief man gar optimistisch
eine »Modernisierungspartnerschaft« mit Moskau aus. Zugleich
spiegelte »Russia First« auch die Neuorientierung der strategischen Interessen der USA, den »Pivot to Asia«: Nunmehr auch
militärisch nach Asien gerichtet, wollte man eine dauerhafte
Konfrontation mit Russland vermeiden. Russland wiederum
brauchte dringend westliches Kapital und amerikanische Exper-

tise zum Ausbau der Ölförderung, um die dramatischen Folgen der Finanzkrise von 2008 zu bewältigen. Und der neue russische Präsident Medwedjew schien auf Kooperation zu setzen.

2010 schlossen Russland und die USA den New-Start-Vertrag über weitere nukleare Abrüstung. Trotz massiver Querschüsse aus dem Kongress gab Obama die wenigstens vage Zusage, die Raketenabwehr in Kooperation mit Russland aufzubauen – und 2013 strich die US-Regierung Pläne, Abfangsysteme in Polen und Rumänien zu stationieren. Man einigte sich auf Flugrechte und Transportrouten durch Russland zur Versorgung der Truppen in Afghanistan, die USA bestellten 21 russische Helikopter für den Einsatz der ISAF-Truppen,[114] und von einer Mitgliedschaft der Ukraine und Georgiens in der Nato war nun in den USA kaum mehr die Rede.[115] Allein der für Ende 2010 geplante russische Beitritt zur Welthandelsorganisation WTO musste um zwei Jahre verschoben werden – Ministerpräsident Wladimir Putin hatte eine Zollunion mit Kasachstan und Belarus erklärt, die damals allerdings die Beitrittskriterien zur WTO nicht erfüllten. Die Entscheidung war selbst für Präsident Medwedjew überraschend gekommen.[116]

Zu einem echten Neustart aber kam es nicht. Nicht Medwedjew, sondern Putin hatte das letzte Wort in allen außenpolitischen Fragen. Für ihn zeigte die amerikanische Syrien-Politik und die militärische Intervention in Libyen, dass Obama auch nicht anders war als die anderen. Auch er galt als Produkt des militärisch-industriellen Komplexes. Nichts werde sich ändern, hieß es in Moskau schon kurz nach seiner Wahl Ende 2008: »Es sind doch alles die gleichen Leute.«[117] Als Obama im Sommer 2009 nach Moskau reiste, fand sein Besuch in den staatlich kontrollierten Medien kaum Erwähnung. Sein Treffen mit russischen Oppositionellen wurde als Affront aufgefasst. Zwei Stunden waren für ein Frühstück mit Ministerpräsident Putin eingeplant. Eineinhalb Stunden davon referierte Putin über die gebrochenen Versprechen der USA, immer und immer wieder die gleichen Klagen über amerikanische Rücksichtslosigkeit[118] und Verantwortungslosigkeit, wie es sich etwa in der Finanzkrise 2008 gezeigt habe.

Offenbar dachte Putin in Nullsummen: Was gut ist für die USA, muss schlecht sein für Russland und umgekehrt. »Selbst Entgegenkommen würde er als Schwäche deuten«, fasste der ehemalige US-Botschafter in Moskau, Michael McFaul, seine Erfahrungen mit dem russischen Präsidenten zusammen.[119] Sein eigener, genervter Präsident wiederum ließ sich dann 2014 öffentlich zu Interpretationen zu Russland als »Regionalmacht« und über Putins Körpersprache hinreißen: »Er fläzt sich wie ein gelangweiltes Kind hinten im Klassenzimmer.«[120]

Mit Putins Rückkehr in den Kreml 2012 war der »Reset« mit den USA beendet. Eines der ersten außenpolitischen Signale war Putins Boykott des G8-Gipfels in Washington 2012, ein Jahr später folgte das Asyl für den NSA-Whistleblower Edward Snowden.

Offenbar kam man im Kreml endgültig zu dem Schluss, es mache keinen Sinn mehr, ein irgendwie geartetes kooperatives Verhältnis zum Westen zu suchen. Anscheinend war man dort, im Westen, der Ansicht, das nach dem Ende des Kalten Krieges enstandene System bedürfe keiner ernsthaften Korrektur. Die geforderte Neuordnung des internationalen Systems musste nun gegen den Westen erreicht werden: als Gegenpol.

Im Herbst 2013 – noch vor dem Beginn der Demonstrationen in Kiew – formulierte der russische Präsident vor den internationalen Experten des Waldaj-Klubs die nunmehr um ein ethnisches Element erweiterte »Putin-Doktrin«.[121] Er bekannte sich zur Notwendigkeit einer »nationalen Ideologie«. Das sprichwörtliche Gift liberaler Ideen aus dem Westen müsse durch eine »nationale Idee« ersetzt werden: »Der Wunsch nach Souveränität in geistiger Hinsicht sowie auf den Gebieten der Ideologie und der Außenpolitik« entspreche dem russischen »Nationalcharakter«, der sich wiederum aus dem »genetischen Code« und dem Konservatismus des russischen Volkes speise.[122] Denn »nur als Gegenpol zum demokratischen Universalismus konnte und kann der Kreml seinen Anspruch auf autochtone, sprich: auf jene autoritäre Herrschaft begründen, die sich unter Putin herausgebildet hat.«[123]

Als nun in jeder Hinsicht souveräner Staat muss sich Russland dem Regelwerk internationaler Bündnisse nicht mehr unterwerfen – und kann im Zweifel dagegen handeln: »Zum Glück ist Russland keine Allianzen eingegangen«, so Putin. »Darin liegt der Schlüssel zu unserer Souveränität.«[124] Es ging dabei zum einen um die Revision der Ergebnisse des Kalten Krieges in Europa. Aber Putin formulierte nun auch den Anspruch, global ordnende Führungsmacht im Krieg gegen Farben-Revolutionen aller Art zu sein. »Paradoxerweise ist nicht Moskaus Realpolitik das entscheidende Hindernis für eine Normalisierung der Beziehungen zwischen Russland und dem Westen«, folgerte der bulgarische Politologe und Demokratieforscher Ivan Krastev 2015, »sondern der weltweite Krieg des Kreml gegen Revolutionen.«[125]

Putins Russland ist: entfesselt und frei. Und bleibt, eine einsame Macht, doch mehr denn je Gefangener der Vergangenheit.

DIE UKRAINE, RUSSLAND UND DER WESTEN
An die Grenzen

> »Wir sind ja nicht einfach nur Nachbarn,
> sondern faktisch ein Volk.
> Wir gehören nun einmal zusammen.«
> Wladimir Putin, 18. März 2014[1]

Eskalation. Auf dem Majdan,
Kiew, 20. Februar 2014

Es begann mit einem Tweet, gefolgt von einem Eintrag auf Facebook. Als Mustafa Nayyem, Journalist bei der populären Online-Nachrichtenseite »Ukrainska Prawda«, Wahrheit der Ukraine, am 21. November 2013 erfuhr, dass der ukrainische Präsident Wiktor Janukowitsch »Nein« zu Europa sagen würde, schickte er am frühen Abend ein paar Worte in die Welt, sie waren auf Russisch geschrieben, seiner Sprache: »Wir treffen uns um 22.30 Uhr unter dem Denkmal der Unabhängigkeit. Zieht Euch warm an, bringt Regenschirme mit, Tee, Kaffee, gute Laune und Eure Freunde.«[2]

An jenem kalten Novemberabend folgten nur ein paar Hundert[3] Menschen Nayyems Aufruf, sie brachten Tee, Kaffee und gute Laune auf den Majdan; aber in den Tagen darauf kamen Tausende, zunächst vor allem Studenten und Anhänger oppositioneller Parteien. Jahrelang hatte die Regierung über eine Annäherung der Ukraine an die Europäische Union verhandelt, ein unterschriftsreifes Assoziierungsabkommen sollte den Weg dahin ebnen. Damit verband sich für sie die Hoffnung auf Wohlstand und eine Zukunft mit demokratischen Regeln. Doch nun verweigerte Präsident Janukowitsch seine Unterschrift; kündigte gar an, fortan enger mit Russland zusammenzuarbeiten. Das wollten die Demonstranten nicht einfach so hinnehmen: Sie forderten »eine europäische Zukunft« für die Ukraine. Sie demonstrierten auf dem Majdan Nesaleschnosti, dem Platz der Unabhängigkeit im Zentrum von Kiew, aber auch in anderen Städten. Am 24. November 2013 kamen landesweit 300 000 Menschen zusammen. Dann sank die Zahl, und wer weiß, vielleicht wäre der Protest langsam abgeebbt. Doch am frühen Morgen des 30. November 2013 rückten Sondereinheiten des ukrainischen Innenministeriums auf dem Majdan an, die Männer der Berkut, »Steinadler«. Unter dem Vorwand, man müsse Platz für den jährlichen Weihnachtsbaum schaffen, vertrieben sie die Demonstranten mit Schlagstöcken und Tränengas. Dutzende Menschen wurden verletzt[4]. Und es begann: ein Bürgeraufstand gegen ein korruptes Regime.

Am 1. Dezember 2013 waren mehr als 500 000 Menschen auf den Straßen Kiews,[5] wütend demonstrierten sie gegen den Polizeieinsatz, es kam zu Gewaltausbrüchen; auch die Lenin-Statue auf dem Kreschtschatik-Boulevard wurde zerstört. In den folgenden Wochen errichteten die Demonstranten eine Zeltstadt auf dem Majdan: Feuerstellen, Feldküchen, Erste-Hilfe-Stationen und auch eine Bühne für Ansagen, Auftritte von Musikern und Poli-

171

tikern der bald in einer Allianz zusammengeschlossenen Oppositionsparteien, darüber eine Großleinwand. Als Entscheidungsgremium wurde der Majdan-Rat gegründet, Barrikaden aus Autoreifen sollten vor der Berkut schützen, Einlasskontrollen vor Provokateuren. Der Majdan wurde zu einer kleinen Stadt des Widerstandes. Von den Denkmälern wehte die ukrainische Fahne und auch die der EU, man sang die Nationalhymne, Rentnerinnen kochten Suppe; verstörend allerdings das große Plakat mit dem Antlitz des ultranationalistischen Unabhängigkeitskämpfers der 1930er und 40er Jahre, Stepan Bandera.[6] Man organisierte Selbstverteidigungskräfte, die »samooborona« besetzte das Gebäude der Stadtverwaltung und das große Haus der Gewerkschaften nahe des Platzes. Zu den Selbstverteidigungskräften gehörten auch die gut ausgerüsteten Mitglieder der rechtsnationalistischen Partei der Freiheit, Swoboda. Es patrouillierten Einheiten rechtsextremer junger Männer, die sich im paramilitärischen Rechten Sektor zusammengeschlossen hatten.

Die meisten Demonstranten des Majdan aber gehörten der städtischen Mittelklasse an, sie waren älter als 30, gut informiert, in sozialen Netzwerken aktiv, politisch bislang eher passiv. Tagsüber arbeiteten sie, am späten Nachmittag und am Wochenende standen sie mit Freunden auf dem Majdan. Den Slogan »Die Ukraine ist Europa«, der überall zu lesen war, verbanden die meisten eher diffus mit den »europäischen Werten«. Mit einer gewissen Sicherheit des Rechts, politischer Stabilität und einem besseren Leben, auch materiell. Europa – das würde die maßlose Korruption beenden, die Willkür der Polizei, die gekauften Gerichtsurteile, all die täglichen Demütigungen.[7] Für sie war der Majdan eine »Revolution der Würde«.

So begann Ende 2013 ein zunächst weitgehend friedlicher Massenprotest, an dessen vorläufigem Ende im Jahr 2015 ein in seinen Grundfesten erschütterter Kontinent steht. Mit der Annexion der Halbinsel Krim und dem Ausbruch des unerklärt-erklärten Krieges im Osten das Landes wurde das alte »Grenzland«[8]

Ukraine zum Frontstaat in einem nunmehr »hybriden« Krieg, von Moskau geführt. Wie ein Gespenst aus dunkler Vergangenheit tauchte in Europa ein furchterregendes Wort wieder auf, das als Denkschema doch längst überwunden schien: Geopolitik, die »Begründung politischer Optionen und imperialer Macht unter Verweis auf geografische Hintergrundvoraussetzungen, auf den ›Raum‹«.[9] Der »(Lebens-)Raum« hatte im frühen 20. Jahrhundert die Revision von Verträgen, Expansion und den Vernichtungskrieg des nationalsozialistischen Deutschland gegen die Sowjetunion legitimiert. Nach 1945 schien Geopolitik als politische Ideologie überwunden. Eine Verständigung über gemeinsame Werte trat an ihre Stelle, die Souveränität von Staaten und ihren Völkern. Es galt die Macht des Rechts, nicht das Recht der Macht. Grenzen sollten Bestand haben. Die Nato und der Warschauer Pakt, geostrategische Allianzen, hatten vor allem defensive Bedeutung. Es ging beiden Seiten vor allem um Eindämmung, weniger um »roll back«, Zurückdrängen. Oder gar um eine Revision der Grenzen.

Jetzt aber erinnerte man sich an die Rede, in der Wladimir Putin schon 2005 den Zerfall der Sowjetunion als »größte geopolitische Katastrophe des 20. Jahrhunderts« bezeichnet hatte. Man hatte sie als Ausdruck postsowjetisch-imperialen Phantomschmerzes abgetan, abgehakt. Als ob das Ende der Sowjetunion wirklich die »größte geopolitische Katastrophe« des 20. Jahrhunderts war – für die Völker Mittel- und Osteuropas jedenfalls stellte sie eine große Befreiung dar.[10]

Doch in der Ukraine postulierte die russische Führung nun den geografischen Raum als Mittel der Politik. Die Aufteilung der Welt in Großräume, innerhalb derer man sich im Zweifel das Recht auf Kriegsführung nehmen darf. Das ist vielleicht die eigentliche, entscheidende Zäsur des Jahres 2014: »Die Ukraine ist zum Schauplatz darüber geworden, auf welchen Prinzipien die Weltordnung des 21. Jahrhunderts beruhen wird«, wie der ehemalige deutsche Spitzendiplomat Wolfgang Ischinger schrieb.[11]

Man könnte es auch anders sagen: Der Westen, vor allem Europa, muss nun Farbe bekennen. Ist die Ukraine ohne Europa undenkbar, Europa undenkbar ohne die Ukraine?[12] Gehört Putins Russland zu Europa und wenn ja, wie? Kann es gemeinsame europäische Sicherheit fortan etwa nur unter Berücksichtigung russischer »Raum-Interessen« mit der Ukraine als Pufferstaat geben?

In – und über – der Ukraine wird sich entscheiden, ob der Westen und Russland nun in gefährlicher Konfrontation verharren oder sich auf eine Ordnung verständigen – und wenn das schon keine gemeinsame europäische Friedensordnung sein kann, dann doch wenigstens ein geregeltes Nebeneinander.

Während die Krim ins russische Reich heimkehrte und im Osten der Ukraine bislang unbekannte Flaggen von »Volksrepubliken« gehisst wurden, wurde den Politikern des Westens erschreckend klar, welchen Illusionen sie aufgesessen waren: die »Modernisierungspartnerschaft« der Deutschen, der »Reset« der USA – all das hatte Putin ad absurdum geführt, die entscheidenden normativen Grundlagen kooperativer Sicherheit einmal mehr entwertet.[13] Zwar hatte man in Moskau der Nato-Osterweiterung in den 90er Jahren stillschweigend zugestimmt und wurde dafür als Gegenleistung umfänglich in westliche Institutionen eingebunden – doch den Anspruch auf eine exklusive Einflusssphäre Russlands im »nahen Ausland« hatte in Moskau niemand aufgegeben. Während Länder wie die Ukraine und auch die Frage der Nato-Osterweiterung auf der außenpolitischen To-do-Liste des Westens nach 2008 nach unten rutschten, wurde die Hoheit über den Raum der postsowjetischen Staaten[14] zur Priorität russischer Außenpolitik.

Über Jahrhunderte ein immer wieder geteiltes, fragiles Land, war die Ukraine von Anfang an der größte Preis im russischen Ringen um die Sicherung einer Einflusssphäre, die in Moskau als existentiell bezeichnet wurde. Symbolisch schon die Bedeutung des Wortes »Ukraina«: Grenzland.[15] Aber was wusste man im

Westen schon über die komplexe, widersprüchliche Geschichte
dieses zweitgrößten Flächenstaates in Europa? Was wollte man
wissen über innere Zerissenheiten und die Suche nach einer ukrainischen Identität? War die Ukraine nicht immer irgendwie…
russisch? War es nicht so, wie Putin selbst sagte, als er US-Präsident George W. Bush 2008 die Ukraine erklärte: »George, du
musst verstehen, die Ukraine ist doch gar kein richtiger Staat.«[16]

Grenzland – Eine sehr
kurze Geschichte der Ukraine

Untrennbar waren die Geschicke Russlands und die der Ukraine
miteinander verbunden, das macht Geschichte zu einer gefährlichen Waffe im Konflikt um dieses Land. Der Aufstieg Russlands
zum Imperium wäre ohne jenes Gebiet unmöglich gewesen, das
heute den Süden und Osten der Ukraine bildet, und auch die
Sowjetunion hätte ohne die Ukraine nie existiert. Viele Russen
können sich die Ukraine nicht als Ausland vorstellen. »Choch-
ly« nennen sie die Ukrainer paternalistisch-spöttisch und ver-
wenden dabei den Begriff für den traditionellen Haarschnitt der
Kosaken; betrachten sie als eher faule, tollpatschige, aber auch
bauernschlau-gerissene Verwandte. Über Jahrhunderte existierte die Ukraine als unabhängiger Staat nicht, stets war sie Spiel-
ball der Imperien, die weiten, fruchtbaren Ebenen Aufmarsch-
gebiet ihrer Armeen. Immer wieder wurde das Land geteilt, ein
Puffer zwischen Ost und West. Bis heute spiegeln sich die Wen-
depunkte europäischer Geschichte in diesem Land, das 2015 in
einem unerklärt-erklärten Krieg zu zerreißen droht.

Das Kiewer Reich, die »Kiewer Rus«, war das erste Herrschafts-
gebilde auf russischem Boden, ein mächtiger Vielvölkerverbund,
in dem sowohl die heutige Ukraine als auch Belarus und Russland ihren Ursprung sehen. Entlang des Dnjepr eroberten skandinavische Normannen, die »Waräger von jenseits des Meeres«,
im frühen Mittelalter den lukrativen Handelsweg von der Ostsee

zum Schwarzen Meer, von dort nach Konstantinopel, der reichsten Stadt des Orients. Sie unterwarfen ostslawische Stämme, ihr Herrschaftsgebiet, die »Rus«, erstreckte sich schließlich vom Ladogasee nahe Schweden über Moskau nach Süden, Kiew gehörte dazu. Mit dem Übertritt zum orthodoxen Christentum sicherte sich der Kiewer Fürst Wladimir[17] 988 militärischen Schutz durch Byzanz. Die Massentaufe der Bevölkerung im Dnjepr wurde zum Gründungsdatum der nun rechtgläubigen Kiewer Rus, die Klöster zum Symbol für die Geburt Russlands – und der Ukraine.

Die Kiewer Rus ging nach 1240 im Ansturm der Mongolen unter, zwei Jahrhunderte lang dauerte die dunkle Zeit des »Tatarenjochs«, auch das Fürstentum Moskau zahlte Tribut. Im Süden entwickelte sich das Khanat der Krimtataren zu einem mächtigen Reich; im Westen eroberten das in Personalunion zusammengeführte Königreich Polen und das Großfürstentum Litauen später große Teile der heutigen Ukraine. So war die heutige Ukraine lange Zeit eine »historische Landschaft«, Übergangsraum zwischen Großreichen, die Einflusssphären zwischen Polen und Russland hatten den Dnjepr als Grenze.[18] In den Gebieten südöstlich des Dnjepr, den Steppenlandschaften des späteren »linken« Ufers, siedelten Kosaken. Sie empfanden sich als freie Menschen, keinem Fürsten untertan.

So standen sie während der kalten Wintertage 2013 auf dem Kiewer Majdan: mächtige Männer mit langen Schnurrbärten und grimmigem Blick, sie schlugen die Trommel, einem dumpfen Ruf zur Schlacht gleich. Freie Menschen in einem wehrhaften Land – in dieser Tradition will sich heute die moderne Ukraine sehen.[19]

Der erfolgreiche Kosakenaufstand von 1648 gegen die Kontrolle durch Polen-Litauen gilt in der ukrainischen Geschichtsschreibung als erster Schritt auf dem langen Weg der ukrainischen Nationalstaatsbildung: Das Hetmanat unter Führung des charismatischen Kosaken Bogdan Chmelnitzkij wird als selbstständiger Staat beschrieben.

Das Hetmanat unterstellte sich 1654 der Oberherrschaft Moskaus. Im »Vertrag von Perejaslaw« schworen die Kosaken jenen Treueeid auf den Zaren, der von russischen und sowjetischen Historikern später als »Wiedervereinigung« der Ukraine mit dem Zarenreich interpretiert wurde. »Kleinrussen« nannte man in Moskau die Ukrainer, »Malorossija« das Land der Kosaken – Kleinrussland. Östlich des Hetmanats lag die »Sloboda-Ukraine«, »Land der freien Gemeinden«, unbefestigtes Grenzland. Es wurde von Bauern und Kosaken besiedelt – der spätere Osten und Süden der Ukraine.

Das Primat des Südens – »Noworossija«

Eine Deutsche, *die* Deutsche, festigte Moskaus Herrschaft über den Süden: Prinzessin Sophie Auguste Friederike von Anhalt-Zerbst, die spätere Katharina die Große, deren Porträt in kleinem Rahmen jahrelang in Angela Merkels Amtszimmer stand.

Katharina die Große, die ebenso kluge wie ehrgeizige Frau, leidenschaftlich und charmant, machtbewusst. Sie ließ ihren Ehemann ermorden, um auf den Thron zu kommen, zäh verfolgte sie ihre Vision von Russland als modernem Imperium. Sie paktierte mit den anderen Großmächten ihrer Zeit, Preußen und Österreich. Gleich dreimal teilten sie sich Polen untereinander auf. Über Jahrhunderte würde ein großer Teil des ukrainischen Westens, Galizien, zum Herrschaftsgebiet der Habsburger gehören.

Katharina die Große vollendete Russlands Expansion nach Süden. »Der Süden wurde zum Kern der russischen Außenpolitik«, schreibt ihr britischer Biograf Simon Sebag Montefiore.[20]

»Noworossija« wurde ihr Bollwerk gegen das mächtige Osmanische Reich. Neurussland, »loca deserta«, die weiten Steppen mit der fruchtbaren Schwarzerde, jene Gebiete im Süden, die Katharina die Große schon seit 1768 in den Russisch-Türkischen Kriegen erobert hatte. Der größte Preis im Süden aber war das Ta-

tarenchanat der Krim. Die Krim würde den Zugang zum Schwarzen Meer sichern – und Neurussland vollenden.

Fürst Grigorij Potemkin war Katharinas Feldherr, über Jahrzehnte Mitregent ihres Imperiums, ein löwenhafter Lebemann, der gern gesalzene Gänse aus Hamburg kommen ließ und mit Unmengen Wein vertilgte. Der seine Mätressen mit Kleidern aus Frankreich ausstattete und nachts mit viel Geld um sein Glück spielte. Er war Feldmarschall, Oberbefehlshaber der russischen Armee und Großhetman der Kosaken, er war Vizekönig des Südens, Höfling, Diplomat und Politiker, der Zarin Geliebter und wohl die Liebe ihres Lebens – »des Ruhms und des Vergnügens Sprössling«, wie der russische Dichter Gawriil Derschawin später schrieb.[21]

Und er, der Serenissimus, legte seiner Zarin das Paradies zu Füßen.

»Stell dir vor, die Krim gehört dir, und die Warze an deiner Nase ist nicht mehr«, erklärte ihr Potemkin Ende 1783. »Gnädigste Dame ... Du musst den russischen Ruhm erhöhen! Glaub mir, durch diese Tat wirst du größeren, unsterblichen Ruhm erringen als jeder andere russische Monarch zu irgendeiner Zeit. Dieser Ruhm wird zu einem noch größeren Ruhm führen, denn durch die Krim wird die Herrschaft über das Schwarze Meer erlangt werden ... Russland braucht das Paradies.«[22]

1783 annektierte die Zarin das Khanat der Krimtataren. Nun galt es, Noworossija zu vollenden. Und Fürst Potemkin würde ihr Baumeister, er, der »Kaiser des Südens«.[23] Fürst Potemkin ließ Städte aus der Steppe stampfen, warb »Kolonisten« an, Bauern aus Deutschland und Griechenland, er gewährte jüdischen Siedlern Schutz. Er baute Häfen, gründete Werften, heuerte tausende Arbeiter für den Bau der Flotte an, alles geschah innerhalb weniger Jahre. »Jekaterinoslaw«, Katharinas Ruhm, wurde zur Hauptstadt seines neuen Reiches. Wie eine antike Metropole sollte die Stadt aussehen, es war eine der wenigen Unternehmungen, die ihm nicht gelangen. Später würde diese Stadt Dnipropetrowsk heißen, Zentrum der Rüstungsindustrie, ukrainische Machtbasis sowjetischer Generalsekretäre.

Eine sechsmonatige Reise der Zarin durch Noworossija wurde 1787 zu ihrem größten Triumph. Mit hunderten Booten steuerte »Kleopatras Flotte« von Kiew aus Richtung Süden: Feuerwerke, Bälle, jubelnde Bauern, Potemkin ließ siegreiche russische Schlachten nachstellen, und am Ende legte er seiner Zarin die Flottenbasis Sewastopol zu Füßen – Russlands imperiale Zukunft.

Mitreisende westliche Diplomaten mokierten sich über die »Potemkinschen Dörfer«, eine Kulisse, um die Zarin zu täuschen. Doch Potemkins Dörfer waren keine Chimäre. Die meisten von ihnen wurden Wirklichkeit. Städte, die heute zur Ukraine gehören. Sie heißen Charkiw, Dnipropetrowsk, Donezk, Luhansk und Mariupol am Asowschen Meer. Odessa war im 19. Jahrundert polyglotte Handelsstadt am Schwarzen Meer, dynamisch wie ein New York des Ostens, bewohnt von Russen, Deutschen, Juden, Griechen, Italienern und Armeniern. Noworossija wurde im 19. Jahrhundert zum Zentrum der russischen Industrialisierung: Hier wurden Steinkohle und Erz abgebaut, Eisen und Stahl produziert, Eisenbahnen gebaut. Noworossija war immer freier und moderner als der Rest des Zarenreiches.

Bis 1917 würde Noworossija als russisches Gouvernement in wechselnden Grenzen existieren. Und auf der Krim verbrachten die Zaren ihre Sommerfrische in der antiken Landschaft der »Tauris«; Alexander Puschkin dichtete über den »Tränenbrunnen«; später war die Krim das begehrteste aller sowjetischen Urlaubsziele, und die Besten der Pioniere durften ins berühmte Jugendlager »Artek«.

Im Westen, im Herrschaftsgebiet der Habsburger, lag die von Wien so weit entfernte Provinz Galizien: Der arme Hinterhof Europas, vernachlässigt und ausgebeutet, die Bauern in Leibeigenschaft. Hier festigte sich im 19. Jahrhundert die ukrainische Nationalbewegung, die im Osten – in Charkiw – und im Zentrum – in Kiew – ihre Anfänge genommen hatte. So wie die Studenten auf dem Nationalfest der Deutschen zu Hambach 1832 träumten Schriftsteller und Intellektuelle in Lemberg, dem heutigen Lwiw, von einem freien, bürgerlichen Staat: von einer Ukraine der Ukrainer.

Am Ende des Ersten Weltkrieges wurden die Träume von der Unabhängigkeit für einen Atemhauch so etwas wie Wirklichkeit. Im Januar 1918 entstand eine unabhängige »Ukrainische Volksrepublik«, die von den revolutionären russischen Bolschewiki im März 1918 im Frieden von Brest-Litowsk anerkannt werden musste. Doch der Westen wurde 1919 von Polen annektiert, der Osten nach gnadenlosem Partisanenkrieg 1922 als »Unabhängige Sozialistische Sowjetrepublik Ukraine« Teil der Sowjetunion.[24] Zehn Jahre lang wurde die Ukraine nun ukrainisiert, ukrainische Sprache und Geschichte gefördert. Die »korenisazija«, die Politik der Einwurzelung, sollte eine neue Generation sowjettreuer Ukrainer hervorbringen. »National in der Form, sozialistisch im Inhalt«, lautete die Devise.

Der tödlichste Ort auf der Erde

Mit äußerster Brutalität brach Josef Stalin den Widerstand der ukrainischen Bauern gegen die Kollektivierung und seine Politik der schwerindustriellen Sowjetisierung. Diese »innere Kolonisierung« wurde zu einem der grausamsten Kapitel in der Geschichte seiner Terrorherrschaft. Zehntausende ukrainischer Intellektueller wurden deportiert und ermordet. In der »Kornkammer« Ukraine wurden die Bauern ab Ende der 20er Jahre in Kolchosen gezwungen, auch aufgrund einer Dürre 1931 sanken die Erträge. Bald mussten die Bauern mehr Getreide abgeben, als sie besaßen. Erbarmungslos wurden Lebensmittel requiriert, Ausreise aus den Hungergebieten war verboten. Millionen Menschen starben im Großen Hunger Anfang der 30er Jahre, die meisten von ihnen in der Ukraine. Überall lagen Leichen. Auf der Suche nach Brotkrumen irrten Kinder mit aufgedunsenen Bäuchen durch die Städte. Es war verboten, ihnen etwas zu essen zu geben. Auf dem Schwarzmarkt wurde Menschenfleisch verkauft. Und manchmal baten sterbende Eltern ihre Kinder, ihre Überreste zu verzehren, damit wenigstens die Kinder überlebten.[25]

Niemand zählte die Toten. Nach späteren Schätzungen starben mindestens 3,3 Millionen Menschen im Großen Hunger, der in der Ukraine später »Holodomor« genannt wurde, gezielte Tötung durch Hunger. Bald hieß es aus Moskau, wer die Hungersnot erwähne, müsse ein Agent Nazideutschlands sein, ein Faschist.[26] Jahrzehntelang wurde die Hungerkatastrophe verschwiegen. So legte sich schon früh eine mächtige Lüge über die Wahrheit, die kaum zu ertragen ist und doch ertragen werden muss.

Nach 2004 wurde der Große Hunger in der Ukraine politisiert – in der Debatte um die Ursachen erklangen zunehmend antirussische Töne: Die Millionen Toten seien Ziel, nicht Folge der Politik Stalins gewesen, hieß es. Der »Holodomor«, Vernichtung durch Hunger, sei ein von Moskau organisierter Völkermord gewesen, um den Unabhängigkeitswillen der Ukrainer zu brechen, vergleichbar mit dem Holocaust. Das ukrainische Parlament erklärte den Holodomor 2006 zum Genozid am ukrainischen Volk – wobei sich mehr 200 Abgeordnete vor allem aus dem Osten der Ukraine enthielten oder erst gar nicht an der Abstimmung teilnahmen.[27] Den Begriff »Genozid« lehnte die russische Regierung auch 2015 ab: Der Hungersnot als Folge schlechter Ernten sowie der Kollektivierung seien auch Russen und Angehörige anderer Nationalitäten zum Opfer gefallen.[28]

1939 teilten sich Hitler und Stalin Polen, damit fielen Teile der heutigen Westukraine an die Sowjetunion. 1941 fielen die Deutschen über die Sowjetunion her. In Hitlers Plänen zur Eroberung des »Lebensraums im Osten« nahm die Ukraine mit ihren fruchtbaren Böden und Rohstoffen einen zentralen Platz ein. Allein in der Ukraine ermordeten seine Schergen zwischen 1941 und 1944 3,5 Millionen Menschen, noch einmal rund drei Millionen Ukrainer fielen im Kampf oder starben infolge des Krieges. Über eineinhalb Millionen ukrainischer Juden wurden in diesen drei Jahren Opfer des Holocaust, ermordet von deutschen Kommandos und ihren einheimischen Helfern. Zeugenschaft und Beteiligung von Ukrainern am Genozid wurden in der Ukraine verdrängt, verschwiegen.[29] In Deutschland wiederum habe man verdrängt, welche Bedeutung die Ukraine in Hitlers Vernichtungskrieg hatte, so der amerikanische Historiker Timothy Snyder: »Die Ukraine hat als eigene Kategorie deutscher Schuld und deutscher Aufarbeitung nie existiert.«[30]

Es wäre eine Chance: Wenn die zu Recht auch von Altbundeskanzler Helmut Schmidt immer wieder angemahnte besondere deutsche historische Verantwortung gegenüber Russland genau so für die Ukraine gelten würde.

Zwischen 1933 und 1945 dem Terror Stalins und dem Terror Hitlers ausgeliefert, wurde die Ukraine zum »tödlichsten Ort auf der Erde«.[31]

Die überwältigende Mehrheit der Ukrainer kämpfte in der Roten Armee gegen die Wehrmacht, sie starben für die Befreiung von den Deutschen und für den sowjetischen Sieg. Aber wahr ist auch: Um ihr Ziel der Unabhängigkeit zu erreichen, machten sich Ukrainer auch mit Hitler und seinen Schergen gemein.

Kollaboration – Das gefährliche Erbe der »Banderowzi«

1929 in Wien gegründet, wurde die »Organisation der Ukrainischen Nationalisten« (OUN) vor allem im Westen der heutigen Ukraine zum Sammelbecken radikaler Nationalisten, die eine unabhängige Ukraine auch mit militärischen Mitteln erreichen wollten und sich mit ihrem »integralen Nationalismus« zunehmend an der Ideologie der Faschisten orientierten.[32] Die Unabhängigkeit müsse mit allen Mitteln erreicht werden, Bündnisse mit jedem Gegner »Großrusslands« seien dabei einzugehen. Der neue ukrainische Staat solle unabhängig, totalitär und autoritär sein.[33]

In ihren »Zehn Geboten des ukrainischen Nationalisten« forderte die OUN unter anderem: »1. Du wirst einen ukrainischen Staat erreichen oder im Kampf dafür sterben.« Und: »8. Behandle die Feinde Deiner Nation mit Hass und ohne Rücksicht.«[34]

Mit Hass und ohne Rücksicht kämpfte die OUN seit Beginn der 30er Jahre mit Attentaten und Sabotageakten gegen die polnische Regierung. Vielen unter ihnen galt Hitlers Polenfeldzug 1939 als Beginn einer Befreiung der Ukraine, zwei militärische Einheiten marschierten mit der Wehrmacht ein. Auch nach dem Angriff auf die Sowjetunion kollaborierten ukrainische Nationalisten mit den Deutschen. Sie meldeten sich als Übersetzer, Polizisten und Wächter in den KZs, sie beteiligten sich aktiv an Pogromen gegen Polen und Juden.

Stepan Bandera, Sohn eines Priesters, wurde zur Galionsfigur der radikalen Nationalisten, schon als junger Mann Symbol einer nationalen »Wiedergeburt« der Ukraine. Mit dem von ihm geleiteten Flügel der OUN führte er einen Guerillakrieg gegen Polen und kollaborierte mit den Nazis. Ende Juni 1941 rief Bandera[35] die »Unabhängige Republik Ukraine« aus, die Teil eines neuen faschistischen Europas werden sollte, gesäubert von Juden, Polen, Sowjets und anderen »Feinden« der »nationalen ukrainischen Revolution.[36] Wenige Tage später wurde er verhaftet und ins Konzentrationslager Sachsenhausen eingeliefert, erhielt dort den Status eines »Ehrenhäftlings«.[37] Auch in seinem Namen führten OUN-Milizen und die 1942 gegründete »Ukrainische Aufstands-Armee« UPA vor allem im Westen der Ukraine einen gnadenlosen Krieg gegen sowjetische Partisanen und die polnische Untergrundarmee, später gegen Wehrmacht und Rote Armee zugleich. In der Westukraine verübten sie Massaker an der Zivilbevölkerung, ermordeten zehntausende Polen und Juden.[38] Und umgekehrt gingen die Rote Armee und die Politkommissare des Geheimdienstes gnadenlos mordend gegen die ukrainischen Nationalisten vor.

1944 aus dem KZ entlassen, sollte Bandera mit einem ukrainischen Nationalkomitee unter Kontrolle der Nationalsozialisten den ukrainischen Widerstand gegen die Rote Armee organisieren. 1946 gelang ihm die Flucht nach Bayern, dort lebte er unter dem Namen Stefan Popel in München. Angeblich steuerte er von dort aus noch in den 50er Jahren Sabotageakte gegen die Rote Armee, unterstützt offenbar auch vom britischen Geheimdienst.[39]

Im Oktober 1959 hatten ihn Agenten des sowjetischen Geheimdienstes KGB schließlich aufgespürt. Sie töteten ihn im Eingang seines Wohnhauses mit einer pistolenähnlichen Waffe, die Blausäure versprühte.[40]

Stepan Bandera wurde von nationalistisch-ukrainischen Emigranten in Europa und Kanada als Held des nationalen Widerstandes glorifiziert, München war eines ihrer Zentren. Von der Kollaboration mit den Nazis, der Bewunderung für das »Führerprinzip«, dem militanten Antisemitismus, der Massengewalt und dem fanatischen Hass auf alle vermeintlichen Feinde der ukrainischen Nation war nun keine Rede mehr. So wurde Stepan Bandera nach dem Zusammenbruch der Sowjetunion in der nunmehr unabhängigen Ukraine zu einem »Providnyk«, zum Führer und Märtyrer der ukrainischen Nation.

Was – wie das Wort »Faschisten« – in der russischen kollektiven Erinnerung zwangsläufig ein Schreckenswort sein muss und von der russischen Propaganda 2014 zynisch für die Demonstranten des Majdan genutzt wurde, gilt zumindest radikaleren ukrainischen Nationalisten als Inbegriff des Heldentums: Banderas Kämpfer, die »Banderowzi«.

Demokratie der Oligarchen

Bis zuletzt hatte Präsident Michail Gorbatschow den Verbleib der Ukraine in einer runderneuerten Sowjetunion gefordert, seiner neuen »Union«: »Ohne Ukraine kann es keine Union geben, und es kann auch keine Ukraine ohne Union geben«, sagte er. »Diese beiden slawischen Staaten waren für Jahrhunderte die Achse, an der sich ein riesiger multinationaler Staat entwickelte.«[41] Doch seit 1990 hasteten die Sowjetrepubliken in die Unabhängigkeit, die neuen Eliten aus alten Kadern versprachen sich Macht, Pfründe und Geld. In einem Referendum stimmten am 1. Dezember 1991 rund 90 Prozent der Ukrainer für die Unabhängigkeit, auch auf der Krim und im Osten des Landes waren mehr als 50 Prozent dafür. Das Referendum besiegelte Gorbatschows Ende, einen Monat später trat er zurück. Und die Sowjetunion wurde Geschichte.

Ein demokratisches Land sollte die Ukraine nun werden, doch wie nebenan in Russland platzten die Träume bald in der postsowjetischen Realität. Während Politiker des Westens von historischen »Win-win-Situationen« der neuen Weltordnung schwärmten, versank die Ukraine im Chaos der neuen Zeit: »Verlierer waren auch jene Länder, die, wie die Ukraine und Belarus, jenseits der neuen EU-Ostgrenze außen vor gelassen wurden«, so die Historikerin Anna Veronika Wendland. »Das gilt für die westliche Perspektive fast ebenso wie für die russische. Die Ukraine war bestenfalls Schwarzarbeiterreservoir ... oder aber eine Black Box, in der Reaktorkatastrophen und Zwangsprostituierte produziert wurden. Was fast alle einte, war die Wahrnehmung, dass es sich bei der Ukraine um ... ein Kunstgebilde handle.«[42]

Eines allerdings gelang den USA und der Nato, ein wichtiger sicherheitspolitischer Schritt: Die Ukraine verzichtete auf ihren faktischen Status als Atommacht.[43] Die 1240 Sprengköpfe der in der Ukraine stationierten atomaren Langstreckenraketen wurden nach Russland transportiert oder zerstört, nachdem die USA, Großbritannien und Russland im Gegenzug die territoriale Integrität der Ukraine garantiert hatten. Doch nach dem Budapester Memorandum von 1994 überließ man den zweitgrößten Flächenstaat Europas mehr oder weniger sich selbst. Beständig blieb allein: Russlands Anspruch auf Einfluss. Schon in den 90er Jahren hatten russische Politiker den Westen aufgefordert, sich einer Reintegration der ehemaligen Sowjetrepubliken nicht entgegenzustellen. Immer wieder stellten sie die Souveränität der Ukraine in Frage, auch den Status der Halbinsel Krim. Der Westen aber verfiel in einen Zustand »kollektiver Amnesie«.[44]

Unter Präsident Leonid Kutschma verflochten sich Politik und Wirtschaft auf bekannt postsowjetische Weise. Ehemalige sowjetische Fabrikdirektoren gewannen die Privatisierungen, stiegen zu Oligarchen auf. Zunächst sicherten sich ihre Clans Einfluss in den Industrieregionen des Ostens, in Dnipropetrowsk und Donezk, dann kauften sie Parlamentssitze in Kiew gleich blockweise. Wuchernde Korruption, Entführungen, Schutzgelderpressungen, schließlich die mögliche Mittäterschaft des Präsidenten an der Ermordung des kritischen Journalisten Heorhij Gongadse – die Ukraine wurde zum mafiosen Staat. Und während die Mehrheit der Menschen immer weiter verarmte,[45] baute die neue Elite Wirtschafts- und Finanzimperien auf. Diese Elite hatte die Ukraine noch 2015 im Griff.

Rinat Achmetow stieg zum Herrscher des Donbass auf, Baron der Kohle und des Stahls, Besitzer von Kraftwerken, Arbeitgeber von 200 000 Menschen, mit einem Vermögen von bis zu 12,5 Milliarden Dollar noch im Kriegsjahr 2014 reichster Mensch der Ukraine.[46] Wiktor Pintschuk, leidenschaftlicher Kunstsammler und Schwiegersohn des langjährigen Präsidenten Leonid Kutschma, machte seine 3,2 Milliarden Dollar[47] zunächst mit Gasimporten, später mit der Produktion von Stahlrohren. Gut vernetzt auch in den USA, spendete er der Clinton-Stiftung Millionen.[48] Ihor Kolomojskij, gut zwei Milliarden, der »König von Dnipropetrowsk«: Seine »Privatbank« gehörte 2015 zu den größten Banken der Ukraine,[49] seine Holding kontrollierte mehr als 100 Unternehmen.[50] Kolomojskij hatte 2014 als Gouverneur des Gebietes Dnipropetrowsk die Aufgabe, prorussische separatistische Erhebungen zu unterbinden. Er setzte Kopfgelder für Gefangene aus.

»Schokoladenkönig« Petro Poroschenko machte sein Vermögen von rund 1,3 Milliarden Dollar mit der Süßwaren-Firma Roschen, dazu kaufte er Werften, eine Bank, den TV-Sender »Fünfter Kanal«. Auch er ging früh in die Politik, bekleidete diverse Ministerposten, bevor er im Mai 2014 zum Präsidenten gewählt wurde, ein europäisch orientierter Kompromisskandidat.[51]

Milliarden wurden vor allem mit Gasimporten aus Russland und Turkmenistan verdient: Zwischenhändler wurden eingesetzt, um das eigentlich simple Direktgeschäft abzuwickeln. So sicherte sich Moskau ökonomischen Einfluss auf die Ukraine. Die später inhaftierte ehemalige Ministerpräsidentin Julija Timoschenko wurde so zur sehr wohlhabenden »Gasprinzessin« der Ukraine; auch der Unternehmer Dmytro Firtasch[52] trat mit seinen Anteilen am Importmonopolisten RosUkrEnergo als Zwischenhändler auf, beide pflegten gute Beziehungen nach Moskau. Je mehr Gas verbraucht wurde, desto höher die Profite: So unterblieben dringend notwendige Reformen im Energiebereich, finanzielle Entflechtung und technische Modernisierung. Noch im Jahr 2015 gehört die Ukraine zu den Ländern mit dem weltweit höchsten Energieverbrauch.[53]

Korruption wurde zum wichtigsten Geschäftszweig des Landes, das ukrainische Parlament zum Klub der Millionäre.[54] Die Preise für einen sicheren Parlamentssitz sollen bis zu fünf Millionen Dollar betragen haben, bis mindestens 2013 soll auch mit wichtigen Posten in Ausschüssen gehandelt worden sein, man nannte sie »brotbringende Sitze«. Diese »Investitionen« amortisierten sich für die Abgeordneten meist rasch: Kickbacks für die Erteilung öffentlicher Aufträge oder zurückgehaltene Mehrwertsteuererstattungen, Erpressung, illegale Privatisierungen, Enteignungen mit mafiosen Methoden.[55]

Auf dem Korruptionsindex von Transparency International stand die Ukraine 2014 zwischen Uganda und Bangladesch auf Platz 142 von 175 untersuchten Ländern – noch unter Russland.[56] Auch der Westen machte sich zum willigen Komplizen der Raubzüge: Über Konten und Firmen im Ausland, in Großbritannien, auf Zypern und offshore wurden Profite legalisiert und zum Teil wieder reinvestiert. Nur so ist wohl zu erklären, dass das EU-Mitglied Zypern noch Anfang 2014 größter ausländischer Direktinvestor in der Ukraine war.[57]

Die blasse Farbe »Orange«

Wladimir Putins Kampf um die Ukraine begann 2004. Am Abend des 3. Dezember 2004 standen Hunderttausende auf dem Kiewer Majdan, sie schwenkten Fahnen in der orangen Farbe der Oppositionspartei Unsere Ukraine. Nach mehrwöchigen Massenprotesten hatte ihre friedliche »Farben-Revolution« gesiegt: An diesem Tag erklärte das Oberste Gericht der Ukraine die Präsidentschaftswahlen für ungültig und ordnete eine Wiederholung der Stichwahl an. Im Oktober 2004 war die zweite Amtszeit Leonid Kutschmas ausgelaufen. Oligarchen und Politiker hatten sich auf den amtierenden Ministerpräsidenten Wiktor Janukowitsch als Nachfolger geeinigt. Auch wenn er einige Vorstrafen wegen Gewaltdelikten hatte und kaum Ukrainisch sprach, galt er doch als zuverlässiger Mann aus dem ökonomisch wichtigen Osten der Ukraine. Auch Wladimir Putin hatte sich eindeutig für Wiktor Janukowitsch ausgesprochen. Janukowitsch stand für enge Beziehungen zu Russland, politisch wie ökonomisch. Er wollte das umstrittene Pachtabkommen über die Stationierung der Schwarzmeerflotte auf der Krim verlängern und war erklärter Gegner einer möglichen Nato-Mitgliedschaft der Ukraine. Putins Polittechnologe Gleb Pawlowskij wurde eigens nach Kiew entsandt, um dem blassen Kandidaten Image-Hilfe zu leisten; Putin selbst reiste während des Wahlkampfes siebenmal in die Ukraine, um Janukowitsch zu unterstützen, offenbar auch finanziell.[58]

Charismatisch und national gesinnt sein Gegenkandidat Wiktor Juschtschenko, ein Mann der Reformen für eine angeblich neue Zeit, Richtung USA orientiert. Er wurde von stramm nationalistischen Exilorganisationen aus Kanada und den USA unterstützt, die in Washington Lobbyarbeit im Sinne der »Freedom Agenda« von US-Präsident George W. Bush leisteten.[59] Orangefarbene Schals und Fahnen wurden Juschtschenkos Markenzeichen, seine Popularität stieg nach einem schrecklichen Giftanschlag auf ihn, als ihm während eines Abendessens mit dem Vorsitzenden von Kutschmas Sicherheitsdienst eine offenbar mit Dioxin versetzte Speise vorgesetzt wurde.[60]

Nach der ersten Runde der plump gefälschten Präsidentschaftswahlen gingen die Menschen auf die Straße, abends sammelten sich Hunderttausende auf dem Kiewer Majdan. Schon damals intervenierte Wladimir Putin massiv hinter den Kulissen. Der damalige Noch-Präsident Kutschma berichtete, dass Putin für eine harte Lösung der Krise plädiert habe: »Er forderte nicht direkt, dass ich Panzer auf die Straßen schicken solle. Er war in seinen Bemerkungen eher taktvoll. Aber es gab einige deutliche Hinweise in diese Richtung.« Auf Bitte der EU telefonierte schließlich Bundeskanzler Gerhard Schröder mit seinem Freund Wladimir Putin. Es sei eines der härtesten Gespräche gewesen, das er mit Putin geführt habe, sagte er später.[61] Putin ließ sich offenbar nicht überzeugen. Die Ereignisse waren ihm Beweis für die Politik der USA, für ihr angebliches Projekt mit dem Arbeitstitel: »Russland zerstören«.

Im November 2004 erzwang der Majdan jene Neuwahlen, die Juschtschenko gewann, Julija Timoschenko wurde seine Ministerpräsidentin. Amerika habe sich eine antirussische Revolution gekauft, hieß es fortan in Moskau, mit Soft-Power-Milliarden proamerikanische NGOs finanziert, die später mit Geheimdienstoperationen auch den »Staatsstreich« des Jahres 2014 initiiert hätten. Ja: In den 23 Jahren zwischen 1991 und 2014 unterstützten das US-Außenministerium und die amerikanische Entwicklungshilfebehörde USAID mit insgesamt fünf Milliarden Dollar Projekte der ukrainischen Zivilgesellschaft: Antikorruptionskampagnen, Wahlbeobachtungen, die Gründung unabhängiger Medien, vor allem aber soziale Projekte, etwa im Gesundheitsbereich.[62] Was Kritiker der natürlich nicht uneigennützigen amerikanischen Demokratieförderung offenbar übersehen: Moskau investierte selbst massiv in sogenannte Soft-Power-Maßnahmen. Hunderte Millionen Dollar fließen jährlich in Einrichtungen wie die »Stiftung Russische Welt«[63] und andere, von Unternehmern oder Politikern finanzierte prorussische Organisationen. Seit mindestens 2008 waren sie auch auf der Krim aktiv.[64] Und natürlich übte Russland massiven politischen und ökonomischen Einfluss auf die Ukraine aus: In mehreren »Gaskriegen« etwa erhöhte Moskau die künstlich niedrig gehaltenen Preise für Gasexporte in die Ukraine, mehrmals kam es zu Lieferstopps wegen nicht bezahlter Schulden.

Die Bilanz der Orangen Revolution war verheerend, rasch fraß sie ihre Kinder. Juschtschenkos Amtszeit endete in einer vollständigen Blockade der Politik und regelmäßigen Prügeleien im Parlament. Innerhalb von fünf Jahren fanden drei Parlamentswahlen statt, wurden fünf Regierungen vereidigt. Während in der Ukraine 2008 eine dramatische Wirtschaftskrise begann, schob Juschtschenko statt Reformen die gefährliche Frage nationaler ukrainischer Identität in den Vordergrund. Dies diente der Distanzierung von Russland ebenso wie das von ihm betriebene und von den USA unterstützte Aufnahmebegehr in die Nato. Dabei hatten sich die Menschen in Meinungsumfragen wiederholt mehrheitlich gegen eine Aufnahme der Ukraine in die Nato ausgesprochen.[65]

Auch Geschichtspolitik wurde zur politischen Waffe.

Es begann die Rehabilitierung Stepan Banderas und der Ukrainischen Nationalbewegung OUN, in deren Tradition sich im Jahr 2015 auch die militant-nationalistische Partei Swoboda, »die Freiheit«, sehen wollte. Bandera eroberte den öffentlichen ukrainischen Raum: 46 lebensgroße Statuen oder Büsten im ganzen Land, sein Denkmal in Lwiw reckt sich sieben Meter hoch.[66] Eine

Bandera-Briefmarke, nächtliche Fackelzüge zu seinem Geburtstag. Präsident Juschtschenko besuchte das Bandera-Museum: »Ruhm für Stepan Bandera! Ruhm der Ukraine!« schrieb er ins Gästebuch.[67] 2010 verlieh er Bandera den offiziellen Titel »Held der Ukraine« – ausgerechnet dem Mann, der mit allen Mitteln für die Unabhängigkeit der Ukraine als faschistischem Einparteienstaat gekämpft hatte, Zehntausende waren auch in seinem Namen ermordet worden.[68]

Mit der Suche nach Wahrheit, gar Aufarbeitung hatte diese Form der Geschichtspolitik kaum etwas zu tun. Falscher konnte das politische Signal an Moskau nicht sein: Dass die Ukraine fortan ihre Geschichte selbst schreiben und damit Deutungshoheit auch über Teile der russischen Geschichte beanspruchen würde. Doch sie spaltete zunehmend auch die Ukraine selbst: in Jung und Alt, in West und Ost. Vor allem im Westen erhielten nationalistische Bewegungen Auftrieb.

Die rechtsextreme, ebenso antirussische wie antisemitische Swoboda-Partei erhielt bei den Parlamentswahlen 2012 überraschend 10,4 Prozent der Stimmen und insgesamt 37 Parlamentssitze;[69] die paramilitärische Sammelbewegung des Rechten Sektors zählte 2014 mehrere Tausend Mitglieder. Nach Umfragen im Frühjahr 2014 lag das Wählerpotenzial der Swoboda-Partei bei rund fünf Prozent, im Westen der Ukraine allerdings bedeutend höher.[70] Bei den Parlamentswahlen im Herbst 2014 blieb Swoboda unter der Fünfprozenthürde, errang allerdings einige Direktmandate.

Insgesamt widerstand die ukrainische Gesellschaft dem Werben der aggressiven rechten Bewegungen noch 2014 auf bemerkenswerte Weise. Doch je länger der Krieg im Osten, die Auseinandersetzung mit Russland dauerte, desto größer wurde die Gefahr nationalistischer Radikalisierung. Da waren die Kontakte der Swoboda-Partei zu deutschen Neonazis.[71] Da gab es den Rechten Sektor, aber auch die Neonazis der Organisation Patrioten der Ukraine (PU). Sie bildeten 2014 den Kern des vom Innen-

ministerium geführten Freiwilligenbataillons Asow; »Wolfs-
angel« und die »Schwarze Sonne« ihre neonazistischen Symbole.
Ein führendes Mitglied der PU wurde zum Polizeichef der Region Kiew ernannt, Asow-Kommandant Andriy Biletsky 2014 ins
Parlament gewählt, wachsend auch die Sorge vor Infiltrierung
von Geheimdiensten, Polizei, Sicherheitsdiensten durch Ultra-
rechte.[72] Im Juli 2015 eröffneten schwer bewaffnete Mitglieder
des Rechten Sektors das Feuer auf einen Polizeikontrollposten
in der Westukraine, drei Menschen starben. Die Kiewer Regierung gilt Ultranationalisten nun als Verräter, sie fordern eine
»nationale Revolution«.[73]

Die Präsidentenwahl von 2010 besiegelte das klägliche Scheitern der Orangen Revolution. Doch die Konsequenz und Brutalität, mit der der nun gewählte Wiktor Janukowitsch seine in
freien Wahlen errungene Macht sicherte, erschütterte selbst hart-
gesottene Insider. Innerhalb nur eines Monats wurden die wichtigsten Führungspositionen mit seinen Anhängern besetzt; mehr
als die Hälfte aller Minister kam aus seiner Machtbasis, dem Donbass. Die Macht des eng mit dem russischen FSB kooperierenden
Geheimdienstes SBU wuchs, Staatsanwaltschaften verfolgten
nun kritische Journalisten und Oppositionelle; die immer noch
einflussreiche ehemalige Ministerpräsidentin Julija Timoschenko wurde wegen Veruntreuung staatlicher Gelder zu sieben Jahren Gefängnis verurteilt. Das Wahlrecht wurde geändert, die
Kompetenzen des Präsidenten erweitert. Gigantisch selbst für
ukrainische Verhältnisse der Raubzug, der mit Janukowitschs
Amtsantritt begann: Sein Sohn Oleksandr, ein Zahnarzt, stieg
mit seiner Mako Holding innerhalb kürzester Zeit zu einem der
reichsten Männer der Ukraine auf. Auch Janukowitsch selbst soll
sich maßlos bereichert haben.[74] »Alte« Oligarchen wurden zur
Seite gedrängt – nun herrschte die »Familie« mit ihren Stroh-
männern.[75]

Niemand weiß genau, wie viel Geld Janukowitsch und seine Spezis in den vier Jahren seiner korrupten Amtszeit aus den

Kassen des Staates stahlen – Ministerpräsident Arsenij Jazenjuk nannte die Zahl von 37 Milliarden Dollar.[76] Das private Vermögen der Familie Janukowitsch allein soll bis zu 12 Milliarden Dollar betragen,[77] seine in einem Naturschutzgebiet errichtete Residenz Mezhyhrija mit angeschlossenem Golfplatz, Jachthafen und Zoo sowie das Jagdhaus in Sukholuchya wurden Markenzeichen der autoritären Kleptokratie – und größenwahnsinnig schlechten Geschmacks.[78]

Die Menschen mussten sich in einer ökonomischen Dauerkatastrophe einrichten. Noch 2014 war das Bruttoinlandsprodukt niedriger als 1991. Das Durchschnittseinkommen betrug 200 Dollar im Monat, jeder Dritte lebte unter der Armutsgrenze. Die Inflation stieg auf 20 Prozent; und vielleicht am beschämendsten war, dass die Ukraine mit ihrem enormen Potenzial, der Rüstungsindustrie,[79] den Stahlwerken, Kohlegruben, Chemieunternehmen und den Abermillionen Hektar fruchtbarer Schwarzerdeböden noch im Jahr 2014 Güter im Wert von gerade einmal 63 Milliarden Dollar exportierte – weniger als das benachbarte, vergleichsweise winzige EU-Land Slowakei.[80] Hoch verschuldet, hing die Ukraine seit 2008 am Tropf von Krediten des Internationalen Währungsfonds.

Doch in den russischen Medien galt die Ukraine nun wieder als befreundetes Land auf dem richtigen Weg. Mit Wiktor Janukowitsch schien es möglich, die Ukraine mit politischem Einfluss und ökonomischen Vorteilen auf Abstand zum Westen zu halten: Der Pachtvertrag für die Flottenbasis Sewastopol wurde bis 2042 verlängert, dafür erhielt die Ukraine russisches Erdgas zu günstigen Konditionen. Seine Ablehung einer Nato-Mitgliedschaft verdeutlichte Janukowitsch, indem er die Ukraine zum blockfreien Staat erklärte. Russisch erhielt nun den Status einer »regionalen Sprache«, dem Nazi-Kollaborateur Bandera wurde der offizielle Heldenstatus umgehend aberkannt. Auch die Interessen der Oligarchen auf beiden Seiten der offenen Grenze schienen kompatibel. Mit Wiktor Medwetschuk und seiner Bewegung

»Ukrainische Wahl« war Moskaus politischer Mittelsmann im politischen Apparat etabliert, ein ebenso wohlhabender wie erfahrener Strippenzieher, dem man persönliche Freundschaft zu Wladimir Putin nachsagte. Und Janukowitsch selbst lobte Putins Politik der Stabilität.

Privilegierte Zone – Russland, die Ukraine und die EU

Auch nach dem Ende der Sowjetunion blieb das Schicksal der Ukraine mit der Frage russischer nationaler Identität verknüpft, den Werten der »großen russischen oder russisch-ukrainischen Welt«,[81] wie es Putin formulierte: »Wir sind faktisch ein Volk.«[82]

Seit Putin nach seiner Rückkehr in den Kreml 2012 einen neuen, zunehmend ethnisch definierten gesellschaftlichen Konsens herzustellen suchte, war die Ukraine als Teil der »russischen Welt« nicht nur außenpolitisch Garant russischer Souveränität in der Welt, sondern auch Instrument russischer Innenpolitik. Vielleicht hoffte Putin so auch, die Hardliner zu befrieden, die schon lange eine »Rückkehr« der Krim in den russischen »spirituellen Raum« forderten.[83] Schließlich habe die Krim nie zur Ukraine gehört: Hatte sie doch der damalige sowjetische Parteichef Nikita Chrustschtschow 1954 aus machtpolitischen Erwägungen der Ukraine »geschenkt«, um sich die Unterstützung der mächtigen ukrainischen Parteiführung im Politbüro zu sichern.[84] Bei der Entscheidung hatten auch ökonomische Faktoren eine Rolle gespielt. Die Halbinsel sollte an das ukrainische Hinterland angeschlossen werden. Die Infrastruktur wurde fortan aus dem Haushalt der ukrainischen Sowjetrepublik finanziert: Straßen, Stromtrassen, einen Staudamm.[85]

In Moskau galt die Prämisse des »postimperialen Privilegs«[86] auch in Bezug auf die Ukraine: eine privilegierte Einflusszone in den postsowjetischen Staaten, die sich institutionell noch nicht fest dem Westen versprochen hatten. Zwar war man sich in Moskau darüber im Klaren, dass der Westen diese russischen Bedingungen für eine strategische Partnerschaft nicht akzeptieren würde. Allerdings schienen die USA und Europa nach 2008 zunehmend schwächer: Finanzkrise, Eurokrise, Euroskeptiker, die Kriege im Irak und in Afghanistan. Neue Mächte stiegen zu globalen Playern auf: China vor allem, aber auch Indien und Brasilien. Es bildeten sich neue, fragile Gleichgewichte der Macht jenseits des Westens.

Die »Eurasische Wirtschaftsunion« soll Fundament der machtvollen russischen Stellung in dieser für Russland gar nicht so ungefährlichen multipolaren Welt[87] werden.[88] Seit 1994 existierte ein gemeinsamer Wirtschaftsraum mit den ehemaligen Sowjetrepubliken Mittelasiens, Absatzmarkt auch für russische Waren, die auf dem Weltmarkt kaum konkurrenzfähig waren. Doch was anfangs eher einem Gentlemen's Agreement zwischen autoritären Präsidenten glich, bekam 2009 mit der von Putin überraschend initiierten Eurasischen Zollunion zwischen Russland, Belarus und Kasachstan und der schließlich im April 2014 ratifizierten Eurasischen Wirtschaftsunion eine geopolitische Stoßrichtung:[89] Eine Wirtschaftsunion als Alternative zur EU – aber auch zu China, das mit Milliardeninvestitionen in Mittelasien zum Konkurrenten Russlands in der Region wird. Die Eurasische Wirtschaftsunion soll die postsowjetischen Staaten unter strategischer Führung Moskaus (re-)integrieren: Russland, Belarus, Kasachstan, Armenien, Kirgistan. Aber immer noch fehlte der größte Preis, 45 Millionen Menschen: die Ukraine. Sie war nicht Mitglied der Zollunion, hatte über bilaterale Freihandelsabkommen zollfreien Zugang zu den Märkten in Russland, Belarus und Kasachstan.

Nur mit fester Anbindung der Ukraine würde Putin das eigentliche, politische Ziel der Eurasischen Wirtschaftsunion erreichen: ein Gegengewicht zur EU und ihrem Projekt der »Östlichen Partnerschaft«. 2009 ins Leben gerufen, sollten die sechs postsowjetischen Staaten in Osteuropa und im Kaukasus über ambitionierte Assoziierungsabkommen ökonomisch an die EU angebunden, aber auch zu politischen Reformen ermutigt werden. Erklärtes Ziel: »die Länder im Osten Europas auf der Basis gemeinsamer Werte auf ihrem Weg zu demokratischen und rechtsstaatlichen Gesellschaften zu unterstützen«.[90] Eine klare Beitrittsperspektive zur EU war damit ausdrücklich nicht verbunden – doch immerhin wurde ein Weg Richtung Westen gewiesen. Damit aber formulierte die EU einen mit Putins Interessen unvereinbaren wertegeleiteten Anspruch: Dass es im Osten Europas keine Staaten mit begrenzter Souveränität gibt; keine Einflusszone, die Russland vorbehalten ist.

So wurde nicht nur die Nato, sondern spätestens seit 2009 auch die EU zur echten »Integrationskonkurrenz«.[91] Auch die Europäische Union sah man in Moskau nun als Waffe im unerklärten Krieg des Westens gegen Russland.[92] Es galt fortan also, die »dekadenten« Europäer zu schwächen, möglichst zu spalten, um Russlands Verhandlungsposition in Europa zu stärken. Zugleich galt es, die Ukraine institutionell fest an Russland zu binden. Denn ein Assoziierungs- und Freihandelsabkommen der Ukraine mit der EU würde nicht nur die ökonomischen, sondern auch die politischen Spielregeln grundlegend verändern, etwa mehr Rechtsstaatlichkeit und Transparenz erfordern. Das aber könnte die politischen und wirtschaftlichen Interessen der russischen Elite bedrohen.

Die von Putin propagierte Idee eines gemeinsamen europäischen Wirtschaftsraumes stand diesem Ziel übrigens nicht im Weg: solange es nur um Handel ging, der nicht zu Wandel führen würde. Russland brauchte den europäischen Absatzmarkt für Öl und Gas, es brauchte Europas Technologie und Investitionen für die Modernisierung der Wirtschaft.

In der Ukraine stand also viel auf dem Spiel – für Russland fast alles. Die EU aber übte sich in technokratischem Gutmenschentum und einer Politik der strategischen Vernachlässigung. Die EU, so klagte der ehemalige deutsche Außenminister Joschka

Fischer, betrieb im Osten Europas keine »strategische Interessenpolitik«.[93]

Schlafwandler – Die EU und die »Östliche Partnerschaft« mit der Ukraine

Zwar hatten die Europäer die Ukraine auf die Reise nach Europa eingeladen – doch die Fahrkarte wurde nicht ausgestellt. Auch für die »Östliche Partnerschaft« galt der Grundsatz, den der damalige EU-Kommissionspräsident Romani Prodi schon 2002 formuliert hatte: »Sharing everything but institutions«.[94] Ein EU-Beitritt war nicht vorgesehen, Visumfreiheit wurde versprochen, aber bis 2015 nicht eingeführt.[95] Nach wie vor verlief die Ostgrenze der EU an der Westgrenze der Ukraine, war die Ukraine irgendwie doch einem »russischen Kulturkreis« zuzuordnen,[96] wie es Altbundeskanzler Helmut Schmidt formuliert hatte. Aus Sorge vor möglichen Fehlinterpretationen wurde die Ukraine in offiziellen Dokumenten erst gar nicht als europäischer Staat bezeichnet.[97] In Brüssel hatte man überdies den Eindruck, Russland interessiere sich gar nicht sonderlich für dieses Assoziierungsabkommen, das es als typisch bürokratisches EU-Projekt zu bewerten schien. Offenbar unterschätzte man anfangs auch in Moskau die potentielle Bedeutung des Abkommens.[98]

Die Politik des Desinteresses führte erst in die Sackgasse, dann in die Konfrontation. Nahezu sträflich unterschätzte man die Machtinteressen der Beteiligten: Denn in Bezug auf die Ukraine traf die EU Ende 2013 nicht nur auf einen fest entschlossenen Wladimir Putin, sondern auch auch auf einen ukrainischen Präsidenten, der bis zuletzt versuchte, zu lavieren und EU und Russland gegeneinander auszuspielen. Die Europäische Union sei in die Ukrainekrise »geschlafwandelt«, urteilte ein Bericht des britischen House of Lords vernichtend. »Die EU machte große analytische Fehler. Die EU überschätzte die Bereitschaft der ukrainischen Führung, das Abkommen zu unterschreiben, die

Stimmung in der Bevölkerung und vor allem das Ausmaß der russischen Feindseligkeit gegenüber dem Abkommen. Die Russen wiederum unterschätzten die Entschlossenheit einzelner Mitgliedsstaaten, das Abkommen zu unterzeichnen.«[99] Insofern trägt die EU Mitverantwortung an der Krise in Ukraine.

Schon seit 2005 verhandelten die Europäer mit der Ukraine. Erst war es ein gemeinsamer Aktionsplan, dann die Aussicht auf ein Assoziierungsabkommen.[100] Es würde den Menschen zwar langfristig Visumfreiheit und Wohlstand bringen – aber kurzfristig so gut wie keine Vorteile. Im Gegenteil: Die Anpassung an europäische Normen würde viel Geld und zunächst auch Arbeitsplätze kosten. Ungeklärt auch die wichtige Frage: Was würde mit den Waren passieren, die aus Europa zollfrei in die Ukraine strömen würden – und von dort aus zollfrei weiter nach Russland, Konkurrenz für die ohnehin schwächelnde russische Wirtschaft? Verstrickt im Kompetenzwirrwarr der europäischen Institutionen, mahnte man politische Reformen und die Freilassung der inhaftierten Julija Timoschenko an, deren Anwälte und PR-Vertreter bei Europas Parlamentariern erfolgreich Lobbyarbeit für die rückenkranke »Märtyrerin«[101] betrieben. Fatal, dass ausgerechnet ihr Fall zum Symbol für Rechtsstaatlichkeit und Europatauglichkeit der Ukraine wurde.

900 Seiten umfasste das unterschriftsreife Abkommen im Dezember 2011. Erst ein Jahr später war es ins Ukrainische übersetzt, angeblich lag es erst im Sommer 2013 in Moskau vor.[102] Die wirtschaftlichen Folgen des Freihandelsabkommens auch für Russland wurden nicht ernsthaft kalkuliert, russische Regierungsvertreter angeblich zu spät[103] in Gespräche einbezogen: »Niemand wollte zuhören und niemand wollte sprechen«, klagte Putin.[104] Währenddessen aber versuchte er, Janukowitsch in die Eurasische Zollunion zu ziehen. Die Ukraine erhielt einen Beobachterstatus.

Kategorisch forderte EU-Kommissionspräsident Manuel Barroso eine Entscheidung: »Man kann nicht gleichzeitig in einer

Freihandelsunion mit der EU und in einer Zollunion mit Russland sein.«[105]

Während Wladimir Putin ab Sommer 2013 mit Importstopps für ukrainische Schokolade, Kohle und auch mal für alle ukrainischen Waren, mit Lieferstopps für Erdgas und der Androhung einer Visumpflicht für alle Ukrainer eine gewisse, nun ja, Überzeugungsarbeit in der Ukraine leistete, forderte man in der EU die Freilassung Julija Timoschenkos. Auch die mächtige Angela Merkel schloss sich den Forderungen an.[106] Während die russische Regierung das Abkommen als »politischen Selbstmord« für die Ukraine geißelte,[107] das russische Fernsehen Horrorszenarien malte und Putins Vertrauensmann in der Ukraine, Wiktor Medwetschuk, gezielt Kampagnen gegen die EU inszenierte, diskutierte man in Brüssel monatelang über eine »Public Diplomacy«-Strategie, um die ukrainische Öffentlichkeit von Europa zu überzeugen. Die war nach Meinungsumfragen inzwischen nur noch mit knapper Mehrheit für eine Integration in die EU.[108] Doch offenbar glaubte man den Beteuerungen aus Kiew: Alles liefe nach Plan, hieß es dort noch im Oktober 2013, niemand wolle das Abkommen behindern.[109] Offenbar wollte Janukowitsch mehr Geld. Bis zu 160 Milliarden Dollar würde das Abkommen die Ukraine kosten, ließ er zur Überraschung der europäischen Verhandlungsführer verbreiten und forderte Kreditzusagen. Doch die Auszahlung weiterer Kredittranchen des IWF war wegen Korruptionsverdacht und mangelnder Reformbereitschaft seiner eigenen Regierung ausgesetzt worden: »Drei Jahre lang haben sie uns das wie ein Bonbon in einer schönen Verpackung gezeigt«, jammerte der Kleptokrat später,[110] während sein Land immer mehr einem »failed state« glich und kurz vor der Zahlungsunfähigkeit stand.

Am Ende führte Wladimir Putin dem ukrainischen Präsidenten in mehreren Gesprächen die sehr kurzfristigen ökonomischen Konsequenzen[111] vor Augen, die ein Assoziierungsabkommen mit der EU habe – wohl auch für Janukowitsch persönlich.[112]

Und während wie durch ein Wunder im ganzen Land Plakate auftauchten, die vor»Einführung der gleichgeschlechtlichen Ehe« als Folge einer Annäherung an die EU warnten[113], versprach Putin deutlich günstigere Gaspreise sowie russische Kredite in Höhe von 15 Milliarden Dollar. Es waren wohl Angebote, die Wiktor Janukowitsch nicht ablehnen konnte: Am 21. November 2013 stoppte er das Assoziierungsabkommen aus Gründen»der nationalen Sicherheit der Ukraine«.

Später würden EU-Politiker in privaten Gesprächen berichten, Janukowitsch habe bis zuletzt um Zusage von Milliardenkrediten durch die EU gepokert, ein politischer Erpressungsversuch.[114] Die von der EU angebotenen 600 Millionen Euro an Hilfen hatte er als»demütigend« bezeichnet.[115]

Damit war das Projekt der»Östlichen Partnerschaft«zunächst gescheitert.[116] In der Ukraine war Europa buchstäblich an seine Grenzen gestoßen.

Und vielleicht wäre die russische Rechnung aufgegangen, wenn nicht der junge Journalist Mustafa Nayyem am Abend des 21. November 2013 seinen Tweet in die Welt geschickt hätte und seinen Facebook-Eintrag:»Wir treffen uns um 22.30 Uhr unter dem Denkmal der Unabhängigkeit. Zieht Euch warm an, bringt Regenschirme mit, Tee, Kaffee, gute Laune und Eure Freunde.«

Zusammenbruch

Auf die zunächst friedlichen Demonstrationen reagierte Janukowitsch mit zunehmender Repression. Der erste Einsatz der Berkut am 30. November 2013 gehörte dazu, aber auch Überfälle, Entführungen, Folter und Ermordungen von Aktivisten durch bezahlte Schläger, die»tituschki«. Die Proteste verstärkten sich nach der Verabschiedung des sogenannten»Diktatur-Pakets« vom 16. Januar 2014, jenen elf Gesetzen, die das Land in eine offene Diktatur verwandelt hätten. Der Majdan forderte nun den Rücktritt des russlandfreundlichen Janukowitschs und seiner

Regierung. Vor allem im Westen der Ukraine hatten sich inzwischen ganze Städte dem Majdan angeschlossen, öffentliche Gebäude waren besetzt.

Je länger die Demonstrationen dauerten, desto mehr radikalisierte sich ein Teil der Demonstranten. Seit Ende Januar wurde die »Selbstverteidigung« des Majdan zu einer faktisch paramilitärischen Organisation ausgebaut, viele Mitglieder der Swoboda-Partei unter den 12 000 Mitgliedern, zum Teil bewaffnet. Bewaffnet auch die Gruppen des Rechten Sektors.[117]

Erstmals ging jetzt Gewalt auch von den Demonstranten aus. Am 19. Januar 2014 flogen Pflastersteine und Molotowcocktails, am 24. kam es zu ersten Schusswechseln, mehrere Menschen starben. Doch erst einen Monat später, nach wochenlangen, ergebnislosen Gesprächen mit der Regierung, eskalierte am 18. Februar die Gewalt: Als Demonstranten Richtung Parlament marschierten, um das Gebäude zu blockieren und eventuell zu stürmen, setzte die Berkut Blendraketen und Tränengas gegen die Steine, Feuerwerkskörper und Molotowcocktails der Demonstranten ein, postierte Scharfschützen auf den Dächern um den Majdan. Am Abend stürmten Berkut und mehr als 200 Soldaten der Eliteeinheit Alfa des ukrainischen Inlandsgeheimdienstes SBU den Majdan von allen Seiten. Zelte gerieten in Brand, Steine, Blendgranaten und Molotowcocktails flogen, erbarmungslos wurden Demonstranten zusammengeprügelt, die »Selbstverteidigungskräfte« des Majdan steckten die 50 Meter breite Verteidigungslinie aus Autoreifen in Brand. Schüsse fielen. Am Morgen des 19. Februar waren mindestens 25 Menschen tot, darunter mindestens fünf Polizisten. Der Majdan, über Wochen Ort friedlichen Widerstandes, wurde über Nacht zum Schlachtfeld.[118]

Für Wladimir Putin drohte sich in Kiew zu wiederholen, was er als junger Geheimdienstoffizier bereits 1989 in Dresden erlebt hatte: wie rasend schnell ein scheinbar stabiles Regime unter dem Druck der Straße zusammenbrechen kann. Die Solidarisierung westlicher Politiker mit dem Majdan war ihm nur weiterer

Beweis für den Versuch des Westens und seiner Geheimdienste, Russland gezielt zu schwächen. Hatten doch EU-Botschafter und EU-Abgeordnete, Außenminister und US-Senatoren demonstrativ-solidarisch den Majdan besucht, die notorisch antirussische und europakritische (»F*** the EU!«) US-Staatssekretärin Victoria Nuland sogar Hamburger verteilt. Unklar, ob der Befehl zur Räumung des Majdan am 18. Februar mit Wissen oder gar auf Druck des russischen Geheimdienstes erfolgte.[119] Jedenfalls forderte Putin den ukrainischen Präsidenten in einem Telefonat am 19. Februar unmissverständlich auf, für Ordnung zu sorgen, und drohte mit Aussetzung der Auszahlung der versprochenen Kredittranchen.[120]

Am frühen Morgen des revolutionären 20. Februar 2014 begannen die Schusswechsel zwischen scharfschießenden Aktivisten des Majdan und den Berkut-Truppen, die im Laufe des Tages 49 Tote und hunderte Schwerverletzte fordern würden – die meisten Opfer waren Demonstranten.[121] Einen offiziellen Schießbefehl Janukowitschs gab es offenbar nicht, wohl aber seine Zustimmung zu einem »Anti-Terror-Einsatz« des Inlandsgeheimdienstes SBU.[122] An diesem tragischen Tag verhandelten in Kiew drei Außenminister der Europäischen Union, darunter auch der deutsche, Frank-Walter Steinmeier, um einen Kompromiss in letzter Minute. Wladimir Putin hatte am Nachmittag mit Angela Merkel telefoniert, ihr die russische Position klargemacht: Janukowitsch müsse als legitimer Präsident der Ukraine im Amt bleiben, dürfe nicht gewaltsam gestürzt werden. Putin instruierte seinen Menschenrechtsbeauftragten Wladimir Lukin, schickte ihn in seiner Präsidentenmaschine nach Kiew. Es galt, Janukowitsch auf russischer Linie zu halten.

Ein Kompromiss kam in der Nacht auf den 21. Februar sogar noch zustande, Janukowitsch und die Führer der Oppositionsparteien unterschrieben, schließlich stimmte auch der Majdan-Rat zu: Janukowitsch bliebe bis zu Neuwahlen im Dezember 2015 im Amt; innerhalb von zehn Tagen solle eine Regierung der

Nationalen Einheit gebildet werden; Plätze, Parks und Straßen seien zu »entsperren«, die Gewaltakte »gemeinsam zu untersuchen«. Putins Sondergesandter Lukin reiste allerdings überraschend schnell ab. Augenscheinlich wusste man in Moskau zu diesem Zeitpunkt schon: Janukowitsch bereitete seine Flucht vor. Offenbar wurden seine Telefonate abgehört, seine Bewegungen von den russischen Geheimdiensten verfolgt.[123]

Bereits am 19. Februar hatte er begonnen, Gemälde, Ikonen aus seiner Residenz in Lastwagen und Hubschrauber zu verladen, ließ offenbar auch Bargeld außer Landes schaffen. Die Kommandeure des Berkut mussten fürchten, von ihm im Stich gelassen zu werden, später vor Gericht zu kommen. Ihre Truppen waren erschöpft, verunsichert, demoralisiert. Auf Befehl des ukrainischen Innenministers setzten sie sich am Nachmittag des 21. Februar mit ihren Einheiten ab, einige verließen in Bussen die Stadt Richtung Krim. Dort würden sie bald den prorussischen »Anti-Majdan« unterstützen. Während auf dem Majdan Aktivisten[124] dazu aufriefen, das Regierungsgebäude zu stürmen, und Gerüchte von einer umfassenden Bewaffnung gestreut wurden, übernahm im entstehenden Machtvakuum nun das Parlament die Macht: Am 21. Februar stimmte die Werchowna Rada für die Rückkehr zur Verfassung von 2004 und entzog dem Präsidenten damit wichtige Kompetenzen wie etwa die Ernennung des Ministerpräsidenten. Am 22. Februar enthob es Janukowitsch schließlich seines Amtes – in jener undemokratischen Überschreitung seiner Kompetenzen, die von Putin später als »Staatsstreich« bezeichnet wurde. Doch es war vielleicht eine letzte Chance, zu verhindern, dass aus einer Bürgerrebellion eine echte Revolution wurde, die die gesamte politische Elite hinweggefegt hätte.

In der Nacht vom 21. auf den 22. Februar hatte Janukowitsch die Stadt verlassen. Der ukrainische Präsident sei aus moralischen Gründen nicht in der Lage gewesen, einen Schießbefehl zu erteilen, berichtete Putin später über ein Gespräch mit dem Mann, den er ohnehin immer verachtet hatte. »War das richtig oder falsch? Das will ich nicht beurteilen. Aber klar ist: Die Untätigkeit hatte schwere Folgen.«[125]

Der Majdan, so schien es, hatte in einem revolutionären Moment gesiegt. Die Verzögerungstaktik Janukowitschs und das brutale Vorgehen seiner Sondereinheiten hatte die Eskalation verursacht. Vielleicht wollte er keinen Schießbefehl erteilen, vielleicht widerstand er Moskauer Druck, vielleicht zögerte er zu lange – eine kleine Ironie der Geschichte, dass Janukowitsch so letztlich wohl in gewisser Weise dazu beitrug, dass es nicht zu noch größerem Blutvergießen kam. Eine von allen Parteien des Parlaments ernannte Übergangsregierung rief Neuwahlen für das Amt des Präsidenten aus, die im Mai 2014 mit dem Milliardär und »Schokoladenkönig« Petro Poroschenko ein europafreundlicher Politiker des ukrainischen Polit-Establishments gewann.

Der Majdan des Jahres 2014 war vieles: ein Symbol geduldigen zivilen Widerstandes, Brutkasten einer neuen, ukrainischen Identität, Ort einer blutig eskalierenden Machtprobe. Aber der Majdan war kein »Staatsstreich«, und es kamen auch keine von den USA finanzierten »Ultranationalisten«, gar »Faschisten« an die Macht. Vielmehr zeigten die Menschen auf dem Majdan, und das ist vielleicht ihre größte Leistung: Geschichte muss nicht Schicksal sein.

Wie die Orange Revolution 2004 war der Majdan 2014 Ausdruck eines gesellschaftlichen Demokratisierungsschubs – aber er führte zunächst nicht zu einem demokratischen Neubeginn. Es wurde weder eine Regierung der nationalen Rettung noch eine rasche Parlamentswahl angesetzt – vielmehr begann schon am 21. Februar eine neue Runde im Schachern um Posten und Geld, wurde rasch ein neuer »Pakt der Elite« in einem korrupten Staatsgefüge geschmiedet, dessen »wirkungsloser Pluralismus«[126] schon die Politik der vergangenen Jahrzehnte gekennzeichnet hatte. Der Staat blieb lukrative Beute im Wettbewerb rivalisierender Elitegruppen von Parteien, Oligarchen und regionalen Politiker-Netzwerken. Zu schnell schuf man Fakten ohne echte demokratische Legitimierung – etwa durch die Unterzeichnung des politischen Teils des EU-Assoziierungsabkommens, vor allem aber durch die Revidierung des Sprachengesetzes, das Russisch 2012 als regionale Sprache etabliert hatte. Zwar wurde die Entscheidung nach zwei Tagen wieder rückgängig gemacht – befeuert durch mächtige russische Propaganda aber hatte sie verheerende Wirkung auf die ohnehin verunsicherten Russen im Osten der Ukraine.

Operation Ukraine

Die Männer im Kreml nutzten das Machtvakuum der ersten Tage, um Fakten zu schaffen, kühl und entschlossen. Sie verfolgten mehrere strategische Ziele: Am wichtigsten war die Kontrolle über die Krim und damit die Sicherung russischer Flottenpräsenz vom Schwarzen bis ins Mittelmeer. Des Weiteren galt es, Einflussmöglichkeiten auf die Regierung in Kiew zu erringen, um eine weitere Annäherung der Ukraine an Europa und an die Nato dauerhaft zu verhindern. Eine spätere Anbindung der Ukraine an die Eurasische Wirtschaftsunion wäre dann vielleicht möglich. Innenpolitisch würde die Verteidigung der »russischen Welt« gegen »Faschisten« und Feinde aus dem Westen die Menschen in Russland hinter dem Regime versammeln. Vor allem aber würde die Ukraine das Faustpfand sein, um endlich eine Neuordnung europäischer Sicherheit nach russischen Bedingungen durchzusetzen: eine Aufteilung in Einflusssphären. Es bedeutete die Revision der europäischen Ordnung nach Ende des Kalten Krieges zugunsten einer Regelung ähnlich wie in Jalta 1945.[127] Jalta – welch ein Symbol: eine Stadt auf der Krim.

Dabei würden sie die taktischen Vorteile der hybriden Kriegsführung nutzen, die der russische Generalstabschef Walerij Gerassimow als Strategie des »nichtlinearen«[128] Krieges gegen revolutionäre »Frühlinge« aller Art ausgearbeitet hatte:[129] Ökonomischen Druck, nationalistische Propaganda und separatistische Ambitionen, historische Mythen, die Halbwahrheiten und Lügen des Informationskrieges, inszenierte Volksaufstände und Referenden, gut ausgebildete Special Forces und schließlich auch Panzer.

Schon nach dem Georgienkrieg 2008 hatte Moskau eine umfassende Militärreform eingeleitet. Sie sollte die russische Armee mobiler machen. Der Verteidigungshaushalt wurde massiv erhöht, bis 2020 sind 700 Milliarden Dollar für die Modernisierung der Streitkräfte vorgesehen.[130] In der russischen Militärdoktrin wurde auch der Schutz russischer Bürger vor bewaffneten Angriffen außerhalb des eigenen Landes verankert.[131] Allein dies schon eine Herausforderung für den Westen und die Nato: Wer würde als »russischer Bürger« gelten, etwa in den baltischen Nato-Staaten Estland und Lettland mit ihren starken russischen Minderheiten? Und was würde einen »bewaffneten Angriff« auf »russische Bürger« außerhalb Russlands darstellen? Vielleicht schon ein Polizeieinsatz gegen prorussische Demonstranten etwa in Estland oder Moldau?

Wenig später mussten Militärs und Politiker des Westens zur Kenntnis nehmen, dass Putin indirekt sogar mit dem Einsatz von Nuklearwaffen drohte: Während der Operation auf der Krim sei er bereit gewesen, die nuklearen Streitkräfte in Alarmbereitschaft zu versetzen, sagte er in einem Fernsehinterview.[132] Wollte er nur bluffen, sozusagen präventiv deeskalieren[133] – oder war er wirklich zu Eskalation entschlossen? Ein technischer Fehler, ein Missverständnis, ein dummer Zufall – und es wäre zu spät.

Für die Politiker des Westens wurde es 2014 zu einer ganz neuen Herausforderung im Umgang mit dem russischen Präsidenten: Er schien immer unberechenbarer zu werden.

Perle des Imperiums – Die Krim

Im März 2015 ließ es sich der Präsident nicht nehmen, die Öffentlichkeit persönlich über die Operation Krim zu unterrichten. Zweieinhalb Stunden dauerte die aufwändig produzierte Fernsehdokumentation über den »Weg der Krim ins Heimatland«, in der Wladimir Putin ausführlich über die Flucht des ukrainischen Präsidenten und die Ereignisse auf der Krim berichtete. Er habe Wiktor Janukowitsch davon abgeraten, die Hauptstadt zu verlassen, berichtete Putin, doch als der ihm in einem Telefonat mitgeteilt habe, er werde in den Osten des Landes reisen, sei es nur noch darum gegangen, sein Leben zu retten. »Wir wussten, dass er in einen Hinterhalt fährt. Man hätte ihn physisch vernichtet. Und wir waren bereit, ihn zu retten, ob auf dem Landweg, über das Meer oder aus der Luft.« Mit Hilfe der russischen Geheimdienste, deren Techniker ihm buchstäblich den Weg wiesen, gelangte Janukowitsch auf die Krim. Dort wartete seine Wagenkolonne am Ufer auf russische Spezialeinheiten, die ihn und seine Getreuen dann mit Hubschraubern nach Russland brachten.[134]

Der Präsident berichtete auch, dass in der Nacht vom 22. auf den 23. Februar – nur zwei Tage nach den Verhandlungen europäischer Außenminister in Kiew unter russischer Teilnahme – im Kreml die Entscheidung über die »Heimkehr« der Krim gefallen sei. Bis sieben Uhr morgens habe man beraten, so Putin, schließlich habe er seine »vier Kollegen«[135] der Geheimdienste und des Militärs beauftragt: »Wir sind gezwungen, die Arbeit an der Rückkehr der Krim in den Bestand Russlands zu beginnen.«[136] Die Medaillen, mit denen Beteiligte später ausgezeichnet wurden, datieren den Beginn der Operation bereits auf den 20. Februar.[137]

Doch war es weder eine übereilte noch eine verzweifelte Entscheidung, schon gar keine Kurzschlussreaktion. Das Drehbuch zur Operation Krim war bereits geschrieben.[138]

Seit den 90er Jahren schwelte der Konflikt zwischen Kiew und Moskau um die Krim, »Perle des Imperiums«,[139] mehrheitlich von Russen bewohnt. Immer wieder stritt man um den Pachtvertrag für die »Heldenstadt« Sewastopol, Heimathafen der russischen

Schwarzmeerflotte. Zwar hatten 1991 im Referendum 54 Prozent der Krim-Bewohner für die Unabhängigkeit der Ukraine von der Sowjetunion gestimmt – doch nur mit Mühe konnte die Regierung in Kiew ein Referendum über die Unabhängigkeit der Krim von der Ukraine verhindern. Als Kompromiss erhielt die Krim 1992 den Status einer autonomen Republik innerhalb des ukrainischen Staates. Doch stark der »Russische Block« des separatistischen Politikers Jurij Meschkow, der sich 1994 zum Präsidenten einer unabhängigen »Republik Krim« erklärte und den Anschluss an Russland forderte. Nach vielerlei Auseinandersetzungen mit der Kiewer Zentralregierung wurde in der ukrainischen Verfassung 1996 der Status einer »Autonomen Republik der Krim« mit eigenem Parlament, Regierung und Verfassung festgeschrieben,[140] und auch die unter Stalin so grausam verfolgten und deportierten Krimtataren kehrten im Laufe der Jahre auf die Krim zurück und erkämpften sich ein paar bescheidene Rechte. Man hatte nebeneinanderher gelebt,[141] sprach natürlich russisch; und im Sommer kamen Ukrainer aus den anderen Landesteilen, um in einem postsowjetischen Arkadien ihre Ferien zu verbringen. Nach einer Umfrage von 2011 zumindest sahen sieben von zehn Bewohnern der Krim die Ukraine als ihr Heimatland.[142] Diskriminierung, Unterdrückung, gar gezielte Verfolgung der russischen Mehrheit durch die ukrainische Minderheit oder die Kiewer Zentralregierung waren nicht bekannt.

Anfang Februar 2014 wurde Putins Berater Wladislaw Surkow auf die Krim entsandt.[143] Bereits am Samstag, den 23. Februar demonstrierten in Sewastopol 20 000 Menschen gut organisiert gegen den Machtwechsel in Kiew und forderten den Anschluss an Russland. Spätestens[144] an diesem Wochenende wurden Sondereinheiten des russischen Militärgeheimdienstes GRU und des neu gegründeten Kommandos für Sonderoperationen auf die Krim verlegt: Bald wurden sie als »grüne Männchen« oder »höfliche Menschen« bekannt. Ihre Kampfanzüge, die »Ratniki«, waren ohne Hoheitszeichen.[145] Am 27. Februar besetzten lokale prorussische Kräfte unter Anleitung der »höflichen Menschen« Parlament und Regierungsgebäude in Simferopol, die Fahne Russlands wurde gehisst. Umgehend wurde ein Mann von Moskaus Gnaden eingesetzt: Sergej Aksjonow, ein Geschäftsmann von zweifelhaftem Ruf mit russischem Pass, der bereits in den Wochen zuvor zum Teil bewaffnete »Selbstverteidungskräfte« gesammelt hatte, den »Anti-Majdan«.[146] Seine Partei Russische Einheit – ein Ableger der Kreml-Partei Einiges Russland – hatte in den Wahlen 2010 zwar nur 30 000 Stimmen erhalten und war nur mit drei Sitzen im Parlament vertreten,[147] jetzt aber wurde er rasch zum Ministerpräsidenten gewählt. Ein Mann namens Igor Girkin alias Strelkow spielte dabei eine wichtige Rolle, nach eigenen Angaben Reservist des russischen Geheimdienstes FSB, nach anderen Angaben Offizier des Militärgeheimdienstes GRU. Er ließ, wie er später berichtete, die Abgeordneten des Regionalparlamentes zur Abstimmung zusammentreiben: »Es waren die (prorussischen) Kämpfer, welche die Abgeordneten zusammengetrommelt und zum Abstimmen gezwungen haben. Ja, ich war einer der Kommandeure dieser Kämpfer.«[148] Nach wenigen Tagen kontrollierten Uniformierte den Flughafen, Straßen, Bahnhöfe, Plätze, die Zufahrtswege zu den Kasernen des ukrainischen Militärs. Sie waren diszipliniert, bestimmt und – höflich. Bereits am 16. März stimmten die Bewohner der Krim in einem Referendum unter Waffen nach offiziellen Angaben zu 96,8 Prozent für die »Wiedervereinigung« mit Russland. Einen Wahlkampf gab es nicht. Als internationale Beobachter waren neben den Mitgliedern rechtspopulistischer Parteien aus Europa auch zwei Landtagsabgeordnete der deutschen »Linke« angereist.[149]

Putins historische Ansprache im Georgssaal des Kreml, in der er die Aufnahme der Krim in den Bestand der Russischen Föderation »von nun an und für immer«[150] bestätigte, fand nur zwei Tage später statt. Er erläuterte die »sakrale Bedeutung« der Krim für Russland, Jerusalem gleich. So oft wie nie zuvor benutzte er das Wort »russkij«[151] – ein ganzes Land verfiel in Siegeshysterie.

209

Wochenlang war Krimsekt in allen Moskauer Geschäften ausverkauft, die Menschen kannten kein anderes Gesprächsthema,
das Fernsehen sendete Siegesnachrichten, und Putins Popularität stieg und stieg. Und bereits im Frühjahr 2014 erschienen um
die Geschichte des sogenannten »Frühlings auf der Krim« ergänz-
te Schulbücher und Lehrpläne, die sich an Putins »Krimrede«
orientierten.[152]

Die »Operation Krim« war eine taktische Meisterleistung, Putin konnte zu Recht davon ausgehen, dass der Westen in der Rolle des übertölpelten Zuschauers bleiben würde. Die Annexion
der Krim war völkerrechtswidrig, aber durch scheinbar demokratische Verfahren legitimiert, auch dies wichtig für das Narrativ des Kreml im In- und Ausland: Dass Russland einem höhe-
ren Ziel folgt, anders vorgeht als die Machtpolitiker im Westen,
sprich: die USA; dass es um die Menschen geht, um ihre Selbstbestimmung und die Verteidigung ihrer Menschenrechte, wie
Putin es sagte. Auch dies eine Meisterleistung der Polit-PR, die
auch im Westen Früchte trug.

Seitdem lebten die Menschen auf der Krim in einer anderen
Welt. Russisches Geld, russisches Fernsehen, die Grenzen zur
Ukraine faktisch geschlossen. In Kiew hätten sich die proeu-
ropäischen Politiker nun die »Vernichtung aller Russen« zum
Ziel gesetzt, hieß es dort mehrheitlich im Sommer 2015, und
wahrnehmen wollten viele offenbar nicht, dass Kritiker, aufmüp-
fige Journalisten und Krimtataren nun mundtot gemacht wurden – wenn sie die Krim nicht ohnehin längst verlassen mussten.
Bewaffnete Gruppen konfiszierten Unternehmen ukrainischer
Oligarchen,[153] aber auch viele ukrainische Kleinunternehmen.[154]
Touristen blieben aus, man hoffte auf den goldenen Regen ver-
sprochener Milliarden aus Moskau, die allerdings wohl von Putins Unternehmern und korrupten Lokalpolitikern[155] abgeschöpft
werden, und lebte nun, abgeschnitten von der ukrainischen Was-
serversorgung, von Strom, Pipelines und Straßen: heimgeholt,
in Putins Welt.

Während man im Westen in realpolitische Schockstarre verfiel, Großstrategen des Kalten Krieges wie Henry Kissinger und Zbigniew Brzezinski über die »besondere Bedeutung der Ukraine für Russland« philosophierten,[156] eine »Finnland-Option« für die Ukraine forderten[157] und ansonsten über die wahren Motive des russischen Präsidenten rätselten: »Was will Putin?«, wurden im Osten der Ukraine Verwaltungsgebäude besetzt, meist junge Männer hissten russische Flaggen. Auch andere, bislang kaum bekannte Fahnen wehten nun: die der »Volksrepubliken« Donezk und Lugansk.

Projekt »Noworossija« – Die Intervention im Donbass

Am 17. April 2014 antwortete Wladimir Putin im russischen Fernsehen auf Fragen von Journalisten, seine Sprechstunde mit Vertretern des russischen Volkes, die »Offene Linie«. Kenner der russischen Geschichte wurden hellhörig. Denn Putin benutzte ein Wort, das bislang eigentlich nur zum Sprachschatz von Vertretern radikal-nationalistischer Gruppen gehörte: »Noworossija«, »Neurussland«. Die von Katharina der Großen im 18. Jahrhundert gewonnenen Gebiete umfassten weite Teile des heutigen ukrainischen Ostens und Südens. »Aus verschiedenen Gründen verlor Russland diese Gebiete«, sagte Putin, »aber die Menschen blieben.«

»Noworossija«: ein gefährliches Wort. Seit den 90er Jahren nutzten es russische Großmacht-Ideologen ebenso wie Propagandisten des Eurasianismus, um Anspruch auf den Osten der Ukraine zu erheben. Zu »Noworossija« als integralem Bestandteil des russischen Staates bekannten sich auch Vertreter einer imperialen Orthodoxie in der Tradition der berüchtigten »Schwarzen Hundertschaften«, die im vorrevolutionären Russland Pogrome verübt hatten. Und die russischen Neofaschisten sahen »Noworossija« gar als Keimzelle eines »Russischen Frühlings«:

als Beginn einer nationalen Revolution, die am Ende sogar Putins korruptes Regime hinwegfegen würde.[158]

Der russische Präsident hatte also eigentlich allen Grund, das Wort »Noworossija« erst gar nicht hoffähig zu machen. Doch er brauchte es als Instrument und Legitimation für Einflussnahme im Osten der Ukraine, die mit einer prorussischen Machtergreifung im Donbass enden würde.

Das Donezker Kohlebecken Donbass war das schwerindustrielle Herz der Sowjetunion – so wie es heute das schwerindustrielle Herz der Ukraine ist. In den Gebieten um die Millionenstadt Donezk liegen Kohlegruben, Erzbergwerke, Stahlhütten, Rüstungsunternehmen. Noch 2012 kamen 27 Prozent aller ukrainischen Exporte aus dem Donbass: Stahl, Eisenmetalle, Benzin, Lokomotiven, Chemieprodukte. Sie wurden zu etwa gleichen Teilen nach Russland und die EU verkauft.[159] Das Donbass war als Teil des Gouvernements Neurussland noch zu Zarenzeiten Zentrum der Industrialisierung, man warb russische, ukrainische, deutsche Arbeiter an. Donezk etwa wurde vom walisischen Unternehmer und »eisernen Zaren« John Hughes Ende des 19. Jahrhunderts als »Hughesovka« gegründet und prosperierte rasch.[160] Im 20. Jahrhundert war das Donbass Leuchtfeuer der sowjetischen Moderne. Hier bauten die stolzen Kohlekumpel und Stachanow-Stoßarbeiter, die Wissenschaftler in nuklearen Forschungszentren und die Philosophen an den Universitäten die (sowjet-)ukrainische Zukunft. Das Donbass war zwar russisch geprägt – aber zugleich entstand hier das Fundament einer urbanen, modernen, ukrainischen Nation.[161]

Die Sprache machte lange keinen Unterschied. Ob Ukrainer oder Russe – man sprach vor allem Russisch. Ukrainisch galt eher als Provinzsprache. Die Zahl der russischsprachigen Menschen war auch im Osten und Südosten der Ukraine schon immer erheblich höher als die Zahl ethnischer Russen. Es war einer der vielen verhängnisvollen Fehler des national-sendungsbewussten Präsidenten Wiktor Juschtschenko, Ukrainisch aufzuwerten, etwa durch die Einführung obligatorischer Ukrainisch-Tests für die Aufnahme in höhere Schulen.[162] Doch seit 2012 galt ein neues Sprachgesetz: Im Osten und Südosten der Ukraine war nun Russisch die zweite offizielle Sprache. Und der überwiegende Teil der Bewohner verstand sich als Staatsbürger der Ukraine.

In der sogenannten »anderen Ukraine« ging es also weniger um »Ethnien« als vielmehr um eine ambivalente »regionale Identität« innerhalb eines fragilen, korrupten Staatsgebildes. So noch Ende 2014 die Eindrücke der aus Charkiw stammenden Historikerin Tatiana Zhurzhenko: »Ich bin Ukrainerin, aber ich habe immer nur Russisch gesprochen. Wir lernten Ukrainisch in der Schule, doch es war eine tote Sprache für uns, wie sonst nur Latein.« Eine Schreckensvorstellung für sie, dass sie sich entscheiden müsse für eine Sprache, gar eine ethnische Identität. »In den vergangenen Jahren wollten wir doch nur in einem normalen europäischen Land leben, egal ob Russe oder Ukrainer. Wir wünschten uns mehr Rechtsstaatlichkeit und vor allem Würde. Wir glaubten, die Zeit würde für uns arbeiten. Wie naiv wir waren.«[163]

Auch nach der Unabhängigkeit der Ukraine empfanden sich die gut sechs Millionen Bewohner des Donbass als »sowjetischer« als der Rest des Landes – allerdings nicht unbedingt »russischer«. Sie hielten an sowjetisch geprägten Erinnerungen und Traditionen fest, den allesüberwölbenden Siegesmythen. Das tröstete vielerorts auch über die triste Realität: Uraltfabriken und entvölkerte Ortschaften – denn viele mussten als Gastarbeiter in Russland ihr Geld verdienen. Kriminelle Gruppen beherrschten die lokale Ökonomie. Sie kontrollierten auch die »kopenki«, jene winzigen, illegalen Kohlegruben, in denen deklassierte Einzelunternehmer unter Bedingungen des späten 19. Jahrhunderts schufteten. Das Donbass war auch Heimat und politische Basis des späteren ukrainischen Präsidenten Wiktor Janukowitsch. Er hatte seine eigene und die Macht seiner »Partei der Regionen« durch kiew-kritische regionalistische Politik und Nähe zu Russland gesichert. Er selbst sprach ja nur sehr schlecht Ukrainisch.

Umgekehrt war das Donbass für radikal-nationalistische Ukrainer allerdings so etwas wie Ausland, die Menschen angeblich rückständig und von sowjetischer Sklavenmentalität, Stolpersteine auf dem Weg nach Europa. Man nannte sie verächtlich »Kreolen«.

Im Donbass wurde der Kiewer Majdan nicht zum Synonym für einen Bürgeraufstand, sondern für den erneuten Zusammenbruch der öffentlichen Ordnung – so, wie ihn die Menschen nach dem Ende der Sowjetunion erleben mussten. Da lockte »Noworossija« mit dem verführerischen Angebot einer neuen, nunmehr ganz und gar russischen Zugehörigkeit.[164]

Die Machtergreifung verlief in drei Phasen.

Schon am 1. März 2014 kam es zeitgleich zu gewalttätigen Demonstrationen in Donezk, Luhansk und später in anderen Städten des Donbass. Verwaltungsgebäude und Milizstationen wurden gestürmt, Redaktionen und Staatsanwaltschaften besetzt. Mit Knüppeln bewaffnete »Selbstverteidigungskräfte« des »Anti-Majdan« sowie besorgte Bürger forderten eine »Föderalisierung« der Ukraine. Offenbar wurden sie wie auf der Krim bereits von russischen Spezialeinheiten begleitet und geleitet, den »höflichen Menschen«. Es wehten die Flaggen Russlands sowie der bald ausgerufenen »souveränen Volksrepubliken« Donezk und Lugansk. Russische »Touristen« kamen in Bussen über die faktisch offene Grenze zu Demonstrationen, stets war das russische Fernsehen live vor Ort und berichtete über die große »patriotische Bewegung«. Die meisten der »Volksbürgermeister« und »Volksgouverneure« gehörten großrussischen, neostalinistischen und ultraorthodoxen Netzwerken an, die aus Moskau operierten. Alexander Prochanows »Isborskij Klub« etwa lieferte Ideologie und einen Verfassungsentwurf, schickte Getreue zur Organisation der russischen Sache vor Ort.[165] Einige der neuen Machthaber hatten zuvor in Sicherheitsfirmen oder Regionalparlamenten gearbeitet, standen offenbar auch in Diensten lokaler Oligarchen und pflegten Beziehungen zu kriminellen Gruppen.[166] Ab Anfang

April übernahmen kriegserfahrene ehemalige Militärs oder Geheimdienstoffiziere die Kontrolle. Sie kamen zum Teil aus Russland. Auch Igor Strelkow war aus der Krim nach Donezk gereist. Er beschwerte sich über mangelnden Enthusiasmus der Männer für den Einsatz – und ordnete die Aufstellung eines Frauenbataillons an.[167] Offenbar widerstanden viele den neurussischen Lockungen, Drohungen und auch den Knüppeln selbsternannter »Heimatverteidiger«. Sie machten die Routinen ihres Alltags zum Akt passiven Widerstandes – oder sie flohen.[168]

Mit Beginn der ukrainischen Militäroffensive im Mai 2014 begann die zweite Phase der Eingliederung in die »russische Welt«. Mangelnde Kriegseuphorie vor Ort machte die Entsendung größerer Freiwilligenverbände aus dem russischen Hinterland nötig. Ehemalige Offiziere bedienten schwere Waffen, die nun geliefert wurden: schwere Artillerie, einige hochmoderne Panzer, Grad-Raketenwerfer und später wahrscheinlich auch jene Boden-Luft-Rakete vom Typ Buk-M1, mit der im Juli 2014 die Passagiermaschine der Malaysian Airlines MH17 mit 298 Menschen an Bord abgeschossen wurde.[169] Politorganisatoren, Afghanistan-Veteranen und Kämpfer mit Tschetschenienerfahrung nahmen zum Teil wirklich Urlaub für den freiwilligen Einsatz in »Noworossija«. Mit dem Versprechen auf Ruhm und Geld wurden in Russland auch jene gewaltbereiten, meist jungen Männer geworben und trainiert, die – zu Hause ohne Arbeit und ohne Zukunft – nun im Donbass mit der Kalaschnikow ihren Hass auf Feinde aller Art ausleben konnten: Ukrainer, Juden, Schwule, angebliche Kollaborateure, Faschisten, Agenten und und und.[170] Schwerbewaffnete Milizen patrouillierten und requirierten nach Gutdünken, entführten OSZE-Beobachter, vermeintliche Feinde landeten in Folterkellern.[171] Es kamen separatistische Gewaltunternehmer an die Macht, »Franchisenehmer in Russlands Namen, deren Geschäftszweck die Destabilisierung der Ukraine«[172] war.

Sie gehorchten Befehlen, vielleicht aber nicht ausschließlich denen aus Moskau – der Abschuss von MH17 deutet darauf hin.

Fahrig schien den Kremlastrologen der nächtliche Fernsehauftritt Wladimir Putins, improvisiert, verunsichert.[173] Als ob da etwas außer Kontrolle geriet.

Mitte August 2014 zählten die prorussischen Separatisten rund 20 000 Mann, mehr als die Hälfte von ihnen kam nicht aus dem Donbass.[174] Die ukrainische Armee hatte zwischen Mai und Juli den größeren Teil des abtrünnigen Gebietes zurückerobert. Bei deren Angriffen mit Mörser und Artillerie kamen hunderte Zivilisten ums Leben. Der drohende Verlust der Gebiete führte nun zum verdeckten Einsatz regulärer russischer Truppen. Nach westlichen Schätzungen operierten zeitweise zwischen 3000 und 4000 russische Soldaten im Donbass. Möglicherweise lieferten die »humanitären Konvois« aus Russland nicht nur einen willkommenen PR-Effekt, sondern auch Benzin und Lebensmittel für diese Einheiten – die Konvois erreichten das Donbass jedenfalls pünktlich zum Zeitpunkt des Angriffs.[175] Nach Angaben des Nato-Oberkommandierenden, US-General Philipp Breedlove, operierten im späten Herbst 2014 einige Hundert russische Militärberater und Ausbilder im Südosten der Ukraine.[176] Bis September 2014 waren weite Teile des Gebietes Donezk besetzt; und in Russland meldeten die »Soldatenmütter« die Ankunft jener gefürchteten Lastwagen mit der Aufschrift »200«, in denen die Leichen getöteter russischer Soldaten transportiert wurden.[177]

Die »Präsidentschafts- und Parlamentswahlen« des 2. November 2014 besiegelten das Schicksal der Menschen in den beiden »Volksrepubliken«, die im Sommer 2015 rund ein Drittel des Donbass umfassten. Die ukrainische Regierung hatte die Gebiete Ende 2014 faktisch aufgegeben. Beamte wurden abgezogen, die Zahlung von Gehältern und Sozialleistungen eingestellt, Warenlieferungen gestoppt. Für Passierscheine in den nun so fernen Rest der Ukraine musste man wochenlang warten. Die neuen »Volksbürgermeister« hatten oft keinerlei Verwaltungserfahrung. Feldkommandanten trafen die Entscheidungen. Zudem glichen die okkupierten Gebiete immer mehr unkontrollierbaren Fürs-

tentümern. Wie Warlords kontrollierten Milizen die verbleibenden Einnahmequellen: Waffenhandel, Erpressung, der Verkauf
»konfiszierter« Autos, Handel mit Hilfsgütern sowie Wegezölle
für die Kohlelieferungen, mit denen die Stahlhütten des Oligarchen Rinat Achmetow befeuert wurden.

Versorgung und Zukunft der hunderttausenden in den »Volksrepubliken« verbliebenen Menschen lag nun zunehmend in Moskaus Verantwortung.

Zwischenland

Nach einer langen Nacht trat am Vormittag des 12. Februar 2015
ein blassgesichtiger Wladimir Putin aus dem Minsker Palast der
Unabhängigkeit, schwer die Lider. Fast 16 Stunden Verhandlungen lagen hinter ihm, doch er gab sich aufgeräumt. »Das war nicht
gerade die beste Nacht meines Lebens«, wandte er sich mit leich-
tem Lächeln kurz an die übermüdeten russischen Journalisten,
»und was habt Ihr so gemacht? Ihr hattet hoffentlich Besseres zu
tun.«[178]

Es war vielleicht nicht die beste Nacht seines Lebens – doch
auch nicht seine schlechteste. Der russische Präsident hatte durchaus Grund, zufrieden zu sein. Gerade hatte er sich mit Kanzlerin
Angela Merkel, dem französischen Staatspräsidenten François
Hollande und dem ukrainischen Präsidenten Petro Poroschenko
auf ein Papier geeinigt, das umständlich »Maßnahmenkomplex
zur Umsetzung der Minsker Vereinbarungen« vom 5. September
2014[179] hieß, kurz Minsk II.[180] Es sollte den Weg zu einer Frie-
densregelung im Südosten der Ukraine bahnen: ein Waffenstillstand, Abzug der schweren Waffen, Festlegung einer Demarka-
tionslinie und vor allem die Verpflichtung der Regierung in Kiew
auf eine spätere Dezentralisierung sowie Kommunalwahlen. Eine Schließung der russisch-ukrainischen Grenze war bis Ende
2015 nicht vorgesehen, und es blieb den prorussischen Kämpfern
noch genug Zeit, die umkämpfte Kleinstadt Debalzewe zu er-

217

obern, einen strategisch wichtigen Eisenbahnknotenpunkt. Gedemütigt zog sich die geschlagene ukrainische Armee zurück. »Jetzt hat Putin sein trojanisches Pferd im Osten unseres Landes«, fasste ein enttäuschter ukrainischer Diplomat die Ergebnisse der langen Minsker Nacht zusammen.[181]

Mit der zweiten Vereinbarung von Minsk im Februar 2015 hatte Wladimir Putin nun sozusagen schwarz auf weiß den Erfolg seiner »Eskalationsdominanz« demonstriert: Mit der Kontrolle über einen Teil des Donbass war Moskaus direktes Mitspracherecht über die Zukunft der Ukraine gesichert. Ein weiteres militärisches Vorrücken war zwar nicht ausgeschlossen, aber eigentlich nicht mehr vorgesehen. Putin hatte auch darauf verzichtet, die »Volksrepubliken« formal anzuerkennen oder Forderungen nach einer Eingliederung in den russischen Staat nachzukommen. Zu groß die Risiken, zu hoch die Kosten: Der Westen müsste mit weiteren, harten Sanktionen reagieren, die Ukraine würde sich vollständig von Russland abwenden. Und Meinungsumfragen in Russland hatten gezeigt, dass die überwältigende Mehrheit zwar die »Heimkehr« der Krim befürwortete, aber zugleich »freundschaftliche Beziehungen« zur Ukraine forderte.[182]

Es galt, die okkupierten Gebiete innerhalb der Grenzen der Ukraine zu konsolidieren, eine Art Staatsbildung nach dem Muster eines »frozen conflict« zu beginnen, wie sie in den viel kleineren Gebieten Abchasien, Südossetien und Transnistrien erfolgt war: faktisch koloniale Gebilde unter russischer Kontrolle, notdürftig von Moskau alimentiert, in denen der Konflikt jederzeit wieder eskalieren kann. Dieser Prozess begann Ende 2014. In Donezk setzte sich der Feldkommandant Alexander Sachartschenko mit Moskauer Unterstützung durch, noch während der Auszählung der Ergebnisse der »Präsidentschaftswahlen« im November 2014 erklärte er sich zum Republikchef.[183] Von ihm eingesetzte »Volksbürgermeister« sollten 2015 in »Kommunalwahlen« bestätigt werden. Arbeit, Löhne und Lieferung von Lebensmitteln wurden unterdes vom Donezker Großoligarchen

Rinat Achmetow garantiert, dessen Kokereien und Stahlhütten auf dem Gebiet der »Volksrepubliken« stehen. Es hieß, er entrichtete Steuern.[184]

Um das Projekt »Noworossija« aber war es da schon stiller geworden.

Am 10. September 2014 hatte ich für Recherchen über russische Kämpfer im Donbass die kleine Dreifaltigkeitskirche auf den Moskauer Sperlingshügeln besucht. Dort war Vater Alexej, so nannte er sich, wenige Monate zuvor zum neuen Kirchenvorsteher ernannt worden. Alexej kam aus Odessa. Er habe fliehen müssen, weil er von ukrainischen Nationalisten verfolgt worden sei, berichtete er, nach dem schrecklichen Brand im örtlichen Gewerkschaftshaus mit 42 Toten habe er russischen Gläubigen geholfen.[185] Die Dreifaltigkeitskirche war Moskauer Anlaufstelle für Flüchtlinge und Kämpfer aus dem Südosten der Ukraine. Hier wurde humanitäre Hilfe verteilt, Kleidung, Medikamente, Kinderspielzeug, und Vater Alexej führte nach orthodoxem Ritus auch Eheschließungen zwischen Kämpfern der russischen Freiwilligenbataillone und jungen Frauen aus dem Donbass durch.

Doch an diesem Nachmittag war es merkwürdig still, kein Besucher in der Kirche, kein Verkehr auf der Straße. Und dann: trat zur Überraschung aller Wladimir Putin durch die Tür, gefolgt von einer Fernsehkamera. Er blieb nur ein paar Minuten, es reichte für eine Umarmung mit Vater Alexej, ein paar geflüsterte Worte und das Anzünden einer Kerze vor einer Ikone, Bilder für das russische Fernsehen. Vor der Tür bot sich ein fast surreales Bild: die lange Kolonne der schwarzen Präsidenten-Mercedesse, die Leibwächter, Putins Stabschef und sein Sprecher, der gewandte Dmitrij Peskow, dazu einige Journalisten aus dem Präsidenten-Pool. Putin trat aus der Kirchentür, Leibwächter sperrten die leere Straße ab, ein kurzes Statement für die Nachrichtensendungen des Abends, keine Fragen: Er sei gekommen, um die »Helden von Noworossija« zu ehren, sagte der Präsident. Ging zu seiner gepanzerten Limousine, stutzte, kehrte um und begrüßte mich freundlich, in seinem weichen, fast sanften Deutsch: »Guten Tag. Ich hoffe, es geht Ihnen gut.«

Dann war es vorbei, ein kurzer PR-Stunt. Als ob Putins Kirchenbesuch das Ende des Projektes »Noworossija« einleiten sollte.

Die vorläufige Bilanz des Krieges im Donbass: Im Sommer 2015 war von 6000 bis 10 000 Toten die Rede, die genaue Zahl der Opfer kennt keiner. Zehntausende Verletzte, Traumatisierte auch nach den Artillerieangriffen der katastrophal schlecht ausgebildeten ukrainischen Armee auf Städte und Dörfer. Über eine Million Menschen wurden zu Binnenflüchtlingen innerhalb der Ukraine, mehr als 600 000 flohen nach Russland. Fabriken und Wohnviertel zerstört, viele überlebten als »Menschen unter der Erde« in feuchten Kellern. Das Gesundheitssystem ist kollabiert,[186] die Industrieproduktion eingebrochen, mehr als die Hälfte der arbeitsfähigen Bevölkerung hat keine Arbeit und kein Einkommen mehr. Und überall verwundete Seelen und wachsender Hass.

Es wird lange dauern. In der Ukraine zog Wladimir Putin den Schlussstrich unter eine Epoche, die fast 25 Jahre währte. Er hat ein großes Spiel um die Zukunft begonnen: »Das Risiko ist groß, der mögliche Gewinn beträchtlich.«[187] Rückzug, gar Niederlage scheint ausgeschlossen: »Wir sind gezwungen, unsere legitimen Interessen allein zu verteidigen.«[188] In der Ukrainekrise setzte die Moskauer Führung darauf, dass sich der Westen – wie nach dem Georgienkrieg 2008 – bald beruhigen und die Ukraine mit all ihren Problemen der ordnenden russischen Hand überlassen würde. Der Westen würde sich in eine realpolitische Lösung des Konfliktes zwingen lassen: die Anerkennung privilegierter Sicherheitszonen, Räume, in denen man Menschen verschieben kann wie Möbel in einem Wohnzimmer. Damit aber würde sich Europa auf Dauer selbst aufgeben. Das Prinzip Europa beruht auf der Selbstbestimmung der Völker und der Souveränität ihrer Staaten. Vielleicht war es Putins Fehlkalkulation: Denn das Prinzip Europa ist mit dem Prinzip Putin nicht vereinbar.

Europa kann viel leisten, die Souveränität der Ukraine zu stärken, den mühsamen Weg der Reformen, der von vielen Rückschlägen begleitet sein wird. Strategische Geduld, enorme finanzielle[189] und technische Unterstützung sind nötig, Investitionen und eine Art Marshallplan vielleicht, verbunden mit klaren Bedingungen und Kontrolle des Reformprozesses. So könnte die Ukraine eine Großbaustelle Europas werden. Ist Erfolg garantiert? Nein. Würde es die baldige Aufnahme in EU oder gar Nato bedeuten? Nein. Doch es wäre ein klares Signal an Moskau und an die Menschen in der Ukraine: Die Ukraine gehört, wenn sie will, zum Westen.

Was Putin und seine vertrauten »silowiki« unterschätzten, sie konnten es wohl nicht verstehen: Auf dem Majdan hatten die Bürger der Ukraine, jung und alt, nicht nur für Europa demonstriert. In Anknüpfung an die osteuropäischen Revolutionen 1989 demonstrierten die meisten von ihnen für eine neue Ukraine – für eine Nation, deren Bürger in Würde und Frieden leben können. So trug Wladimir Putin zur Bildung einer neuen ukrainischen Identität vielleicht mehr bei, als er sich vorstellen konnte. Es mag sentimental klingen, vielleicht auch naiv – und doch: »Auf dem Majdan haben wir Europa gesucht«, sagten die Demonstranten nach jenen kalten Wintertagen auf dem Platz unter dem Denkmal der Unabhängigkeit, »wir haben Europa gesucht, und wir haben die Ukraine gefunden.«

Vielleicht ist es so: In der Ukraine stößt auch Putins Russland an seine Grenzen.

DIE NATO UND DIE DEUTSCHE WIEDERVEREINIGUNG
»... nicht einen Zentimeter ...«

> *»Zum Teufel damit. Wir haben*
> *die Oberhand gewonnen, und nicht sie.*
> *Wir können nicht zulassen, dass die Sowjets*
> *die Niederlage in einen Sieg ummünzen.«*
> US-Präsident George Bush, 1990[1]

Auf dem Gipfel. Michail Gorbatschow und George Bush, Washington, 1. Juni 1990

Er war gerade zehn Jahre alt, als die Deutschen den Krieg in sein Land trugen, in sein Dorf Priwolnoje. Wie alle Bewohner der Kolchose stand an jenem Sonntag, dem 22. Juni 1941, auch dieser kleine, spindeldürre Junge mit raspelkurzem, strohblondem Haar vor dem Gebäude des Dorfsowjets, an dem ein Lautsprecher befestigt worden war, denn Radios gab es damals nicht in Priwolnoje, dem kleinen Dorf in der weiten Steppe des sowjetischen Südens. Aus dem Lautsprecher tönte die knarzende Stimme des Außenministers Wjatscheslaw Molotow, er sprach von »blutrünstigen Faschisten«.

So hörte Michail Sergejewitsch Gorbatschow zum ersten Mal von den Deutschen.[2]

Bald kamen die berittenen Boten des örtlichen Wehrkreiskommandos, wie fürchteten sie den Hufschlag ihrer Pferde. Denn die brachten die Einberufungsbescheide für die Männer des Dorfes. Im August 1941 musste auch Gorbatschows Vater Sergej an die Front.

Aus Priwolnoje wurde ein Dorf der Greise, Frauen und halbverhungerten Kinder, die bereits im klirrend kalten Winter 1941 kaum etwas zum Anziehen hatten.

Im August 1942 besetzten deutsche Infanterietruppen das Dorf. Nach ihrem Weiterzug gen Osten blieb eine kleine Garnison zurück. Offensichtlich waren es Hilfstruppen, denn sie sprachen Ukrainisch. Der Junge verstand die Sprache, seine Mutter war ja Ukrainerin. Seine allerersten Worte sprach er auf Ukrainisch.[3]

Der kleine Junge hörte von den Gerüchten über Massenerschießungen in den Nachbarstädten. Er hörte von Lastwagen, in denen Menschen mit Gas getötet wurden. Später erfuhr Michail Gorbatschow, dass es diese Lastwagen wirklich gab: die mobilen Gaskammern der Einsatzgruppe D der deutschen Sicherheitspolizei und des SD, in denen SS-Leute vor allem Juden ermordeten.[4]

Ein deutscher Soldat quartierte sich in ihrer kleinen Hütte ein, er hieß Hans und war ein freundlicher Mann. Seine Mutter hatte panische Angst: weniger vor dem Deutschen, sondern vor den eigenen Leuten, Stalins Häschern. Wer Kontakt zum Feind hatte, der galt als Volksverräter. Der Junge hörte aber auch von einer bevorstehenden deutschen Aktion gegen die Familien von Kommunisten, sie war für den 26. Januar 1943 geplant. Seine Mutter versteckte ihn in einem Viehstall hinter dem Dorf: »Doch am 21. Januar 1943 befreiten sowjetische Truppen Priwolnoje.«[5]

223

Welche Erinnerungen, welche Bilder nimmt ein Kind dieses Krieges mit in sein Leben? Michail Gorbatschow hat es in seinen Erinnerungen später beschrieben: deutsche Kradfahrer auf den staubigen Wegen, wie modern diese Motorräder waren. Soldaten fällten die Obstbäume in den so mühsam angelegten kleinen, privaten Gärten. Schluchzende Frauen, ihre zitternden Hände, als sie die Post von der Front öffneten. Mütter, die sich im Frühling selbst vor den Pflug spannten und ihn durch den tiefen Schlamm zogen – denn die wenigen noch lebenden Kühe mussten geschont werden. Der Hunger. Die Hungerödeme der Kinder. Es gab weder Schuhe noch Kleidung. Weder Salz noch Seife. Streichhölzer fertigte man aus dem Sprengstoff von Panzerhandgranaten. Die Mutter, die sich auf den Weg machte, um irgendwo Mais zu beschaffen. Sie musste ihren Sohn allein zurücklassen, sie hatte keine Wahl. Erst nach 15 Tagen kehrte sie zurück. Die Kälte. Die bittere Armut. Und immer die Angst.

Auch die Erzählungen des Vaters begleiteten Michail Gorbatschow durch sein Leben. Der Gefreite Sergej Gorbatschow kämpfte mit seinem Pionierbataillon am Dnjepr, sie setzten in selbstgefertigten Flößen über, später überlebte er Sturmangriffe in den Karpaten. Die Nahkämpfe, mit dem Messer, mit bloßen Fäusten: »Entweder wird dich der Deutsche umbringen oder du ihn«, berichtete der Vater seinem Sohn, »keine weiteren Gedanken. Du bist wie ein Tier.«

Auch als er Generalsekretär der Kommunistischen Partei der Sowjetunion wurde, Herrscher über die nukleare Supermacht – stets blieb Michail Gorbatschow das Kind des Krieges und der Armut, ein Kind aus Priwolnoje, dem Dorf mit seinen ehrlichen, einfachen Menschen. Wie den meisten seiner Generation war ihm Frieden ein Grundbedürfnis. Er wurde zum Glücksfall der Geschichte, vor allem für die Deutschen.

Im Krieg gegen die Deutschen wurde die Identität des Sowjetmenschen geprägt. Der Sieg rechtfertigte alle Opfer, die 27 Millionen Toten, er verdrängte rasch den systematischen Terror

Stalins. Wirklich aufgearbeitet wurden die Wahrheiten dieses
Krieges und seiner Folgen nie. Der »Große Vaterländische Krieg«
war für die Menschen der Sowjetunion immer: größtes Opfer
und monumentales Heldentum zugleich.

70 Jahre später diente der zum Mythos geronnene Sieg als Begründung für eine neue, heroische Erzählung. Am 9. Mai 2015
saß Wladimir Putin auf der Tribüne am Roten Platz, um die bislang größte Militärparade in der jüngeren Geschichte Russlands
abzunehmen. Es war eine Leistungsschau des militärisch-industriellen Komplexes, jede technische Neuerung in der Fernseh-
übertragung vom Sprecher detailgenau erklärt. Wie anders die
Bilder noch zehn Jahre zuvor gewesen waren: Damals sollte der
9. Mai 2005 ein Tag der Versöhnung sein. Es wurde vor allem der
Soldaten gedacht, der Helden des Krieges, der Befreier der Deutschen vom Faschismus. Wie stolz die Veteranen über den Roten
Platz gingen, vorbei an George W. Bush und Jacques Chirac, an
Wladimir Putin – und auch an Bundeskanzler Gerhard Schröder
und seiner Frau. Am 9. Mai 2015 saß ein anderer Ehrengast auf
der Tribüne: der chinesische Staatspräsident Xi Xinping, und
über den Roten Platz marschierten Soldaten der chinesischen
Volksarmee. Auch das war ein Zeichen: Russland wendet sich
nach Osten.

Die Botschaft des 9. Mai 2015 hieß nicht mehr Versöhnung.
Sie lautete vielmehr: Russland, das große Land, wieder einmal
umzingelt von Feinden, wird sich heldenhaft zu wehren wissen. Es erschreckte im Russland des Jahres 2015 auch nur wenige,
dass Wladimir Putin den Molotow-Ribbentrop-Pakt von 1939
rechtfertigte[6] und sein Kulturminister Wladimir Medinskij im
gleichen Zusammenhang von einem diplomatischen Triumph
Stalins sprach.[7] Immer weiter verdrängt wurden die Wahrheiten
des Stalinismus – im Jahr 2015 war Stalin in Russland wieder
Generalissimus und Staatsmann.[8] Auch war von einem neuen
Kalten Krieg die Rede. Einen Krieg, den er doch beendet hatte:
Michail Sergejewitsch Gorbatschow.

Michail Gorbatschow lernte ich im Frühjahr 1990 als junge Korrespondentin in Moskau kennen, damals schien er auf dem Höhepunkt seiner Macht. Der erste – und letzte – Präsident der Sowjetunion hatte dem wirtschaftlich maroden Land einen bislang beispiellosen Transformationsprozess verordnet: »uskorenie« – Beschleunigung – und »glasnost« – Offenheit – hießen die Worte, die man bald auch in den USA und in der Bundesrepublik buchstabieren konnte, später kam »perestrojka« dazu, die Umgestaltung.

Er schien auf dem Höhepunkt der Macht – aber schon damals entglitt sie ihm. In den Städten wurden die Lebensmittel knapp. Endlos die Schlangen nach dem Nötigsten, nach Milch, Butter, Fleisch, nach Medikamenten und Benzin. Die medizinische Versorgung brach zusammen. Unglücklich, unzufrieden, wütend die Menschen, schon wurde »Perestroika« zum Schimpfwort.

Schon damals war zu spüren, wie selbstbewusst sich die Gegner seiner Politik formierten. Den westlich orientierten Liberalen in der Partei ging die Perestroika nicht weit genug. Sie forderten Demokratie und Marktwirtschaft. Sofort! Der bärbeißige Boris Jelzin spielte sein eigenes Spiel um die Macht. Die Sowjetunion begann zu zerfallen, einzelne Sowjetrepubliken forderten Unabhängigkeit. Massiv aber auch der Widerstand gegen Gorbatschows Außenpolitik. Vor allem die Vertreter des Geheimdienstes um KGB-Chef Wladimir Krjutschkow, aber auch die Militärs fürchteten den Ausverkauf sowjetischer Interessen an den Westen.

Die deutsche Frage – Gebrochene Versprechen?

Entscheidend war, was 2000 Kilometer weiter westlich passierte, in Deutschland. Die Mauer war gefallen, die DDR brach zusammen. War nun eine Wiedervereinigung Deutschlands unvermeidlich, und wenn ja, sollte dieses wiedervereinigte Deutschland einem Bündnis angehören? Ungewiss das Schicksal hunderttausender Soldaten der sowjetischen Streitkräfte und ihrer Familien, die in der DDR stationiert waren.

Anfang 1990 begannen die schicksalhaften Verhandlungen zwischen der Sowjetunion und dem Westen, die innerhalb weniger Monate zur Wiedervereinigung Deutschlands in der Nato führten. Doch noch 25 Jahre später sind die deutsche Frage und die folgende Erweiterung der Nato nach Osten Gegenstand bitterer Vorwürfe aus Moskau. Der Westen, allen voran die USA, habe damals sein festes Versprechen gebrochen, die Nato werde nicht nach Osten ausgedehnt, heißt es. Während man vom Frieden und von gemeinsamer Sicherheit gesäuselt habe, sei die Nato immer weiter gen Osten vorgerückt. Irgendwann habe Russland auf die wachsende Bedrohung reagieren müssen, zuerst in Georgien 2008 und dann, 2014, auch in der Ukraine. Und auch Michail Gorbatschow äußerte sich immer wieder voller Bitterkeit: Der Westen und insbesondere die USA hätten ihre Versprechen nach der Wende von 1989 nicht eingehalten. Stattdessen habe man sich zum Sieger des Kalten Krieges erklärt. »Den Politikern im Westen stiegen Euphorie und Triumphalismus zu Kopfe.« Sie hätten Russlands Schwäche ausgenutzt und das Monopol auf Führung in der Welt erhoben.[9]

Wie kaum eine andere geschichtspolitische Frage hat die »deutsche Frage« dazu beigetragen, das Klima zwischen Russland und dem Westen so zu vergiften. Was also war wirklich geschehen? Hatten die USA und die Deutschen Gorbatschow damals versprochen, die Nato werde sich nicht nach Osten ausdehnen, wenn er der Wiedervereinigung Deutschlands in der Nato zustimme? Was war eigentlich unter »Osten« zu verstehen – das Territorium der damaligen DDR oder auch das Gebiet anderer Staaten des damals noch existierenden Warschauer Paktes? Wurde Gorbatschow mit halbherzigen Hilfszusagen für die notleidende Sowjetunion faktisch erpresst? Hatte sich also der Westen, auch Helmut Kohl, Wiedervereinigung und Nato-Osterweiterung kaltschnäuzig erkauft?

227

In den vergangenen Jahren wurden Dokumente in den USA, Großbritannien, Deutschland sowie aus dem persönlichen Archiv Gorbatschows zugänglich.[10] Anhand dieser lassen sich der dramatische Prozess der deutschen Wiedervereinigung, der Poker um Deutschlands Mitgliedschaft in der Nato genauer nachvollziehen. Sie zeigen, dass Gorbatschow zunächst versuchte, eine Nato-Mitgliedschaft ganz Deutschlands zu verhindern, wie sprunghaft und manchmal fast hilflos er auf die Entwicklungen reagierte – und wie dringend er auf massive Finanzhilfen angewiesen war, am Ende musste er regelrecht darum betteln. Sie zeigen, wie Gorbatschows engster Berater Anatolij Tschernjaew seinen Chef inständig bat, seinen Widerstand gegen die Wiedervereinigung Deutschlands in der Nato aufzugeben. Diese Dokumente belegen aber auch, wie kühl die USA die Not Gorbatschows nutzten, um ihre sicherheitspolitischen Interessen durchzusetzen: die Nato als stärkstes Militärbündnis in einem neuen Europa westlicher Orientierung zu zementieren. Helmut Kohl, Kanzler der Einheit, war dabei ganz Verbündeter der USA.

Es war ein Sieg. Doch die Beziehungen zwischen Washington und Moskau erholten sich davon nie.

Schon wenige Monate nach dem Fall der Berliner Mauer stand Anfang 1990 die Nato-Frage auf der Agenda des Westens.[11] Man gab Gorbatschow mehrmals die Zusicherung, die Nato werde nicht nach Osten vorrücken. Er nahm diese Zusicherungen offenbar als festes Versprechen für das Territorium des Warschauer Paktes. Eine formale Abmachung, ein schriftliches Dokument aber gab es nie. Gorbatschow aber stimmte am 31. Mai 1990 in Washington der Wiedervereinigung Deutschlands in der Nato zur Überraschung aller Anwesenden faktisch zu. Nie erklärte er, warum. Auch in unseren Gesprächen wich er Fragen danach stets aus. War es ein improvisierter Moment? Fiel er auf eine Finte der Amerikaner herein? Oder wusste er vielmehr genau, was er tat, und überrumpelte mit einem genialen Schachzug die mächtigen Gegner der Wiedervereinigung in seinem eigenen Land?

Die deutsche Frage: Sie wurde zum Symbol für Triumph und Tragik des Michail Sergejewitsch Gorbatschow.

Die deutsche Frage: Wenn es wirklich eine Chance gab, ein Fundament für das vielbeschworene gemeinsame europäische Haus zu bauen, dann gab es sie in diesen entscheidenden kurzen Monaten des Jahres 1990.

Umhüllt vom Mantel der Geschichte – Die Wiedervereinigung und das gemeinsame europäische Haus

Mitte der 80er Jahre waren Bundeskanzler Helmut Kohl und Generalsekretär Michail Gorbatschow eher gezwungenermaßen auf Annäherungskurs gegangen, es war alles andere als Freundschaft auf den ersten Blick. Kohl hatte Gorbatschows angebliche PR-Methoden mit denen Goebbels verglichen: »Das ist ein moderner kommunistischer Führer, der war nie in Kalifornien, nie in Hollywood, aber der versteht etwas von PR«, hatte Kohl in einem Interview mit dem US-Magazin *Newsweek* im Oktober 1986 gesagt. »Der Goebbels verstand auch etwas von PR. Man muss doch die Dinge auf den Punkt bringen.«[12] Für Gorbatschow wiederum war Kohl ein Mann der USA; Amerikas Positionen waren dessen Positionen, eins zu eins, wie er sagte. »Er war den Amerikanern wirklich sehr ergeben.« Außerdem: Eine »besondere intellektuelle Leuchte« sei dieser Kohl nun auch nicht gerade.[13]

Gorbatschow strafte ihn mit kalkulierter Missachtung. Er hatte mit US-Präsident Ronald Reagan in Reykjavik nukleare Abrüstungsgeschichte geschrieben; er reiste nach Frankreich, Italien, Spanien, Großbritannien, überall begeisterte man sich über ihn – doch die wichtige Bundesrepublik und ihren Kanzler ließ der Generalsekretär zunächst links liegen. »Kurs auf Einschränkung des politischen Dialogs mit Kohl, vorläufig keine Kontakte auf höchster Ebene zur Bundesrepublik« lauten die Direktiven, die Gorbatschow in Sitzungen des Politbüros 1986 ausgab: »Der

Bundeskanzler muss seine Lehren kriegen.« Und: »Wir haben ihn trockengelegt. Aber wir dürfen es nicht zum Äußersten kommen lassen. Kohl beginnt schon, nervös zu werden.«[14]

Kohl schrieb ihm einige Briefe, in einem entschuldigte er sich sogar dafür, über die Stränge geschlagen zu haben.[15] Im Oktober 1988, Gorbatschow war zu diesem Zeitpunkt schon über drei Jahre im Amt, reiste Kohl schließlich zum Staatsbesuch nach Moskau. Instinktsicher stellte er sich dort als »Bürger Kohl« vor, ein Kind des Krieges. Sie sprachen über die Gräuel des Weltkriegs, ihre Familien, die Toten, die Lehren aus der Geschichte. Damals habe er gespürt, dass er Kohl vertrauen könne, sagte Gorbatschow.[16] Ein gutes halbes Jahr später, während Gorbatschows umjubeltem Staatsbesuch in der Bundesrepublik am 14. Juni 1989 – in Ungarn würde die Grenze nach Westen schon zwei Wochen später geöffnet werden –, saßen sie gegen Mitternacht im kleinen Park des Bundeskanzleramtes auf der Mauer hinunter zum Rhein. Es ging um die deutsche Einheit. Kohl verglich den vorbeiströmenden Fluss mit der Geschichte. Sie sei nicht statisch, und die deutsche Einheit komme so sicher, wie der Rhein zum Meer fließe.[17] Gorbatschow habe ihm in diesem historischen Moment nicht mehr widersprochen, schrieb Kohl später. Er habe ihn allerdings gefragt, ob er helfen würde, wenn es im Winter in Moskau und Leningrad zu Versorgungsschwierigkeiten käme.[18] Es schien: Weniger die deutsche Einheit an sich war Gorbatschows Problem, sondern die katastrophale wirtschaftliche Lage in seinem implodierenden Land.

Am 3. November 1989 diskutierten die Mitglieder des Politbüros in Moskau die Lage in der DDR: Demonstrationen, der drohende wirtschaftliche Zusammenbruch des Landes, eine mögliche Wiedervereinigung. Wie sollte die Sowjetunion reagieren? Außenminister Eduard Schewardnadse wartete mit einer revolutionären Idee auf: »Wir sollten ›die Mauer‹ selbst abbauen.«[19] Der tatsächliche Fall der Mauer wenige Tage später kam dann zwar auch für Gorbatschow überraschend, doch er reagierte be-

sonnen und pragmatisch: Die rund 600 000 in der DDR stationierten Soldaten der Roten Armee und ihre Panzer blieben in
ihren Kasernen. Die Deutschen wiederum waren klug genug,
die sowjetischen Streitkräfte nicht zu bedrängen oder zu provozieren. In seinen Memoiren schilderte Helmut Kohl die Nachricht des sowjetischen Generalsekretärs am frühen Abend des
10. November. Er habe Berichte, so ließ er über seinen Botschafter
in Deutschland, Julij Kwizinskij, übermitteln, nach denen die Lage in Berlin außer Kontrolle gerate. Angeblich sei eine empörte
Menschenmenge dabei, Einrichtungen der Sowjetarmee zu stürmen. Später, so Kohl, habe er erfahren, dass Reformgegner im
KGB und in der Stasi Gorbatschow gezielt falsch informiert hätten. Sie wollten offenbar eine militärische Intervention der sowjetischen Truppen in der DDR provozieren.[20] Gewalt aber war für
Michail Gorbatschow keine Option. Er vertrat, wie er sagte, die
demokratischen »allgemeinmenschlichen« Werte. Sie sollten die
Basis für eine Annäherung der beiden Blöcke sein, die in fernerer
Zukunft vielleicht sogar verschmelzen würden, irgendwie.

Nur ein knappes Jahr später war Deutschland wiederverei-
nigt – und das in der Nato. Gorbatschow erhielt den Friedensnobelpreis, man feierte ihn als Helden, und für eine kleine Weile
blieb er noch der Lieblingsrusse der Deutschen – der meisten zumindest. Es glich einem Wunder. Großdiplomatie, das Vertrau-
en zweier Staatsmänner, umhüllt vom Mantel der Geschichte,
Deutsche und Russen auf dem Weg in eine gemeinsame, friedliche Zukunft. Gorbatschow – ein Weltenveränderer. Doch mit
der historischen Wahrheit hat dieses Bild wenig zu tun.

Vor allem US-Präsident George Bush und Bundeskanzler Helmut Kohl bestimmten die geostrategische Agenda. Gorbatschow
unterschätzte die Dynamik des Prozesses und die Einigkeit zwischen George Bush und Helmut Kohl, die allemal größer war als
Kohls Vertrauen in ihn. Gorbatschow glaubte, er habe mehr Zeit,
setzte er doch auf Unterstützung für seine Vision des gemeinsamen europäischen Hauses. Im Juli 1989 hatte er den Bauplan

dieses gemeinsamen Hauses in einer Rede vor dem Europarat in Straßburg skizziert. Er sprach von einem vereinten Europa, einem gewaltigen Wirtschaftsraum vom Atlantik bis zum Ural, die Menschen in Wohlstand lebend und demokratischen Werten verpflichtet. Ein neues Europa, das dem Rest der Welt die Hand reiche. »In diesem Europa sehen wir unsere eigene Zukunft.«[21]

Es mag eine zu kühne Vision gewesen sein, aber die Politiker des Westens nahmen die Hand nicht, die ihnen Gorbatschow reichte. Denn in jenen entscheidenden Monaten des Jahres 1990 war ihnen Gorbatschow im Grunde schon ein Mann der Vergangenheit. Geheimdienste und Botschaften meldeten Besorgniserregendes aus Moskau: Gorbatschow stecke in einer tiefen, selbst verschuldeten politischen Krise. Sein politisches Ende, gar sein Sturz sei nur eine Frage der Zeit.[22] Es ging dem Westen in diesen 329 entscheidenden Tagen vom Fall der Mauer bis zur deutschen Wiedervereinigung also vor allem darum, so schnell als möglich unwiderrufliche Fakten zu schaffen.

In diesem realpolitischen Sinn machten George Bush und Helmut Kohl vieles richtig, als sie Geschichte schrieben, weit über die deutschen Grenzen hinaus. Die Europäische Union wurde stärker, die Währungsunion verpflichtete Deutschland auf Europa.[23] Die Völker Osteuropas bekamen eine demokratische Perspektive, für sie öffneten sich bald die Türen nach Westen. »Es grenzt an Ironie, dass sie das Fundament eines europäischen Hauses mit vielen Zimmern legten«, so die amerikanische Historikerin Mary Elise Sarotte, »ein Haus allerdings, in dem Russland keinen Platz hatte.«[24]

Moskaus Deutschland-Experten gingen von Anfang an davon aus, dass die deutsche Wiedervereinigung nicht zu verhindern sei. Am Dienstag, dem 21. November 1989, empfing Horst Teltschik, außenpolitischer Berater Helmut Kohls, einen Emissär aus Moskau, den er durchaus schätzte: Nikolaj Portugalow, Mitarbeiter von Valentin Falin, auch der ein ausgewiesener Deutschland-Fachmann, der zu diesem Zeitpunkt die internationale Abteilung des Zentralkomitees der KPdSU leitete. Seit Jahrzehnten kannte Portugalow die Bundesrepublik und ihre politische Elite, pflegte intensive Kontakte zu SPD und CDU. Er sprach hervorragend Deutsch, ein ebenso charmanter wie kettenrauchender Gesprächspartner auch für uns Journalisten, vor allem aber Überbringer inoffizieller politischer Botschaften. Portugalow war das, was man in der Sprache der Diplomatie einen »backchannel« nennt. Und ein lebendes Geschichtsbuch dazu.

An diesem Novembervormittag übergab Portugalow Horst Teltschik eine Botschaft, die den Deutschen elektrisierte: Es ging um die sowjetischen Vorstellungen für die Zukunft eines möglicherweise wiedervereinigten Deutschlands. Um einen Friedensvertrag, den möglichen Austritt der deutschen Staaten aus der Nato und aus dem Warschauer Pakt: Deutschland sollte neutral werden. Offenbar sondierte Portugalow im Einverständnis mit Valentin Falin und Anatolij Tschernjaew, dem Vertrauten und außenpolitischen Berater Michail Gorbatschows.[25] Umgehend informierte Teltschik Bundeskanzler Kohl. Rasch kam man überein, in die Offensive zu gehen. Sie entschieden, unverzüglich einen Plan zur deutschen Einheit zu entwickeln und nicht etwa den Sowjets die Initiative zu überlassen. Hinzu kam: Auch in seinen Gesprächen mit der britischen Premierministerin Margaret Thatcher und dem französischen Staatspräsidenten François Mitterrand war Kohl auf massiven Widerstand getroffen. Vor allem für Thatcher war die Vorstellung eines wiedervereinigten Deutschland unannehmbar. Schon im September 1989 hatte sie während eines Besuches in Moskau Gorbatschow um Unterstützung gebeten: »Die Wiedervereinigung Deutschlands liegt nicht im Interesse Großbritanniens und Westeuropas. Es mag sich in unseren offiziellen Stellungnahmen anders anhören, aber das muss man nicht weiter ernst nehmen. Wir wollen kein wiedervereinigtes Deutschland. Es könnte unsere Sicherheit bedrohen.«[26] Legendär ihr Zitat: »Zwei Deutschland sind mir lieber als eins.«[27]

233

Kohl wollte jetzt allen, auch Gorbatschow, mit einem Alleingang zuvorkommen. So entstand innerhalb weniger Tage der berühmte 10-Punkte-Plan.[28] Von dem hochgeheimen Unterfangen erfuhr noch nicht einmal Außenminister Hans-Dietrich Genscher. Allerdings wurde US-Präsident Bush informiert. Die Korrekturen ihres Mannes tippte Hannelore Kohl auf ihrer Reiseschreibmaschine in Oggersheim.[29] Am 28. November trug Kohl seinen Plan im Bundestag vor, seinen Weg zur Einheit, die unwiderruflich kommen werde.

Michail Gorbatschow war außer sich, als er davon erfuhr. Kohl, der Mann, dem er doch vertrauen wollte – ausgerechnet der hatte ihn hintergangen. Der Kanzler habe wohl seine Gefühle nicht mehr im Griff, blaffte er Genscher während dessen Moskau-Besuchs nur eine Woche später an. »Er hört wohl schon die Trommeln, die Melodie der Marschmusik. Und er glaubt wohl, dass die Menschen bereit sind, nach seiner Musik zu marschieren.«[30] Der sowjetische Außenminister Eduard Schewardnadse empörte sich gar über das »Diktat«: »Noch nicht einmal Hitler hätte sich so etwas erlaubt.«[31]

Zwar sprach Kohl in seinem 10-Punkte-Plan noch von einer möglichen »Konföderation« beider deutscher Staaten, aber Gorbatschow wusste genau, dass es um die rasche Wiedervereinigung Deutschlands ging. Damit aber stand die Frage einer Mitgliedschaft Deutschlands in der Nato im Raum, ein mögliches Vorrücken an die Westgrenze Polens.

Während in der DDR die Autorität der weiterhin von Moskau unterstützten Regierung jeden Tag weiter verfiel, rief Gorbatschow am 26. Januar 1990 seine engsten Berater in seinem Büro im ZK-Gebäude am Moskauer »Alten Platz« zusammen, um eine Deutschland-Strategie zu entwickeln. Klar die Gegner einer Wiedervereinigung in der Nato: Deutschland-Experte Valentin Falin, auch Wladimir Krjutschkow, der damalige KGB-Vorsitzende. Der damalige Ministerpräsident Nikolaj Ryschkow fürchtete gar, die Deutschen könnten »in 20 bis 30 Jahren« den

Dritten Weltkrieg beginnen. Gorbatschow legte sich nicht fest, wie so oft schien er unentschlossen. Einerseits: Es gelte, so viel Zeit herauszuschlagen als möglich, um die Wiedervereinigung herauszuzögern. Ein wiedervereinigtes Deutschland in der Nato sei unannehmbar. Andererseits: Er beauftragte seinen Militärberater Marschall Sergej Achromejew, sich Gedanken über einen möglichen Truppenabzug aus der DDR zu machen.[32]

Er musste auf Helmut Kohl setzen, er hatte keine andere Wahl. Anfang Januar hatte Außenminister Schewardnadse in Bonn auf die katastrophale Versorgungslage hingewiesen: Vor allem in den Städten fehle es am Nötigsten, an Kohle für die Heizkraftwerke, auch an Fleisch. Zügig machte Kohl sein Versprechen wahr, dass er Gorbatschow wenige Monate zuvor auf der Bonner Rheinmauer gegeben hatte: Die Bundesregierung subventionierte die Lieferung von Waren und Lebensmitteln in Höhe von 220 Millionen Mark. Sie kamen vor allem aus der Nato-Reserve: 52 000 Tonnen Rindfleischkonserven, 50 000 Tonnen Schweinefleisch, 20 000 Tonnen Butter, 50 00 Tonnen Käse, dazu Schuhe, Kleidung, andere Gebrauchsgüter.[33]

So würde sich der Kanzler die Einheit Stück für Stück erkaufen.

Aber noch war alles ungewiss. Müsste man Gorbatschow nicht sicherheitspolitische Zusicherungen geben, um sein rasches Einverständnis zur deutschen Wiedervereinigung zu erlangen? Vielleicht durch Verzicht auf eine Erweiterung der Nato nach Osten?

»... nicht einen Zentimeter ...« – Wer versprach wem was?

Am 2. Februar 1990 reiste Hans-Dietrich Genscher nach Washington. Er wollte die Zustimmung der USA zu einem Plan – seinem Plan, mit dem er eigenes Profil schärfen und zugleich auf Moskaus Sicherheitsinteressen eingehen wollte: Gesamtdeutschland könne zwar der Nato angehören, das Territorium der DDR

solle aber nicht in die militärischen Strukturen der Nato einbezogen werden, hatte er in einer Rede vor der Evangelischen Akademie in Tutzing am 31. Januar 1990 erklärt. Es sei nun Sache
der Nato, eine Erklärung abzugeben: »Was immer im Warschauer Pakt geschieht, eine Erweiterung des Nato-Territoriums nach
Osten, das heißt näher an die Grenzen der Sowjetunion heran,
wird es nicht geben.«[34] Sein Vorschlag zielte offenbar sowohl auf
Osteuropa als auch darauf, nach einer Wiedervereinigung das
Gebiet der DDR zunächst außerhalb der Nato zu belassen.

Während ihres zweieinhalbstündigen Treffens in Washington am 2. Februar schien es so, als stimme US-Außenminister
James Baker Genschers Vorschlag mangels besserer Alternative
zu.[35] In einer Pressekonferenz sagte Genscher am gleichen Tag,
Baker und er seien übereingekommen, es gebe kein Interesse daran, die Nato nach Osten auszuweiten.[36] Auch in Großbritannien
und Frankreich hatte man schließlich Zustimmung signalisiert.[37]
Und Baker argumentierte in Genschers Sinn, als er während seiner Moskau-Reise mit Außenminister Schewardnadse sowie am
9. Februar 1990 auch mit Michail Gorbatschow sprach: Ein wiedervereinigtes Deutschland könne in der Nato verankert sein,
die Nato selbst aber würde nicht nach Osten vorrücken. »Ich fragte ihn (Gorbatschow, d. A.), ob er ein vereintes Deutschland außerhalb der Nato vorziehen würde, ganz selbstständig und ohne amerikanische Truppen«, fasste James Baker die Ergebnisse
seines Gesprächs in einem persönlichen Brief an Helmut Kohl
zusammen. »Oder würden Sie vorziehen, dass ein vereintes
Deutschland der Nato angebunden bleibt, verbunden mit der
Zusicherung, dass die Jurisdiktion der Nato nicht einen Zentimeter nach Osten verschoben wird?« Darauf sei Gorbatschow
eingegangen: Sicher sei jede Ausweitung des Nato-Gebietes in-
akzeptabel[38] – also die bestehende Grenze akzeptabel. Die Zusicherung Bakers, so schrieb Gorbatschow in seinen Memoiren,
sei wenig später die Grundlage für seinen Kompromiss zur Frage der Nato-Mitgliedschaft Deutschlands geworden.[39]

Helmut Kohl selbst sicherte Gorbatschow in Moskau nur einen Tag später offenbar aus taktischen Erwägungen zu, was wie ein Bekenntnis zur Position Genschers und Bakers klang: »Natürlich könne die Nato ihr Gebiet nicht auf das heutige Gebiet der DDR ausdehnen.«[40] Und Gorbatschow gab Kohl, was der dringend brauchte, denn schon im März 1990 standen erste Wahlen in der DDR an: grünes Licht zur Einheit.[41]

Es gab also im Februar 1990 innerhalb weniger Tage mehrmals Versprechen und Zusicherungen hoher Vertreter der USA und der Bundesrepublik an Michail Gorbatschow: Die Nato wird nicht nach Osten vorrücken.

Was Gorbatschow allerdings nicht forderte, warum auch immer nicht: eine schriftliche Vereinbarung. Er beließ es bei mündlichen Versprechen, die viel Interpretationsspielraum ließen.[42] Eine schriftliche Garantie des Westens aber wäre eine echte sicherheitspolitische Verpflichtung gegenüber der Sowjetunion gewesen. Und damit hätte Gorbatschow den Westen vielleicht sogar auf neues Denken über ein System gesamteuropäischer Sicherheit verpflichten können, auf sein europäisches Haus. Diese Chance nutzte er nicht.

Wahr ist auch: Ein festes, offizielles Versprechen westlicher Staats- und Regierungschefs, die Nato prinzipiell nicht nach Osten zu erweitern, gab es nicht, auch kein juristisch bindendes Dokument. Der Westen beginn keinen Wortbruch.

US-Präsident George Bush stellte klar, dass er weder mit Genschers Idee noch mit der Zusicherung seines eigenen Außenministers gegenüber Gorbatschow einverstanden war. Am 24. Februar 1990 erklärte George Bush dem Kanzler in Camp David, wie mit Gorbatschow in Bezug auf die deutsche Frage zu verfahren sei – nämlich ohne substanzielle Kompromisse in Bezug auf die Nato. Die Sowjetunion sei nicht in der Lage, die Beziehungen Deutschlands zur Nato zu diktieren, sagte er, Deutschland müsse Vollmitglied in der Nato bleiben. Bedenken wischte er beiseite: »Zum Teufel damit. Wir haben die Oberhand gewonnen, und nicht sie. Wir können nicht zulassen, dass die Sowjets die Niederlage in einen Sieg ummünzen.«[43] Nach Erinnerungen von Teilnehmern am damaligen Gespräch stimmte Helmut Kohl zu: Die Zeit für Spiele sei vorbei, die Sowjetunion solle jetzt ihren Preis nennen. Vielleicht hinge die Zustimmung der Sowjets nur vom Geld ab. »Sie haben ja große Taschen«, sagte Bush kühl.[44]

So verpassten auch die USA und Kanzler Kohl die vielleicht größte Chance dieser atemberaubenden Monate auf dem Weg zur deutschen Einheit: den Grundstein für eine gegenseitige strategische Annäherung des Westens und der Sowjetunion zu legen, das wahre Ende des Kalten Krieges einzuleiten. In der Folge passierte das Gegenteil: Russland und die postsowjetischen Staaten blieben an der Peripherie des neuen Europa zurück. Nach dem erwartbaren Ende des Warschauer Paktes erweiterte sich die Nato Richtung Osten; Polen, Tschechien und später auch die baltischen Staaten drängten regelrecht hinein, suchten Sicherheit nicht mit, sondern vor Russland.

Sie lobten Gorbatschow, schmeichelten ihm, hoben ihn in den PR-Himmel. Sie luden ihn ein nach Camp David und Oggersheim, er erhielt den Friedensnobelpreis. Ein echter Partner des Westens aber wurde Michail Gorbatschow nicht. Er spürte, dass er an den Rand gedrängt wurde. Aber er hatte keine Wahl. Denn er brauchte dringend Geld.

»Flankierende Unterstützung« – Kredite als Druckmittel

Kredite und Hilfszusagen an die notleidende Sowjetunion wurden die schärfste Waffe der USA und der Deutschen im Ringen um die Wiedervereinigung in der Nato. Der damalige stellvertretende US-Sicherheitsberater und spätere Verteidigungsminister Robert Gates formulierte die Politik westlichen Zuckerbrotes später unnachahmlich amerikanisch-kühl so: »Wir wollten die Sowjets so bestechen, dass sie Deutschland verlassen würden.«[45]

Gorbatschow brauchte das Geld des Westens, um zu überleben. Angesichts der katastrophalen Wirtschaftslage galt es auch, weiteres nukleares Wettrüsten um nahezu jeden Preis zu verhindern. Am 4. Mai 1990 fasste sein Vertrauter Anatolij Tschernjaew die Lage in einem kurzen Schreiben zusammen: »Michail Sergejewitsch! ... Es ist völlig offensichtlich, dass Deutschland in der Nato sein wird. Und wir haben keinerlei wirkliche Hebel, uns dem entgegenzustemmen. Und warum sollten wir wieder einen abgefahrenen Zug einholen wollen, obwohl wir eindeutig nicht mehr auf dessen Lokomotive aufspringen können? Ob Schützenpanzer oder Haubitzen der Bundeswehr an der Oder-Neiße oder der Elbe oder sonst wo stehen werden, das beeinflusst die reale Sicherheit der Sowjetunion nicht. Wir müssen uns mit diesem Fakt abfinden.« Weiter führte Tschernjaew aus: »Überlegungen, dass in der Folge auch Polen Mitglied der Nato würde und die Grenzen des Blocks an die sowjetischen Grenzen vorrücken, auch dies sind Überlegungen von gestern, aus Zeiten des Zweiten Weltkrieges und des Kalten Krieges.« Vielmehr müsse eine nukleare Aufrüstung der USA verhindert werden. »Das können wir mit einer Politik der Erpressung nicht erreichen.« Mit einem neuen Wettrüsten könne die Sowjetunion ökonomisch nicht mithalten: »Wir benötigen unsere Reserven für die Perestroika.«[46]

Der Sowjetunion drohte der Staatsbankrott. Westliche Lieferungen konnten nicht mehr bezahlt werden. Deutsche Banken, die größten Gläubiger der Sowjetunion, schlugen Alarm: Eine massive Liquiditätskrise baue sich auf. So dramatisch die Lage, dass der sowjetische Außenminister den Kanzler Anfang Mai 1990 um Kredite in Höhe von zwanzig Milliarden D-Mark bat. Kohl reagierte rasch: Sein Berater Horst Teltschik sowie die Vorstandsvorsitzenden der Deutschen und der Dresdner Bank, Hilmar Kopper und Wolfgang Röller, flogen noch am 13. Mai nach Moskau. Für Helmut Kohl bot sich eine historische Chance: Bei einem aufziehenden Gewitter müsse jeder Bauer seine Ernte rechtzeitig in die Scheune bringen, instruierte er Teltschik vor der Reise. »Jetzt gelte es, alle Chancen zu nutzen und keine zu versäumen.«[47] So geheim war die Mission der Banker, dass in der Sondermaschine der Bundeswehr noch nicht einmal eine Passagierliste geführt werden durfte.[48]

Sie wurden von Gorbatschow persönlich empfangen. Unmissverständlich schilderte er seine Nöte: »Wir verlieren 25 bis 30 Prozent unserer landwirtschaftlichen Produktion. Wir brauchen Sauerstoff, um die kommenden zwei bis drei Jahre zu überleben. Die USA möchten unsere Lage nicht nachvollziehen.«[49] Ministerpräsident Nikolaj Ryschkow nannte die Zahlen: Man brauche einen ungebundenen Finanzkredit in Höhe von umgerechnet zwei Milliarden Mark, um die Zahlungsfähigkeit des Staates zu gewährleisten. Darüber hinaus sei ein langfristiger Kredit von bis zu 15 Milliarden Mark zu Vorzugsbedingungen erforderlich.[50]

Helmut Kohl fuhr die Ernte in die Scheune, bevor das Gewitter losbrach: Er sicherte Gorbatschow eine Bürgschaft für einen Fünf-Milliarden-Kredit zu, den die Sowjetunion bei privaten Banken aufnehmen konnte. »Dass sich das Sowjetreich einer außerordentlich prekären wirtschaftlichen Situation gegenübersah, dessen war ich mir zu diesem Zeitpunkt sehr bewusst«, schrieb er in seinen Memoiren. »Horst Teltschiks Mission hatte keinem anderen Zweck gedient, als herauszufinden, ob und wie es gelingen könnte, den Prozess der außenpolitischen Absicherung der deutschen Einheit mit Finanzhilfen an die Sowjetunion flankierend zu unterstützen.... Er nahm (unser Angebot, d. A.) dann ja im Laufe des Jahres voll an und zeigte dafür seinerseits das erhoffte Entgegenkommen.«[51]

**»Politik ist die Suche des Möglichen
in der Sphäre des Ungewöhnlichen« –
Der Gipfel in Washington**

In dieser Lage empfing Präsident Bush den sowjetischen Präsidenten am 30. Mai 1990 zum Staatsbesuch in Washington. Es sollte

ein »Feel good«-Gipfel für Gorbatschow werden, man wollte
Pomp und Gloria, eine großartige Show für ihn, amerikanische
Organisationen würden ihn mit Ehrungen und Preisen über-
schütten. Die Amerikaner erwarteten nicht viel von dem Treffen.
Trotz der Bedenken des deutschen Außenministers Hans-Dietrich Genscher, dass eine harte westliche Haltung Gorbatschows
politisches Überleben gefährden könne – einen Kompromiss in
der Frage der deutschen Nato-Mitgliedschaft würde es nicht geben. Kurz zuvor hatte Gorbatschow versucht, die politische Initiative zurückzugewinnen. Es sei keine »rein hypothetische Frage«, keine »wilde Phantasie« und auch nicht »absurd«, über eine
Mitgliedschaft der Sowjetunion in der Nato nachzudenken, sagte er in einem Gespräch mit US-Außenminister James Baker am
18. Mai in Moskau: »Dann werde ich öffentlich erklären, dass wir
Mitglied der Nato werden wollen.«[52] Der antwortete, die Idee einer gesamteuropäischen Sicherheitsordnung sei zu diesem Zeitpunkt nur »ein Traum«.[53] Auch Gorbatschows Bitte um dringend
nötige Finanzhilfen in Höhe von 20 Milliarden Dollar lehnte der
texanische Banker ab: Es sei nicht zu rechtfertigen, das Geld der
amerikanischen Steuerzahler zur Verfügung zu stellen.[54] Gorbatschow fühle sich in die Enge getrieben, schrieb Baker in seinem
Bericht an den amerikanischen Präsidenten. Das Thema Deutschland wachse ihm »jetzt schon eindeutig über den Kopf ... Wir
sollten ... weiterhin versuchen, die sowjetischen Sorgen zu zer-
streuen, aber nicht auf die Durchsetzung unserer Ziele drängen.
Es ist am besten, den Dingen ihren Lauf zu lassen.«[55] Die Amerikaner hatten also den Eindruck gewonnen, dass Gorbatschow
innenpolitisch so unter Druck stand, dass er mehr denn je auf
westliche Unterstützung angewiesen war. Sie hatten auch ge-
hort, dass Gorbatschows Mitarbeiter über ihren Chef herzogen,
sobald der außer Hörweite war.[56] Man setzte darauf: Die Sowjetunion werde ihre bisherige Machtstellung in Europa gegen westliche Hilfe aufgeben. Und zahlen sollten die Deutschen.

Am 30. Mai 1990 traf Gorbatschow zu diesem Gipfel in Wa-

241

shington ein, an dessen Ende sein für alle überraschendes faktisches Einverständnis zur Nato-Mitgliedschaft Deutschlands
stand. Am Morgen des 31. Mai wurde er von Präsident Bush in
brütender Hitze begrüßt. Salutschüsse donnerten, auf dem Ra-
sen vor dem Weißen Haus paradierte ein Spielmannszug. Bush
richtete ihm und seiner Frau Raissa ein Staatsbankett im Weißen Haus aus, lud ihn auf den Wochenendsitz Camp David ein.
Dort siegte Gorbatschow beim Hufeisenwerfen, dann saßen sie
bei heißer Sauerampfersuppe vor der Aspen Lodge im Freien.[57]
Später übernahm der Russe während einer gemeinsamen Fahrt
mit Präsident Bush im Golfcaddy das Steuer, beinahe rammte er
das Gefährt in einen Baum, zog dann so scharf zur Seite, dass
sich der Wagen beinahe überschlug.[58]

Die Verhandlungen verliefen in gereizter Stimmung, verhär-
tet die Fronten. Gleich zu Beginn des ersten Gespräches mit Bush
forderte Gorbatschow Wirtschaftshilfe: Der Abschluss eines ame-
rikanisch-sowjetischen Handelsabkommens sei unbedingt notwendig. Bush ging zunächst nicht auf seinen Wunsch ein.[59] Als
am Nachmittag die deutsche Frage behandelt wurde, bestand
Bush auf der Nato-Mitgliedschaft des vereinten Deutschland.
Bestenfalls Sicherheitsgarantien seien möglich.[60] Gorbatschow
war strikt dagegen: Vielmehr könne Deutschland in einer Über-
gangsphase gleichzeitig Mitglied der Nato und des Warschauer
Paktes sein. Es gelte, beide Militärorganisationen zu reformie-
ren, in eine offene, politische Organisation zu verwandeln, die
Konfrontation des Kalten Kriegs zu beenden. Und dann, am Ende, könne sogar eine Mitgliedschaft der Sowjetunion in der Nato stehen.[61] Kühl entgegnete Außenminister Baker: »Was immer
Sie sagen, Verpflichtungen eines Landes gleichzeitig gegenüber
der Nato und des Warschauer Paktes, das grenzt an Schizophre-
nie.« Gorbatschow: »Nur für einen Finanzfachmann, der Cents
und Dollar aufeinanderschichtet. Politik aber ist hin und wieder die Suche des Möglichen in der Sphäre des Ungewöhnlichen.«[62]

Und in die Sphäre des Ungewöhnlichen begab sich Michail Gorbatschow an diesem Nachmittag, er erklärte auch im Nachhinein nie, warum. Als Präsident Bush erwähnte, dass gemäß der KSZE-Schlussakte von 1975 alle Staaten das Recht hätten, ihre Bündniszugehörigkeit frei zu wählen, und dies auch für Deutschland gelten müsse, passierte das Ungeheuerliche, was niemand erwartet hatte: Gorbatschow stimmte zu, auf Nachfrage der erstaunten Amerikaner gleich noch einmal. Und er war auch einverstanden, als Bush diese gemeinsame Formulierung vorschlug: »Die Vereinigten Staaten sprechen sich eindeutig für eine Mitgliedschaft des vereinten Deutschland in der Nato aus, allerdings werden wir, falls es sich anders entscheiden sollte, die Entscheidung nicht anfechten, sondern tolerieren.«[63]

Es seien »spontane Äußerungen« Gorbatschows gewesen, sagte sein Vertrauter Anatolij Tschernjaew Jahre später.[64] War es wirklich so? Oder hatte sich Gorbatschow von den clever verhandelnden Amerikanern über den Tisch ziehen lassen? Sah er keinen anderen Ausweg mehr? Oder wollte er mit einer Art Befreiungsschlag Fakten schaffen, die auch seine Gegner in Moskau nicht mehr ändern konnten?

Mit seiner Zustimmung ging Gorbatschow ein hohes politisches Risiko ein. Die Mitglieder seiner Delegation wurden unruhig, sie wollten nicht glauben, was sie da gerade hörten. Gorbatschow war klar von der vereinbarten Sprachregelung für das Gipfeltreffen abgewichen. Außenminister Eduard Schewardnadse machte sich so klein, dass er sich regelrecht in Luft aufzulösen schien.[65] Deutschlandexperte Nikolaj Portugalow war fassungslos: »Es war so amateurhaft und kam so unerwartet, dass wir alle wie vor den Kopf gestoßen waren. Es war schrecklich, ein Skandal.«[66] Valentin Falin und Gorbatschows Militärberater Marschall Achromejew versuchten zu retten, was zu retten war. Aber es war nichts mehr zu retten. Die Formulierung war in der Welt: Sie bedeutete die faktische Zustimmung der Sowjetunion zu einer Nato-Mitgliedschaft des vereinten Deutschland. Es war ein entscheidender Durchbruch für den Westen – doch in den Augen der sowjetischen Verhandlungsdelegation die totale Kapitulation.

An jenem späten Nachmittag war ich mit Marschall Sergej Achromejew verabredet, wir trafen uns in der Lobby des Washingtoner Delegationshotels, es war ein strahlender Tag. Mit versteinerter Miene saß er versunken in einem Sessel, ein kleiner, einsamer Mann. Er sagte kein Wort über das, was er gerade erlebt hatte, er wahrte wie immer die Contenance. Doch er muss gespürt haben – es war das Ende. Ein Leben lang hatte er an die Sowjetunion geglaubt. Er hatte die Blockade Leningrads überlebt, Stalingrad, dann um Berlin gekämpft. Er lebte für die Sowjetunion. In seinen Augen wurde sie nun Stück um Stück verschachert. Für ihn grenzte das an Verrat.

Vielleicht war Marschall Achromejew ein Mann von gestern, ein Hardliner, ein Betonkopf – aber er blieb sich treu, Diener eines Staates, den es bald nicht mehr geben würde. Was man im Westen nicht verstand: Er sprach für viele in seinem Land. Ein Jahr später unterstützte er den – gescheiterten – Putsch gegen Michail Gorbatschow, wenn auch nicht aktiv. Am 24. August 1991 fand man ihn in seinem Büro im Moskauer Kreml. Er hatte sich erhängt. Auf dem Tisch lag ein kurzer Abschiedsbrief: »Ich kann nicht mehr leben, wenn meine Heimat stirbt, wenn all das vernichtet wird, was ich für den Sinn meines Lebens hielt«, hatte er geschrieben.

Der Preis der Einheit

Dann fuhr der Expresszug zur deutschen Einheit in der Nato. Was Helmut Kohl in diesen Monaten nicht gelang: eine internationale Hilfskoalition des Westens zu schmieden, die Gorbatschows Perestroika finanziell unterstützen würde. Er warb bei Bush um Finanzhilfen. Doch Bush blieb eisern: Es sei herausgeworfenes Geld, Moskau solle seine Verteidigungsausgaben senken und Subventionen für Kuba streichen. Auch Margret Thatcher verweigerte ihre Zustimmung. Ohne genaue Kenntnis über den wahren Zustand der sowjetischen Wirtschaft werde es keine Hilfe geben: Kein Unternehmensvorstand könne sich eine derart unprofessionelle Herangehensweise leisten. Auf dem G7-Gipfel in Houston im Juli 1990 konnte Kohl allein die Zusage erreichen, dass der IWF Empfehlungen erarbeiten solle.[67] Gorbatschow konnte nur noch auf Deutschland setzen.

Und das wurde der Deal, den Helmut Kohl schließlich am 19. Juli erreichte, dort, am Fuße des Kaukasus, am rauschenden Bach Selemtschuk bei Archys: deutsche Kredite gegen Gorbatschows endgültiges Einverständnis zur uneingeschränkten Mitgliedschaft des vereinten Deutschland in der Nato. Von einer Absage an eine mögliche Erweiterung der Nato nach Osten fand sich in den gemeinsamen mündlichen Erklärungen kein Wort.

Welches Risiko diese Entscheidung für Gorbatschow bedeutete, die er in einem Alleingang durchsetzte, ohne das Politbüro zu konsultieren, machte seine Frau Raissa auf ihre Weise deutlich: Während des Treffens im Kaukasus nahm sie Außenminister Hans-Dietrich Genscher beiseite. Sie beschwor ihn, dass die Deutschen ihre Zusagen wahrmachen sollten. Ob man sich im Klaren darüber sei, was ihr Mann riskiere, fragte sie. »Im Grunde bat sie Genscher, ihren vertrauensvollen Mann vor sich selbst zu retten«, so die Historikerin Mary Elise Sarotte.[68]

Gorbatschow blieb nur noch eins: den Preis nach oben zu treiben. Zwei Tage nach der »Sensation im Kaukasus« schickte Ministerpräsident Nikolaj Ryschkow die Rechnung nach Bonn: Die Sowjetunion forderte über 20 Milliarden D-Mark für die Finanzierung der sowjetischen Truppen in der DDR, ihren Abzug innerhalb von vier Jahren, für den Bau von Wohnungen in der Sowjetunion sowie als Kompensation für sowjetisches Eigentum im Osten Deutschlands.[69] Helmut Kohl antwortete erst knapp zwei Monate später, am 7. September 1990. In einem Telefonat mit Gorbatschow bot er acht Milliarden. Mehr könne die Bundesrepublik nicht leisten, sie müsse die Kosten der Wiedervereinigung stemmen. Gorbatschow lehnte das Angebot als unannehmbar ab.

»Diese Zahl führt in eine Sackgasse ... Wir sind in eine politische Falle geraten«, sagte er wütend.[70] Kohl ließ seinen Finanzminister Theo Waigel rechnen. Mehr als 11 Milliarden D-Mark würden die deutschen Staatsfinanzen ruinieren, mahnte der. In einem weiteren Telefonat mit Kohl am 10. September 1990 warnte Gorbatschow:»Ich befinde mich in einer sehr schwierigen Lage und kann nicht handeln wie auf einem Markt... Ich denke, 15 bis 16 Milliarden werden sich finden. Unsere Bitten sind sehr bescheiden.«[71] Am Ende einigten sie sich: zwölf Milliarden Mark zur Finanzierung des sowjetischen Truppenabzugs, dazu ein zinsloser Kredit von drei Milliarden für die sowjetische Regierung.[72]

Das war er, der Preis der Einheit.

Ein Jahr später, im August 1991, sollte klar werden, welche Risiken Michail Gorbatschow eingegangen war: Damals putschte eine krude Koalition aus Militärs, Geheimdienstlern und Parteikadern gegen ihn. Es dauerte nur drei Tage, zu betrunken die Putschisten, zu mächtig der demokratische Widerstand der jungen Menschen in Moskau. Am Ende rettete ihn sein großer innenpolitischer Widersacher Boris Jelzin, der nun die ganze russische Macht an sich riss und Gorbatschow öffentlich wie einen Schuljungen abkanzelte. Fünf Monate später gab es die Sowjetunion nicht mehr.

Michail Gorbatschow wollte immer nur eine friedliche Lösung der deutschen Frage. Er hatte beste Absichten. Vor allem deswegen verließ ihn das Gefühl des Verrats durch den Westen, vor allem die USA, nie. Das Gefühl auch, dass er den unter unvorstellbaren Opfern errungenen Sieg im Zweiten Weltkrieg für ein paar Milliarden verkaufen musste. Er unterschätzte die Dynamik der hektischen Diplomatie jener Monate, und er hätte wohl auch härter um die Frage der deutschen Mitgliedschaft in der Nato verhandeln, eine Osterweiterung der Nato zumindest aufschieben können.[73] Doch seine große historische Leistung bleibt: das sowjetische Einverständnis zur Wiedervereinigung Deutschlands in der Nato. Er hatte sich damit gegen den erbitterten Widerstand seiner Widersacher im Kreml durchgesetzt, gegen all die, die ihn längst so verachteten.[74] Während sich die Sowjetunion um ihn herum buchstäblich auflöste, die deutschen Milliardenkredite in dunklen Kanälen versickerten,[75] hatte er versucht, die Niederlage mit Würde zu tragen. Er, das Kind des Krieges, wollte weiter denken, größer, visionärer, denn so sah er sich ja: als einen, der den Lauf der Geschichte aus eigener Kraft und Überzeugung ändern kann. Vielleicht war es Selbstüberschätzung, vielleicht Naivität, vielleicht die romantische Kühnheit eines friedlichen Revolutionärs, und auch sein politischer Führungsstil war vom »sinnlosen Verzicht auf Macht« geprägt, wie der russische Schriftsteller Alexander Solschenizyn formulierte.[76] Und doch war sein Handeln getragen von der Sehnsucht danach, dass die Menschen seines gepeinigten Landes Freiheit erfahren sollten, dass es ihnen besser ergehen möge, in Frieden lebend. In diesem allerbesten Sinne bleibt Michail Sergejewitsch Gorbatschow, der Junge aus Priwolnoje: ein großartiger Held des Rückzugs.[77]

Die Politiker in Washington und Bonn aber waren wenig interessiert an Visionen. Vielleicht fehlten Weisheit und Weitsicht. Sie hatten wenig Gespür für die Verfasstheit eines Landes, dessen Menschen sich wieder einmal zu Opfern der Geschichte degradiert sahen, und sie wollten es auch gar nicht verstehen. Als Koalition der Realpolitiker fuhren sie, wie Helmut Kohl es so treffend schrieb, die Ernte ein, bevor das Gewitter begann: Sie setzten die deutsche Einheit zu ihren Bedingungen durch, bevor Gorbatschow gestürzt würde oder die Sowjetunion zusammenbräche.

Eine Lebenslehre aus dem Prozess zur deutschen Einheit in der Nato zog jedenfalls ein Mann, der den Fall der Mauer 1989 in Dresden erlebt hatte; wie machtlos sich der KGB-Offizier damals fühlte. Später beklagte er den Verlust der sowjetischen Position in Europa. Nie wieder sollte Russland in eine solche Lage geraten, vom Westen abhängig, im Zweifel verraten und verkauft. Und er selbst, Wladimir Putin, schon gar nicht.

DEUTSCHLAND UND RUSSLAND
Enttäuschte Erwartungen

>»Europa war und ist wie
> ein Torso ohne seinen Osten.«
> Willy Brandt[1]

Auf Abstand. Wladimir Putin und Angela Merkel,
Moskau, 2015

Angela Merkel spricht Russisch, sehr gut Russisch sogar, sie war eine glänzende Schülerin auch in diesem Fach, Pflichtunterricht an allen Schulen der DDR. Frontstaat im Kalten Krieg, gehörte die »unverbrüchliche Freundschaft« mit der Sowjetunion für die Deutsche Demokratische Republik zu den machtsichernden Maximen der Einheitspartei SED. Gut eine halbe Million Soldaten der sowjetischen Streitkräfte waren in der DDR stationiert. Nach Wünsdorf war die kleine Stadt Vogelsang der zweitgrößte Stützpunkt der Roten Armee außerhalb der Sowjetunion. Vogelsang lag nur wenige Kilometer von Angela Merkels Heimatstadt Templin entfernt. Immer wieder tauchten sowjetische Soldaten in der Stadt auf, sie probierte ihre Sprachkenntnisse an ihnen aus.[2] Sie mochte die russische Sprache: Sie sei so gefühlvoll, sagte sie einmal. Angela Merkel lernte Russischvokabeln noch an der Bushaltestelle, war so gut, dass sie die Russisch-Olympiade der DDR gewann und 1970 mit dem »Zug der Freundschaft« nach Moskau reisen durfte, um dort wiederum an der internationalen Russisch-Olympiade teilzunehmen.[3] Sie las ihren Dostojewski, reiste mehrmals in die Sowjetunion. Wenn also Sprache der Schlüssel zur Seele eines Landes ist, dann ist Angela Merkel wohl eine Russland-Versteherin im besten Sinn; eine Putin-Versteherin ist sie ohnehin. Sie kennt Wladimir Putin länger als die meisten Politiker des Westens. Im Jahr 2000 traf sie ihn zum ersten Mal, in Berlin, zwei Jahre später besuchte sie ihn in Moskau. Sie habe den KGB-Test bestanden, soll sie damals erzählt haben: dem Blick des Gegenübers nicht ausweichen.[4]

Wenn Sprache der Schlüssel zur Seele eines Landes ist, dann müsste Wladimir Putin ein Deutschland-Versteher sein. Schon in der Schule hatte er Deutsch anstatt Englisch für den Fremdsprachenunterricht gewählt.[5] Als der junge KGB-Major Anfang der 80er Jahre am renommierten Andropow-Institut des Rotbannerordens in Moskau für einen möglichen Auslandseinsatz ausgebildet wurde, war Deutsch eines der Hauptfächer. Das wollte er ja immer – so berichtete er es später zumindest –, Geheimagent werden: »Wie ein einzelner Mensch das erreichen konnte, was ganze Heere nicht vermochten.«[6] Ein Geheimagent wie die Helden aus den damals so populären sowjetischen Büchern und Fernsehserien. Einer wie Max Otto von Stirlitz vielleicht, der legendäre Spion der TV-Serie »Die 17 Augenblicke des Frühlings«: Stirlitz, ein deutscher Adeliger und Undercover-KGB-Agent, kultiviert und gut aussehend, beinahe aller europäischen Sprachen mächtig und noch in den ausweglosesten Situationen so gelassen, dass er rasch zum Gegenstand sowjetischer Witze wurde. Stirlitz, ein SD-Mann, der in den letzten Kriegsmonaten versuchte, die Nazis von einem Separatfrieden mit den USA abzuhalten – um so wiederum zu verhindern, dass Hitler alle militärische Kraft gegen die Sowjetunion richten konnte. Stirlitz war Kult. So erfolgreich war die 1973 gezeigte TV-Serie, dass es in einigen sowjetischen Städten zu Problemen mit der Stromversorgung gekommen sein soll, weil zu viele Fernseher eingeschaltet waren. Auch zum 70. Jahrestag des sowjetischen Sieges über die Deutschen im Mai 2015 wurden alle Folgen erneut im russischen Fernsehen gezeigt.[7]

Stirlitz war ein »guter Deutscher«. In der Logik des Kalten Krieges musste es »gute Deutsche« geben, der sowjetische Verbündete DDR das bessere Deutschland symbolisieren: Während die Verantwortung für die Gräuel der Nationalsozialisten bei den Deutschen der Bundesrepublik lag, Handlagern des US-Imperialismus,[8] waren die Deutschen der DDR Kämpfer gegen den Faschismus, auch darin verbündet mit der Sowjetunion. Das wirtschaftlich erfolgreichste Land des Warschauer Paktes war die DDR ja ohnehin. Auch für sowjetische Soldaten galt es als Privileg, dort stationiert zu sein. Offiziere erhielten einen Teil ihres Solds in DDR-Mark. Die DDR muss also auch für den jungen KGB-Offizier Wladimir Putin ein gutes Deutschland gewesen sein, vielleicht gar ein Sehnsuchtsland.

1985 wurde Putin als »Hauptoperativbevollmächtigter« in der KGB-Residentur Dresden stationiert. Es war sein erster – und letzter – Auslandsaufenthalt. Alles lief bestens, berichtete er später den Autoren einer Interview-Biografie über ihn. In Dresden wurde seine zweite Tochter Katja geboren, er selbst stieg zum Chefassistenten des Abteilungsleiters auf. Er bekam einen Teil seines Gehaltes in D-Mark und Dollar ausbezahlt, damit sparte die Familie für ein eigenes Auto.[9] Doch auch in der DDR lebte Wladimir Putin in der streng kontrollierten KGB-Welt mit ihren festen Ritualen. Seine Kontakte zu Deutschen waren vor allem Kontakte zu Kollegen der Staatssicherheit, die er auch nach seiner Rückkehr nach Russland pflegte.[10] Die KGB-Offiziere und ihre Familien lebten mit Stasi-Mitarbeitern und deren Familien in einem Haus, die Kinder gingen in einen gemeinsamen Kindergarten. Vielleicht entstand auf diese Weise die Bekanntschaft zwischen Wladimir Putin und dem Stasi-Offizier Matthias Warnig, der später zu einem der wichtigen Verbindungsmänner zwischen Putin und der deutschen Wirtschaft wurde.[11] Man traf sich mit Kollegen aus dem Haus; manchmal machte man einen Sonntagsausflug; und einmal in der Woche fuhr Putin nach Radeberg, um in der dortigen Brauerei einen Drei-Liter-Krug frisch gezapftes Bier zu trinken.[12]

Auch in der DDR lebte Wladimir Putin in einer quasi sowjetischen Welt. Während sich diese Welt in Gorbatschows Perestroika-Sowjetunion allerdings rasend schnell veränderte, blieb die DDR ein totalitäres Land, glich einer Sowjetunion der 50er Jahre. Es war eine der vielen Selbsttäuschungen westlicher Politiker im späteren Umgang mit Wladimir Putin, dem »Deutschen« im Kreml:[13] Sie glaubten, dass ihm sein Bezug zu Deutschland auch die politische Textur des Westens nähergebracht habe, die Denkweise ihrer Politiker. Das aber war nicht der Fall.[14] Und während der Fall der Mauer 1989 für Angela Merkel zu einem Befreiungserlebnis wurde, stellte er für Wladimir Putin eine berufliche wie persönliche Katastrophe dar, eine Kapitulation.

Und doch: Deutschland – nicht die USA – blieb für Wladimir Putin das Tor zur Welt.

»Ich glaube daran,
dass die Deutschen mich verstehen«

Manchmal spricht Angela Merkel russisch mit Wladimir Putin, so, wie er deutsch mit ihr spricht. Zwar führen sie offizielle Verhandlungen in ihrer jeweiligen Muttersprache – aber manchmal korrigieren sie dabei die Dolmetscher. So war es im Februar 2015 auch in Minsk, in jener langen Nacht, als sie über die Vereinbarung verhandelten, die einen Weg zu Frieden im Südosten der Ukraine bahnen sollte. Am Ende beugte sich Angela Merkel über die russische Übersetzung des englischen Originals. Sie wollte ganz sichergehen, dass jedes der so mühsam ausgehandelten Worte stimmte. Und so, heißt es, verhandelte die Kanzlerin auch den gar nicht so unbedeutenden semantischen wie juristischen Unterschied zwischen den Worten »Einigung« und »Vereinbarung«.[15]

In den Krisenmonaten 2014 und 2015 fiel Beobachtern der Gespräche zwischen Angela Merkel und Wladimir Putin noch etwas auf: Wie sich sein Ton veränderte, wenn er Deutsch sprach. Als ob da ein ganz anderer Putin zum Vorschein kam. Weich auf einmal der Duktus, leise und sanft. Beinahe so, als ob er sich in eine Hierarchie begab – oder so tat, als ob –, in der er Angela Merkel die Führungsrolle überlassen wollte.[16] Ganz anders, wenn er Russisch sprach: hart und manchmal stählern, mit einem gewissen Hang zu anzüglichen Witzen. Anders als in den Jahren zuvor, 2006 und 2007 etwa, während Merkels Besuchen bei Putin. Da hatte er ihr noch gezeigt, aus welcher Schule er kommt: Erst schenkte er ihr einen Stoffhund, im Jahr darauf ließ er seinen schwarzen Labrador Koni in den Raum laufen. Der Hund beschnüffelte Merkel und legte sich zu ihren Füßen, während Putin sinngemäß Friedrich den Großen zitierte: Je mehr ich von den Menschen sehe, umso lieber habe ich meinen Hund.[17] Putin muss gewusst haben, dass sich Angela Merkel vor Hunden ängstigt: 1995 war sie beim Fahrradfahren in der Uckermark vom Jagdhund des Nachbarn angegangen worden. Der hatte sie ins Knie gebissen.[18] Doch sie blieb ihm nichts schuldig: Einmal fing er sich eine öffentliche Ohrfeige von Angela Merkel ein. Auf der Abschlussveranstaltung des »Petersburger Dialogs« 2012 in Moskau antwortete sie auf eine Frage nach angeblich ungerechter deutscher Kritik an Russland: »Wenn ich immer gleich eingeschnappt wäre, könnte ich keine drei Tage Bundeskanzlerin sein.«[19] Sie hatte das Urteil gegen die Frauen der Punkband Pussy Riot und neue russische Gesetze kritisiert, die gegen Demonstrationsfreiheit und gegen die Arbeit von Nichtregierungsorganisationen gerichtet waren. Sie könne nicht erkennen, dass diese Gesetze die Freiheit der Menschen beförderten, sagte sie kühl.

Für große Verärgerung hatte in Moskau damals eine Resolution des Bundestages gesorgt. Nach längeren Querelen mit dem zögerlichen Auswärtigen Amt hatten die Mitglieder des Bundestages mit den Stimmen der Koalitionsfraktionen (damals noch CDU/CSU und FDP) sowie der Grünen in dieser Resolution Russland zwar weiterhin als »strategischen Partner« bezeichnet, zugleich aber deutlich Kritik an der zunehmend repressiven russischen Innenpolitik geäußert und Demokratisierung angemahnt[20] – ein außergewöhnlicher Vorgang, da er als faktische Einmischung des Parlaments in die Innenpolitik eines anderen Landes interpretiert werden konnte.[21] Schon damals empörte sich Putins Sprecher Dmitrij Peskow über »antirussische Rhetorik«.[22]

Ein gutes Verhältnis hatten Wladimir Putin und Angela Merkel nie. Sie akzeptierten einander, wie man schlechtes Wetter ertragen muss. Er versuchte sie zu überzeugen, testete seine Positionen an ihrer Reaktion. Sie ließ seine Endlosreden und die kalkulierten Wutausbrüche abprallen. Sie hatten einen Modus Vivendi gefunden. Trotz einiger Missstimmungen wie etwa der Absage von Bundespräsident Joachim Gauck, an den Eröffnungsfeierlichkeiten der Olympiade in Sotschi teilzunehmen, schien es noch Ende 2013 gar nicht so schlecht bestellt um die deutsch-russischen Beziehungen. Trotz der innenpolitischen Entwicklung in Russland, trotz Putins Tiraden gegen den »dekadenten« Westen, trotz der erkennbaren russischen Versuche, die EU zu spalten und etwa Staaten des Balkans von weiterer Annäherung an die EU abzuhalten,[23] plante SPD-Außenminister Frank-Walter Steinmeier nach der gewonnenen Bundestagswahl 2013 sogar noch eine Neuauflage der »Modernisierungspartnerschaft« seiner ersten Amtszeit. Trotz allem auf Russland zugehen, hieß die Devise.

Und Putin schien Entgegenkommen zu zeigen. Hatte er nicht für die vorzeitige Entlassung der beiden jungen Frauen von Pussy Riot aus dem Arbeitslager gesorgt? Hatte er nicht sogar den seit

253

beinahe zehn Jahren inhaftierten Regimekritiker, den ehemaligen Oligarchen Michail Chodorkowskij auch aufgrund der jahrelangen, beharrlichen Bitten der Deutschen begnadigt? Angela Merkel und der ehemalige deutsche Außenminister Hans-Dietrich Genscher hatten sich geheimdiplomatisch für Chodorkowskij eingesetzt; Genscher war mehrmals nach Moskau gereist, um Putin für diese »humanitäre Geste« zu gewinnen.[24]

Zwar hatte man sich in Berlin sehr über Putins Rochade geärgert, mit der er seine Rückkehr in den Kreml 2012 gesichert hatte. War doch der 2008 gewählte Präsident Dmitrij Medwedjew für die westlichen Staatschefs ein ernstzunehmender Gesprächspartner, der auch an politischer Modernisierung interessiert schien. Aber dann stellte sich heraus, dass dessen Präsidentschaft offenbar nichts weiter war als ein abgekartetes Spiel, um Putin für mindestens eine weitere Amtszeit die Macht zu sichern. Auch Angela Merkel fühlte sich hintergangen. Doch in Moskau ging man – zu Recht – davon aus, dass die ökonomischen Interessen der Handelsmacht Deutschland[25] rasch wieder Oberhand gewinnen würden.

Wirtschaftlich lief es zumindest nicht schlecht. Zwar gingen nur gut drei Prozent der deutschen Exporte nach Russland – ungefähr so viel wie nach Österreich[26] – und hielten sich deutsche Unternehmen wegen der stagnierenden russischen Wirtschaft seit 2012 mit Investitionen zurück.[27] Zwar fiel der Warenaustausch bereits 2013 um mehr als fünf Prozent auf 76,5 Milliarden Euro – doch mit fast 12 Prozent aller russischen Importe blieb Deutschland einer der wichtigsten Handelspartner Russlands. Deutschland lieferte vor allem Maschinen, Anlagen, Fahrzeuge, Ersatzteile, Chemieprodukte.[28] Die deutsche Großindustrie war gut im Geschäft. Die politischen und juristischen Risiken wurden mit außergewöhnlich hohen Margen belohnt.[29] Der russische Markt habe gigantisches Potenzial, das es zu auszuschöpfen gelte, hieß es. Noch im März 2014 – kurz nach der Annexion der Krim – wurde der Siemens-Vorstandsvorsitzende Joe Kaeser bei Putin vorstellig. Er werde sich von »kurzfristigen Turbulenzen« nicht abhalten lassen, sagte er, sein Auftritt wurde als ebenso peinlich wie instinktlos kritisiert.[30]

Russische Öl- und Gaslieferungen machten mehr als 60 Prozent der deutschen Energieversorgung aus.[31] Die umstrittene Nord-Stream-Pipeline von Russland durch die Ostsee direkt nach Deutschland war fertiggestellt, Angela Merkel hatte es als »das größte Energieinfrastrukturprojekt unserer Zeit« gepriesen.[32] Noch 2013 schien es in Moskau, als würde Russland der privilegierte Partner Deutschlands im Osten Europas bleiben.

Umso tiefer war Putins Enttäuschung über die Position der Bundesregierung in der Ukrainekrise. Man hatte im Kreml erwartet, dass Deutschland eine Mittlerrolle einnehmen würde. Die Deutschen könnten das russische Vorgehen, die Annexion der Krim erklären, gar verstehen. Ausdrücklich hatte Wladimir Putin in seiner Rede über die »Rückkehr der Krim in den Bestand der Russischen Föderation« auf die deutsche Wiedervereinigung Bezug genommen: Nach dem Zusammenbruch der Sowjetunion, sagte er, wurde »das russische Volk zu einem der größten, wenn nicht *dem* größten geteilten Volk auf dem Planeten ... Ich glaube auch daran, dass mich die Europäer verstehen, vor allem die Deutschen. Ich möchte daran erinnern, dass während der politischen Konsultationen zur Wiedervereinigung der BRD und der DDR bei weitem nicht alle Verbündeten die Idee der Wiedervereinigung unterstützten. Dagegen hat unser Land das aufrichtige, unaufhaltsame Streben der Deutschen nach nationaler Einheit unterstützt. Ich bin sicher, dass Sie das nicht vergessen haben, und hoffe darauf, dass die Bürger Deutschlands ebenso das Streben der russischen Welt, des historischen Russland nach Wiederherstellung der Einheit unterstützen.«[33]

Es war seine wohl größte Fehlkalkulation in der Ukrainekrise: denn Angela Merkel sah in Putins Vorgehen das, was es war – die Verletzung der Grenzen eines souveränen Staates und der Versuch einer Revision der europäischen Sicherheitsordnung. Und mehr noch: Sie verpflichtete die Europäische Union auf Geschlossenheit und umfangreiche Sanktionen gegenüber Russland, die auch die deutsche Wirtschaft empfindlich treffen würden. Selbst die deutsche Industrie beugte sich, wenn auch murrend. Offiziell zumindest unterstützte sie die Politik der Sanktionen: Langfristige Rechtssicherheit sei wichtiger als die Aussicht auf kurzfristige Gewinne.[34]

So verlor Wladimir Putin 2014 den wichtigsten strategischen Partner, den er bislang in Europa, vielleicht sogar in der westlichen Welt hatte: Deutschland.

Der »Russland-Komplex«

Dabei hatten sie immer voneinander geträumt, die Deutschen und die Russen, seit Jahrhunderten ist das Schicksal ihrer Länder ineinander verwoben. Als »Russland-Komplex« beschrieb der Historiker und Publizist Gerd Koenen das deutsche Phänomen, in dem tiefe Ängste mit überschwänglicher Bewunderung gegenüber Russland verschmolzen.[35] Noch immer scheint der Osten, scheint Russland ein »Sehnsuchtsraum« der Deutschen,[36] ein auf seine große Zukunft wartendes weites Land. Die Modernisierung des Zarenreiches wäre ohne Deutsche nicht möglich gewesen; Wladimir Lenin durfte im Kriegsjahr 1917 durch Deutschland reisen, um in Sankt Petersburg und Moskau die Oktoberrevolution gegen den deutschen Kriegsgegner, den Zaren, zu organisieren. Weit bis ins 20. Jahrhundert blieb Russland Projektionsfläche für deutsche Utopien eines anderen, naturverbundenen, irgendwie tieferen Lebens jenseits der westlichen Moderne. Sehnsüchte, gebündelt in dem für alle Deutschen so eingängigen Zitat des Dichters Fjodor Tjutschew, das bezeichnenderweise aus dem 19. Jahrhundert stammt:

»Mit dem Verstand lässt sich Russland nicht begreifen,
mit einem normalen Maßstab nicht ausmessen,

es ist aus einem besonderen Stoff,
an Russland kann man nur glauben.«[37]

Doch in Deutschland wollten noch 2015 viele nicht wahrhaben,
was Russland heute ausmacht, so Koenen: »Es gibt nichts, was
weniger irgendwie mit Natur, mit Erde, mit Spiritualität verbunden ist wie das heutige Russland. Das ist ein ultrakapitalistischer
und militaristischer Staatskomplex, der nichts von dem, was daran geheftet wird, erfüllt.«[38]

Romantische Sehnsüchte nach sibirischen Weiten und naive
Verklärungen der angeblich ebenso tiefen wie langmütigen »russischen Seele« prägten diese Beziehung ebenso wie hochgefähr-
liche deutsch-russische »Sonderwege« und schließlich der Krieg
der Deutschen gegen die Sowjetunion. Hitler und Stalin teilten
sich Polen. Hitlers Angriff 1941 war der Beginn eines historisch
beispiellosen Vernichtungskrieges gegen die Völker der Sowjetunion, allen voran gegen Weißrussen, Ukrainer und Russen. Dass
die (West-)Deutschen in ihrem Verhältnis zu Polen und der Sowjetunion schließlich die Gräben des Kalten Krieges überwinden konnten, sich zu Schuld und historischer Verantwortung bekannten, ist vor allem der Entspannungspolitik Willy Brandts
zu verdanken, dem »Wandel durch Annäherung«. Das Erstaun-
lichste aber war: Die Menschen in der Sowjetunion hatten den
Deutschen verziehen. Die am meisten unter den Deutschen ge-
litten hatten, empfanden am wenigsten Hass auf die Deutschen.
Auch aus eigener Erfahrung wussten sie zu unterscheiden zwischen Tyrannen und ihren Völkern, dem Kanonenfutter ihrer
Kriege.[39] Nach dem blutigen sowjetischen Jahrhundert der Revolutionen, der Gewalt, des Terrors und des Krieges sehnten sich
die Menschen auch in Weißrussland, der Ukraine und Russland
nach dauerhaftem Frieden.[40]

Nach dem Fall der Mauer 1989 waren die Beziehungen der
Deutschen zu Russland – von Weißrussland, dem späteren Belarus, und der Ukraine war nun weniger die Rede – vor allem von

Dankbarkeit geprägt. Nirgendwo auf der Welt war Michail Gorbatschow beliebter als in Deutschland. Die schönen Bilder aus dem Kaukasus 1990, Helmut Kohl und Michail Gorbatschow am reißenden Gebirgsbach, sie überdeckten die für den Präsidenten der Sowjetunion bittere Wahrheit, dass die Mitgliedschaft des wiedervereinigten Deutschland in der Nato und der Abzug der sowjetischen Truppen aus dem Osten Deutschlands mit Krediten erkauft war. Auch Gorbatschows Traum vom »gemeinsamen europäischen Haus« war schnell ausgeträumt: Deutschland – nicht Russland – war nach langem Weg im Westen angekommen. Doch mehr als für alle anderen westlichen Staaten galt für deutsche Ostpolitik auch nach Putins Amtsantritt der außenpolitische Grundsatz: Natürlich gehört Russland zu Europa. Ohne Russland kann es keine Sicherheit in Europa geben. Vor allem in der SPD war man doch: Russland-Versteher.

Strategische Partner, persönliche Freunde – »Ein Mann, dem man trauen darf«

Nach holprigem Start[41] entwickelte sich die zunächst pragmatische, dann sehr persönliche Freundschaft zwischen Bundeskanzler Gerhard Schröder und Präsident Wladimir Putin. Schon während Putins Besuch in Berlin im Juni 2000 kamen sie einander näher, sprachen fünf Stunden ohne Dolmetscher miteinander; am Ende des Staatsbesuches brachte Putin ein Investitionsabkommen im Wert von vier Milliarden Mark zwischen Gazprom und vier deutschen Unternehmen nach Hause.[42]

Putins Rede vor dem Deutschen Bundestag am 25. September 2001 war für Schröder Ausdruck für den Beginn einer neuen Ära in den deutsch-russischen Beziehungen: Ein gemeinsames Fundament für Sicherheit in Europa würde durch strategische ökonomische Partnerschaft vor allem im Energiebereich entstehen. Deutsche Maschinen gegen russisches Öl und Gas: Putin war für Schröder der »ehrliche Makler«; die Ängste in Polen und in den baltischen Staaten vor einer zu großen Nähe zwischen Russland und Deutschland zwar verständlich, aber »völlig unbegründet«.[43] Schröder war überzeugt: »Putin denkt abendländisch«,[44] und verkaufte seine Russland-Politik als »europäische Ostpolitik«.[45] Aber es galt der Grundsatz: »Russia First«.

Indem er sich der »Achse Deutschland–Frankreich–Russland« gegen den Irakkrieg der USA 2003 anschloss, erwies Putin Schröder auch einen entscheidenden außenpolitischen Dienst. Ohne diesen »europäischen Schulterschluss« wäre der »Traum von der Friedensmacht Deutschland schnell ausgeträumt gewesen«, so der Historiker Edgar Wolfrum in seiner Chronologie der rot-grünen Koalition.[46] Einen deutschen Alleingang in dieser zunächst so umstrittenen Frage hätte Schröder möglicherweise politisch nicht überlebt.

Sie förderten die Wirtschaftsbeziehungen, initiierten das Gesprächsforum »Petersburger Dialog«. Als jährlicher »Dialog der Zivilgesellschaften« geplant, glich er bald nur noch einer Simulation von Zivilgesellschaft und lieferte demokratische Dekoration für das jeweils gleichzeitig stattfindende Treffen des Kanzlers und des Präsidenten.[47] Die beiden pflegten – und pflegen – eine veritable Männerfreundschaft. Sie umarmten einander, besuchten gemeinsam orthodoxe Kirchen, Schröder erlebte Putin als »religiösen Menschen«. Zum 60. Geburtstag Schröders brachte Putin – einziger geladener ausländischer Besucher von Rang – einen Kosakenchor mit nach Hannover; und er half auch bei der Adoption zwei kleiner Kinder aus Sankt Petersburg. Schröder sah auch biografische Gemeinsamkeiten: Wie er habe sich auch Putin quasi allein von ganz unten nach ganz oben kämpfen müssen. Putin beeindruckte den Kanzler auch mit seinem fließenden Deutsch, während Schröder schlecht in Fremdsprachen war. Das Zitat, Putin sei ein »lupenreiner Demokrat«,[48] sei zwar so nie gefallen, sagte Schröder noch 2011, doch er wolle einem Menschen, der ein Freund geworden sei, nicht »sein Demokratieverständnis absprechen«.[49] Für Gerhard Schröder war Putin immer ein Mann, dem man trauen darf.[50] Und deutsche Russlandpolitik Chefsache, eine Erfolgsstory, die er durch Kritik an Putins Politik nicht gefährden würde.

So standen während der Parade zum 60. Jahrestag des Kriegsendes am 9. Mai 2005 Bundeskanzler Gerhard Schröder und seine Frau Doris Schröder-Köpf neben Jacques Chirac, Wladimir Putin und George W. Bush in der ersten Reihe auf der Tribüne am Roten Platz. »Der ehemalige Kriegsgegner Deutschland hatte damit seinen Platz in der ersten Reihe inmitten der ehemaligen Siegermächte«, schrieb Schröder in seinen Memoiren, die Geste war für ihn Ausdruck für Putins ehrliches Bemühen, die Aussöhnung mit Deutschland zu vollenden.[51]

Nur wenige Monate nach Ende seiner Kanzlerschaft nahm er – anders als etwa Jacques Chirac[52] – das persönliche Angebot Putins an, Aufsichtsratsvorsitzender der Nordeuropäischen Gaspipeline Gesellschaft, kurz Nord Stream AG,[53] zu werden. Nord Stream heißt die Gaspipeline vom russischen Wyborg durch die Ostsee nach Lubmin in der Nähe von Greifswald. Sie gehört mehrheitlich dem russischen Staatskonzern Gazprom und wird geschäftsführend von Matthias Warnig geleitet, dem ehemaligen Stasi-Offizier, den Putin in Dresden kennengelernt hatte. Für Schröders Kritiker ein Affront, die schamlose Verquickung politischen Einflusses und geschäftlicher Interessen; kritiklose Kumpelei gegen Honorar. Schon 2004 hatte die damalige Oppositionsführerin Angela Merkel kritisiert, dass Schröders Russland-Politik zu einer Abhängigkeit von russischem Erdgas über »das vertretbare Maß hinaus« führe.[54] Für Schröder allerdings ein »normaler Vorgang«, sein strategischer Beitrag zur Energiesicherheit Europas. Ein Beweis auch für die »Weitsicht« des russischen Präsidenten, die strategische in eine »privilegierte« Partnerschaft zwischen den beiden Ländern auszubauen. Die Sorge vor zu großer Abhängigkeit von russischen Energielieferungen teilte Schröder nicht: Der Energiehunger Europas sei ohne den Rohstoffreichtum Russlands nun mal nicht zu stillen.[55] Und Russland könne schließlich auch nicht ohne Deutschland.

So wurde Gerhard Schröder zu Putins Frontmann für Europa, Deutschland wichtigster Bezugspunkt russischer Europapolitik. In bestem Einvernehmen mit der deutschen Wirtschaft propagierte Gerhard Schröder »Wandel durch Handel«. Die Entwicklung in Putins Russland blendete er zumindest öffentlich aus: Er verstehe Russlands »Einkreisungsängste«, sagte er im März 2015 in einem Interview. Unwahrscheinlich, dass die Krim zur Ukraine zurückkehre, möglich aber immer noch, dass sich Russland zu einem demokratischen Staat entwickeln werde.[56]

»Es ist immer besser, miteinander zu reden als übereinander«

Mit dem Amtsantritt Angela Merkels 2005 kühlten die Beziehungen merklich ab. Kumpelfreundschaft à la Schröder funktionierte mit der superrationalen Kanzlerin nicht; auch der Gedanke der »Äquidistanz«, der jeweils gleichen politischen Entfernung Deutschlands zu den USA und zu Russland, behagte ihr nicht sonderlich. All die Papiere und Partnerschaften, die SPD-Außenminister Frank-Walter Steinmeier entwerfen ließ, fand man im Kanzleramt eher überflüssig. Doch ganz Erbe sozialdemokratischer Ostpolitik, wollte Steinmeier die Politik der Öffnung gegenüber Moskau fortsetzen. Der nun propagierte »Wandel durch Verflechtung«[57] sollte den »Wandel durch Annäherung« fortschreiben. Weitere Öffnung sollte auch die Beziehungen zwischen der Europäischen Union und Russland bestimmen: Die Entwicklung der Wirtschaftsbeziehungen und ein neues Partnerschaftsabkommen Russlands mit der EU[58] waren Prioritäten deutscher Russlandpolitik.

Als »Supermacht der Energie« offerierte Russland den »grand bargain« eines globalen Energie-Deals 2006 erst der G8, dann Europa und Deutschland: Öl- und Gaslieferungen zu dauerhaft festgelegten Preisen sowie durch profitable, sogenannte Downstream-Investitionen in Raffinerien, Gasspeicher und Stadtwerke zu erreichender direkter Zugang des Staatskonzerns Gazprom zu den Konsumenten in Europa – dafür würde Russland europäischen Unternehmen mehr Teilhabe an russischen Lagerstätten sowie dem Pipelinenetz gewähren. Die EU blieb zurückhaltend – zu groß schon damals die Zweifel an der langfristigen Verlässlichkeit des Angebots von Putins »Russland GmbH«.[59] Man wollte auf eine Energiepolitik der Diversifizierung setzen, auch, um sich unabhängiger von russischem Öl und Gas zu machen. Auf dem EU-Russland-Gipfel unter deutscher Präsidentschaft in Samara 2007 traten die Differenzen offen zutage: Streit in der Energiefrage, Streit über die Handelspolitik, Streit über die baltischen Staaten und Polen. Da soll es jenen bezeichnenden Moment gegeben haben, als sich Putin und Merkel zum Zweiergespräch trafen. Putin soll Merkel aufgefordert haben, noch ausstehende EU-Fragen miteinander zu klären, tête-à-tête, zwei Große auf Augenhöhe. Merkel ließ ihn abblitzen: Sie sei nicht Europas Königin, und Deutschland regiere die EU nicht.[60] So blieb am Ende nur dieser Gipfel-Erfolg zu verkünden: »Es ist immer besser, miteinander zu reden als übereinander.«[61]

Andererseits hatte Merkel trotz massiven amerikanischen Drucks und mehrerer persönlicher Interventionen von US-Präsident Bush[62] ihre Kritik an der von den USA erwünschten Aufnahme der Ukraine und Georgiens in die Nato 2008 sogar öffentlich formuliert: Länder, die in regionale oder interne Konflikte[63] verwickelt seien, könnten nicht Teil der Nato sein. Die Allianz diene der kollektiven Sicherheit und nicht dazu, einzelnen Mitgliedern auf der Suche nach Sicherheit Schutz zu bieten.[64] Es waren aus ihrer Sicht rein sachliche Argumente, die auf dem Nato-Gipfel von 2008 zum deutschen »No« zu weiterer Osterweiterung führten. Merkel hatte dabei zwar auch russische Interessen in der Region berücksichtigt – aber das bedeutete nicht die Anerkennung einer russischen Einflusssphäre im postsowjetischen Raum. Deutsche Ostpolitik sollte nicht mehr ausschließlich Russlandpolitik sein.

Ein Übergangspräsident
als Modernisierungspartner

Nach dem Georgienkrieg 2008 entwickelte man im Planungsstab des Auswärtigen Amtes drei Russland-Szenarien:[65] Das »europäische« Szenario sah Russland als strategischen Partner in Europa. Das »imperiale« Szenario wähnte Russland – übrigens nach einer Annexion der Krim – in Abkehr von Europa. Das dritte Szenario war eine Mischform aus beidem. Man entschied sich, auf eine europäische Entwicklung Russlands sowie der postsowjetischen Staaten zu setzen: »Modernisierungspartnerschaft« wurde nun zum Zauberwort. Außenminister Steinmeier warb mit Europa als »natürlichem Modernisierungspartner Russlands«, mit Investitionen und einer möglichen Freihandelszone. Ziel sollte eine gesamteuropäische Friedensordnung sein, ein Raum des »Friedens und Wohlstandes von Vancouver bis Wladiwostok« unter Partnerschaft mit Russland, der Heranführung der Ukraine an Europa und gar einer Demokratisierung von Belarus.[66]

Die Modernisierungspartnerschaft stellte sich als zweifache strategische Fehleinschätzung heraus: Während man sich in Berlin davon zunehmende Demokratisierung in Russland erhoffte, sah man in Moskau vor allem die ökonomische Dimension. Nach dem massiven Einbruch der russischen Wirtschaft in Folge der globalen Finanzkrise 2008 benötigte man in Moskau dringend Investitionen und westliche Technologie. Die Partnerschaft also, die Putin bereits 2001 in seiner Rede vor dem Deutschen Bundestag gefordert hatte: eine Verflechtung der technologischen Stärken Deutschlands mit dem Rohstoffpotenzial Russlands. Als strategischer Fehler erwies sich auch, dass man in Berlin auf den neuen russischen Präsidenten Dmitrij Medwedjew setzte, den angeblich modernen Mann im Kreml. Aber im Umgang mit dem Westen war der russischen Machtelite selbst Medwedjew viel zu »soft«.

Präsident Medwedjew hatte gleich nach seinem Amtsantritt im Frühsommer 2008 mit einer Rede in Berlin den Gedanken einer europäischen Sicherheitsarchitektur[67] aufgegriffen. Ein gutes Jahr später legte er einen Vertragsentwurf vor:[68] Ein umfassender Sicherheitsvertrag sollte »einheitliche Regeln« im gesamten europäischen Raum etablieren – aber zugleich eine russische »Zone privilegierter Interessen« festlegen.[69] Der Vertrag sollte das Prinzip der Nichtbeeinträchtigung der Sicherheit anderer Staaten verankern: Die Vertragsparteien dürften demnach weder Schritte unternehmen, die die Sicherheit anderer Parteien substanziell beeinträchtigen würden, noch sich an solchen beteiligen oder diese unterstützen. Damit aber hätte Russland ein faktisches Vetorecht in allen Fragen einer möglichen Nato-Mitgliedschaft postsowjetischer Staaten bekommen.[70]

Eine ähnlich exklusive Beziehung zwischen Nato und Russland hatte der russische Präsident Boris Jelzin bereits 1993 in einem vertraulichen Schreiben an die USA, Deutschland, Frankreich und Großbritannien skizziert, um eine Nato-Osterweiterung zu verhindern: »Generell wäre uns eine Situation lieber, in der die Beziehungen zwischen unserem Land und der Nato um einiges enger wären als diejenigen zwischen der Allianz und Osteuropa.« Russland sei bereit, »gemeinsam mit der Nato offizielle Sicherheitsgarantien für die osteuropäischen Staaten mit Schwerpunkt auf der Wahrung der Souveränität und territorialen Integrität, der Unverletzbarkeit der Grenzen und der Aufrechterhaltung von Frieden in der Region anzubieten.« Damit hätte Russland als Garantiemacht direkten Einfluss auf die osteuropäischen Staaten ausüben können.[71]

Nach russischen Vorstellungen sollte es bei der europäischen Sicherheitsarchitektur also weniger um normative als vielmehr um Fragen »harter« militärischer Sicherheit gehen. Medwedjews Entwurf sah zwar ausdrücklich das Recht der Staaten auf Neutralität vor, nicht aber das in der KSZE-Schlussakte von 1975 verbriefte Recht, Sicherheitsvereinbarungen oder eine Bündniszugehörigkeit frei zu wählen. Es ging Moskau um die Konsolidierung des damaligen Status quo: Die postsowjetischen Staaten sollten

»Zone privilegierter russischer Interessen« bleiben. Es ging also nicht um einen gemeinsamen Sicherheitsraum von Vancouver bis Wladiwostok, sondern um zwei Zonen unterschiedlicher Sicherheit.[72] Diese Vorstellung entsprach dem russischen Denken in Großmachtkategorien: nicht *mit* den westlichen Nachbarstaaten Russlands, sondern im Zweifel mit anderen Großmächten *über* sie zu entscheiden. »Russland hat es nicht vermocht, nach dem Kalten Krieg ein kooperatives und vertrauensvolles Verhältnis zu seinen westlichen Nachbarn aufzubauen«, stellte der langjährige SPD-Außenpolitiker Karsten Voigt 2014 ostpolitisch erschüttert fest. »Dieses Defizit ist die wichtigste außenpolitische Ursache für die zunehmende Entfremdung zwischen Russland und der EU und Nato.«[73]

Auch die auf hoher politischer Ebene angesiedelte Meseberg-Initiative[74] zur Regelung des eingefrorenen Konfliktes in Transnistrien verlief nach 2010 im Sand – echter Wille zur Kooperation von russischer Seite aus schien selbst Experten in Moskau nicht vorhanden.[75] Transnistrien ist der rund 100 Kilometer lange Streifen entlang des östlichen Ufers des Dnjestr, der sich 1992 in einem Krieg von der Republik Moldau gelöst hatte. Die mehrheitlich russischsprachigen 500 000 Bewohner[76] waren seitdem von finanzieller Unterstützung aus Moskau abhängig, russische Truppen sind noch 2015 in Transnistrien stationiert.

Noch nach Putins Rückkehr in den Kreml 2012 hoffte man in Berlin auf Partnerschaft. Man erkannte nicht, dass sich Putins Westpolitik bereits grundlegend geändert hatte. Man las seine Botschaften falsch: glaubte, Putins Beschwerden über Einkreisung und Unterwanderung seien vor allem taktisches Kalkül. Man vertraute darauf, dass Putin weiterhin auf ökonomische Verflechtung setze: dass Deutschland für ihn letztlich, nun ja, »alternativlos« sei. Viel zu spät erkannte man, dass Putin und seine Vertrauten wohl wirklich glaubten, was sie sagten: Demonstrationen wie in Moskau 2011 und in Kiew 2013 würden von Russlands bittersten Feinden angezettelt. Quasi stellvertretend für den Rest der von den USA unterdrückten Welt definierte sich Russland nicht mehr als Partner des Westens, sondern als Verteidiger staatlicher Souveränität gegen die »arrogante Politik des Westens« und gegen angeblich von amerikanischen Geheimdiensten angezettelte Farben-Revolutionen.[77] Während Außenminister Frank-Walter Steinmeier noch zu Beginn seiner zweiten Amtszeit Ende 2013 ernsthaft an eine Neuauflage der Modernisierungspartnerschaft glaubte, schuf Präsident Putin auf der Krim und im Südosten der Ukraine militärische Fakten. Und aus dem strategischen Partner wurde ein strategisches Problem.

Unberechenbarkeit als Arbeitsprinzip und eine lange Nacht in Minsk

Kalt erwischt, stellten Kanzlerin Merkel und ihr Außenminister Anfang 2014 fest, dass Unberechenbarkeit nun neues Arbeitsprinzip des russischen Präsidenten schien. Merkel hatte in diesen Krisenmonaten mehrere Dutzend Mal mit Putin telefoniert, häufiger als je zuvor. Sie war die Einzige, die regelmäßig Kontakt zu ihm hielt. Anfangs hatte sie noch geglaubt, sie könne ihn einschätzen. Wenn Putin etwa die Präsenz russischer Truppen im Südosten der Ukraine abstritt und von russischen Freiwilligen auf »Urlaub« sprach, konterte sie auch mal beißend-ironisch: Wahrscheinlich hätten auch Bundeswehrsoldaten nichts Besseres zu tun, als ihre Ferien mit solcher Freiwilligenarbeit zu verbringen.[78] In den Telefonaten zeigte sich Putin durchaus kooperativ – doch dann passierte oft das glatte Gegenteil. Nicht dass der russische Präsident direkt gelogen hätte – aber er hielt Zusagen nicht ein. Manchmal waren die Mitarbeiter im Kanzleramt so wütend, dass sie von »Verarschung« sprachen.[79] Ähnlich erging es dem SPD-Parteivorsitzenden und Wirtschaftsminister Sigmar Gabriel, der im März 2014 nach Moskau fuhr. Putin empfing ihn zu einem Gespräch in seiner Residenz in Nowo-Ogarjowo. Er sprach die meiste Zeit deutsch. Überhaupt sprach er die meiste Zeit – Gabriel kam kaum zu Wort. Putin schimpfte vor allem über den aus Kiew geflohenen ukrainischen Präsidenten Wiktor Janukowitsch – »Vollidiot« war dabei noch eines der höflicheren Worte. Erst nach Ende des Gespräches erfuhr Gabriel von seinem Pressesprecher, dass ein Referendum auf der Krim geplant war. Dem deutschen Vizekanzler gegenüber hatte Putin kein einziges Wort darüber verloren. Putin habe seinen Gesprächspartner nicht für voll genommen, hieß es danach bei den ernüchterten Deutschen.[80]

Allerdings war es nun vor allem Aufgabe der Deutschen, die Krise zu entschärfen. In den USA hatte sich die Obama-Regierung zu diesem Zeitpunkt vom »Neustart« verabschiedet. Zwar hatte die US-Regierung mit Amtsantritt Obamas 2009 deutlich gemacht, dass eine Nato-Mitgliedschaft der Ukraine auf der außenpolitischen Agenda der USA keine Priorität mehr darstellte, doch im Januar 2013 hatte die damalige Außenministerin Hillary Clinton dem US-Präsidenten geraten, den »Pausenknopf zu drücken«: Die Beziehungen verschlechterten sich, Putin stelle eine Gefahr für Russlands Nachbarn und die globale Ordnung dar.[81] Nach dem russischen Asyl für den NSA-Whistleblower Edward Snowden sagte Obama ein geplantes Gipfeltreffen ab, trotz begrenzter Kooperation in der Iran-Frage und der auch für die USA erfolgreichen russischen Syrien-Initiative[82] waren die Beziehungen an einem neuen Tiefpunkt angelangt. Wladimir Putin machte die Verantwortlichen für die Demonstrationen des Majdan in den CIA-Büros der US-Botschaft in Kiew aus, Obama beleidigte Russland als »Regionalmacht«[83] – zunehmend aggressiver die Rhetorik des »blame game«. Die USA erwarteten von Deutschland, die Europäer auf eine einheitliche Position gegenüber Russland zu verpflichten. Und Angela Merkel wurde zur Frontfrau des Westens gegenüber Putin.

Vier Stunden trafen sie im November 2014 während des G20-Gipfels im australischen Brisbane aufeinander, ein nächtliches Gespräch unter vier Augen. Sie war, wie immer, bestens vorbereitet, ganz Merkel, die Physikerin. Sie hatte ukrainische Landkarten studiert, Straßenverläufe und Kontrollpunkte im Donbass, Grenzübergänge, sie hatte alle Zahlen im Kopf, die erste – bereits gescheiterte – Minsker Friedensvereinbarung vom September 2014 sowieso. Bis weit nach Mitternacht zog sich die Begegnung, am Ende war das gegenseitige Misstrauen größer als je zuvor. Fast zwei Stunden redete Putin mit seiner leisen Stimme mit dem scharfen Unterton über die Nato als angebliche Bedrohung Russlands, ein Mann voller Sendungsbewusstsein, schon lange jemand, den man nicht mehr unterbrechen durfte. Noch nie schienen Russland und der Westen so weit voneinander entfernt, unüberbrückbar die Differenzen.[84] Während Angela Merkel am anderen Morgen zum ersten Mal öffentlich scharfe Kritik am Vorgehen Russlands in der Ukraine übte und Putin vorwarf, das Völkerrecht mit Füßen zu treten und Europa destabilisieren zu wollen und zu spalten,[85] war Putin bereits abgereist. Es sei ein langer Flug von Australien nach Hause, sagte er. Und der Krieg im Südosten der Ukraine eskalierte weiter.

Aber Merkel, nunmehr in der Rolle der Weltkanzlerin, würde sich nicht vorwerfen lassen, sie habe nicht alles versucht. Eine militärische Lösung des Ukrainekonfliktes war für den Westen ausgeschlossen – also müsste wenigstens ein Waffenstillstand erreicht werden, eine Atempause. Und dann ... mal sehen.

In den letzten Januartagen 2015, etwa eine Woche vor Merkels geplanter Reise nach Washington, hatte Wladimir Putin nach einem Telefonat mit Merkel und dem französischen Staatspräsidenten François Hollande seinen Vorschlag für eine Regelung nach Berlin und Paris geschickt, den »Maßnahmenkomplex für die Realisierung der Minsker Vereinbarung vom 5. September 2014 zur Regulierung des Konfliktes im Südosten der Ukraine«. Nach einem Waffenstillstand sollte in einem Verhandlungsprozess die aktuelle Frontlinie berücksichtigt, damit die Geländegewinne der Separatisten aus den Monaten zuvor faktisch anerkannt werden. Vor allem aber forderte Putin Gesetzesänderungen von Seiten der Ukraine: eine Verfassungsänderung zugunsten einer weitgehenden Föderalisierung der Ostukraine sowie die Anerkennung der »autonomen Republiken« Donezk und Lugansk und ihrer »Volkswehr«. Von einer Schließung der ukrainisch-russischen Grenze war nicht die Rede. Und auch nicht davon, dass die Ukraine ein souveräner Staat mit unverletzlichen Grenzen sei.[86]

Im Berliner Kanzleramt, im Pariser Elysée war man alarmiert. Nicht nur, dass sich die Forderungen beinahe wie ein Friedensdiktat lasen. Offenbar zielte Putin auf eine trilaterale Lösung: Da würden drei Große das Schicksal der kleinen Ukraine untereinander ausmachen. Ähnlich wie 1945 im Liwadija-Palast zu Jalta auf der Krim – dort, wo Stalin nach Ende des Zweiten Weltkrieges seine Bedingungen zur Aufteilung Europas durchsetzen konnte.

Rasch verständigten sich Merkel und Hollande auf ein gemeinsames Vorgehen: Eine imperiale Lösung nach Putins Art dürfe es auf keinen Fall geben, schon gar keinen deutsch-russischen Alleingang, einen Sonderweg. Der ukrainische Präsident Petro Poroschenko wurde informiert; Diplomaten in Berlin, Paris und Kiew begannen die Arbeit an einem Gegenvorschlag.

Die Zeit drängte. Immer prekärer wurde die militärische Lage im Osten der Ukraine. Tausende Soldaten der ukrainischen Armee waren nahe dem Städtchen Debalzewe eingekesselt, darunter offenbar ein größerer Teil der noch kampffähigen Truppen. Das war Merkels große Sorge: Debalzewe würde unweigerlich fallen. Eine möglicherweise katastrophale Niederlage der ukrainischen Armee aber könnte zu einer unheilvollen Kettenreaktion führen – zu einer Regierungskrise in Kiew, vielleicht sogar zu Poroschenkos Sturz. Dann aber könnten die Kredite des IWF nicht ausgezahlt werden, müsste die Ukraine den Staatsbankrott erklären. Und Putin hätte sein mutmaßliches Ziel erreicht: nicht nur die annektierte Krim und ein eingefrorener Konflikt im Südosten der Ukraine, sondern ein ganzer »failed state«. Und das

Chaos würde er nutzen, um auch in Kiew wieder Einfluss zu gewinnen. Sein langjähriger Vertrauter in der Ukraine, Wiktor Medwetschuk, war als Verbindungsmann zwischen Moskau und Kiew bereits wieder etabliert.[87]

Außerdem standen Merkels Auftritt bei der Münchner Sicherheitskonferenz und ihr Besuch in den USA bevor. Dort müsste sie Position zur Diskussion um amerikanische Waffenlieferungen an die Ukraine beziehen. Gerade hatte dort ein Papier dreier renommierter Thinktanks für Schlagzeilen gesorgt: darin die Forderung nach Lieferung sogenannter »tödlicher Verteidigungswaffen« in Höhe von drei Milliarden Dollar über drei Jahre an die Ukraine.[88] US-Waffenlieferungen aber würden den Konflikt in der Ostukraine zu einem Stellvertreterkrieg zwischen den Russland und den USA machen, einem Krieg zwischen Ost und West.

Am Abend des 3. Februar 2014, ein Dienstag, trafen sich Merkel und Steinmeier im Kanzleramt. Sie entschieden, es zu wagen: ein Treffen mit Putin auf Grundlage eines gemeinsamen westlichen Gegenvorschlags. Und zwar nicht irgendwo und irgendwann, sondern sofort und bei ihm in Moskau. Sie würden ihm buchstäblich auf den Leib rücken. »Es war wie der unangemeldete Besuch ungeliebter Verwandter«, erinnerte sich später ein Teilnehmer der Reise.[89] Quasi eine Überrumpelung.

Auch wenn man das in Moskau ganz anders betrachtete: Als Einsicht. Als ob die Deutschen endlich zur Vernunft gekommen seien.

Sie informierten Washington und EU-Ratspräsident Donald Tusk, eilten erst nach Kiew, einen Tag später nach Moskau, der Franzose und die Deutsche, an einem kalten Freitagabend. Ein rasches Abendessen im Kreml, gute 30 Sekunden für ein verkrampftes Pressefoto an weißem rundem Tisch mit Blumengesteck; dann saßen sie über drei Stunden in Putins Amtszimmer. Immerhin rangen sie Putin die mögliche Zusage auf ein Gipfeltreffen in Minsk wenige Tage später ab. Russische Medien meldeten, Merkel habe Putin faktisch ein Ultimatum gestellt: Wenn er nicht einlenke, seien amerikanische Waffenlieferungen an die Ukraine unausweichlich.[90]

Danach arbeiteten Diplomaten aus Deutschland, Frankreich, der Ukraine und Russland im Berliner Auswärtigen Amt an einem Entwurf für das »Leaders Paper«, über das die vier Staatschefs dann am 11. Februar 2015 in Minsk beraten sollten.[91] In der langen Nacht von Minsk erkannte Putin schließlich an, was er zunächst nicht anerkennen wollte: Die Ukraine ist ein souveräner Staat, die russisch-ukrainische Grenze sollte bis Ende 2015 geschlossen werden. Mit anderen, entscheidenden Forderungen setzte sich Putin durch: die Anerkennung der Frontlinie als faktische Grenze innerhalb der Ukraine, eine gesetzliche Regelung über Dezentralisierung und damit einer erweiterten Selbstständigkeit der Gebiete im Südosten der Ukraine sowie Wahlen. Auch wenn keiner der vier Staats- und Regierungschefs die Minsker Vereinbarung unterschrieb, war doch spätestens seit der langen Nacht von Minsk klar: Deutschland würde von nun an direkte Verantwortung für Erfolg oder Misserfolg eines von Anfang an brüchigen Friedensprozesses tragen.[92]

Russland-Versteher, Putin-Versteher – Die deutsche Debatte um die Ukrainekrise

Mehr Verantwortung für die neue »Macht in der Mitte«[93] vielleicht, als vielen Deutschen lieb war. Denn über die Ukrainekrise tat sich eine merkwürdige Kluft zwischen Regierenden und Regierten auf, eine Vertrauenskrise, befördert durch ein gerüttelt Maß an Antiamerikanismus. In ihrer Kritik an Medien und Politikern fanden sich Rechte und Linke vereint in einer Querfront. Den Medien wurde »mainstreaming« angelastet, Journalisten wurden der Propaganda für die USA bezichtigt, Verschwörungstheorien über ein angebliches »Meinungskomplott« machten die Runde, ein Buch über »gekaufte Journalisten« schaffte es in die

Bestsellerlisten.[94] Nach Meinungsumfragen fühlte sich im Frühjahr 2015 nur ein Drittel der Bundesbürger ausgewogen über die Lage vor Ort und die Hintergründe des Ukraine-Konfliktes informiert: Es werde zu einseitig aus der Perspektive der Ukraine berichtet. Deutlich mehr Bürger aus dem Osten Deutschlands äußerten diese Meinung als die Befragten aus der ehemaligen Bundesrepublik.[95] Zwar fanden nach einer Umfrage im September 2014 mehr als 80 Prozent der Deutschen das Verhalten Russlands bedrohlich[96] – doch im Frühjahr 2015 meinte fast jeder dritte Deutsche, dass Deutschland – also die Nato – im Falle eines ernsthaften militärischen Konfliktes zwischen Russland und einem benachbarten Nato-Land nicht militärisch zu Hilfe kommen sollte.[97]

Offenbar hofften viele Deutsche, dass man zur vertrauten Stabilität zurückkehren könnte, wenn die Politiker des Westens von ihrer hegemonialen Hybris lassen und man Russland und seinen Präsidenten nur ein bisschen besser verstehen würde.

Erfahrene »Russland-Versteher« meldeten sich zu Wort, die alte Garde sozialdemokratischer Ostpolitik. Und manchmal schien es dabei, als hätten sie vergessen, dass Willy Brandt einst nicht in Moskau auf die Knie gefallen war und um Vergebung gebeten hatte, sondern in Polen.[98] Es schien, als wollten sie nicht wahrhaben, dass Putin Verträge gebrochen, die Säulen ihrer alten Ostpolitik zerstört hatte.

Altkanzler Helmut Schmidt etwa, moralische Instanz, dem man so gut wie alles verzieh, noch Ende 2013 zu Besuch bei Putin und von ihm als »Patriarch europäischer und globaler Politik« hofiert,[99] fand das russische Vorgehen »durchaus verständlich«, erklärte Sanktionen zu »dummem Zeug« und wusste, dass es unter Historikern umstritten sei, ob es »überhaupt eine ukrainische Nation gibt«.[100] Egon Bahr, in der SPD immer noch verehrter Architekt der Ostpolitik, nannte Putin einen »rationalen Menschen«, der »kein Interesse an Chaos in der Ukraine« habe,[101] und forderte, den neuen Status der Krim zwar nicht völkerrechtlich anzuerkennen, aber doch zu respektieren: Mit der DDR habe man es einst genauso gemacht.[102] Matthias Platzeck, einst SPD-Ministerpräsident in Brandenburg und seit 2014 Vorsitzender des russlandfreundlichen Deutsch-Russischen Forums, verstand die Russen – und Putin – angeblich schon aufgrund seiner ostdeutschen Herkunft besser[103] und konnte sich zumindest kurzzeitig eine Postfaktum-Anerkennung des neuen Status der Krim vorstellen: Die Frage müsse »nachträglich völkerrechtlich so geregelt werden, dass sie für alle annehmbar sei«, erläuterte er.[104]

Er wolle seinen Freund Wladimir Putin nicht verurteilen, meldete sich auch Altkanzler Gerhard Schröder, SPD, zu Wort. Schließlich habe er selbst ja auch im Jugoslawienkonflikt das Völkerrecht gebrochen: »Da haben wir unsere Flugzeuge ... nach Serbien geschickt und zusammen mit der Nato einen souveränen Staat gebombt.«[105] Dafür hatte man zumindest im Kanzleramt ebenso wenig Verständnis wie für die Party, die die Nord Stream AG im April 2015 anlässlich des 70. Geburtstages Gerhard Schröders für den Vorsitzenden ihres Aktionärsausschusses im noblen Jussupow-Palais in Sankt Petersburg ausgerichtet hatte. Auch Wladimir Putin kam, das Foto der herzlichen Umarmung der beiden Männer ging um die Welt.[106] Es war das Signal, das Merkel unbedingt vermeiden wollte: Putin ist in Wahrheit gar nicht isoliert, eher sind der Westen und Europa gespalten.[107] Der ehemalige Kanzlerberater Horst Teltschik, CDU, wie der russische Botschafter Wladimir Grinin Dauergast in deutschen Talkshows,[108] forderte Merkel auf, Putin »ein Angebot« zu machen, und kritisierte Maßnahmen wie Sanktionen, die der Westen »nicht einmal im Kalten Krieg ergriffen« habe.[109] Er unterschrieb auch den Aufruf »Wieder Krieg in Europa? Nicht in unserem Namen!«, den das Deutsch-Russische Forum initiiert hatte.[110] Darin wurde Russlands Vorgehen in der Ukraine mit der für Russland »bedrohlich wirkenden Ausdehnung des Westens nach Osten« erklärt, den deutschen Medien die »Dämonisierung ganzer Völker«, den Abgeordneten des Bundestages der »Aufbau von Feindbildern« vorgeworfen. Mit Putins Politik setzte man sich nicht auseinander. »Niemand will Krieg«, hieß es in diesem Aufruf – dabei herrschte zu diesem Zeitpunkt längst Krieg im Osten der Ukraine.»Es geht nicht um Putin«, hieß es – obwohl Putin in der Ukraine »seine Eskalationsdominanz virtuos ausspielt«, wie der renommierte Osteuropa-Historiker Karl Schlögel in einer Replik fassungslos notierte.[111]

Besorgt über die Folgen der Sanktionen und der russischen »Anti-Sanktionen«, murrten auch Vertreter der deutschen Industrie: Die Wirtschaft trage schließlich keine Verantwortung für die politische Krise. Werner Wenning, Aufsichtsratsvorsitzender von Bayer und E.ON, erklärte: »Wir Unternehmer können uns nicht jedes Mal das politische System aussuchen. Wir können nicht bei jedem Umsturz die Maschinen mitnehmen, das Land verlassen und sagen: Wir kommen wieder, wenn ihr unserem Verständnis von Demokratie entsprecht.«[112] Unwichtig, ob Putins Sicht auf die Welt richtig sei oder falsch, meinte etwa Eckhard Cordes, Vorsitzender des einflussreichen Ostausschusses der Deutschen Wirtschaft:»Perception is reality«. Die Sanktionen trieben Putin geradezu in die Arme der Chinesen. Schon gewähre der »lachende Dritte« China großzügig Milliardenkredite, schließe Gaslieferungsabkommen und erhalte Aufträge für große Infrastrukturprojekte, um die sich auch deutsche Unternehmen beworben hätten. Während die deutschen Exporte dramatisch einbrächen, profitierten China und ... die USA.[113] Putins Hinwendung zu China war allerdings weniger auf die westlichen Sanktionen zurückzuführen als vielmehr einer strategischen außenpolitischen Entscheidung geschuldet, die lange vor der Ukrainekrise getroffen worden war.

Zeitenwende

Die mit viel Emotion und Schuldzuweisungen geführte Debatte um »Russland- und Putin-Versteher« zeigte vor allem, dass

man in Deutschland nur schwer Abschied nehmen konnte vom
vertrauten Russland-Bild. Es sprach eine naive Hybris aus der
Überzeugung, dass Putin Russland wirklich in Europa verankern wollte, die Russen letztlich alle europäisch werden wollten und irgendwie wie ... die Deutschen.[114] Man wollte offenbar
darüber hinwegsehen, dass in Russland nun ein neues Feind-
bild inszeniert und propagandistisch befeuert wurde: die Deutschen. Das Vertrauen der Russen in sie sank dramatisch. Angela
Merkel war 2015 in Russland so unbeliebt wie kein Kanzler vor
ihr,[115] Deutsche wurden zum ersten Mal seit 70 Jahren wieder
als »Faschisten« bezeichnet: denn Deutschland, so das Narrativ,
wolle über die Ukraine auf Kosten Russlands zur alleinigen Führungsmacht in Europa aufsteigen – natürlich letztlich im Auftrag
der USA. Zur Seite geschoben wurde wohl auch in Deutschland
die traurige Wahrheit, dass Russland nie eine Aufklärung kannte, dass »seit dem Dreißigjährigen Krieg wohl kein Volk von auf-
einanderfolgenden Wellen der Gewalt schwerer traumatisiert
worden war als das russische im 20. Jahrhundert«, wie der amerikanische Russland-Diplomat George Kennan 1999 sagte: »Ein
ungeheurer Zerstörungsprozess, in dem alle Grundsäulen vernichtet wurden, auf denen eine einigermaßen fortschrittliche,
moderne Gesellschaft ruhen muss: Vertrauen, Hoffnung und
ein nationales Selbstbewusstsein.«[116] Nach den Verheerungen
des 20. Jahrhunderts ist Russland kaum mehr als eine atomi-
sierte Gesellschaft, die in Putins Politik des starken Staates, der
Feindbilder und des aggressiven Nationalismus so etwas wie neue
Gemeinschaft in einer nunmehr überlegenen russischen Welt
findet. In dieser Welt ist Gewalt ein von der Mehrheit akzeptier-
tes Mittel der Politik.[117]

Die Aufarbeitung der eigenen Geschichte begann unter Michail
Gorbatschow, doch sie endete nach kurzer Zeit. Die Entmythi-
sierung der Sowjetunion und des Stalinismus hätte in den Jahren der Stabilität von Präsident Putin fortgesetzt werden können,
gar müssen. Zu lernen, in Frieden mit sich selbst und seinen Nach-

barn zu leben – davon schien Putins Russland 2015 weit entfernt: »Mein Land hat gegenwärtig der Kultur, den Werten des Humanismus, der Freiheit der Persönlichkeit und der Idee der Menschenrechte, einer Frucht der gesamten Entwicklung der Zivilisation, den Krieg erklärt«, schrieb Ljudmila Ulizkaja, eine der bekanntesten Schriftstellerinnen Russlands, die groß wurde mit Bach und Beethoven und Dante und Shakespeare. »Mein Land krankt an aggressiver Unbildung, Nationalismus und imperialer Großmannssucht.« Sie schrieb: »Ich schäme mich für mein ungebildetes und aggressives Parlament, für meine aggressive und inkompetente Regierung, für die Staatsmänner an der Spitze, Möchtegern-Supermänner und Anhänger von Gewalt und Arglist, ich schäme mich für uns alle, für unser Volk, das seine moralische Orientierung verloren hat.«[118]

Eher ratlos brütete man in Berlin im Sommer 2015 über neuen Konzepten. Eine gründliche Überprüfung der deutschen Politik gegenüber Putins Russland stand an, nunmehr ohne Illusionen oder Nostalgie. Die Hoffnungen auf eine Europäisierung Russlands hatten sich nicht erfüllt, politischer Wandel durch ökonomische Verflechtung wurde nicht erreicht, Putins Modernisierungsversprechen reduzierte sich auf die Modernisierung des Militärs. Zerstörtes Vertrauen, Sorge über Putins Unberechenbarkeit und Selbstisolation – eine Rückkehr zum Status quo ante schien nicht möglich. Zugleich aber wollte man Putin nicht in die Knie zwingen. Sollte Deutschland unter diesen Umständen eine neue Ostpolitik wagen: anerkennen, was man ablehnt? War Deutschland nicht geradezu verpflichtet, auf Russland zuzugehen, die Hand auszustrecken, Entfeindung anzustreben? Eine Weile bastelte man im Auswärtigen Amt und in der Zentrale der SPD an einem Entwurf für eine neue Ost- und Entspannungspolitik. Die Papiere blieben in der Schublade, eine angedachte Konferenz wurde auf die fernere Zukunft verschoben. Eher unrealistisch auch die Idee, dass Berlin den deutschen OSZE-Vorsitz 2016 als Initialzündung für einen neuen Helsinki-Prozess nutzen könne: einem Entspannungsprozess wie in den 70er Jahren, der zur Unterzeichnung der KSZE-Schlussakte über Sicherheit 1975 geführt hatte. Die Zeiten seien wohl nicht danach, hieß es.[119]

Es blieb, so weit, Reaktion statt Aktion: Krisenmanagement und der Versuch einer illusionslosen Politik der ganz kleinen Schritte. Zwar vermied man den Begriff – aber wie zu Zeiten des Kalten Krieges galt es, Balance zwischen Abschreckung und Entspannung zu finden, zwischen Abgrenzung und Annäherung, zwischen Konflikt und Kooperation:[120] Wirtschafts- und Wissenschaftskontakte, erweiterter Jugendaustausch vielleicht, Städtepartnerschaften und Gesprächsforen für die immer kleiner werdende Gruppen der russischen Zivilgesellschaft. Man wollte an der wichtigen Nato-Russland-Grundakte von 1997 festhalten. Man brachte Verhandlungen zwischen der EU und der Eurasischen Wirtschaftsunion über eine möglich europäische Freihandelszone ins Gespräch – und sei es nur mit dem Ziel, überhaupt miteinander zu reden.[121] Und vertagte sich ansonsten auf die Vision einer gemeinsamen europäischen Sicherheitsordnung als Alternative zum russischen Supremat des »Gleichgewichts der Macht«: Sicherheit in Europa sei nur mit Russland zu erreichen. Das aber würde bedeuten, dass Wladimir Putin die grundlegenden Normen gesamteuropäischer Sicherheit akzeptieren müsste: territoriale Integrität, staatliche Souveränität und der Verzicht auf militärische Gewalt. Dafür gab es im Sommer 2015 von russischer Seite aus keine Anzeichen.

Große Visionen, winzige Schritte, Gesprächsangebote, eine offene Tür? Im Sommer 2015 fühlte sich die Realität anders an: rhetorisches Säbelrasseln zwischen den USA und Russland wie in den kälteren Zeiten des Kalten Krieges; russische Bomber in Sichtweite eines amerikanischen Kriegsschiffs,[122] gegenseitige Drohungen mit der Stationierung nuklearer Waffen.[123] Verlegung schweren militärischen Gerätes, auch amerikanischer Panzer, nach Polen und in die baltischen Staaten, eine Rückversicherung für die Länder an den Ostgrenzen der Nato. Das massive russische Aufrüstungsprogramm sowie Putins Ankündigung, 40 neue Interkontinentalraketen zu stationieren – war das alles wirklich nur Rhetorik, wie es in Berlin beschwichtigend hieß, »passiv-aggressives« Verhalten,[124] mit dem Putin lediglich den Westen spalten und verunsichern wollte? Niemand hatte eine Antwort. Um viele Jahre zurückgeworfen, standen die deutsch-russischen Beziehungen 2015: nahe null.

»Was tun?«

Mehr oder weniger hilflos begegnet man im Westen dem neuen Russland und seinem revisionistischen Präsidenten. Realpolitische Großdenker wie Helmut Schmidt oder Henry Kissinger nehmen den Westen in die Verantwortung und plädieren für eine Berücksichtigung angeblich legitimer russischer Sicherheitsinteressen im »Pufferstaat« Ukraine, für Verständnis um die Wiedereingliederung der Krim ohnehin.

Nach dem Ende des Kalten Krieges machte der Westen viele Fehler im Umgang mit Russland, einige davon in bester Absicht, andere aus begründeten, sicherheitspolitischen Erwägungen, wieder andere in ideologischer Selbstüberschätzung. Anfang der 90er Jahre versäumten es die USA, Russland umfassender in westliche Institutionen zu integrieren. Und schon wenige Jahre später, als es um die Aufnahme erster osteuropäischer Staaten in die Nato ging, verhärteten sich die Fronten. Der US-Regierung unter George W. Bush schien Putin bald kein verlässlicher Partner mehr. Nicht die Integration Russlands, sondern die zügige Integration der osteuropäischen Staaten in den Westen wurde als nationales Interesse der USA definiert: So sollte der entscheidende Gewinn des Sieges im Kalten Krieg gesichert werden. Selbstkritik tut not: Die eigenen demokratischen Werte und auch das Völkerrecht haben schließlich auch Politiker des Westens immer wieder leichtfertig über den Haufen geworfen, im Irak und in Guantánamo und anderswo, von der Duldung vieler

Offshore-Konten für schmutzig verdiente russische Milliarden ganz zu schweigen.

In der vielleicht naiven Hoffnung auf demokratischen Wandel sah man in den 90er Jahren über autoritäre Verhärtungen in Russland hinweg. Doch berechtigte westliche Kritik an Menschenrechtsverletzungen und fehlender Modernisierung, an der selektiven Justiz des »Systems Putin« und der Monopolisierung der Macht durch die »silowiki«, an Einschränkungen der Pressefreiheit, den Ermordungen Oppositioneller wurde von Putin als Angriff wahrgenommen. Um »regime change« in Russland aber ging – und geht – es nicht. Viel zu groß in den Hauptstädten des Westens die Sorge um Instabilität, gar Chaos in einem Russland ohne Putin. Die Jahre temporären Hegemonialstrebens, in denen die neokonservative US-Regierung nicht nur in Bezug auf Russland auf der »dunklen Seite« operierte, können nicht als Gesamtstrategie des Westens gegenüber Russland bewertet werden. Die faktische Absage an eine weitere Nato-Osterweiterung während des Bukarester Gipfels zeigt dies.

Vielmehr dienen die eingängigen russischen Erklärungsmuster der Einkreisung durch den Westen und der Unterwerfung unter sein »Friedensdiktat« letztlich der Legitimierung eines autoritären Herrschaftssystems und der Machtprojektion auf postsowjetische Staaten wie der Ukraine. Sie kaschieren die strukturellen Schwächen des Systems, den stetigen Niedergang. Die Abkehr vom Westen gehört zu Putins Überlebensstrategie. Die angeblich »genuinen russischen Interessen« folgende Ausrichtung nach China verschafft zwar eine Atempause, führt aber nur zu neuen Abhängigkeiten als Rohstofflieferant und Absatzmarkt für die Waren des chinesischen Wirtschaftswunders.

Immerhin herrscht jetzt Klarheit: Im Zäsurenjahr 2014 wurde Russland zur Bedrohung der europäischen Sicherheit. In der Ukraine zwang Putin den Westen zu einer Neubewertung: Von »Einbindung« durch strategische Partnerschaft kann auf lange Sicht keine Rede mehr sein – vor allem, weil sich Wladimir Putin nicht mehr einbinden lassen will. Doch eine Rückkehr zur »Eindämmungspolitik« des Kalten Krieges wäre falsch – sie zwänge beide Seiten immer tiefer in die Schützengräben, politisch wie militärisch. Ohnehin verläuft die Frontlinie schon durch die Ukraine, dem – nach Russland – zweitgrößten Flächenstaat Europas. Und dort bewies Putin, dass es sehr wohl eine militärische Lösung der Krise geben kann: Wenn man, wie er, bereit ist, militärische Mittel einzusetzen und die Kosten nicht scheut – oder unterschätzt.

Schwieriger ist es, eine politische Antwort auf die russische Eskalationsdominanz zu finden, gar eine neue Strategie zu formulieren. Auf der Suche danach bemüht man etwa in Berlin die jüngere Geschichte.[125] Das »Long Telegram from Moscow« etwa, das der damalige US-Spitzendiplomat George F. Kennan 1946 nach Washington schickte. In seinem Manifest der »Containment«-Politik forderte er zwar die Eindämmung der Sowjetunion – nicht aber den Sturz des Regimes. Zu Rate gezogen wird auch der »Harmel-Bericht« von 1967, in dem der belgische Außenminister Pierre Harmel eine friedensstiftende Antwort auf die damalige Nato-Strategie der massiven Vergeltung suchte. Harmel forderte eine starke Nato als Prinzip der Abschreckung, warb aber zugleich für eine Politik der Entspannung. Eine Strategie des »Sowohl-als-auch«. Das eine tun, ohne das andere zu lassen.

»Congagement« also, eine Strategie der »Einhegung«,[126] irgendetwas zwischen Eindämmung (»containment«) und Einbindung (»engagement«). Entworfen wurde »Congagement« Ende der 90er Jahre von einem amerikanischen Thinktank als Handlungsanweisung für den Umgang der USA mit China: die Einbindung des aufsteigenden Landes in internationale Organisationen sowie wirtschaftliche Kooperation, zugleich aber auch militärische Absicherung gegen mögliche Expansionsbestrebungen.

Auf Russland bezogen bedeutet dies: militärische Vertrauensbildung etwa im Nato-Russland-Rat und verhaltene, aber angemessene Abschreckung auch durch erweiterte militärische

Rückversicherung der Nato-Mitglieder im Osten Europas.[127] Damit zieht die Nato ihre roten Linien – und signalisiert Moskau und Kiew zugleich: Trotz des verbrieften Rechts auf Selbstbestimmung würde die Ukraine auf längere Zeit außen vor bleiben. Es gilt der Merkel-Kompromiss von Bukarest 2008: Die Ukraine wird Nato-Mitglied. Irgendwann.

Der Westen wird keinen Krieg um die Ukraine führen. Putin aber wird nicht weichen: Die Ukraine soll kein Entwicklungsmodell für andere Staaten des postsowjetischen Raumes werden, geschweige denn für Russland selbst. Instabilität und der »frozen conflict« im Donbass dienen als russische Trumpfkarten für Verhandlungen um die Aufteilung Europas in zwei Sicherheitssphären. Ob man will oder nicht: Die Zukunft der Beziehungen zwischen Russland und dem Westen wird sich an der Ukraine und ihrer künftigen Position in Europa entscheiden. Nicht Waffenlieferungen, sondern Milliardenkredite und Hilfsprogramme des Westens sowie die Anbindung an die Europäische Union können zu einer Stabilisierung der Ukraine beitragen – und die kleine, schmutzige Wahrheit dabei ist auch, dass die Kosten für einen möglichen Wiederaufbau des Donbass dann wohl letztlich vom Westen getragen würden, auch von den Deutschen. Es wäre die Aufgabe einer ganzen Generation.

»Congagement« bedeutet auch: eine Positiv-Agenda für Russland. Die Türen für kritischen Dialog sowie illusionslose und fallbezogene Kooperation bleiben offen. Eine Binsenweisheit ist, dass Sanktionen kein Ersatz für kluge Politik sind. Sie lösen den Konflikt nicht, doch als politisches Druckmittel bleiben sie unverzichtbar: Sie können zumindest an Verhandlungstische zwingen. Aufgewertet werden sollte die Organisation für Sicherheit und Zusammenarbeit in Europa OSZE – denn ihr gehört auch Russland an. Sie könnte die auch von Russland unterschriebenen Verpflichtungen zur Achtung von Menschenrechten und demokratischen Wahlen zumindest einfordern. Denn wahr bleibt ja: Frieden in Europa kann es nur mit Russland geben.

Persönlich wie selten erzählte Angela Merkel auf der Münchner Sicherheitskonferenz Anfang Februar 2015, wie lange die Menschen der DDR auf Selbstbestimmung warten mussten, auch sie. Es war ihre realpolitische Botschaft an die Ukraine. Die Botschaft an ihr eigenes verunsichertes Land und an Europa aber ging unter im Summen des Saals. Denn sie mahnte Geschlossenheit an und langen Atem: »Wie schnell wir verzagt sind, dass etwas nicht läuft.«[128] So aber, sagte sie noch und schloss für einen Moment die Augen, kann man keine Schlacht gewinnen.

Es bleiben Einigkeit und »strategische Geduld«[129] im Umgang mit einem Land, das seinen Platz nun nicht mehr in Europa finden will. Es bleibt eine verwegene Hoffnung: Dass die Politik der ganz kleinen Schritte auf Dauer machtvoller ist als Eskalationsdominanz. Und die große, universelle Lehre aus dem Horror des 20. Jahrhunderts gilt: Dass Gewalt eingehegt werden kann durch das Recht.

Chronologie

1952 7. Oktober Wladimir Putin wird in Leningrad geboren.
1975 Die 35 Staaten der Konferenz für Sicherheit und Zusammenarbeit in Europa KSZE unterzeichnen die Schlussakte von Helsinki.
1985 11. März Gorbatschow wird zum Generalsekretär der KPdSU ernannt.
      August Putin beginnt seinen Auslandseinsatz in Dresden.
1987 Gorbatschow leitet den Prozess der Perestroika ein.
      8. Dezember Gorbatschow und Reagan unterzeichnen das Abkommen zur Reduzierung nuklearer Mittelstreckenraketen (INF-Vertrag).
1989 6. Juli In Paris beschreibt Gorbatschow seine Vision eines »gemeinsamen europäischen Hauses«.
      9. November Die Berliner Mauer fällt.
      28. November Kohl erläutert im Bundestag den 10-Punkte-Plan.
1990 Januar Putin kehrt nach Leningrad zurück. Er wird später zum Leiter des Komitees für Außenbeziehungen im Sankt Petersburger Bürgermeisteramt ernannt.
      14. März Gorbatschow wird vom Kongress der Volksdeputierten zum Präsidenten der Sowjetunion gewählt.
      30./31. Mai Gipfel von Washington. Überraschend erklärt sich Gorbatschow mit der Wiedervereinigung Deutschlands in der Nato faktisch einverstanden.
      15./16. Juli Während des Treffens mit Kohl in Moskau sowie in Archys im Kaukasus stimmt Gorbatschow der deutschen Wiedervereinigung in der Nato zu.
      21. November In der Charta von Paris verpflichten sich alle europäischen Staaten sowie Kanada und die USA auf demokratische Werte und die Unverletzlichkeit der Grenzen.
1991 12. Juni Jelzin wird zum Präsidenten Russlands gewählt.
      1. Juli Formale Auflösung des Warschauer Paktes
      19.–21. August Ein Putschversuch gegen Gorbatschow scheitert.
      1. Dezember Referendum über die Unabhängigkeit der Ukraine
      8. Dezember Boris Jelzin und die Präsidenten der Ukraine und Belarus' unterzeichnen das Abkommen über die Gründung einer Gemeinschaft unabhängiger Staaten. Es bedeutet das Ende der Sowjetunion.
      25. Dezember Rücktritt Michail Gorbatschows

1992 Januar Beginn des Streits zwischen der Ukraine und Russland um den Status der Krim und der Schwarzmeerflotte

29. Januar Beginn der ökonomischen »Schocktherapie« in Russland

30. Juni Die Krim erhält weitgehende Autonomie innerhalb der Ukraine.

1993 3. Januar George Bush und Boris Jelzin unterzeichnen das nukleare Abrüstungsabkommen Start-II.

21. September Boris Jelzin löst das russische Parlament auf.

3. Oktober Beschuss des von Jelzin-Gegnern besetzten russischen Parlaments durch die russische Armee

1994 Januar Die Nato startet das »Partnership for Peace«-Programm.

Januar In einem Abkommen mit Russland und den USA erklärt sich die Ukraine zur Vernichtung ihrer Atomwaffen bereit.

August Die letzten russischen Truppen verlassen das Baltikum.

1. Dezember Russische Truppen marschieren in Tschetschenien ein. Beginn des ersten Tschetschenienkrieges. Er endet 1996.

5. Dezember Im Budapester Memorandum garantieren die USA, Russland und Großbritannien die territoriale Integrität und Souveränität der Ukraine.

1995 Juni Die neue ukrainische Verfassung legt die Krim als Bestandteil der Ukraine fest. Zunächst zurückgenommene Autonomieregelungen werden im August teilweise wiederhergestellt. Die Krim hat als autonome Republik ein eigenes Parlament, eine Regierung und eine Verfassung.

November Aufnahme der Ukraine in den Europarat

1996 Februar Aufnahme Russlands in den Europarat

Juli Jelzin wird mit massiver Unterstützung der russischen Oligarchen erneut zum russischen Präsidenten gewählt.

August Putin wird zum stellvertretenden Leiter der Liegenschaftsverwaltung des Kreml ernannt.

1997 27. Mai Unterzeichnung der Nato-Russland-Gründungsakte, das Konsultationsforum »Gemeinsamer Ständiger NATO-Russland-Rat« wird eingerichtet.

28. Mai Abkommen zwischen der Ukraine und Russland über die Schwarzmeerflotte

31. Mai Freundschaftsvertrag zwischen Russland und der Ukraine

Juli Abkommen über besondere Partnerschaft zwischen der Nato und der Ukraine

1998 Mai Russland wird Mitglied in der G8.

Juli Wladimir Putin wird zum Chef des Geheimdienstes FSB ernannt.

August Finanzkrise. Russland erklärt die Zahlungsunfähigkeit.

Herbst Machtkämpfe um die mögliche Nachfolge Boris Jelzins

1999 März – Juni Nato-Operation »Allied Force« im Kosovokrieg: Serbien wird bombardiert, auch die Hauptstadt Belgrad.

12. März Erste Osterweiterung der Nato: Beitritt von Polen, Ungarn und der Tschechischen Republik

Juni UN-Friedenstruppen für den Kosovo unter Teilnahme Russlands eingesetzt. Zwischenfall auf dem Flughafen von Pristina

9. August Putin wird zum russischen Ministerpräsidenten ernannt.

30. September Beginn des zweiten Tschetschenienkrieges. Er endet 2009.

29. Dezember: Putin stellt seine Millenniums-Botschaft vor.

31. Dezember Jelzin tritt zurück, Putin wird amtierender russischer Präsident.

2000 26. März Putin wird zum russischen Präsidenten gewählt.

Mai Mit der Ernennung der sieben Super-Gouverneure beginnt die Einrichtung der »Vertikale der Macht«. Die Macht der »silowiki« wächst. Kontrolle über die Fernsehanstalten wird zurückgewonnen.

Frühling und Sommer Putin initiiert liberale Wirtschaftsreformen bei strikter Fiskalpolitik.

12. August Untergang des russischen U-Bootes »Kursk«

Winter Erste Antiregierungsdemonstrationen in Kiew

2001 April Gründung der Putin-Partei Einiges Russland

11. September Unmittelbar nach den Terroranschlägen ruft Wladimir Putin US-Präsident George W. Bush an und bietet seine Hilfe an.

25. September In einer Rede im Deutschen Bundestag bietet Putin eine strategische ökonomische Allianz zwischen Deutschland und Russland an.

14. November George W. Bush empfängt Putin auf seiner Ranch in Crawford, Texas.

13. Dezember Die USA kündigen einseitig den ABM-Vertrag.

2002 28. Mai Substanzielle Aufwertung des Nato-Russland-Rates in Rom

11. November EU-Russland-Gipfel in Brüssel

2003 Februar Die Anti-Kriegs-Koalition: Russland, Deutschland und Frankreich sprechen sich gegen den Irak-Krieg aus.

19. März Der zweite Irak-Krieg beginnt.

20. Mai Pompöse Festlichkeiten zum 300. Jahrestag der Gründung Sankt Petersburgs

23. Oktober Yukos-CEO Michail Chodorkowskij wird verhaftet.

November Rosen-Revolution in Georgien

Dezember Mit Protesten gegen Wahlfälschungen beginnt die Orange Revolution in der Ukraine. Wiktor Juschtschenko wird zum Präsidenten gewählt.

2004 14. März Putin wird für eine zweite Amtszeit gewählt.

29. März Zweite Runde der Nato-Osterweiterung: Bulgarien, Estland, Lettland, Litauen, die Slowakei und Slowenien treten bei.

1. Mai Bislang größte Erweiterungsrunde der EU: Estland, Lettland, Litauen, Malta, Polen, die Slowakei, Slowenien, Tschechien, Ungarn und Zypern treten bei.

September Stärkung der Putin'schen Machtvertikale nach der Geiselnahme in Beslan

2005 Februar Bilateraler Aktionsplan zwischen der EU und der Ukraine
März Tulpen-Revolution in Kirgistan
Mai Michail Chodorkowskij wird zu neun Jahren Arbeitslager verurteilt.
2006 Januar Gazprom stoppt Gaslieferungen an die Ukraine.
Sommer Russland zahlt letzte Schulden an private ausländische Gläubiger zurück und erreicht finanzielle Souveränität.
28. November Gesetz über den »Holodomor« in der Ukraine
2007 10. Februar Putins Rede auf der Münchner Sicherheitskonferenz
26. April Russland setzt den Vertrag über Konventionelle Streitkräfte in Europa aus.
8. Juni G8-Gipfel in Heiligendamm. Russische Kritik an der geplanten US-Raktenabwehr
10. Dezember Putin schlägt Medwedjew als seinen Nachfolger vor.
2008 3./4. April Auf dem Nato-Gipfel in Bukarest werden die Anträge der Ukraine und Georgiens zur Teilnahme am Aktionsplan für eine Nato-Mitgliedschaft MAP abgelehnt.
Mai Amtseinführung des neuen Präsidenten Medwedjew. Putin wird von der Staatsduma als Ministerpräsident bestätigt.
Mai Die Ukraine wird Mitglied der Welthandelsorganisation WTO.
Mai Der deutsche Außenminister Frank-Walter Steinmeier bietet Russland die »Modernisierungspartnerschaft« an.
7.–16. August Georgienkrieg
Herbst Die globale Finanzkrise trifft die russische Wirtschaft hart.
2009 Januar Stopp russischer Gaslieferungen an die Ukraine, auch einige EU-Länder sind betroffen.
April Ende des zweiten Tschetschenienkrieges
Frühling Der »Reset« in den amerikanisch-russischen Beziehungen beginnt.
1. Mai Die EU startet das Programm der »Östlichen Partnerschaft«.
Juni Präsident Medwedjew schlägt eine gesamteuropäische Sicherheitsarchitektur vor.
2010 2. Februar Wiktor Janukowitsch gewinnt die Präsidentschaftswahlen in der Ukraine.
8. April Barack Obama und Dmitrij Medwedjew unterzeichnen das nukleare Abrüstungsabkommen New Start.
6. Juli Gründung der Eurasischen Zollunion, bestehend zunächst aus Russland, Belarus und Kasachstan.
2011 24. September Medwedjew und Putin erklären, Putin wolle 2012 in den Kreml zurückkehren.
Oktober Abschluss der Verhandlungen zwischen EU und der Ukraine über das umfassende Freihandels-und Assoziierungsabkommen
11. Oktober Die ehemalige ukrainische Ministerpräsidentin Julija Timoschenko wird zu sieben Jahren Freiheitsentzug verurteilt.

4. Dezember Russische Parlamentswahlen

Dezember – Mai 2012 In Moskau finden Proteste gegen Wahlfälschungen und später auch gegen Putin statt.

2012 4. März Putin wird für eine dritte Amtszeit zum Präsidenten Russlands gewählt.

Frühjahr Beginn repressiver Maßnahmen gegen Demonstranten und Kreml-Kritiker

Mai Putin sagt Teilnahme an G 8-Gipfel in den USA ab.

Juli Gegen NGOs gerichtetes russisches Gesetz über »ausländische Agenten«

10. August Verabschiedung des Gesetzes zur Verwendung von Minderheitssprachen in der Ukraine. Es wertet den Status des Russischen auf.

22. August Russland wird Mitglied in der Welthandelsorganisation WTO.

2013 Juni Edward Snowden sitzt auf dem Moskauer Flughafen fest. Er erhält eine Aufenthaltsgenehmigung für Russland.

Sommer »Schokoladen-Krieg«: Russland verschärft Importkontrollen für ukrainische Waren, etwa für Schokolade.

19. September Programmatische Rede Putins auf dem Waldaj-Forum

21. November Janukowitsch setzt die für den 28. November geplante Unterzeichnung des Assoziierungsabkommens zwischen der EU und der Ukraine überraschend aus. Erste Demonstration auf dem Kiewer Majdan-Platz

2014 Januar Zunehmend gewalttätige Demonstrationen in Kiew

7.–23. Februar Winterolympiade in Sotschi

18.–20. Februar Eskalation der Gewalt während der »Anti-Terror-Operation« der Regierung auf dem Majdan, Dutzende Tote

21. Februar Mit ausländischer Vermittlung gelingt eine Vereinbarung zwischen der Opposition und Janukowitsch.

21./22. Februar Janukowitsch flüchtet aus Kiew.

22. Februar Das ukrainische Parlament enthebt Janukowitsch seines Amtes.

22./23. Februar Beginn der russischen Operation zur Annexion der Krim

27. Februar Besetzung des Parlaments der Krim in Simferopol, Einsetzung eines neuen Ministerpräsidenten

16. März Referendum über die »Wiedervereinigung der Krim mit Russland«

17. März Erste Sanktionen der USA und der EU gegen Russland

18. März Putin erklärt die Aufnahme der Krim in die Russische Föderation.

24. März Russlands Mitgliedschaft in der G 8 wird ausgesetzt

März Prorussische Demonstrationen im Osten der Ukraine

April Ausrufung der »Volksrepubliken« Donezk und Lugansk

April Präsident Putin spricht von »Noworossija«

11. Mai Referendum über die Unabhängigkeit der beiden »Volksrepubliken«

25. Mai Im ersten Wahlgang wird Petro Poroschenko zum Präsidenten der Ukraine gewählt.

29. Mai Belarus, Kasachstan und Russland unterzeichnen das Gründungsabkommen der Eurasischen Wirtschaftsunion.

Sommer Militärische Eskalation im Südosten der Ukraine, verdeckter Einsatz regulärer russischer Truppen

26. Juni Georgien, Moldowa und die Ukraine unterzeichnen Assoziierungsabkommen mit der EU

17. Juli Abschuss des malayischen Verkehrsflugzeugs MH17 bei Donezk, 298 Menschen sterben.

31. Juli Sektorale und Finanz-Sanktionen der EU und der USA gegen Russland

7. August Russland verkündet Gegensanktionen: Importverbote aus der EU und den USA.

5. September Im ersten Minsker Abkommen wird ein Waffenstillstand vereinbart.

2. November Aus umstrittenen Wahlen gehen die »Republikchefs« der »Volksrepubliken« als Sieger hervor.

15. Dezember Dramatischer Verfall des Rubel

2015 Januar Verschärfung des militärischen Konflikts im Südosten der Ukraine

6. Februar Bundeskanzlerin Angela Merkel und der französische Staatspräsident François Hollande reisen zu einem Treffen mit Putin nach Moskau.

12. Februar Zweites Minsker Abkommen über Waffenstillstand, Abzug der schweren Waffen und mögliche Dezentralisierung, die auch das Gebiet der »Volksrepubliken« im Donbass umfassen soll

27. Februar Der Oppositionspolitiker Boris Nemzow wird in der Nähe des Moskauer Kreml erschossen.

11. März Der IWF gibt Kredite in Höhe von 17 Milliarden Dollar an die Ukraine frei.

16. Mai Die russische Staatsduma verabschiedet das Gesetz über »unerwünschte ausländische Organisationen«.

Juni Überlegungen zu vorgezogenen Parlaments- und Präsidentschaftswahlen in Russland

Juli Pläne zur Wiedererrichtung des Denkmals für den Gründer des sowjetischen Geheimdienstes Tscheka, Felix Dserschinskij, im Mokauer Stadtzentrum

Juli Der ukrainische Präsident Poroschenko legt Gesetze zu Dezentralisierung der Ukraine vor.

Juli Ankündigung von »Wahlen« in den »Volksrepubliken« Donezk und Lugansk für den 18. Oktober

Putins Welt: von A bis Z

A Anti-Majdan

Gegen die Kiewer Majdan-Demonstrationen 2013/2014 gerichtete prorussische Proteste auf der Krim und im Osten der Ukraine. Wahrscheinlich von russischen nationalistischen Bewegungen und Sondereinheiten der Geheimdienste unterstützt. Seit Anfang 2015 auch in Russland aktiv, vor allem in Moskau. Erklärtes Ziel: die Verhinderung sogenannter Farben-Revolutionen.

B »bolotniki«

Bezeichnung für die Demonstranten, die auf dem Moskauer Bolotnaja-Platz 2011/2012 gegen Fälschungen bei den Duma-Wahlen und gegen Putin protestierten. Mehrere Dutzend Demonstranten wurden unter dem Vorwurf der Anstiftung zu Massenunruhen und des Widerstandes gegen die Staatsgewalt verhaftet, angeklagt und zum Teil zu Haftstrafen in Arbeitslagern verurteilt.

C Chodorkowskij, Michail Borisowitsch

Einst reichster Mann Russlands, bekanntester Oligarch der Jelzin-Ära, Mehrheitsinhaber des damals größten russischen Ölkonzerns Yukos. Im Oktober 2003 verhaftet und in zwei als Schauprozessen bezeichneten Gerichtsverfahren zu langjährigen Haftstrafen verurteilt. Verbrachte mehrere Jahre in Arbeitslagern in Ostsibirien und Karelien. Im Dezember 2013 kurz vor Ende seiner Haftstrafe unter Vermittlung Hans-Dietrich Genschers von Präsident Putin aus humanitären Gründen begnadigt. Gründer der Bewegung » Open Russia«, die sich für demokratischen Wandel in Russland einsetzt. Lebt mit seiner Familie in der Schweiz.

D Demokratie, souveräne

Als Weiterentwicklung der »gelenkten Demokratie« Anfang 2006 verkündete politische Grundordnung der Putin-Ära. In Abgrenzung zu Demokratien westlichen Typs unterstreicht der Begriff den Sonderweg des »souveränen« Nationalstaates. Beinhaltet Unterordnung politischer Akteure und Parteien unter die Interessen des Staates. Die Partei Einiges Russland soll die Rolle der mehrheitssichernden Einheitspartei übernehmen. Als Erfinder gilt der Marketing-Experte und ehemalige »Kreml-Ideologe« Wladislaw Surkow, seit September 2013 als persönlicher Berater Putins auch für die Ukraine zuständig. Das Konzept wurde von Putin selbst allerdings als widersprüchlich in Frage gestellt.

E Eurasien

Geostrategisch und ökonomisch wichtige Landmasse ohne klar definierte natürliche Grenzen zwischen Zentral- und Nordeuropa, dem Mittleren Osten und Ostasien. Seit dem 18. Jahrhundert Begriff für ein Imperium mit Russland als »Herzland«, das sich von der Ostsee bis Afghanistan erstreckte. Galt auch als kulturelle Brücke zwischen Islam und Christentum. Die 2015 offiziell gegründete Eurasische Wirtschaftsunion (EAWU) soll Russland, Belarus, postsowjetische Staaten in Mittelasien sowie dem Kaukasus in einen einheitlichen Wirtschaftsraum integrieren.

F FSB

»Federalnaja Sluschba Besopasnoti«, Föderaler Dienst für Sicherheit. Seit 1995 Bezeichnung für den Russischen Inlandsgeheimdienst, faktisch Nachfolger des gefürchteten Komitees für Staatssicherheit KGB. Zuständig für Spionageabwehr und Grenzkontrolle. Gilt als Machtbasis des russischen Präsidenten. Nach Schätzungen rund 200 000 Mitarbeiter. FSB-Sondereinheiten sollen 2014 auf der Krim und in der Ostukraine tätig gewesen sein. Aus dem KGB ging außerdem der Auslandsgeheimdienst SWR hervor, für den das Ehepaar mit den mutmaßlichen Tarnnamen Heidrun und Andreas Anschlag über 20 Jahre in Deutschland gearbeitet haben soll. Beide im Juli 2013 zu mehrjährigen Haftstrafen verurteilt.

G »Gaskriege«

Politisches Druckmittel in Form von Preisgestaltung und Lieferstopps in Auseinandersetzungen mit der Ukraine, einem der wichtigsten Transportländer russischen Erdgases nach Europa. Erster Lieferstopp im Januar 2005, danach mehrmals Kürzungen der Liefermengen wegen nicht beglichener Rechnungen. Unterbrochene Gaslieferungen nach Westeuropa im Winter 2009. Drohungen mit Lieferstopps während der Ukrainekrise 2014. Ein 2015 unter anderem mit Griechenland avisiertes Pipelineprojekt soll Russland von Pipelines durch die Ukraine unabhängiger machen. Umgekehrt will die Ukraine mit Gaslieferungen aus Westeuropa unabhängiger von Russland werden.

H »Höfliche Menschen«

Bezeichnung für hochmodern ausgerüstete russische Elitetruppen ohne Hoheitszeichen, die ab Februar 2014 auf der Krim aktiv wurden. Auch »grüne Männchen« genannt. 2014 kamen in Russland T-Shirts mit Putin-Konterfei in Mode, auf denen der russische Präsident als »höflichster Mensch« bezeichnet wird. Auch Bezeichnung für eine Männermodekollektion, die im Auftrag des russischen Verteidigungsministeriums entworfen wurde. Eigener Twitter-Account.

I Informationskrieg

Im Ukraine-Konflikt aufgekommene Bezeichnung für eine Methode russischer hybrider Kriegsführung. Nutzt gezielte Falsch- oder Teilinformation zur Manipulation der internationalen Öffentlichkeit und zur innenpolitischen Mobilisierung. Sogenannte Trolle verbreiten über soziale Netzwerke auch im Ausland prorussische Propaganda und hämische Westkritik. Barack Obama wird oft mit einem Affen verglichen.

J Jalta

Subtropischer Kurort auf der Krim. Seit der Zarenzeit beliebtes Ferienziel. International bekannt durch die Konferenz von Jalta im Februar 1945, zweites der drei Gipfeltreffen der Alliierten des Zweiten Weltkrieges. Faktische Aufteilung Europas in Einflusszonen durch die »Großen Drei« Winston Churchill, Franklin Roosevelt und Josef Stalin. Verabredung über die Aufteilung Deutschlands in drei – später vier – Besatzungszonen. Festlegung der »Curzon-Linie« als Ostgrenze Polen. Die Festlegung der polnischen Westgrenze wurde vertagt, doch wurde Polen ein »beträchtlicher Gebietszuwachs« als Kompensation für den Verlust seiner Ostgebiete zugesagt. In einem geheimen Zusatzabkommen verpflichtete sich die Sowjetunion, 90 Tage nach der Kapitulation Deutschlands den Krieg gegen Japan zu eröffnen.

K Krimkrieg

Krieg zwischen Russland und dem Osmanischen Reich sowie Großbritannien und Frankreich 1853–1856, gilt als erster imperialistischer Krieg: Durch ihr Eingreifen verhinderten Großbritannien und Frankreich die Expansion Russlands nach Süden. Nach der verheerenden russischen Niederlage im besonders verlustreichen Stellungskrieg Beginn von Militärreformen in Russland, 1861 Aufhebung der Leibeigenschaft. Begründete den Mythos der »Heldenstadt« Sewastopol, die nach einjähriger Belagerung fiel. Der Krimkrieg markiert auch den Beginn der modernen Kriegsberichterstattung, Nachrichtenübermittlung durch Telegrafie.

L »liberaly«

Sammelbegriff für die westlich orientierte, demokratische Opposition in Russland. Im russischen Parlament faktisch nicht mehr vertreten. Nach der Ermordung des Oppositionspolitikers Boris Nemzow Ankündigung eines Bündnisses der oppositionellen Fortschrittspartei Alexej Nawalnyjs und der RPR-Parnass unter Führung des ehemaligen Ministerpräsidenten Michail Kassjanow mit dem Ziel, gemeinsame Kandidaten für die Regional- und Parlamentswahlen 2016 aufzustellen.

M Magnitzkij-Akt

Zusatzklausel des im Dezember 2012 verabschiedeten US-Gesetzes über Handelserleichterungen für Russland, welches die Jackson-Vanik-Klausel von 1974 ersetzte. Sieht Einreiseverbote für russische Amtsträger vor, die in Verbindung mit dem Fall Magnitzkij stehen sollen: Der russische Wirtschaftsprüfer und Anwalt Sergej Magnitzkij hatte im Rahmen seiner Tätigkeit für die Finanzfirma Hermitage Capital Management eine Untersuchung wegen illegaler Steuerrückerstattungen in Höhe von umgerechnet 230 Millionen Dollar zugunsten korrupter Beamter eingeleitet. Er wurde im November 2008 wegen angeblicher Mittäterschaft bei Steuerhinterziehung verhaftet und starb 2009 in einem Moskauer Untersuchungsgefängnis aufgrund der verschärften Haftbedingungen und gezielter Vernachlässigung. Sein Fall belastete die Beziehungen zwischen den USA und Russland erheblich. Russland beantwortete den Magnitzikij-Akt mit einem Adoptionsverbot für russische Waisenkinder durch amerikanische Adoptiveltern. Magnitzkij wurde 2013 posthum wegen Steuerhinterziehung zu neun Jahren Haft verurteilt.

N Nato-Russland-Rat

Im Rahmen der Nato-Russland-Grundakte von 1997 geschaffener Konsultationsmechanismus über Fragen der militärischen Zusammenarbeit, der 2002 substanziell aufgewertet wurde. Wichtigstes Forum der Verständigung in Krisenzeiten. Entscheidungsfindung unter Vorsitz des Nato-Generalsekretärs nach dem Konsensprinzip. Keine Seite hat ein Vetorecht. Der Nato-Russland-Rat tagt zweimal jährlich auf Ebene der Außen- und Verteidigungsminister sowie der Generalstabschefs. Nach dem Georgienkrieg 2008 kurzzeitig ausgesetzt. Während der Ukrainekrise nicht einberufen.

O Oligarchen

In den 90er Jahren entstandene kleine Gruppe von Unternehmern, zum Teil mit großem Einfluss auf die Politik. Nutznießer der Privatisierungen staatlicher Unternehmen vor allem im Rohstoffbereich. Rascher Aufstieg zu Milliardären.

Nach Verhaftung Chodorkowskijs kein politischer Machtfaktor mehr. Unter
Putin Herausbildung einer neuen, loyalen Oligarchen-Gruppe, oft mit langjährigen persönlichen Beziehungen zu Putin. Werden auch herangezogen, um
große staatliche Projekte zu realisieren und politische Kampagnen zu finanzieren. Wurden seit der Ukrainekrise gedrängt, ihr Kapital nach Russland zurückzuführen.

P   Polittechnologie

Bereits in der Sowjetunion genutzte Mechanismen der politischen Mobilisierung und Manipulation, zum Beispiel durch Gründung von Parteien und
Bewegungen, durch Wahlmanipulationen oder auch durch Provokateure,
die etwa zu gewalttätigen Demonstrationen aufrufen. Unter Präsident Putin
massiv ausgeweitet, 2004 auch in der Ukraine eingesetzt: Lässt autoritäre
Strukturen demokratischer erscheinen.

Q   QIWI

In Russland weit verbreitetes Online-Zahlungssystem der auf Zypern registrierten Firma QIWI. Überweisungen auch von Bargeld an rund 170 000 Ter-
minals. Über QIWI sollen Zahlungen an Separatisten und Freiwilligenbataillone im Südosten der Ukraine abgewickelt worden sein.

R   »russkij mir«

Orthodox-ostslawischer, der EU und den USA entgegengestellter ideologischer
und geografischer Raum der »Russischen Welt«. Von Russland geführt, gilt
die Ukraine als Kernbestandteil der ethno-kulturellen Gemeinschaft. Auch
Name der 2007 gegründeten staatlichen Stiftung, die interkulturellen Dialog
und die Vermittlung russischer Sprache im Ausland – und Inland – fördern soll.

S   »silowiki«

Begriff für Vertreter aus Geheimdienst und Armee in hohen politischen Positionen. Herkunft meist aus den Geheimdiensten oder den sogenannten
»silowye ministerstwa«, den Machtministerien wie Verteidigungs- und Innenministerium. Politischer Machtfaktor bereits unter Präsident Jelzin, bilden die »silowiki« die Machtbasis Wladimir Putins.

T   Tschetschenienkriege

Unter den Präsidenten Jelzin (1994–1996) sowie Putin (1999–2009) geführte
Kriege bzw. sogenannte Anti-Terror-Operationen der russischen Armee zur
Verhinderung der Abspaltung der autonomen, mehrheitlich muslimischen Kau-

kasusrepublik Tschetschenien. Mindestens 160 000 Tote. Von Russland finanziell abhängig, schwor Republik-Alleinherrscher Ramsan Kadyrow ewige Treue
zu Putin. Ökonomische und soziale Probleme in den anderen Republiken des
Nordkaukasus wie etwa Nordossetien bleiben ungelöst – wachsender Islamismus
ist die Folge. Immer wieder Terroranschläge in russischen Städten, auch Moskau.

U   Uwarow-Doktrin

Nach dem russischen Bildungsminister Sergej Uwarow benannte Staatsideologie, die auf den Prinzipien »Orthodoxie, Autokratie und Volkstum« beruhte.
Lieferte dem »eisernen« Zaren Nikolaus I. (1776–1855) die ideologische Begründung zur Restauration nach dem Wiener Kongress 1814/1815. Die Leitlinien
wurden in den 90er Jahren als Teil der »Russischen Idee« wiederaufgenommen.

V   »Volksrepublik Donezk« und »Volksrepublik Lugansk«

Nach Besetzung von Gebietsverwaltungen durch selbsternannte »Volksräte«
2014 proklamierte »souveräne Republiken« auf ukrainischem Staatsgebiet, die
2015 größere Teile der Gebiete Donezk und Luhansk umfassten. International
nicht anerkannt, finanziell von Russland unterstützt. In den sogenannten
Präsidentschafts- und Parlamentswahlen in der »Volksrepublik Donezk« rief
sich Separatistenführer Sachartschenko noch während der Auszählung zum
Republikchef aus. Die Wahlen wurden von Russland »respektiert« – nicht anerkannt. In den beiden Minsker Abkommen vom September 2014 und Februar
2015 verpflichtete sich die Kiewer Zentralregierung, in den Gebieten noch
2015 Kommunalwahlen durchzuführen und in einer Verfassungsreform eine
Dezentralisierung der Ukraine festzuschreiben.

W   Wohlstand, Fonds für nationalen

Der 2004 gegründete Stabilisierungsfonds, in dem die russische Regierung bei
hohen Ölpreisen Rücklagen für Krisenzeiten bildet, wurde 2008 gesplittet:
Der »Reservefonds« darf allein zur Finanzierung des Staatshaushaltes genutzt
werden, wenn der Ölpreis unter eine bestimmte Schwelle fällt. Die Mittel des
»Fonds für nationalen Wohlstand« werden seit 2015 für Investitionen in Infrastrukturprojekte oder für die Kapitalausstattung von Banken ausgegeben.
Putin entschied März 2015, dass künftig nur noch er selbst über die Verwendung der Gelder bestimmen darf. Ende 2014 betrug das Gesamtkapital beider
Fonds rund 170 Milliarden Dollar.

X   Xenophobie

Fremdenfeindlichkeit und Rassismus sind in Russland weit verbreitet. Richtet
sich vor allem gegen die Millionen Arbeitskräfte aus den ehemaligen Sowjet-

republiken Mittelasiens sowie gegen Menschen aus dem Kaukasus, oft als
»Schwarze« verhöhnt. Wachsender Antisemitismus bei rechtsnationalen Bewegungen und Parteien. Gewalttätige Demonstrationen in Moskau nach dem
Mord eines russischen Fußballfans im Dezember 2010: »Russland den Russen« eine der Parolen.

Y Yukos

Einst größter und effizientester privater russischer Ölkonzern. Nach der Verhaftung des Mehrheitseigentümers Michail Chodorkowskij 2003 faktische
Zerschlagung des Konzerns: Der wichtigste Teil, die Ölfirma Yugansnefte-
gas«, wurde nach einer umstrittenen Auktion 2004 vom russischen Staatskonzern Rosneft inkorporiert, der Rest des Konzerns 2006 für bankrott erklärt. Die Klage ehemaliger Yukos-Eigentümer vor einem internationalen
Schiedsgericht in den Niederlanden war im Juli 2013 erfolgreich: Es verurteilte
Russland zu einer Entschädigungszahlung von 50 Milliarden Dollar. Im Juni
2015 wurden in Belgien die Konten russischer diplomatischer Einrichtungen
vorübergehend gesperrt. Die russische Regierung erklärte, sie behalte sich
vor, Entscheidungen des Europäischen Gerichtshofes für Menschenrechte
nicht mehr zu folgen. Der Gerichtshof hatte ehemaligen Yukos-Aktionären
2014 eine Entschädigung von knapp zwei Milliarden Euro zugestanden.

Z Zone des Rechts

Von den beiden ehemaligen Pussy-Riot-Aktivistinnen Nadeschda Tolokon-
nikowa und Marjia Aljochina Ende 2014 gegründete NGO, die sich für die
Rechte von Häftlingen in russischen Gefängnissen und Straflagern einsetzt.
Als »sona«, Zone, werden in Russland Arbeitslager bezeichnet. Rund 670 000
Menschen sitzen in russischen Gefängnissen oder Arbeitslagern ein, oft unter
menschenunwürdigen Bedingungen. Gewalt ist die Norm.

Anmerkungen

Das System – Putin verstehen

1 Zit. nach: http://www.mk.ru/politics/2014/10/23/volodin-est-putin-est-rossiya-net-putina-net-rossii.html

2 https://www.bundestag.de/kulturundgeschichte/geschichte/gastredner/putin

3 Recherchen der Autorin. Ausführlich: Konrad R. Müller, Katja Gloger: Wladimir Putin. Göttingen 2003

4 David Remnick: Watching the Eclipse. In: The New Yorker, 11.8.2014

5 Recherchen der Autorin

6 Detaillierter im Kapitel »Wirtschaft«

7 »dermo«, russisch für »Scheiße«

8 Ben Judah: Fragile Empire. How Russia Fell In and Out of Love with Vladimir Putin. New Haven, 2013, S. 90 ff. Wladislaw Surkow ist 2015 als Berater des russischen Präsidenten für die Krim und die Ukraine zuständig.

9 S. a.: Matthes Buhbe, Gabriele Gorzka (Hrsg.): Russland Heute. Rezentralisierung des Staates unter Putin. Heidelberg, 2007

10 Putin am 24. September 1999 auf einer Pressekonferenz in Astana, Kasachstan. https://www.youtube.com/watch?v=fP9Xv6TKT20. S. a.: http://www.spiegel.de/politik/ausland/deutliche-worte-putin-will-terroristen-wie-ratten-vernichten-a-399608.html

11 S. a.: Anna Politkowskajas Berichte in der Nowaja Gaseta

12 Eine »tschetschenische Lösung« wurde vom Kreml im Herbst 2014 auch als ein mögliches Vorgehen in der Krise im Osten der Ukraine sondiert.

13 S. a.: John C. K. Daly: Caspian Summit Increases Russia's Regional Power. In: Eurasia Daily Monitor, Vol. 11, Iss. 180, 2014

14 Margareta Mommsen: Oligarchie und Autokratie. Das hybride politische System Russlands. In: Osteuropa, 8/2010, S. 25-46

15 S. a.: Mikhail Kasyanov expects mass protests in Russia. Rede auf einer Konferenz in Tallinn, 7.2.2009

16 Karen Dawisha: Putin's Cleptocracy. Who owns Russia? New York, 2014

17 Das 2003 gegründete Waldaj-Forum ist Teil der Strategie der »soft power«,

mit der die russische Führung ein positives Russland-Bild verbreiten möchte. Putin ist regelmäßiger Gast. 2013 etwa debattierte er mit dem ehemaligen deutschen Verteidigungsminister Volker Rühe. S. a.: Angus Roxburgh: The Strongman. Vladimir Putin and the Struggle for Russia. London, 2012

18 Zit. nach: http://www.mk.ru/politics/2014/10/23/volodin-est-putin-est-rossiya-net-putina-net-rossii.html

19 Russische Blogs, aber auch die kritische russische Wochenzeitung *The New Times* verglichen diese Äußerungen mit dem Auftritt Rudolf Hess' beim Nürnberger Parteitag der NSDAP 1934: »Hitler ist die Partei. Deutschland ist Hitler. Hitler ist Deutschland«. S. a.: The New Times, Nr. 35/2014

20 Etwa: Masha Gessen: The Man without a face. The unlikely rise of Vladimir Putin. Dt. Ausgabe: Der Mann ohne Gesicht, München, 2012

21 Alexander Rahr: Wladimir Putin. Der »Deutsche« im Kreml. 2., überarb. und erg. Aufl. München, 2000

22 Recherchen der Autorin, s. a.: Natalija Geworkjan, Andrei Kolesnikow, Natalja Timakowa: Ot perwogo liza. Moskau, 2000; dt. Ausgabe: Aus erster Hand. Gespräche mit Wladimir Putin, München, 2000; Oleg Blozkij: Wladimir Putin, 2 Bde., Moskau, 2001; Konrad R. Müller, Katja Gloger, a. a. O.; Masha Gessen, a. a. O; Stanislaw Belkowski: Wladimir, dt. Ausgabe, München, 2014; Karen Dawisha, a. a. O.; Alexander Rahr, a. a. O.; Boris Reitschuster: Putins Demokratur. Ein Machtmensch und sein System. Akt. und erw. 3. Aufl., Berlin, 2014

23 Wladimir Putin: Das Leben ist so einfach und so grausam. In: Frankfurter Allgemeine Zeitung, 7.5.2015

24 So Wladimir Putin im Dokumentarfilm »Der Präsident«, ausgestrahlt vom russischen Staatsfernsehen im April 2015. http://russia.tv/video/show/brand_id/59329/episode_id/1193264/video_id/1165983

25 Immer wieder neu Gerüchte darüber, dass Putin adoptiert worden sei, seine leibliche Mutter sei in Wahrheit Vera Putina, Landmaschinen-Mechanikerin aus Georgien. S. a.: Ist sie seine Mutter? In: Die Zeit, 7.5.2015

26 S. a. Gessen, a. a. O., S. 63

27 Blozkij, Bd. 1, a. a. O., S. 59

28 Ebd., S. 65

29 Zit. nach: Gessen, a. a. O., S. 66

30 Blozkij, Bd. 1, a. a. O., S. 60 f.

31 Rede des russischen Präsidenten Wladimir Putin am 4. 9. 2004. http:// archive.kremlin.ru/text/appears/2004/09/76320.shtml

32 Recherchen der Autorin, u. a. Gespräche mit Putins ehemaliger Lehrerin Wera Gurewitsch

33 lenta.ru, zit. nach: Gessen, a. a. O., S. 69

34 S. a. den lange vergessenen Offizier Stanislaw Petrow, der durch eine mutige Entscheidung wohl den Dritten Weltkrieg verhinderte. 1983 meldeten sowjetische Frühwarnsysteme den Start amerikanischer Nuklearraketen.

Oberst Petrow erkannte damals den Fehlalarm. S. a.: http://www.spiegel.
de/einestages/vergessener-held-a-948852.html
35 Gespräch mit der Autorin
36 Detailliert in Dawisha, a. a. O., S. 36 ff.
37 Andreas Förster, Erich Schmidt-Eenbohm: Putins Schatten an der Elbe.
    In: Sächsische Zeitung, 10.11.2011
38 Recherchen der Autorin unter Zuziehung von Unterlagen aus der Behörde
    des Bundesbeauftragten für die Unterlagen des Staatssicherheitsdienstes
    der ehemaligen Deutschen Demokratischen Republik, der sogenannten
    Gauck-Behörde
39 Blozkij, a. a. O., Bd. 2, S. 133 ff.
40 http://www.rostec.ru/about/board/person/266. Dort wird Tscheme-
    sows Tätigkeit in der DDR von 1983–1988 als »Leiter der Vertretung der
    experimentellen Industrievereinigung »Lutsch« beschrieben; s. a.: Dawi-
    sha, a. a. O., S. 52
41 Dawisha, a. a. O., S. 51 ff.
42 Geworkjan, a. a. O., S. 90
43 Putins Rede zur Lage der Nation, 25.4. 2005, zit. nach: http://www.zeit.
    de/2005/17/Putin_Rede; s. a.: http://archive.kremlin.ru/eng/spee
    ches/2005/04/25/2031_type70029type82912_87086.shtml
44 Natalija Geworkjan, a. a. O., S. 95
45 S. a. Andrei Soldatov, Irina Borogan: The New Nobility. The Restauration
    of Russia's Security State and the enduring legacy of the KGB. New York,
    2010
46 Rahr, a. a. O., S. 70 ff.
47 Putin selbst beschrieb den Posten als Schlüsselposition, s. Blozkij, Bd. 2.,
    a. a. O., S. 327
48 Recherchen der Autorin. S. a.: Müller, Gloger, a. a. O., S. 84
49 Müller, Gloger, a. a. O., S. 85
50 Damals kostete der »Lebensmittelskandal« Putin beinahe sein Amt: Er hatte
    einigen privaten Firmen Lizenzen erteilt, Rohstoffe wie Holz und Öl, aber
    auch Metalle aus den staatlichen Reserven zu kaufen und die im Ausland
    gegen die Lieferung von Lebensmitteln für die Versorgung der Bevölkerung
    einzutauschen, ein zu dieser Zeit übliches sogenanntes Barter-Geschäft.
    Ein beträchtlicher Teil der Lebensmittel aber wurde nie an die Stadt gelie-
    fert, Millionen Dollar verschwanden. Eine Untersuchungskommission des
    Petersburger Stadtrates unter der Abgeordneten Marina Salje sah eine we-
    sentliche Verantwortung Putins. Es kam aber nie zu Konsequenzen. S. a.:
    Dawisha, a. a. O., S. 106 ff. Der umstrittene russische Publizist Stanislaw
    Belkowskij schätzt Putins Vermögen auf 40 Milliarden Dollar, a. a. O., S. 209
51 S. a.: Thane Gustafson: Wheel of Fortune. The Battle for Oil and Power in
    Russia. Cambridge, London, 2012, S. 239 ff.
52 Gleb Pawlowskij, Interview mit The Guardian, in: http://newleftreview.
    org/II/88/gleb-pavlovsky-putin-s-world-outlook

53 Zu Setschin, Yukos und Rosneft s. a.: Kapitel »Wirtschaft«

54 Zum Petersburger Kreis gehört auch der spätere stellvertretende Ministerpräsident Dmitrij Kosak, der langjährige Chef der Wirtschaftsverwal-
tung des Kreml Wladimir Koschin, der spätere Sprecher der Staatsduma
Sergej Naryschkin, s. a: http://www.reuters.com/investigates/special-
report/comrade-capitalism-putins-palace

55 Gustafson, a. a. O., S. 242: Rund ein Drittel der Unternehmensgründer
seien ehemalige KGB-Offiziere gewesen.

56 Zu Zolotows privater Sicherheitsfirma Baltik-Eskort s. Dawisha, a. a. O.,
S. 74

57 S. a. http://imrussia.org/en/analysis/politics/572-putins-praetorian-
guard

58 S. a.: Dawisha, a. a. O., S. 145 ff.

59 Müller, Gloger, a. a. O., S. 84

60 Geworkjan, a. a. O., S. 144 ff.

61 *Forbes* listete Kowaltschuk 2008 zum ersten Mal als Milliardär. 2014 soll
sein Vermögen auch aufgrund westlicher Sanktionen auf 650 Millionen
Dollar gefallen sein; http://www.forbes.com/profile/yuri-kovalchuk/.
Zu Kowaltschuks Medienbeteiligungen s. a.: S. 105, Kapitel »Propaganda«.

62 Zur mutmaßlichen Rolle der Bank Rossija bei der Finanzierung Petersburger Außenhandelsgeschäfte sowie des mutmaßlichen Transfers von
KPdSU-Vermögen ins Ausland, s. Dawisha, a. a. O., S. 63 ff. Zu Aktionä-
ren der Bank Rossija gehören sowohl Wladimir Jakunin als auch der Unternehmer Nikolaj Schamalow. Schamalow war 2010 in den Skandal um
das »Projekt Süden« verwickelt: ein gigantischer Palast à la italienne am
Idokopas-Kap bei Gelendschik am Schwarzen Meer, der angeblich für
Putin gebaut wurde. Er wurde offenbar mit hunderten Millionen Dollar
trickreich abgezweigter staatlicher Gelder finanziert, die eigentlich für
die Modernisierung des russischen Gesundheitssystems vorgesehen waren. S.: http://in.reuters.com/article/2014/05/21/us-russia-capitalism-
health-special-repo-idINBREA4K0D220140521

63 http://www.treasury.gov/press-center/press-releases/Pages/jl23331.
aspx

64 http://www.nemtsov.ru/old.phtml?id=718790. Über mögliche Korrup
tion bei den staatlichen Eisenbahnen: http://www.reuters.com/artic
le/2014/05/23/russia-capitalism-railways-special-repor-idUSL3N0O
93GR20140523. Zu den Investments von Jakunins Sohn Andrej, s. a.:
http://www.reuters.com/article/2012/07/25/us-russia-railways-idUS
BRE86O06U20120725. Zu Jakunins Rolle bei der Verbreitung des russischen Neonationalismus, s. Kapitel »Ideologie« sowie »Propaganda«

65 Forbes: http://www.forbes.com/profile/arkady-rotenberg/

66 http://www.nemtsov.ru/old.phtml?id=718790; Dawisha,a. a. O., S. 93;
s. a.: die US-Sanktionsliste 2014: http://www.treasury.gov/press-cen
ter/press-releases/Pages/jl23331.aspx

67 http://www.o00sgm.com/about/structure

68 http://www.o00sgm.com/press/news?rid=750&oo=6&fnid=68&new
Win=0&apage=1&nm=107551&fxsl=view.xsl; http://www.forbes.
com/profile/arkady-rotenberg/. Ausführlich über Kosten und politische
Hintergründe auch: Most Nasch. In: Forbes Russia, 3/2015

69 http://magazin.spiegel.de/EpubDelivery/spiegel/pdf/90438206

70 http://www.corriere.it/cronache/14_settembre_23/ucraina-sanzioni-
all-amico-putin-congelati-beni-italiani-dell-oligarca-732a371c-
42dc-11e4-9734-3f5cd619d2f5.shtml

71 Die Firma hieß zunächst Kirishineftekhimexport, nach der Privatisierung Kineks. Timtschenko gehörte zu den Teilhabern der Firma. S.
Gustafson, a. a. O., S. 87. Zu der von dem ehemaligen KGB-Offizier Andrej Pannikow 1991 gegründeten Ölhandelsfirma Urals Trading und Kirishineftekhimexport s. a. Dawisha, a. a. O., S. 114

72 Sein Team Artemis Racing nahm am America's Cup teil.

73 On the Offensive. How Gunvor Rose to the Top of Russian Oil Trading.
In: The Financial Times, 14.5.2008. Dort spricht Törnquist über den dritten Anteilshaber: »This is a private businessman who has nothing to do
with politics. He is not very well known at all.« Nach dem Verkauf der
Anteile Timtschenkos an Törnquist 2014 heißt es in der Selbstdarstellung Gunvors, dass führende Angestellte Anteile an der Firma halten. http://gunvorgroup.com/who-we-are/leadership/

74 On the Offensive, a. a. O.

75 http://www.forbes.com/profile/gennady-timchenko/

76 On the Offensive, a. a. O. Zur Klage des amerikanischen Investmentban-
kers Bill Browder, Direktor des Hermitage-Capital Management Fonds
zur Offenlegung der Eigentümerstrukturen des Ölunternehmens Surgutneftegas, und die bald darauf erfolgte Annulierung seines Visums s.
Bill Browder: Red Notice. Wie ich Putins Staatsfeind Nr. 1 wurde. München, 2015. Es sind nur Gerüchte, dass es eine geschäftliche Verbindung
zwischen Putin und Surgutneftegas geben soll.

77 http://www.treasury.gov/press-center/press-releases/Pages/jl23331.
aspx

78 Sanctioned Timchenko sells Gunvor stake. In: The Financial Times,
20.3.2014

79 Ebd., s. a.: http://www.forbes.ru/sobytiya/lyudi/177979-kak-ustroen-
biznes-milliardera-timchenko. Timtschenkos Holding »Volga Resources
Group« hält Anteile am größten privaten russischen Gasproduzenten
Novatek sowie einer petrochemischen Firma und dem deutschen Versi-
cherer Sovag und ist auch Anteilseigner der Bank Rossija.

80 S. a.: Fiona Hill, Clifford G. Gaddis: Mr. Putin. Operative in the Kremlin.
Akt. Ausgabe, Washington, 2015, S. 185

81 Timothy Colton, Yeltsin: A Life, New York, 2008, S. 431, zit.nach: Thane
Gustafson, a. a. O., S. 555

82 Pawlowskij, a. a. O.

83 Geworkjan, a. a. O., S. 131

84 Zu Geschichte und Authentizität des Dokuments: Dawisha, a. a. O., S. 252 ff.

85 http://miamioh.edu/cas/_files/documents/havighurst/reform-presidential-document.pdf

86 Gemeint sind die früheren Sowjetrepubliken, die sich – mit Ausnahme der baltischen Staaten – in der Gemeinschaft Unabhängiger Staaten GUS zusammengeschlossen hatten.

87 Beispielhaft der von Putin zunächst favorisierte Versuch, 2004 die Konzerne Rosneft und Gazprom zu fusionieren. Putin beugte sich schließlich dem Widerstand vor allem von Igor Setschin, vermittelte einen Kompromiss. S. a.: Gustafson, a. a. O., S. 319 ff.

88 In einem bemerkenswert offenen Interview in der russischen Ausgabe des Magazins Forbes erklärte Arkadij Rotenberg: »Im Gegensatz zu meinen Freunden darf ich keinen Fehler machen, weil es dabei nicht nur um meine Reputation geht. ... Wladimir Wladimirowitsch beschützt mich nicht.« forbes.ru, 23.7.2012

89 Mommsen, a. a. O., S. 38

90 Manfred Sapper: Putinismus in Aktion. http://brockhaus.de/service/brockhaus_perspektiv/zukunft_2030/putinismus.php.

91 Wall Street Journal, 8.5.2014: Putin's Hollowed-out Homeland, zit. nach: Dawisha, a. a. O., S. 314

92 H. H. Schröder: Politik in Zeiten nationaler Verzückung. In: Russland-Analysen, Nr. 285, 19.12.2014, S. 7

93 Transparency International, Corruptions Perception Index 2013

94 Dawisha, a. a. O., S. 321

95 Boris Nemzow, Leonid Martynjuk: Zimnjaja Olimpiada v subtropikach, Doklad, 2014. http://www.putin-itogi.ru/zimnyaya-olimpiada-v-subtropikax/

96 »Wir waren naiv«. Interview mit Dmitrij Medwedjew. In: Der Spiegel, 46/2009

97 Pawlowskij, a. a. O.

98 Ebd.

99 S. a.: Gessen, a. a. O.

100 Zum Dekabristenaufstand gegen Nikolaus I. siehe S. 81 im Kapitel »Ideologie«

101 http://archive.premier.gov.ru/eng/events/news/17409/

102 S. a.: Judah, a. a. O., S. 225 ff.

103 Gespräche mit der Autorin, s. a.: Katja Gloger: Xeniias Wahl. In: Der Stern, 38/2012

104 S. a. Kapitel »Propaganda«

105 http://de.sputniknews.com/german.ruvr.ru/2014_12_18/Putins-Pressekonferenz-5670/

106 http://www.ft.com/intl/cms/s/0/fab372ca-6625-11e1-979e-00144fe-
abdco.html#axzz3XwNkKjvM
107 http://www.reuters.com/article/2012/03/04/us-russia-election-
idUSTRE8220SP20120304
108 Zu Putins Tränen auch zu anderen Gelegenheiten: Julian Hans: Lasst uns
beleidigt sein. In: Süddeutsche Zeitung, 8.9.2014
109 Gespräch der Autorin mit Lilija Schewzowa. In: Der Stern 24.4.2014
110 Nikolaj Petrov: Legitimität, Repression, Kollaps. In: Osteuropa, 8/2014,
S. 85–98
111 S. a.: Grigorij Ochotin: Agentenjagd. Die Kampagne gegen NGOs in Russland. In: Osteuropa, 1–2/2015, S. 83–94
112 Petrov, a. a. O.
113 Zum »brain drain« s. S. 134 f. im Kapitel »Zivilgesellschaft«.
114 http://kremlin.ru/events/president/news/19825
115 Hill, a. a. O., S. 256
116 So der russische Politologe Kirill Rogow in einem Gespräch mit dem russischen Wochenmagazin The New Times: My ne banda – my chunta. In:
The New Times, 22/2015

Wirtschaft – In der Falle

1 Nikolai Gogol: Die toten Seelen, zit. n. Wolfgang Kasack, Hauptwerke
der russsischen Literatur, Darmstadt 1997, S. 173
2 Judah, a. a. O., S. 125
3 Zu Putins Residenzen, auch zum »Projekt Süden«: Boris Nemzow, Leonid
Martynjuk: Schisn raba na galerach. Doklad. Moskau, 2012. http://www.
putin-itogi.ru/rab-na-galerah/
4 Mit der Hilfsaktion »Helft Russland« hatten das Magazin Stern und das
ZDF sowie die Hilfsorganisation Care Ende 1990 zu Spenden für die
Menschen in der Sowjetunion aufgerufen. 138 Millionen Mark kamen zusammen – die zu diesem Zeitpunkt größte Hilfsaktion in der Geschichte
der Bundesrepublik. http://www.care.lu/russland-projekt-gesundheito.
html
5 Rossija na rubesche tysjatscheletij. In: Nesawisimaja Gaseta, 30.12.1999
6 Hill, a. a. O., S. 39 ff.
7 Hill, a. a. O., S. 81 ff.
8 Zur Entwicklung der »Russland GmbH« und der Keimzelle Sankt Petersburg, s. Kapitel »System Putin«
9 Zu den Dissertationen Putins und Setschins S. a.: Gustafson, a. a. O.,
S. 246 ff.
10 Illarijonows Einstellungsgespräch mit Putin endete in einem erbitterten
Streit über Putins Tschetschenienkrieg. Dennoch ernannte ihn Putin zu
seinem Wirtschaftsberater und Sherpa für die G8. Illarijonow trat Ende
2005 zurück, er ist heute einer der härtesten Kritiker des Putinismus. S. a.

seine Veröffentlichungen als Fellow des US-Cato-Institutes: http://www.cato.org/people/andrei-illarionov. S. a.: Roxburgh, a. a. O., S. 46 ff.

11 Gespräch mit der Autorin

12 Dale Herspring, Jacob Kipp: Searching for the Elusive Mr. Putin. In: Problems of Post-Communism, vol. 48, Iss. 5, 2001, S. 3–17, zit. nach: Hill, a. a. O., S. 317

13 Angus Roxburgh: The Strongman. Vladimir Putin and the Struggle for Russia. London, New York, 2012, S. 50 f.

14 Pressemitteilung des IWF, zit. nach: Hill, a. a. O., S. 134

15 http://siteresources.worldbank.org/INTRUSSIANFEDERATION/Resources/rer16_eng.pdf. Zu den schon vor der Ukrainekrise dramatisch sinkenden Reserven s. a.: Russia's Wounded Economy. In: The Economist, 22.11.2013

16 http://russland.ahk.de/fileadmin/ahk_russland/2014/Publikationen/Russland-in-Zahlen/Russland_Zahlen_XIX_web_.pdf

17 Ein erstes starkes Signal sandte Putin mit seiner Rede auf der Münchner Sicherheitskonferenz 2007. https://www.youtube.com/watch?v=va29f7POhRs. S. a.: S. 163 im Kapitel »Außenpolitik«

18 Gustafson, a. a. O., S. 499

19 Philip Hanson: An Enfeebled Economy. In: The Russian Challenge. Chatham House Report, London, Juni, 2015, S. 14–22

20 Sergei Guriev: The New Wave of Russian Privatization. In: Note from the French-Russian Observatory, 2/Januar 2013, S. 5 ff.

21 Neftjanoj WWP. In: Forbes Russia, 8/2014

22 Ranglisten der »Koroli Gossakasa« in: Forbes Russia, div. Ausgaben

23 Russia's Wounded Economy. In: The Economist, 22.11.2014; s. auch die detaillierten Recherchen des ermordeten Oppositionspolitikers Boris Nemzow: Putin Itogi. http://www.putin-itogi.ru/other/

24 Zit. nach: http://www.deutschlandfunk.de/wo-ist-sie-die-soziale-verantwortung-unserer-geschaeftsleute.795.de.html?dram:article_id=118115

25 https://www.youtube.com/watch?v=XgPnDVEWZ2M

26 Hill, a. a. O., S. 178

27 Allein Oleg Deripaska erhielt 4,5 Milliarden Dollar staatliche Kredite: http://sputniknews.com/business/20081030/118045847.html. Insgesamt sollen mindestens 50 Milliarden Dollar an Bailouts geflossen sein. S. a.: http://www.nytimes.com/2008/10/31/business/worldbusiness/31oligarch.html?_r=0

28 Im Freien Fall. Der Spiegel, 50/2014

29 Hanson, a. a. O.

30 S. a.: Rich, Russian and Living in London. BBC, 16.1.2015. https://www.youtube.com/watch?v=jTPNyDrpHhU

31 Zeitweise machte der Bau von Einkaufszentren bis zu 50 Prozent der gesamten Bautätigkeit aus. S.: Sochi or bust. In: The Economist, 1.2.2014

32 Stephen Crowley: Monotowns, Economic Crisis ... In: Russian Analyti-

cal Digest No 164, 3.3.2015, S. 8; s. a.: Clifford Gaddy, Barry Ickes: Bear Traps on Russia's Road to Modernization. London, 2013

33 Föderaler Statistikdienst Rosstat, zit. in: http://www.gtai.de/GTAI/ Navigation/DE/Trade/maerkte,did=1031066.html

34 S. a.: http://www.themoscowtimes.com/opinion/article/putin-and-portugal/208631.html

35 Recherchen der Autorin

36 Stephen Kotkin. The resistable rise of Vladimir Putin. In: Foreign Affairs, März/April 2015

37 Alexej Kudrin: Kakuju model vyberjot strana – poka neponjatno. Interview in: The New Times, 22.12.2014. S. a.: Russia faces full-blown crisis, says Kudrin. In: The Financial Times, 22.12.2014

38 Der Staat ist Russlands größter Arbeitgeber. Jeder dritte russische Staatsbürger erhält sein Geld vom Staat. S. Sochi or bust. In: The Economist, 1.2.2014

39 Afischa, 20.10.2014

40 Sochi or bust, a. a. O.

41 Gespräch mit Autorin

42 Dmitrij Medwedjew: Rossija, vperijod. 10.9.2009. http://kremlin.ru/ events/president/news/5413; s. a.: Interview mit Dmitrij Medwedjew. In: Der Spiegel, 46/2009

43 Russland-Analysen Nr. 291, 13.3.2015, S. 30. S. a. die jährliche Forbes-Liste der Milliardäre

44 http://www.themoscowtimes.com/business/article/poverty-hits-critical-level-government/525576.html; Judah, a. a. O., S. 143

45 Recherchen der Autorin. S. a.: Bettina Sengling: Putins anderes Russland. In: Der Stern, 5.2.2015

46 S. a.: Lilia Shevtsova: Russia. Lost in Transition. The Yeltsin and Putin Legacies. Carnegie Endowment for International Peace, Washington, 2007, S. 149 ff.

47 Nach Berechnungen der Weltbank aus dem Jahr 2010 müssten mehr als 33 Milliarden Dollar aufgewandt werden, um Russlands Monostädte zu retten. Crowley, a. a. O., S. 9

48 Innovation findet faktisch nicht statt; die zehn führenden Länder der Welt investierten 2013 rund 1,6 Billionen Dollar in Wissenschaft, Forschung und neue Technologien. Russland nur 38 Milliarden. Alexej Kudrin, zit. in: Der Wimpernschlag der Anarchie. In: Der Spiegel, 52/2014

49 Putin im Interview mit dem russischen Staatsfernsehen Rossija-1, April 2015. http://russia.tv/video/show/brand_id/59329/episode_ id/1193264/video_id/1165983

50 Gespräch mit der Autorin. S. a.: Frank Nienhuysen: Ohne mich. In: Süddeutsche Zeitung, 3.2.2015

51 sputniknews 22.5.2012, s. a.: http://www.nytimes.com/2012/07/25/

business/global/rosneft-opens-talks-on-buying-bps-stake-in-oil-joint-venture.html?_r=0

52 Gustafson, a. a. O., S. 247

53 Zu den Hintergründen der Verhaftung, die ebenso ökonomischer wie politischer Natur waren und auch in der machtbewussten Persönlichkeit Chodorkowskijs und seinen Fusionsplänen mit US-Ölkonzernen zu finden sind, s. a.: Richard Sakwa. Putin and the Oligarch. The Khodorkovsky-Yukos Affair. London, 2014; Martin Sixsmith: Putin's Oil: The Yukos Affair and the Struggle for Russia. New York, 2010. Gustafson, a. a. O., S. 272. Gespräche der Autorin mit Chodorkowskij

54 Gustafson, a. a. O., S. 343 f.

55 Zu den Hintergründen: Gustafson, ebd.

56 Nach Schätzungen maximal die Hälfte des wahren Wertes, s. a.: Katja Gloger: Der Preis der Freiheit. In: Der Stern, 11.12.2014

57 Roxburgh, a. a. O.

58 Rosneft: Jahresbericht 2005, zit. nach: Gustafson, a. a. O., S. 348

59 Wladimir Putin, Pressekonferenz, 23.12.2004

60 Bereits abgeschlossene »Production Sharing Agreements« PSA etwa mit Royal Dutch Shell und zwei japanischen Firmen für Öl und Gasfelder vor der fernöstlichen Halbinsel Sachalin wurden rückgängig gemacht – »renationalisiert«, wie es hieß. Roxburgh, a. a. O., 168 ff.

61 The Four Horsemen of Russia's Economic Apocalypse. In: Forbes, 9.2.2015

62 http://de.reuters.com/article/topNews/idDEBEE89L03C20121022

63 The Four Horsemen of Russia's Economic Apocalypse. In: Forbes, 9.2.2015

64 http://www.rosneft.com/about/Glance/

65 ExxonMobil Corporation strategic cooperation agreement with Rosneft. Conference call: http://earningscast.com/XOM/20120418?ajax_render=latest_calls&autoplay=true&page=2

66 Zit. nach: Russian Oil. Between a rock and a hard place. In: The Financial Times, 29.10.2014

67 Beschluss 2014/658/GASP des Rates, Beschluss 2014/659/GASP des Rates, Verordnung (EU) Nr. 959/2014, Verordnung (EU) Nr. 960/2014 und Durchführungsverordnung (EU) Nr. 961/2014. Erste sektorale Wirtschaftssanktionen gegen Russland hatte die Europäische Union bereits am 31. Juli 2014 beschlossen; Beschluss 2014/512/GASP und Verordnung (EU) Nr. 833/2014, s. a.: http://www.gtai.de

68 Recherchen der Autorin

69 Gespräch der Autorin mit Daniel Yergin

70 http://www.finanzen.net/aktien/Rosneft_Oil_Company-Aktie

71 Rosneft chief Igor Sechin says $ 7 bn debt repayment will be met. In: The Financial Times, 10.2.2015

72 The End of the line. In: The Economist, 22.11.2014, S. 26

73 http://www.nzz.ch/wirtschaft/angst-vor-einem-zweiten-yu-kos-1.18385766
74 http://www.nzz.ch/wirtschaft/sistema-kapituliert-im-bashneft-pro-zess-1.18424468; s. a.: Premjernaja postanowka. In: Forbes Russia, 1/2015
75 S. a.: Im freien Fall. In: Der Spiegel, 50/2014
76 Russia outlines prescription to bolster its ailing economy. In: The New York Times, 3.2.2015
77 S. a.: Bettina Sengling: Putins anderes Russland. In: Der Stern, 5.2.2015
78 Vera Belaya: Russlands Importverbot für Agrarprodukte und die Folgen für die russischen und europäischen Agrarmärkte. In: Russland-Analy-sen Nr. 293, 27.3.2015, S. 2–6
79 Central Bank accused of doing too little. In: The Financial Times, 16.12.2014. S. a.: http://www.finanzen.at/devisen/historisch/euro-russischer_rubel-kurs
80 Zit. nach: Zauberer eigener Art. In: Frankfurter Allgemeine Zeitung. faz. net, 18.12.2014
81 Interview mit Alexej Kudrin. In: The New Times, 22. Dez 2014; s. a.: ht-tp://www.bloomberg.com/news/articles/2014-12-12/rosneft-s-10-8-billion-refinancing-driven-by-central-bank-cash
82 The Four Horsemen of Russia's Economic Apocalypse. In: Forbes, 9.2. 2015. Igor Setschin erklärte, das Geld sei zur Finanzierung eines Projek-tes in Russland benutzt worden. Kritik bezeichnete er als Provokation.
83 Paul Krugman: Putin's bubble bursts. In: The New York Times, 18.1.2014
84 Russische Rohstoffexporte werden meist in Dollar bezahlt. Bei sinken-dem Rubelkurs kamen daher pro Dollar mehr Rubel in die Staatskasse.
85 Russische Zentralbank, Zahlen für Ende 2014, zit. nach: Russland in Zahlen. Germany Trade & Invest. http://www.gtai.de/GTAI/Content/ DE/Trade/Fachdaten/PUB/2014/07/pub201407108000_19202_russ-land-in-zahlen---sommer-2014.pdf
86 Bis Anfang März 2015 beantragten russische Unternehmen Unterstüt-zung für Investitionen in Höhe von mindestens 37 Milliarden Dollar aus dem »Nationalen Fonds für Wohlstand«. Rosneft beantragte 21 Milliar-den Dollar. Die Reserven des Wohlstandsfonds betrugen Anfang März 2015 75 Milliarden Dollar. Der »Nationale Reservefonds« wiederum kann per Gesetz nur zur Finanzierung des Staatshaushaltes genutzt werden. Seine Reserven betrugen im März 2015 77 Milliarden Dollar. Bei den An-fang 2015 vorliegenden Planungen für den russischen Staatshaushalt wä-re er Ende 2016 aufgebraucht. Gespräch der Autorin mit dem Ökonomen Sergej Gurijew. S. a.: Russia's Well for Corporate Bailouts appear to be running dry. In: The New York Times, 9.3.2015
87 Ewa Dabrowska: Inlandsinvestitionen und »deofschorisazija« – ein Para-digmenwechsel in der russischen Finanzpolitik? In: Russland-Analysen Nr. 299, 3.7.2015, S. 9–13

88 Alexej Kudrin. Interview. In: The New Times 22.12.2014. Die russischen Devisenreserven schrumpften 2014 um 100 Milliarden auf rund 400 Milliarden Dollar. S. a.: The roots of Russia's Black Tuesday. Financial Times, 16.12.2014. Im Frühjahr 2015 begann die russische Zentralbank mit der Aufstockung der Devisenreserven.

89 Russian Belts Tighten, Affecting Tastes for the Finer Things. In: The New York Times, 8.7.2015

90 S. S. 34 im Kapitel »Das System«

91 Alexej Kudrins Rede auf dem Gajdar-Wirtschaftsforum im Januar 2011, zit. nach: Gustafson, a. a. O., S. 491 f.

92 »Die Zeit ist reif«. Interview mit Alexej Kudrin. In: Der Spiegel 21.1.2013

93 2014 flossen nach Kudrins Angaben 150–160 Milliarden Dollar aus Russland ab. Für 2015 erwartete er eine Kapitalflucht in Höhe von 90–100 Milliarden Dollar. S.: http://uk.reuters.com/article/2015/01/24/uk-russia-crisis-davos-kudrin-idUKKBN0KX0F520150124; http://tass.ru/en/economy/772954

94 http://akudrin.ru/news/kruglyy-stol-posvyaschennyy-pyatnadtsatiletiyu-izbraniya-vladimira-putina-prezidentom-rossii#2

95 http://www.themoscowtimes.com/business/article/kudrin-to-putin-save-russia-from-5-years-of-stagnation/518350.html

96 Putin forderte eine Analyse Kudrins über die ökonomischen Folgen der Angliederung der Krim an. Über den Inhalt des Gesprächs schwieg sich Kudrin aus. S.: http://www.welt.de/politik/ausland/article137047999/Er-war-Putins-Mann-fuers-grosse-Geld.html

97 S. a.: http://asia.rbth.com/news/2015/04/16/kudrin_doesnt_see_putins_willingness_to_change_governance_of_economy_cou_45290.html

Ideologie – In historischer Mission

1 Im Gespräch mit der Autorin

2 Rede Putins zur Aufnahme der Krim in die Russische Föderation, 18.3.2014. http://kremlin.ru/events/president/news/20603

3 Gespräch mit der Autorin

4 Im Gespräch mit dem russischen Schriftsteller Zahar Prilepin. In: http://www.zaharprilepin.ru/ru/litprocess/intervju-o-literature/aleksandr-prohanov-demiurg-vskarmlivajuschii-mladentsa.html

5 Die Antwort Putins auf eine Frage Prochanows während des Treffens des Waldaj Klubs 2013. »Russland ist kein Projekt, Russland ist Schicksal « http://valdaiclub.com/politics/62880.html

6 Zur Instabilität postimperialer Räume s. a.: Herfried Münkler: Neoimperiale Träume in Zeiten des Vakuums. In: IPG, Oktober 2014

7 Rede Putins zur Aufnahme der Krim in die Russische Föderation, 18.3.2014. http://kremlin.ru/events/president/news/20603

8 Jutta Scherrer: Russland verstehen? Das postsowjetische Selbstverständ-

nis im Wandel. In: Ukraine, Russland, Europa. Aus Politik und Zeitgeschichte, 47–48/2014, S. 17–25

9   Ein wichtiger Unterschied geht in Übersetzungen meist
verloren:»rossijskij«–russländisch, den russischen Vielvölkerstaat umfassend, und »russkij«, russisch, auf der Ethnie basierend. Der Staatsna-
me »Rossijskaja Federazija« ist korrekt zu übersetzen mit »Russländische
Föderation«.

10 Paul Goble: Orthodoxies Old and New, RFE/RL Analysis from Washington, 23.1.1997. Zit. in Hill, a. a. O., S. 48

11 Ebd. Die russisch-orthodoxe Kirche spielt eine wichtige Rolle in Putins
Konzept von Staat und russischer Nation. Die überwältigende Mehrheit
der Menschen im postsowjetischen Russland bezeichnet sich als christ-
lich-orthodox, auch wenn nur eine Minderheit regelmäßig in die Kirche
geht. Die russisch-orthodoxe Kirche unterstützt Putins Regime vorbe-
haltlos, davon profitieren ihre Vertreter in jeder Hinsicht: Heute gilt die
Kirche als einer der größten Grundbesitzer Russlands, verlegt Dutzende
Zeitschriften, betreibt mehrere Fernsehkanäle. http://www.nytimes.
com/2012/04/06/world/europe/in-russia-a-watch-vanishes-up-or-
thodox-leaders-sleeve.html?_r=0

12 Das russische Wort »narodnost« kann auch mit »Volkstum« übersetzt
werden.

13 Hans-Joachim Spanger: Die unheilige Allianz. Putin und die Werte. In:
Osteuropa, 1/2014, S. 43–62

14 http://www.sras.org/deconstructing_the_millennium_manifesto

15 »Russland war und ist eine Großmacht«, erklärte Putin im Millennium-
Manifest. »Die geopolitischen, ökonomischen und kulturellen Grundlagen seiner Existenz definieren die Mentalität der russischen Menschen
und die Politik ihrer Regierung.«

16 Sean Cannady, Paul Kubicek: Nationalism and legitimation for authorita-
rianism: A comparison of Nicholas I. and Vladimir Putin. In: Journal of
Eurasian Studies, Vol. 5, Iss. 1, Januar 2014

17 S. a.: Fiona Hill, Clifford Gaddy: Putin and the uses of history. In: The National Interest, Jan./Feb. 2012. Vladimir Putin tells Russian MPs they
must pay for a monument to his hero. In: The Guardian, 14.7.2011

18 Walter Laqueur: Putinismus. Wohin treibt Russland? Berlin, 2015, S. 166 ff.

19 Zit. nach http://www.welt.de/kultur/article135404575/Putin-ueber-
nimmt-Aengste-seines-Lieblingsphilosophen.html; ausführlich in:
Walter Laqueur, a. a. O., S. 168 ff.

20 Der stramm rechtsnationalistische Regisseur Nikita Michailkow, einer
der bekanntesten in Russland, gilt als großer Bewunderer Ilijns. Er soll
sich für die Überführung seiner sterblichen Überreste nach Moskau eingesetzt haben. Michailkow propagiert den angeblichen moralischen Verfall des Westens auch im Fernsehen: Selbst Kannibalismus werde durch
die Prinzipien der UN legitimiert.

21 Spanger, a. a. O., S. 48
22 Gespräche der Autorin
23 S. a.: Roland Götz: Stillstand. Russlands Wirtschaft nach dem Ölboom.
    In: Osteuropa, 1–2/2015, S. 125–146
24 Für die neue »russische Idee« wird auch die fernere russische Vergangenheit
    bemüht – 2014/2015 etwa mit der multimedialen Monumentalshow »Das
    Rechtgläubige Russland. Meine Geschichte: Die Rurikiden«, die in verschie-
    denen russischen Städten gezeigt wurde. Die Ausstellung – gesponsert vom
    russischen Kulturministerium sowie vom Moskauer Patriarchat – erzählt
    die Geschichte der Rurikiden-Dynastie, die vom 9. bis 16. Jahrhundert über
    die Fürstentümer herrschte, aus denen später das russische Zarenreich
    erwuchs. Gewarnt wird dabei auch vor dem Zerfall des Reiches: Fehlte,
    wie nach dem Tod des letzten Rurikiden Iwan des Schrecklichen, ein star-
    ker Führer, dann begannen Chaos, Zersplitterung und Niedergang. S. a.:
    Michael Thumann: Iwan, der halb so Schreckliche. In: Die Zeit, 8.1.2015
25 Putin hatte schon früher nukleare Abschreckung und orthodoxen Glau-
    ben als Elemente der nationalen Sicherheit definiert. S.: Marlène Laruelle:
    In the Name of the Nation: Nationalism and Politics in Contemporary
    Russia. London, New York, 2009. Zit. nach: Cannady, a. a. O., S. 6. Mos-
    kau als das »Dritte Rom« gehörte seit dem 16. Jahrhundert zu den konsti-
    tuierenden Elementen der russischen Orthodoxie.
26 So bereits 2011 Putins langjähriger Imagemaker und heutiger Ukraine-
    Berater Wladislaw Surkow. S.: Cannady, a. a. O., S. 7
27 http://www.nytimes.com/2012/04/06/world/europe/in-russia-a-
    watch-vanishes-up-orthodox-leaders-sleeve.html?_r=0
28 Zit. nach: Hill, a. a. O., S. 255
29 Rede vor den Teilnehmern des Waldaj-Klubs, 2013. Übersetzung zit.
    nach: Spanger, a. a. O., S. 45
30 Gespräch mit Autorin
31 S. a.: Eva Marlene Haustetter: Imperium Eurasien? Großraumdenken
    zwischen imperialer Ambition und Globalisierungskritik. In: Zeitschrift
    für Weltgeschichte, 2/2010, S. 145–160
32 Zit. in: Lilia Shevtsova: Putin's Russia. Carnegie Endowment for Interna-
    tional Peace, Washington, 2005, S. 225
33 »My – klub gosudarstvennikow«, zit. nach: Spanger, a. a. O., S. 57
34 Etwa auch in der Debatte um den für einen Oscar nominierten russischen
    Film »Lewiathan« Anfang 2015
35 http://www.dynacon.ru/content/articles/909/
36 http://dynacon.ru/content/articles/5097/
37 Deklaration von Uljanowsk, Dez. 2012. Zit. nach: Spanger, a. a. O., S. 59
38 S. a.: Dugins website: http://arcto.ru
39 S. a.: Laqueur, a. a. O., S. 102 ff.; Hausteiner, a. a. O.
40 Zit. nach: Remnick, Eclipse, a. a. O.
41 Während einer Veranstaltung grenzüberschreitend rechter Gesinnungs-

genossen im Stadtpalais des Fürsten Liechtenstein in Wien im Mai 2014 traf Dugin auch den Jungstar des französischen Front National, Marion Maréchal-Le Pen. Das Treffen soll von dem Millionär und »orthodoxen Geschäftsmann« Konstantin Malofejew von »Marshall Capital Partners« finanziert worden sein, der zu den maßgeblichen Finanziers der Separatisten im Osten der Ukraine gehören soll. http://www.foreignaffairs. com/articles/143284/gregory-feifer/putins-white-guard; http://www. tagesanzeiger.ch/ausland/europa/Gipfeltreffen-mit-Putins-fuenfter-Kolonne/story/30542701

42 »Jeder Westler ist ein Rassist«. Interview mit Alexander Dugin. In: Der Spiegel, 29/2014

43 Ebd.

44 Zu Definition und Geschichte: Laqueur, a. a. O., 118 ff.

45 Hausteiner, a. a. O.

46 Hausteiner verweist auf den Unterschied zwischen dem »eurasischen Imperium«, das keinen Weltbeherrschungsanspruch habe, und dem neo-eurasianistischen Gedankengut Dugins, der letztlich selbst Westeuropa zu Eurasien zähle. A. a. O., S. 156

47 S. a. S. 194 im Kapitel »Ukraine, Russland und der Westen«

48 Spanger, a. a. O., S. 62

49 http://www.mediapart.fr/journal/france/221114/le-front-national-de-croche-les-millions-russes

50 http://derstandard.at/2000008713833/Le-Pen-weist-neuen-Bericht-zu-Millionen-Kredit-aus-Russland. Der christlich-orthodoxe Verbünde-te – und EU-Anwärter – Serbien soll durch panslawistische Rhetorik so-wie enge militärische und wirtschaftliche Zusammenarbeit fester an Moskau gebunden werden. Damit wolle Putin eine weitere Annäherung oder gar Mitgliedschaft der Balkanstaaten in der EU verhindern, heißt es in einer vertraulichen Analyse des Bundeskanzleramtes. Zit. in: https://magazin.spiegel.de/digital/?utm_source=spon&utm_campaign=centerpage#SP/2014/47/130335526

51 http://www.rodina.ru/novosti/V-Sankt-Peterburge-projdyot-Mezh-dunarodnyj-russkij-konservativnyj-forum. Dmitrij Rogosin war Vorsit-zender der Partei, in leitender Funktion war auch Sergej Glasjew tätig, heute Putins Berater in Fragen Eurasiens und der Ukraine.

52 http://realpatriot.ru

53 http://www.udovoigt.de/index.php/menue/24/thema/69/anzeige-monat/03/anzeigejahr/2015/id/4783/infotext/Der_Westen_muss_Freiheit_und_Demokratie_achten/Aktuelles.html

54 Zit. nach Spanger, a. a. O., S. 55

55 https://juergenelsaesser.wordpress.com/2014/06/18/morgen-19-6-in-berlin-wladimir-putin-reden-an-die-deutschen/

56 http://www.zeit.de/politik/deutschland/2014-07/juergen-elsaesser-russland-propaganda

57 https://www.compact-online.de/compact-konferenz/

58 S. a.: Spanger, a. a. O.

59 https://www.compact-online.de/dritte-compact-souveraenitaetskonferenz-frieden-mit-russland-22-11-014/

60 Neben Putin gehörte auch Wladimir Jakunin 1996 zu den Gründungsmitgliedern der Kooperative »Osero«.

61 S. a.: Gustafson, a. a. O., S. 243

62 S. a.: http://www.themoscowtimes.com/article/504493.html

63 Jakunin ist auch Vorsitzender des »Zentrums für nationalen Ruhm« sowie der »Apostel-Andreas-Stiftung«. Die Organisationen haben sich der »Bewahrung orthodoxen Glaubens« sowie dem »historischen Schicksal Russlands« verschrieben. S. a.: The Moscow Times, 11.9.2014: Kremlin hosts Global Neocons

64 http://www.ft.com/intl/cms/s/0/2b508fa8-a558-11e3-8070-00144feab7de.html#axzz3WoM7naVs

65 https://www.flickr.com/photos/wpfdc/15881850581/; http://www.tagesspiegel.de/politik/deutschland-und-russland-platzeck-trifft-putin-vertrauten-jakunin-auf-rhodos/10762866.html

66 http://russia.tv/video/show/brand_id/59329/episode_id/1193264/video_id/1165983

Propaganda – Informationskrieger

1 Peter Pomerantsev: Nichts ist wahr und alles ist möglich. Abenteuer in Putins Russland. München, 2015

2 http://europa.eu/newsroom/highlights/special-coverage/eu_sanctions/index_en.htm

3 http://izvestia.ru/news/568611

4 Gespräch mit der Autorin

5 http://sputniknews.com/voiceofrussia/news/2013_12_09/Voice-of-Russia-absorbed-by-nascent-Rossia-Segodnya-state-agency-5588/

6 Exemplarisch hierfür etwa die deutsche Zeitschrift Compact sowie die Kommentare zur deutschen Ukraine-Berichterstattung in Nachrichtenportalen und sozialen Netzwerken

7 Gespräch mit der Autorin. S. a.: http://de.sputniknews.com/politik/20141110/269973566.html

8 Gespräch der Autorin mit der russischen Journalistin Ewgenija Albaz. S. a.: David Remnick: Watching the Eclipse. In: The New Yorker, 11.8.2014

9 S. a. Kiseljows Interview in der Zeitung Moskowsksij Komsomolez, 27.10.2010

10 Gespräch mit der Autorin

11 Remnick, a. a. O.

12 http://www.newrepublic.com/article/118438/dmitry-kiselev-putins-favorite-tv-host-russias-top-propagandist

13 Dmitry Kiselev: Russia's chief spin doctor. In: BBC News 2.4.2014

14 http://www.newrepublic.com/article/118438/dmitry-kiselev-putins-favorite-tv-host-russias-top-propogandist

15 Gespräch mit der Autorin

16 Wladimir Schirinowskij etwa ist Dauergast auf allen staatlichen Kanälen. Seit 1990 fungiert der studierte Turkologe als ebenso unverwüstlicher wie pöbelnder Chef der Liberaldemokratischen Partei in der Staatsduma, ebenso hartnäckig halten sich die Gerüchte über die Nähe der Partei zum russischen Geheimdienst, womöglich auch finanziell. Er unterstützt stets die Position des Kreml.

17 http://www.nzz.ch/feuilleton/eine-wanne-voller-blut-jeden-abend-1.18473491

18 http://www.1tv.ru/news/other/262978; http://www.thedailybeast.com/articles/2014/07/15/there-s-no-evidence-the-ukrainian-army-crucified-a-child-in-slovyansk.html

19 http://www.bbc.com/news/blogs-news-from-elsewhere-26986657. S. a.: Nowaja Gaseta, 16.7.2014, S. 9

20 http://www.sueddeutsche.de/politik/propaganda-im-ukraine-konflikt-ex-pornodarstellerin-will-keine-russische-heldin-sein-1.2358150

21 http://www.rferl.org/content/russia-media-professor-haag-dubious-credentials/26632541.html. Benjamin Bidder, Pavel Lokshin: Propaganda für den Kreml. Spiegel Online, 29.10.2014

22 Gespräch mit der Autorin

23 http://www.levada.ru/eng/russia's-role-world

24 Gespräch mit der Autorin

25 Roxburgh, a. a. O., S. 57 ff.

26 Lilia Shevtsova: Putin's Russia. Carnegie Endowment for International Peace, Washington, 2003, S. 104 ff.

27 Auch in einem Gespräch mit der Autorin, 2003, London

28 S. a.: http://www.cfr.org/world/putin-oligarchs/p8018

29 Shevtsova: Putin's Russia, a. a. O., S. 114 ff.

30 So wiedergegeben von Boris Beresowskij. Zit. nach: Roxburgh, a. a. O., S. 62

31 Zit. nach: Judah, a. a. O., S. 45

32 Allen Lynch, Vladimir Putin and Russian Statecraft. New York, 2001, S. 78, zit. nach: Judah, a. a. O., S. 46

33 Zit. nach: NDR-Medienmagazin ZAPP, 14.11.2012: http://www.ndr.de/ratgeber/netzwelt/russland347.html

34 Viele der Aktionen waren angeblich seine eigene Idee, um Themen zu setzen und auf Probleme aufmerksam zu machen. S. a.: Hill, a. a. O., S. 17

35 Der deutsche Medienkonzern Bertelsmann war bis 2013 an der NMG beteiligt. http://www.bloomberg.com/news/articles/2013-08-26/bertelsmann-s-rtl-to-pull-out-of-russia-assets-next-month

36 http://www.spiegel.de/panorama/leute/putin-und-die-frauen-schei-
dung-im-februar-hochzeit-im-juni-a-547522.html

37 Später allerdings gaben der Präsident und seine damalige Frau Ljudmilla
ein langes Interview. Am 6. Juni 2013 besuchte das Paar eine Ballettvor-
stellung in Moskau – »überraschend«, wie das staatliche Fernsehen meldete. In einem anschließenden Interview mit dem TV-Sender »Rossija24«
durfte die Korrespondentin Fragen zum Privatleben des Präsidentenpaa-
res stellen, um von der geplanten Scheidung zu erfahren. Kaum vorstellbar,
dass diese Frage nicht mit der Präsidialadministration abgesprochen war.

38 Leonid Parfjonow war einer der bekanntesten Journalisten bei »NTV«.
2004 musste er den Sender wegen seiner kritischen Berichte verlassen.
Am 25. November 2010 nutzte er seine Redezeit während einer Preisverleihung für eine Abrechnung mit dem russischen Fernsehen. »In allen
politisch wichtigen Sendern geht es um die Ziele und Aufgaben der Regierung«, sagte Parfjonow. »Das hat nichts mehr mit Information zu tun,
(…) das ist Eigen-PR der Regierung. Der Korrespondent ist kein Journalist, sondern ein Beamter, er folgt der Logik von Gehorsam und Unterordnung.« http://parfenov-l.livejournal.com/29844.html, Übersetzung
nach: Der Kreml auf allen Kanälen. Wie der russische Staat das Fernsehen
lenkt. Reporter ohne Grenzen, Berlin, 2013

39 http://www.ntv.ru/novosti/1201078; http://www.ntv.ru/peredacha/
professiya_reportyor/last23815121/

40 http://www.thedailybeast.com/articles/2015/03/13/nobody-in-rus-
sia-is-buying-russia-s-nemtsov-lie.html, s. a.: die beiden ersten Folgen:
http://www.bbc.com/news/world-europe-20093239

41 Der Kreml auf allen Kanälen, a. a. O.

42 S. a.: W otscheredi sa perwym. In: Forbes Russia, 7/2014

43 So erklärte Margarita Simonjan, seit Ende 2014 Chefredakteurin von
»Russland Heute«, die Existenz dieses Telefons: »Es ist dazu da, geheime
Angelegenheiten zu besprechen.« http://time.com/rt-putin/

44 http://www.vedomosti.ru/politics/news/2013/02/11/glava_spch_so-
vetuet_zhurnalistam_bolshe_orientirovatsya_na

45 Roxburgh, a. a. O., S. 183 ff. Auch von Gazprom war Ketchum mit Imagepflege beauftragt worden, nach Roxburghs Angaben für ein ähnlich hohes Monatshonorar. Zur Rolle deutscher PR-Agenturen S. a.: Gemma
Pörzgen: »Soft Power« und Imagepflege aus Moskau. Leichtes Spiel für
PR-Offensive in der Medienkrise. In: Osteuropa, 1/2014, S. 63–88

46 http://www.nytimes.com/2013/09/12/opinion/putin-plea-for-cauti-
on-from-russia-on-syria.html, Ketchum soll zwischen 2006 und 2012
rund 23 Millionen US-Dollar für seine Tätigkeit erhalten haben. In: Pro-
Publica, 16.11.2012: http://www.propublica.org/article/from-russia-
with-pr-ketchum-cnbc

47 New York Times, Fine Line for US: firm with Putin as a client, 2.9.2014.
http://money.cnn.com/2015/03/12/media/russia-putin-pr-ketchum/

313

48 http://lifenews.ru/news/148122
49 Der als kremlnah geltende Medien-Unternehmer Jurij Kowaltschuk investierte 2006 80 Millionen in die News Media Holding, die von Gabreljans Sohn Ashot geleitet wird. S. a.: http://bigstory.ap.org/article/russia-media-tycoons-expand-kremlins-help
50 Ebd.
51 S. a.: Anna Politkowskaja. Putins Russland. Köln, 2005
52 Gespräch der Autorin mit Anna Politkowskaja
53 Eine – unvollständige – Liste ermordeter Journalisten und Politiker in: Osteuropa, 1–2/2015, S. 153–157
54 http://www.werner-schulz-europa.eu/englisch/713-round-table-discussion-about-chimki-case-european-involvement-in-corruption-in-russia.html
55 http://www.rog.at/russland-zum-tod-von-michail-beketow---ein-kampfer-fur-die-pressefreiheit.html
56 https://www.amnesty.de/2009/1/21/amnesty-trauert-um-stanislaw-markelow-und-anastasia-baburowa
57 http://www.themoscowtimes.com/news/article/kommersant-reporter-is-badly-beaten/421914.html
58 In: Osteuropa, 1–2/2015, S. 153–157
59 S. a.: Der Kreml auf allen Kanälen, a. a. O., S. 22
60 Russia Moves to Restrict Foreign Ownership of Media Outlets. In: The Wall Street Journal, 5.9.2014
61 http://aboutus.ft.com/corporate-information/ft-group/#joint; s. a.: http://www.themoscowtimes.com/business/article/billionaire-prokhorov-bids-for-100-stake-in-russian-daily-vedomosti/503304.html
62 Gespräch mit Zygar und verschiedene Besuche der Autorin bei »Doschd«
63 Zu Xenija Sobtschak und den Protesten 2011/2012 s. a. S. 29 f. im Kapitel »Das System«
64 Gespräch der Autorin mit Zygar
65 Gespräch der Autorin mit Zygar; s. a.: Tichon Dzyadko: Triumph of the will. In: The Guardian, 10.4.2014. Dzyadko ist stellvertretender Chefredakteur von »Doschd«.
66 Gespräch Autorin mit Zygar
67 http://tvrain.ru/articles/dozhd_pereehal_na_flakon-381696/
68 Im Frühjahr 2015 kostete ein Jahresabonnement 4800 Rubel.
69 Ein Überblick in: Peter Pomerantsev, Michail Weiss: The Menace of Unreality. How the Kremlin weaponizes information, culture and money. Institute of Modern Russia, New York, 2014
70 S. a.: Joseph S. Nye: Soft power. The means to success in world politics. New York, 2001
71 Roxburgh, a. a. O., S. 195
72 Die Kritik ist nicht ganz unberechtigt. Im erbitterten Streit über eine

mögliche Nato-Mitgliedschaft Georgiens setzten vor allem die USA auf Saakaschwili. S. a. S. 161 f. im Kapitel »Außenpolitik«

73 Zit. nach: Pomerantsev, a. a. O., S. 12. Neben der Ukraine sind auch die baltischen Staaten mit ihrem hohen russischen Bevölkerungsanteil strategisches Ziel hybrider Kriegsführung. Neben russischen Fernsehkanälen gehören dazu auch Cyberattacken und Agents Provocateurs sowie die Gründung sogenannter »Koordinationsräte russischer Landsleute«. Klassische Spionage nimmt offenbar auch in westlichen Ländern zu. Nach einem Bericht des schwedischen Geheimdienstes im März 2015 gilt »Russland als größte Bedrohung« der nationalen Sicherheit. http://www.washingtonpost.com/world/europe/sweden-russia-biggest-threat-13-of-its-envoys-are-spies/2015/03/18/26894566-cd6e-11e4-8730-4f473416e759_story.html

74 Zit. nach: http://www.faz.net/aktuell/politik/ausland/europa/putin-hat-invasion-der-ukraine-seit-2013-geplant-13139313.html

75 Propaganda und Desinformation werden auch von der ukrainischen Seite eingesetzt. Ein Ende 2014 neu gegründetes »Informationsministerium« soll die Ukraine vor Informationen aus dem Ausland schützen und russische Propaganda zurückdrängen – mit Gegenpropaganda. S. a.: https://www.reporter-ohne-grenzen.de/pressemitteilungen/meldung/kritik-an-neuem-informationsministerium/

76 http://www.stripes.com/news/saceur-allies-must-prepare-for-russia-hybrid-war-1.301464

77 S. a.: Peter Pomerantsev: Putins Medienkrieg. In: ipg-journal.de, 17.12.2014

78 »RT«-Chefredakteurin Margarita Simonjan wurde im Dezember 2014 zur Chefredakteurin von »Russland Heute« ernannt. http://sputniknews.com/russia/20131231/186117507.html. Das Budget für Russland Heute wurde für 2015 um mehr als 40 Prozent auf umgerechnet 263 Millionen Euro erhöht. Zum Vergleich: Voice of America verfügte 2013 über 196 Millionen Dollar, die Deutsche Welle 2014 über rund 270 Millionen Euro, BBC World über 245 Millionen Pfund.

79 http://www.spiegel.de/international/business/putin-fights-war-of-images-and-propaganda-with-russia-today-channel-a-916162.html

80 Die britische Ausgabe von »RT«, »RTUK«, wurde von der britischen Medienaufsichtsbehörde Ofcom wegen Verletzung journalistischer Regeln in mehreren Fällen kritisiert. In: The Guardian, 22.12.2014: World Service fears loosing information war

81 Der Kreml auf allen Kanälen, a. a. O., S. 35

82 S. a.: Simon Shuster: Russia Today. Vladimir Putin's on-Air media Machine. Time Magazine, 5.3.2015

83 http://actualidad.rt.com/actu-alidad/view/136298-centro-investigacion-biologica-eeuu-fort-detrick-brote-ebola

84 Adam Holland: RT's Manuel Ochsenreiter. In: The Interpreter, 21.3.2014.

http://www.interpretermag.com/rts-manuel-ochsenreiter, s. a.: http://
zuerst.de/2015/03/20/nuetzliche-vasallen-eu-armee-wuerde-die-
deutsche-souveraenitaet-weiter-untergraben/

85 http://www.theguardian.com/world/2014/mar/06/russia-today-an-
chor-liz-wahl-resigns-on-air-ukraine

86 http://www.theguardian.com/media/2014/jul/18/mh17-russia-today-
reporter-resigns-sara-firth-kremlin-malaysia

87 Ebd.

88 S. a. den Bericht des Journalisten Olaf Sundermeyer über seinen Auftritt
im »fehlenden Part«. http://www.faz.net/aktuell/feuilleton/debatten/
rt-deutsch-auftritt-bei-putins-propagandasender-13277111.html

89 http://www.deutschlandfunk.de/rt-deutsch-dahinter-steht-ja-der-
kreml.761.de.mhtml.dram:article_id=303297&utm_
content=buffer181af&utm_medium=social&utm_source=twitter.
com&utm_campaign=buffer

90 http://irodionov.com/2014/07/keine-objektivitat-ohne-russland-bas-
hing-2/

91 http://lenta.ru/articles/2013/03/07/simonyan/

92 http://gorod.afisha.ru/archive/ministry-of-truth-simonyan

93 http://www.theguardian.com/world/2014/may/05/vladimir-putin-
pro-kremlin-journalists-medals-objective-crimea, s. a.: http://boltai.
org/2014/05/13/кого-наградят-за-крым-полный-список/; http://www.
buzzfeed.com/maxseddon/documents-show-how-russias-troll-army-
hit-america#.qj876AE9l

94 http://time.com/rt-putin/

95 The Guardian, 4.5.2014: The Readers' editor on pro Russia trolling. Auch
in Tschechien und in der Slowakei sollen offenbar eigens gegründete
websites ausschließlich die russische Sicht der Dinge verbreiten. S.: https://foreignpolicy.com/2015/03/12/cranks-trolls-and-useful-idiots-
poland-czech-republic-slovakia-russia-ukraine/?utm_
source=Sailthru&utm_medium=email&utm_term=*Democracy%20
Lab&utm_campaign=2014_Democracy_Lab

96 Die Dankesrede der Moskauer ARD-Korrespondentin Golineh Atai anlässlich der Preisverleihung zur »Journalistin des Jahres 2014«, Berlin,
2015. Abgedruckt in: Die Zeit, 26. Februar 2015

97 http://boltai.org/about/

98 http://www.rferl.org/content/russia-trolls-headquarters-media-inter-
net-insider-account/26904157.html, s. a.: Julian Hans: Putins Trolle.
Süddeutsche Zeitung, 13.6.2014

99 So Berichte ehemaliger Mitarbeiter in: http://www.rferl.org/content/
russia-trolls-headquarters-media-internet-insider-account/26904157.
html; http://www.rferl.org/content/how-to-guide-russian-trolling-
trolls/26919999.html

100 Ebd.

101 Die Macht des Internets hatte man im Kreml offenbar zunächst unterschätzt. Während der Proteste gegen Putin 2011/2012 hatten sich Demonstranten vor allem über soziale Netzwerke informiert und ausge-
tauscht – Ansätze einer russischen Gegenöffentlichkeit. Die 2014
verabschiedeten Gesetze zur Extremismusbekämpfung und Kontrolle
des Internets verlangen, dass sich alle Benutzer von Informations-Web-
sites und Blogs mit über 3000 Besuchern bei der staatlichen Medienaufsichtsbehörde registrieren müssen. In Russland tätige Internetfirmen –
auch Google oder Twitter – dürfen ab 2016 Datenspeicher nur noch auf
russischem Staatsgebiet errichten. S. a.: NZZ, 7.8.2014: Der Kreml knebelt
das Internet

102 http://www.dw.de/dw-etat-zehn-millionen-euro-zuwachs/a-17689735

103 http://www.focus.de/politik/ausland/ukraine-krise/dokumentation-
realitaetscheck-zu-russland-das-sind-die-gegenargumente-des-auswa-
ertiges-amts_id_4492073.html

104 http://www.themoscowtimes.com/news/article/eu-launches-first-
step-in-spreading-word-against-russian-disinformation/517760.html

105 Weitgehendere Empfehlungen wie etwa Transparenzgebote und Stärkung der Russland-Expertise in: Pomerantsev, Weiss, a. a. O.

Zivilgesellschaft – Macht und Ohnmacht der Opposition

1 Zit. nach: Katja Gloger, Bettina Sengling:»Wenn Du Deine Rechte ein-
forderst, landest Du im Lager«. In: Der Stern, 31.7.2014

2 Zur Geschichte von Pussy Riot, der aktionistischen Künstlergruppe
»Wojna«, »Der Krieg«, ihren ebenso provokativen wie vulgär-pornografi-
schen Aktionen, s. a.: Masha Gessen: Words will break cement. The pas-
sion of Pussy Riot. New York, 2014. Zur Kritik an der westlichen Perzep-
tion: Moritz Gathmann: Lady Suppenhuhn. In: Frankfurter Allgemeine
Sonntagszeitung, 25.8.2012

3 Enemies of the State. In: Vogue, US-Ausgabe, 7/2014

4 https://www.freitag.de/autoren/the-guardian/offener-brief

5 Katja Gloger, Bettina Sengling, a. a. O.

6 http://www.constitution.ru/de/part2.htm

7 http://president-sovet.ru/members/constitution/

8 http://zonaprava.com

9 http://zona.media

10 Lev Gudkov: Resources of Putin's Conservatism. In: Leon Aron (Hrsg.):
Putin's Russia. The American Enterprise Institute, Washington, Mai
2015, S. 52–72

11 Ellen Mickiewicz: No Illusions. The Voices of Russia's Future Leaders.
New York, 2014

12 Juri Levada, u. a.: What the Polls tell us. http://muse.jhu.edu/journals/
jod/summary/v015/15.3levada.html, s. a.: Lev Gudkov, Victor Zaslavs-

ky: Russland. Kein Weg aus dem postkommunistischen Übergang? Dt. Ausgabe Berlin, 2011. Pavel Chikov: Zivilgesellschaft und Staat in Russland. In: Russland-Analysen Nr. 284, 24.10.2014, S. 14–19

13 Boris Makarenko: Repressionsindolenz. Politische Kultur und autoritäre Herrschaft in Russland. In: Osteuropa, 8/2014, S. 113–120, S. 117

14 »Wir haben rote Seelen«: Interview der Autorin mit Swetlana Alexijewitsch. In: Der Stern, 2/2014. S. a.: Swetlana Alexijewitsch: Secondhand-Zeit. Leben auf den Trümmern des Sozialismus. Berlin, 2013

15 Chikov, a. a. O., S. 15

16 So etwa die Erfahrungen des ehemaligen Abgeordneten der Partei Einiges Russland, Anatolij Jermolin, der dem Journalisten Walerij Panjuschkin von einem geheimen Treffen mit dem damaligen innenpolitischen Präsidentenberater Wladislaw Surkow berichtete: »Was glaubt Ihr eigentlich, wer Ihr seid? Wer fragt Euch denn? Die Entscheidungen werden ohne Euch getroffen.« Zit nach: Valery Panyushkin: 12 Who Don't Agree. The Battle for Freedom in Putin's Russia. New York, 2011

17 Beispielhaft hierfür die Graswurzelbewegung Ekooborona, »Öko-Verteidigung«, zur Rettung des Waldes von Chimki, einer Moskauer Vorstadt. S. a. S. 110 im Kapitel »Propaganda«. Die bekannte Ekooborona-Aktivistin Jewgenija Tschirikowa kandidierte 2012 für die Bürgermeisterwahlen in Chimki, 2015 verließ sie mit ihrer Familie das Land.

18 Exemplarisch hierfür die Selbstorganisation der Bürger während der landesweiten Wald- und Moorbrände 2010, s. a. S. 39 f. im Kapitel »Das System«

19 Nawalnyjs Blog wurde blockiert. Seine Website existierte im Sommer 2015 noch: https://navalny.com

20 Zum Dilemma der Wahlen in einem hybriden System s. a.: Nikolay Petrov u. a.: Three dilemmas of hybrid regime governance: Russia from Putin to Putin. In: Post-Soviet Affairs, September 2013

21 Eidman glaubt, das Kontingent der Unzufriedenen vergrößere sich mit wachsenden wirtschaftlichen Problemen und könne sich der kleinen aktiven Opposition anschließen: »Dann verliert das Regime den Boden unter den Füßen, dann droht der Zusammenbruch.« Igor Eidman: Der tiefe Schlummer von Putins unsichtbarer Opposition. In: Frankfurter Allgemeine Zeitung, 2.5.2015

22 Eine Liste auf der Website des russischen Justizministeriums: http://unro.minjust.ru/NKOForeignAgent.aspx

23 Die Agentur hatte viele Projekte im sozialen und Gesundheitsbereich unterstützt. http://www.usaid.gov/news-information/fact-sheets/usaid-russia

24 Gespräch der Autorin mit Lew Gudkow

25 Grigorij Ochotin: Agentenjagd. Die Kampagne gegen NGOs in Russland. In: Osteuropa, 1–2/2015, S. 83–94, sowie Jens Siegert: NGOs in Russland. In: Russland-Analysen Nr. 284, 24.10.2014

26 S. hierzu S. 111 im Kapitel »Propaganda«.

27 S. a.: Katja Gloger: Der Preis der Freiheit. In: Der Stern, 11.12.2014

28 https://openrussia.org/post/view/8167/

29 Im Mai 2014 verabschiedete die Staatsduma ein Gesetz, nachdem jeder
    sogenannte unabhängige Kandidat innerhalb weniger Wochen die Un-
    terschriften von drei Prozent der Wähler vorlegen musste, um registriert
    zu werden. S. a.: David White: An Uphill Battle: Maintaining Political
    Opposition in the Context of Russia's Nationalist Turn. In: Russian Ana-
    lytical Digest, 15.4.2015, S. 5–8

30 Zu den Gerichtsverfahren gegen Alexej Nawalnyj, s.a.: Otto Luchter-
    handt: Missbrauch des Strafrechts. Das »System Putin« im Kampf gegen
    Aleksej Naval'nyj. In: Osteuropa, 1–2/2015, S. 95–124

31 http://www.rferl.org/content/russia-navalny-wife-tass-pictures-
    spiked/26941508.html

32 Selbst die von Putin als Reaktion verhängten Importverbote für Lebens-
    mittel aus der EU – die »Anti-Sankzij« – wurden im patriotischen Durch-
    einander zynisch zur Waffe des Westens erklärt: Der Westen verweigere
    sogar die Lieferung von Lebensmitteln, wolle das russische Volk aushun-
    gern, hieß es.

33 http://www.putin-itogi.ru/other/

34 http://www.putin-itogi.ru/putin-voina/

35 Katja Gloger, Bettina Sengling: Tödlicher Hass. In: Der Stern, 5.3.2015

36 Flucht aus Russland. Auswanderung erreicht höchsten Stand seit 2000.
    In: Der Tagesspiegel, 26.3.2015

37 Gespräch der Autorin mit Regisseur Andrej Swjaginzew; s. a.: http://
    www.nytimes.com/2015/01/28/world/europe/leviathan-arussian-
    movie-gets-applause-in-hollywood-but-scorn-at-home.html?_r=0

38 S. a.: Frank Nienhuysen: Ohne mich. In: Süddeutsche Zeitung, 3.2.2015

39 http://www.dynastyfdn.com/about

40 http://openinform.ru

41 https://meduza.io; http://www.colta.ru

42 Evgenija Lezina: Memorial und seine Geschichte. Russlands historisches
    Gedächtnis. In: Osteuropa, 11-12/2014, S. 165-176

43 http://www.memo.ru

44 http://rt.com/politics/266626-russia-lubyanka-dzerzhinsky-monu-
    ment/

Außenpolitik – Putins Welt

1 Interview Michail Gorbatschow mit der Zeitung Moscow News im September 1995, zit. nach Hill, a. a. O., S. 36

2 Roxburgh, a. a. O., S. 26 ff.; http://en.kremlin.ru/events/president/
   news/37942

3 Ebd., S. 29

4 Matthias Dembinski, Hans-Joachim Schmidt, Hans-Joachim Spanger: Einhegung: Die Ukraine, Russland und die europäische Sicherheitsordnung. HSFK-Report Nr. 3/2014, S. 6

5 Wladimir Putin: Rede an den Russischen Föderationsrat und die Abgeordneten der Staatsduma, 18.3.2014. http://en.kremlin.ru/events/president/news/20603

6 Zusammengefasst in: http://www.dw.de/kulturkampf-in-russland/a-17575694

7 Zit nach: Angela Stent: Putin's World. In: The Crisis with Russia.The Aspen Institute, Washington 2014, S. 54

8 Dembinski, Schmidt, Spanger, a. a. O., S. 26

9 Der Westen wird als normatives Projekt im Sinne Heinrich-August Winklers verstanden. Heinrich-August Winkler: Geschichte des Westens, 4 Bde., München, 2009–2015

10 S. a.: Gabriele Krone-Schmalz: Russland verstehen. Der Kampf um die Ukraine und die Arroganz des Westens. München 2015

11 Zit. nach: http://www.faz.net/aktuell/politik/ausland/putin-schliesst-russland-vom-voelkerrecht-aus-13239680.html

12 Zit. nach: Hans-Joachim Spanger. Vom Europäischen Haus zurück zum Mächtekonzert. In: Wissenschaft & Frieden, 2/2000

13 Sergey Karaganov: Europe: A defeat at the hands of victory? In: Russia Global affairs 1/2015

14 http://www.nytimes.com/2014/03/03/world/europe/pressure-rising-as-obama-works-to-rein-in-russia.html?_r=0

15 Bill Clinton: My life. New York, 2005, S. 508. Offenbar verglich Clinton Jelzin auch mit seinem eigenen, alkoholkranken Stiefvater.

16 Strobe Talbott: The Russia Hand. A memoir of presidential diplomacy. New York, 2002, S. 409

17 Vor allem die Gore-Tschernomyrdin-Kommission unter Leitung von US-Vizepräsident Al Gore und dem damaligen russischen Minsterpräsidenten Wiktor Tschernomyrdin

18 S. a.: Talbott, a. a. O.

19 Bill Clinton in Annapolis, 1993, zit. nach: Angela Stent: The Limits of Partnership, US-Russian Relations in the 21. Century, Princeton, 2014, S. 15

20 Es kam schließlich zu einer Vereinbarung über die Umwandlung von hochangereichertem in niedriger angereichertes Uran, die USA leisteten finanzielle und technologische Hilfe.

21 http://www.nti.org/country-profiles/ukraine/

22 Zusammenfassend in: http://www.nti.org/country-profiles/ukraine/delivery-systems/

23 Stent, a. a. O., S. 28

24 Dembinski, Schmidt, Spanger, a. a. O., S. 4

25 So Sergej Karaganow, zit. in: Stent, a. a. O., S. 25

26 Spanger, Vom Europäischen Haus, a. a. O.

27 Zusammenfassend auch: Hannes Adomeit. Fehler im Betriebssystem. Die russisch-amerikanischen Beziehungen. In: Osteuropa, 9/2013, S. 57–78

28 Zit. nach: Sergey Karaganov: The Man behind Putin's Pugnacity. In: The Globe and Mail, 30.3.2014

29 Matthias Dembinski, Hans-Joachim Spanger: Krisenkarussell: Russland und die Nato. In: Wissenschaft und Frieden, 1/2009

30 Adomeit, a. a. O., S. 69

31 Spanger, Vom Europäischen Haus, a. a. O.

32 S. a.: Hans-Jürgen Burkard: Jenseits von Kreml und Rotem Platz. Bilder aus Russland. Mit Texten von Katja Gloger. München, 1995

33 Ausführlich im Kapitel »Die Nato und die deutsche Wiedervereinigung«

34 Gespräch der Autorin mit Sergej Karaganow

35 S. a.: Talbott, a. a. O., S. 372 ff.

36 Ebd., S. 380. Anfangs versuchte man, das Problem mit Hilfe eines strategischen Abrüstungsabkommens zwischen den USA und Russland zu lösen: Start II. Es sollte die Nukleararsenale der beiden Supermächte um zwei Drittel auf jeweils 3500 Sprengköpfe reduzieren. 1993 ratifizierte der US-Kongress das Abkommen – das russische Parlament allerdings nicht. So geriet der nukleare Abrüstungsprozess ins Stocken – und die Pläne für eine Raketenabwehr kamen wieder auf den Tisch. Erst 2000 ratifizierte die Duma den Vertrag.

37 Talbott, a. a. O., S. 384. S. a.: Stent a. a. O, S. 32

38 S. a.: Dembinski, Schmidt, Spanger, a. a. O., S. 14: Waren vor 1990 noch über 80 000 US-Soldaten in Deutschland stationiert, waren es 2014 rund 8000

39 Zit. nach: Stent, a. a. O., S. 38

40 Etwa der damalige Außenminister Andrej Kosyrew

41 James M. Goldgeier, Michael McFaul: Power and Purpose. U.S. Policy toward Russia After the Cold War. Washington, D. C., 2003, S. 191, sowie Talbott, a. a. O.

42 Spanger, Vom Europäischen Haus, a. a. O.

43 Shevtsova: Putin's Russia, a. a. O., S. 161

44 Der Washingtoner Polit-PR-Profi Dick Morris reiste nach Moskau, um Jelzins Wahlkampf zu »optimieren«. Stent, a. a. O., S. 23

45 Hill, a. a. O., S. 297

46 http://www.nato.int/cps/en/natohq/official_texts_25468.htm?selectedLocale=de

47 S. a.: Shevtsova: Putin's Russia, a. a. O., S. 234 ff. Mit der Ernennung des ebenso stramm nationalistischen wie antiamerikanischen Politikers Dmitrij Rogosin zum russischen Botschafter bei der Nato erklärte Putin 2008 das faktische Ende einer möglichen Kooperation. Rogosin steht dem nationalchauvinistischen Isborskij-Klub nahe, der Russlands Zu-

kunft in einem Kalten Krieg gegen die USA und die EU sieht. S. a.: Rogosins Reden, zusammengefasst in den »Russian Series« der Defence Academy of the United Kingdom, 03/2011. S. a. S. 80 und S. 87 im Kapitel »Ideologie«

48 Interview Michail Gorbatschow mit der Zeitung Moscow News im September 1995, zit. nach: Hill, a. a. O., S. 36

49 George F. Kennan: A Fateful Error. In: The New York Times, 5.2.1997

50 S. a.: Interview mit John Mearsheimer. In: Katja Gloger u. a.: Der neue Kalte Krieg. In: Der Stern, 45/2014. Ebenso: John Mearsheimer: Why the Ukraine Crisis Is the West's Fault. In: Foreign Affairs, September/Oktober 2014

51 Der Historiker Jan C. Behrends verweist auf Carl Schmitts »Großraumlehre« von 1939. Jan C. Behrends: Moscow's War against Ukraine. Comments from a historical perpective. In: Cuadernos de Historia Contemporánea, 2014, Vol. 36, S. 325–329

52 Zit. nach: Stent., a. a. O., S. 42

53 S. a.: Reinhard Merkel (Hrsg.): Der Kosovokrieg und das Völkerrecht, Frankfurt, 2000

54 KFOR (für »Kosovo Force«) lautete die Bezeichnung der 1999 nach Beendigung des Kosovokriegs aufgestellte multinationale Truppenformation unter der Leitung der Nato.

55 Stand Leonid Iwaschow, bis 2001 im russischen Verteidigungsministerium für internationale Beziehungen zuständig, während der ersten beiden Amtszeiten Putins eher im politischen Abseits, ist seit 2014 als Vertreter des Neo-Eurasianismus, Sammler russischer Erde und antisemitisch gefärbter Gegner des angeblichen US-Imperialismus wieder gefragt. S. a. S. 86 f. im Kapitel »Ideologie«.

56 Zit. nach: Goldgeier, a. a. O., S. 261 f.

57 http://www.politico.com/magazine/story/2014/08/putin-the-back-story-110151_Page3.html#.VVMtZ2DF_Sg

58 Boris Jelzin: Mitternachtstagebuch. Meine Jahre im Kreml. Berlin, 2000, S. 256

59 Zit. nach: Hill, a. a. O., S. 298

60 Wladimir Putin: Rede an den Russischen Föderationsrat und die Abgeordneten der Staatsduma, 18.3.2014. http://en.kremlin.ru/events/president/news/20603

61 BBC Breakfast with Frost. Interview: Vladimir Putin. BBC, 5.3.2000. http://news.bbc.co.uk/hi/english/static/audio_video/programmes/breakfast_with_frost/transcripts/putin5.mar.txt

62 Stent, a. a. O., S. 47

63 Lilia Shevtsova: The World according to Putin. In: The Russia Crisis. The Aspen Institute, Washington, 2014, S. 35–49

64 Dale Herspring, Jacob Kipp: Understanding the Elusive Mr. Putin. In: Problems of Post-Communism, Vol. 48, 9/10, 2001, S. 3–17, zit. nach: Hill, a. a. O., S. 318 f.

65 Zit. nach: Roderic Lyne: Russia's Changed Outlook on the West. From
    Convergence to Confrontation. In: The Russian Challenge. Chatham
    House Report, Juni 2015, S. 2–13
66 Hill, a. a. O., S. 312 ff.
67 Während eines Treffens mit Bill Clinton bei dessen Abschiedsbesuch in
    Moskau am 3. Juni 2000 hatte Putin erläutert, seine Militärs würden eine
    »adäquate Antwort« auf Amerikas Raketenabwehrpläne finden, eine
    Antwort, die auch »unerwartet« sein könne. Man empfand es als ziemlich
    unverhüllte Drohung. S. Talbott, a. a. O., S. 396. In der Handelspolitik
    ging es vor allem um die Abschaffung der Jackson-Vanick-Klausel aus
    den 70er Jahren, die Beschränkungen für russische Importe vorsah. Sie
    wurde schließlich 2012 unter Präsident Obama abgeschafft. Zugleich ver-
    abschiedete der Kongress allerdings das Magnitzkij-Gesetz mit Einreise-
    verboten für russische Politiker.
68 Talbott, a. a. O., S. 405
69 Zit. in: Peter Baker: Days of Fire. Bush and Cheney in the White House.
    New York, 2013, S. 107; s. a.: Roxburgh, a. a. O., S. 30 ff.
70 Zit. nach: Stent, a. a. O., S. 62
71 George W. Bush: Decision Points. New York, 2010, S. 196
72 Stent, a. a. O., S. 65, ausführlich auch in Roxburgh, a. a. O., S. 35 ff.
73 Donald Rumsfeld: Known and Unknown. New York, 2011, S. 397
74 Ebd., S. 177
75 Putin forderte vielmehr eine Gegenleistung: »Ich brauche einen Vertrag!«,
    sagte er zu Bush. Putin und Bush unterzeichneten im Mai 2002 den nuk-
    learen Abrüstungsvertrag SORT, der zwar eine drastische Reduzierung
    nuklearer Sprengköpfe vorsah, jedoch weder ihre Vernichtung noch eine
    einklagbare Kontrolle. Faktisch bedeutete das unverbindliche Abkom-
    men für Russland die Demontage des wichtigsten Pfeilers der bilateralen
    Beziehungen: der nuklearen Ebenbürtigkeit. S. a.: Talbott, a. a. O., S. 419
76 S. a.: Fedor Luk'janow: Perestrojka 2014. Russlands neue Außenpolitik.
    In: Osteuropa, 5–6/2014, S. 143–148
77 Interview Roxburgh mit Gerhard Schröder, a. a. O., S. 41
78 Zit. nach Interview Roxburgh mit George Robertson, a. a. O., S. 41
79 Zit. nach Shevtsova, Putin's Russia, a. a. O., S. 237
80 http://archive.kremlin.ru/eng/events/chronicle/2003/05/161351.shtml
81 Während der Feierlichkeiten zum 300. Geburtstag Sankt Petersburgs im
    Mai 2003 sagte Putin dem französischen Staatspräsidenten Jacques Chirac:
    »Meine Prioritäten waren bislang: erst Amerika, dann China, dann Euro-
    pa. Jetzt ist es andersherum: Erst Europa, dann China, dann Amerika.«
    Zit. nach: Roxburgh, a. a. O., S. 107
82 Zit. nach: Baker, a. a. O., S. 200
83 Noch lange vor der Rosen-Revolution gehörte die georgische Regierung
    seit Mitte der 90er Jahre zu den größten Empfängern amerikanischer Fi-
    nanzhilfe, dies war vor allem auf die guten Beziehungen des ehemaligen

sowjetischen Außenministers und späteren georgischen Präsidenten Eduard Schewardnadse zu den USA zurückzuführen. S. a.: Stent, a. a. O., S.105

84 Zur Ukraine s. Kapitel »Ukraine«, zu Georgien detailliert auch: Roxburgh, a. a. O., S. 108 ff.

85 S. a.: Ulrich Kühn: Der Ukrainekrieg und die europäische Sicherheitsarchitektur. In: Russland-Analysen, Nr. 295, 8.5.2015, S.7–10

86 http://www.rg.ru/2014/10/15/patrushev.html

87 Shevzova, Lost in Transition, a. a. O., S. 242

88 So im Mai 2006 in Wilnius, zit. nach: Adomeit, a. a. O., S. 65. Seine persönlichen Erfahrungen mit Putin beschreibt Cheney in seinem Memoiren. Richard Cheney: In My Time. A Personal and Political Memoir. New York, 2011, S. 427 f.

89 S. a. das »Project on Transitional Democracies« in Washington. Schon im Februar 2004 forderte Saakaschwili während seines ersten Staatsbesuches in Washington die Aufnahme in die Nato. US-Militärausbilder sollten – und würden – die georgische Armee trainieren.

90 Roxburgh, a. a. O., Fototeil

91 Wie etwa bei der willkürlichen Preisgestaltung für Gaslieferungen in die Ukraine und dem Lieferstopp im Januar 2006, dem ersten »Gaskrieg«

92 Zit. nach: Baker, a. a. O., S. 384

93 Dmitri Trenin: Russia leaves the West. In: Foreign Affairs, 7/8, 2006, S. 87–96

94 Zit. nach: Roxburgh, a. a. O., S. 196

95 Zu begleitenden PR-Maßnahmen in München, erlebt auch von der Autorin während eines Brezelessens mit dem umgänglichen damaligen russischen Verteidigungsminister Sergej Iwanow, s. a.: Roxburgh, a. a. O., S. 196 ff. Iwanows ältester Sohn hatte 2005 mit seinem Auto eine rote Ampel mit hoher Geschwindigkeit überfahren und dabei eine Rentnerin erfasst, die getötet wurde. Im Gerichtsprozess wurde er freigesprochen. Im November 2005 setzte der Sender Ren TV die Sendung der Journalistin Olga Romanowa ab: Sie hatte kritisch über diesen Vorfall berichtet.

96 Sergey Karaganov: Europe: A defeat at the hands of victory? In: Russia Global Affairs, 1/2015

97 http://archive.kremlin.ru/eng/speeches/2007/02/10/0138_type82912type82914type82917type84779_118123.shtml

98 So auch die damalige Russland-Expertin im National Intelligence Council, Fiona Hill. »So, Sie sind also gegen Freiheit und Demokratie«, schleuderte ihr US-Vizepräsident Cheney entgegen. S. a.: Baker, a. a. O., S. 585 f., sowie Stent, a. a. O., S. 164. Stent war bis 2006 im National Intelligence Council für Russland zuständig.

99 US-Außenministerin Rice sollte das gewünschte Ergebnis liefern.: »Ich muss liefern. Das wird verdammt schwer.« Condoleezza Rice: No higher Honor. New York, 2011, S. 672

100 Gespräch der Autorin mit Angela Stent, s. a.: Stent, a. a. O., S. 167 sowie
S. 308

101 Interview Stephen Hadley. In: Roxburgh, a. a. O., S. 228

102 http://www.nato.diplo.de/Vertretung/nato/de/06/Gipfelerklaerun-
gen/GipfelerklBukarest__Seite.html

103 Putin verwirrte die Staatschefs, als er ungeplant zu ihrem Abendessen
auftauchte. S.: Baker, a. a. O., S. 587

104 Stent, a. a. O., S. 163 ff.

105 Blok Nato rasoscholsja na blokpakety. In: Kommersant, 7.4.2008

106 Bemühungen der Außenminister Rice und Steinmeier um Deeskalation
waren vergeblich. Saakaschwili verweigerte seine Zustimmung zu einer
Vereinbarung über Gewaltverzicht. In Georgien waren 100 amerikanische Militärberater stationiert, Mitte Juli wurde ein Manöver durchge-
führt, an dem Soldaten aus Georgien, der Ukraine, Armenien, Aserbaidschan und den USA teilnahmen. S. a.: Stent, a. a. O., S. 168 ff., Roxburgh,
S. 231 ff.

107 Zu den Debatten im Weißen Haus: Baker, a. a. O., S. 602 f.

108 Putin war nach den Präsidentschaftswahlen im Frühjahr 2008 russischer
Ministerpräsident. Der russische Präsident Dmitrij Medwedjew hatte
nach Einschätzungen westlicher Teilnehmer der Verhandlungen kein
Mandat, über einen Waffenstillstand zu verhandeln. S. a.: Stent, a. a. O.,
S. 173; Baker, a. a. O., S. 604

109 Zit. nach französischen Presseberichten in: Ronald Asmus: A Little War
that Shook the world. New York, 2010, S. 199; auch zit. in: Baker, a. a. O.,
S. 604

110 Dmitri Trenin: Russia's Spheres of Interest, not Influence. In: The Washington Quarterly 4/2009, S. 3–22

111 Gespräche der Autorin mit Stephen Hadley. S. a. die Einschätzungen des
damaligen US-Natobotschafters Kurt Volker, der die Ukraine bedroht
sah. In: https://wikileaks.org/cable/2008/08/08USNATO290.html

112 Neustart wird mit »peresagruska« übersetzt. Auf dem von Hillary Clinton mitgebrachten Knopf stand: »peregruska«: Überlastung

113 Gespräch der Autorin mit Obamas Russland-Beraterin Celeste Wallander

114 Stent, a. a. O., S. 231

115 2009 tagte der Nato-Russland-Rat zum ersten Mal seit dem Georgienkrieg. Es war die insgesamt dritte – und bis 2015 letzte Sitzung seit seiner
Gründung 2002.

110 Roxburgh, a. a. O., S. 282

117 So die Beobachtungen Roxburghs, der damals als PR-Berater für den
Kreml arbeitete. Roxburgh, a. a. O., S. 260

118 So hatten Merkel und Putin 2009 russische Investitionen in den Opel-
Konzern ausgehandelt, um die deutsche GM-Tochter vor dem Bankrott
zu retten. GM stimmte zu, ein 5000 Seiten langer Vertrag wurde aufge-
setzt. Einen Tag vor der geplanten Vertragsunterzeichnung entschied GM

überraschend, Opel nicht zu verkaufen. Für Putin ein weiterer Beweis für die gezielte Missachtung russischer Wirtschaftsinteressen. S. a.: Roxburgh, a. a. O., S. 278 f.

119 Gespräch der Autorin. Michael McFaul, von 2010-2012 Obamas Botschafter in Moskau, setzte sich für Demokratieförderung ein und traf sich regelmäßig mit Oppositionellen. Putin sah ihn als Vorhut des »Regime Change«. Nach Schmähkampagnen im Internet und Morddrohungen verließ McFaul das Land.

120 http://www.washingtonpost.com/blogs/worldviews/wp/2013/08/09/yes-putin-slouches-and-heres-proof-does-it-matter-sort-of/

121 http://en.kremlin.ru/events/president/news/19243

122 S. a.: Hans-Joachim Spanger: Unheilige Allianz. a. a. O., S. 43–62

123 Dembinski, Schmidt, Spanger, a. a. O., S. 4

124 Wladimir Putin im Juli 2014 vor dem Russischen Sicherheitsrat: kremlin.ru/transcripts/46305

125 Ivan Krastev: Russian Mistakes and Western Misunderstandings. In: The Financial Times, 17.6.2015

Die Ukraine, Russland und der Westen – An die Grenzen

1 Wladimir Putin: Rede vor der Föderalversammlung, 18.3.2014. http://en.kremlin.ru/events/president/news/20603

2 https://ru-ru.facebook.com/Mustafanayyem/posts/10201178184682761; daneben gab es Aufrufe des damaligen Oppositionspolitikers Arsenij Jazenuk und der Online-Zeitung Korrespondent.net. https://twitter.com/Yatsenyuk_AP/status/403453433648148481; http://blogs.korrespondent.net/blog/pro_users/3289622-uvaha-zbir-sohodni-na-maidani-nezalezhnosti-o-2230-video

3 Nach anderen Angaben waren es bis zu 2000.

4 http://www.kyivpost.com/content/ukraine/75-were-injured-during-nov-30-dispersal-of-euromaidan-333103.html

5 Auch in Lwiw, Odessa und Charkiw kam es zu Protesten.

6 Zu Stepan Bandera: S. 183 f. in diesem Kapitel

7 S. a.: Olga Onuch: Who were the protesters? In: The Majdan and Beyond. Journal of Democracy, 3/2014, S. 44–51

8 S. S. 175 ff. in diesem Kapitel

9 Lothar Müller: Der entgiftete Raum. In: Süddeutsche Zeitung, 21.3.2015

10 S. a.: Romain Leick: Europa darf nicht blinzeln. In: Der Spiegel, 51/2014

11 Die Ukrainekrise und die Sicherheit Europas. In: Frankfurter Allgemeine Zeitung, 1.9.2014

12 Timothy Snyder: Putins Projekt. In: Frankfurter Allgemeine Zeitung, 14.4.2014

13 Ulrich Kühn: Der Ukrainekrieg und die europäische Sicherheitsarchitek-

tur. In: Russland-Analysen Nr. 295, 8.5.2015, S. 7–11. Zur Entwertung dieser normativen Grundlagen gehörten demnach der Krieg in Georgien 2008, die Suspendierung des KSE-Vertrages über konventionelle Rüstung 2007 und selbst der russische Vorschlag einer neuen europäischen Sicherheitsarchitektur 2008. Er hätte Moskau ein faktisches Vetorecht über jede weitere Nato-Osterweiterung verschafft.

14 Darunter zu verstehen sind die Länder, die eine Annäherung an die EU suchen bzw. suchten: Armenien, Aserbaidschan, Belarus, Georgien, Moldowa, Ukraine.

15 Andreas Kappeler: Kleine Geschichte der Ukraine. München, 2014

16 S. auf S. 165 im Kapitel »Außenpolitik«

17 Im Februar 2015 entschied das ukrainische Parlament, an dessen tausendstem Todestag des Kiewer Fürsten Wolodymir zu gedenken – als Symbol der tausendjährigen staatlichen Tradition der Ukraine, der »Ukrajina-Rus«. In Moskau wurde dies als Versuch interpretiert, die Geschichte umzudeuten: Soll Fürst Wladimirs Taufe doch auf der von Putin mit sakraler Bedeutung versehenen Krim erfolgt sein? In der Tat ist der genaue Ort der Fürsten-Taufe nicht bekannt. S. a.: Kerstin Jobst: Die symbolische Bedeutung der Halbinsel Krim für Russland. In: Russland-Analysen Nr. 291, 27.2.2015, S. 6–8

18 S. a.: Felix Schnell: Historische Hintergründe ukrainisch-russischer Konflikte. In: Aus Politik und Zeitgeschichte, 47–48/2014, S. 10–17

19 Gespräch der Autorin mit dem Historiker Andrew Wilson

20 Simon Sebag Montefiore: Katharina die Große und Fürst Potemkin. Eine kaiserliche Affaire. London, 2. Aufl., 2009

21 Zit. nach: Montefiore, a. a. O., S. 11

22 Zit. nach: Montefiore, a. a. O., S. 361

23 Zit. nach: Montefiore, a. a. O., S. 381

24 Allein in Kiew wechselte innerhalb von gut zwei Jahren neunmal die militärische Macht. Zu den komplexen militärischen Auseinandersetzungen s. a.: Kappeler, a. a. O., S. 171 ff.

25 Erschütternde Zeugnisse auch in: Timothy Snyder: Bloodlands. Europa zwischen Hitler und Stalin, München, 2011

26 Timothy Snyder: The Battle in Ukraine means everything. Fascism returns to the continent it once destroyed. In: The New Republic, 11.5.2014

27 S. a.: Richard Sakwa: Frontline Ukraine. Crisis in the Borderlands. London, 2015, S. 20

28 http://www.bbc.com/news/world-europe-25058256. Offenbar waren vor allem jene Republiken und Landesteile besonders massiv von Zwangsrequirierungen und Ausreiseverboten aus den Hungergebieten betroffen, in denen der – nationale – Widerstand gegen Stalins Politik besonders groß war. Nicht nur, aber hauptsächlich in der Ukraine. S. a.: Gunnar Heinsohn: Lexikon der Völkermorde, Reinbek, 1998

29 Snyder: Bloodlands, a. a. O., S. 405; Grzegorz Rossoliński-Liebe Erinne-
    rungslücke Holocaust. Die ukrainische Diaspora und der Genozid an den
    Juden. In: Vierteljahreshefte für Zeitgeschichte 62 (2014), S. 397–430
30 »Kein Sieg für Putin«. In: Süddeutsche Zeitung, 5.5.2014
31 Snyder: Putins Projekt, a. a. O. S. a. sein Vorwort im Buch »Bloodlands«,
    a. a. O.
32 S. a.: Grzegorz Rossoliński-Liebe: The »Ukrainian National Revolution«
    of 1941. Discourse and Practice of a Fascist Movement. In: Kritika. Explo-
    rations in Russian and Eurasian History 12 (2011), H. 1, S. 83–114. Im Rah-
    men eines akademischen Programms luden Heinrich-Böll-Stiftung, der
    Deutsche Akademische Austauschdienst und die deutsche Botschaft in
    Kiew 2012 zu sechs Vorträgen über Stepan Bandera und die Massenge-
    walt der OUN und UPA in der Ukraine ein. Drei von ihnen wurden teil-
    weise wenige Stunden vor dem Beginn der Veranstaltung abgesagt.
    Letztlich fand nur eine Veranstaltung im Gebäude der deutschen Bot-
    schaft in Kiew statt – unter Polizeischutz. Vor dem Gebäude demons-
    trierten rund 100 Menschen, darunter auch Mitglieder der rechtsextre-
    men Swoboda-Partei. Sie versuchten die Besucher davon zu überzeugen,
    den Vortrag nicht zu besuchen.
33 Ebd.
34 Zit. nach: Kappeler, a. a. O., S. 211
35 Bandera selbst nahm an der Proklamation im damaligen Lwow nicht teil,
    die Deutschen hatten ihm den Aufenthalt verboten. Rossoliński-Liebe:
    The »Ukrainian National Revolution« of 1941, a. a. O.
36 Umstritten die Teilnahme der OUN – und die Rolle Banderas – an dem
    Massaker an Juden und Kommunisten in Lwow am 30. Juni 1941.
    Rossoliński-Liebe: The »Ukrainian National Revolution« of 1941, a. a. O.
37 Grzegorz Rossoliński-Liebe: Celebrating Fascism and war criminality in
    Edmonton. The Political Myth and Cult of Stepan Bandera. In: Kakanien
    Revisited, 12/2010. http://www.kakanien-revisited.at/beitr/fallstudie/
    grossolinski-liebe2.pdf
38 Auch in anderen Teilen der besetzten Sowjetunion sowie in der balti-
    schen Republik Litauen kam es zu Pogromen gegen die jüdische Zivilbe-
    völkerung. Doch in der Westukraine wurden sie auch in Ortschaften und
    Städten verübt, die nicht von den Nazis direkt besetzt waren, zum Teil
    auch vor dem Einmarsch der deutschen Truppen.
39 Sakwa: Frontline Ukraine, a. a. O., S. 17
40 http://www.spiegel.de/spiegel/print/d-42623068.html
41 Michail Gorbatschow am 30.8.1991, zit. nach: Kappeler, a. a. O., S. 275
42 Anna Veronika Wendland: Hilflos im Dunkeln. »Experten« in der Ukrai-
    nekrise. Eine Polemik. In: Osteuropa, 9–10/2014, S. 13–33, hier S. 26
43 S. a. S. 143 im Kapitel »Außenpolitik«
44 Keir Giles: Russia's Toolkit. In: The Russian Challenge. Chatham House
    Report, London, Juni 2015, S. 40

45 Das reale Bruttosozialprodukt sank zwischen 1989 und Ende der 90er Jahre um mehr als 60 Prozent. Kappeler, a. a. O., S. 263

46 Längst hat Achmetow seine Unternehmen diversifiziert, seine Holding SCM besitzt Kraftwerke im Westen der Ukraine, Hafenanlagen am Schwarzen Meer, Stahlwerke in Italien und Großbritannien. Der Konzern erwirtschaftet mehr Geld in Europa als in Russland – auch dies wohl ein Grund, warum Achmetow die Demonstranten des Majdan unterstützte. S. a.: Konrad Schuller: Rettet der Oligarch den Osten? In: Frankfurter Allgemeine Sonntagszeitung, 9.3.2014

47 Oligarch in the Middle. In: Forbes, 24.3.2014

48 Trade Dispute centers on Ukrainian Executive with ties to Clinton. In: The New York Times, 13.2.2014

49 Forbes Russia, 06/2014. Zu den Unternehmen gehörte auch Ölkonzern Ukranafta und die größte Media-Holding »1+1«.

50 Kolomoiskyj nötigte selbst Wladimir Putin Respekt ab: »Er ist ein unglaublicher Gauner. Ihm gelang es sogar, unseren Oligarchen Roman Abramowitsch zu betrügen.« http://en.kremlin.ru/events/president/news/20366. Als Gouverneur Kolomoiskyj seine finanziellen Interessen während einer Auseinandersetzung um den Ölkonzern Ukranefta im März 2015 so entschieden verteidigen wollte wie die Stadt vor Separatisten und mit bewaffneter Leibgarde vor der Firmenzentrale vorfuhr, wurde er von Poroschenko des Amtes enthoben – und ein Vertrauter Kolomoiskys zum neuen Gouverneur ernannt. http://www.faz.net/aktuell/politik/ausland/europa/ukraine-oligarch-ihor-kolomojskij-gibt-gouverneur-amt-auf-13504778.html

51 Friedensstifter wider Willen. In: Der Spiegel, 42/2014, s. a.: Sakwa, a. a. O., S. 60 ff.

52 Wegen mutmaßlicher Zahlung von Bestechungsgeldern in Indien erließ das FBI 2014 einen Haftbefehl gegen Firtasch, der sich in Österreich aufhielt und gegen Zahlung von 125 Millionen Euro Kaution aus der Untersuchungshaft entlassen wurde. Ein österreichisches Gericht lehnte die Auslieferung in die USA ab: Der Haftbefehl sei politisch motiviert. S. a.: Ukrainian Mogul prepares to fight US charges. In: The New York Times, Europe, 8.5.2014. Witalij Klitschkos Partei Udar soll Firtasch nahegestanden haben. Der ehemalige deutsche Finanzminister Peer Steinbrück kündigte 2015 an, die ukrainische Regierung zu beraten. Die dafür gegründete »Modernisierungsagentur« wurde offenbar maßgeblich von Firtasch finanziert. http://www.faz.net/aktuell/politik/ausland/europa/auf-wessen-seite-steht-der-ukrainische-milliardaer-firtasch-13475577.html. Steinbrück zog sich im Frühsommer 2015 aus dem Projekt zurück.

53 Eine weitere lukrative Einnahmequelle wurde im Lauf der Jahre erschlossen: die enorme Preisdifferenz zwischen Erdgas für private Haushalte und für Industrieunternehmen. Dabei wurde in der Ukraine gefördertes Erdgas vom staatlichen Öl- und Gaskonzern Naftogaz zu lächerlich nied-

rigen – subventionierten – Preisen eingekauft, um an private Haushalte weitergeleitet zu werden. Unterwegs aber ging bis zur Hälfte des Gases »verloren«, wurde an Industrieunternehmen geliefert, die Weltmarktpreise zahlten – die bis zu zehnmal höher waren. S. a.: Serhij Leshchenko: Sunset and/or Sunrise of the Ukrainan Oligarchs after the Majdan? In: Andrew Wilson (Hrsg.): What does Ukraine think? European Council on Foreign Relations, 2014; Anders Aslund: Payback Time for the »Yanukovych Familiy«. Peterson Institute for International Economics, Washington, 11.12.2013

54 Anders Aslund: Oligarchs, Corruption, and European Integration. In: Journal of Democracy, 3/2014, S. 64–73

55 So wurde etwa das 2010 verabschiedete Gesetz über die Vergabe öffentlicher Aufträge durch 20 Änderungen so verwässert, dass es seine Kontrollfunktion verlor: Mehr als die Hälfte aller staatlichen Aufträge, Wert 30 Milliarden Euro, wurden ohne öffentliche Ausschreibung vergeben. Oliver Bullough: Looting Ukraine: How East and West teamed up to steal a country. Global Transitions 7/2014, Legatum Institute

56 https://www.transparency.org/cpi2014/results. Russland stand auf Platz 136.

57 So wurde etwa der Rechtsanwalt Reinhard Proksch in Verbindung mit der in Großbritannien registrierten Firma Astute Partners gebracht, die letztlich vom ehemaligen ukrainischen Präsidenten Wiktor Janukowitsch kontrolliert worden sein soll. Oliver Bullough: Looting Ukraine, a. a. O. Weitere Firmen in: http://www.independent.co.uk/news/uk/crime/exclusive-ukrainian-assets-owned-or-used-by-ousted-president-viktor-yanukovych-hidden-behind-trail-of-firms-with-links-to-uk-9161504. html; s. a.: http://yanukovich.info/de/dr-reinhard-proksch/

58 Kappeler, a. a. O., S. 282 ff.; s. a.: Stent, a. a. O., S. 110 ff.

59 Juschtschenkos Frau Kateryna, in den USA geboren, leitete für kurze Zeit das einschlägig bekannte National Captive Nations Committee, sie arbeitete unter Präsident Reagan im Weißen Haus, später im US-Kongress, war stellvertretende Vorsitzende der US-Ukraine-Stiftung; s. a.: Sakwa, a. a. O., S. 19. http://www.president.gov.ua/en/news/9123.html

60 http://news.bbc.co.uk/2/hi/health/4041321.stm

61 Roxburgh, a. a. O., S. 137 ff.

62 S. a.: Haben die Amis den Majdan gekauft? In: Die Zeit, 13.5.2015, sowie Stent, a. a. O., S. 110 ff.

63 Andis Kudors: »Russian World«. Russia's Soft Power Approach to Compatriots Policy. In: Russian Analytical Digest, Nr. 81, 16.6.2010

64 S. a.: Russian Influence Abroad: Non State Actors and Propaganda. Chatham House, 24.10.2014

65 S. a.: Kappeler, a. a. O., S. 308

66 Andre Liebich, Oksana Myshlovska: Stepan Banderas Nachleben wird gefeiert. In: Ukraine-Analysen Nr. 140, 5.11.2014

67 http://www.nytimes.com/2010/03/02/world/europe/02history.html
68 Timothy Snyder: A Fascist Hero in Democratic Kiev. In: The New York Review of Books, 24.2.2010
69 Kappeler, a. a. O., S. 302
70 Anton Shekhovtsov, Andreas Umland: Ukraine's Radical Right. In: Journal of Democracy 3/2014, S. 58–63
71 S. a.: http://dip21.bundestag.de/dip21/btd/17/146/1714603.pdf
72 Anton Shekhovtsov: Entwicklungsperspektiven der rechtsradikalen Kräfte in der Ukraine. Ukraine-Analysen Nr. 144, 28.1.2015. http://w1.c1.rada.gov.ua/pls/site2/p_deputat?d_id=18065&skl=9
73 S. a.: http://www.spiegel.de/politik/ausland/ukraine-droht-neuer-konflikt-diesmal-an-der-westgrenze-a-1043616.html
74 In der Regel soll man 40 Prozent an Firmenbeteiligungen erpresst haben. Bullough, Looting, a. a. O., S. 10
75 Angeblich vor allem der Geschäftsmann Sergej Kurtschenko, der offenbar selbst mehrere Milliarden verdiente.
76 Janukowitsch soll sich vor allem an Hilfskrediten bereichert haben: http://www.theguardian.com/world/2014/feb/27/ukraine-search-missing-billions-yanukovych-russia
77 Aslund, Oligarchs, a. a. O., S. 65
78 Zu den Firmen in Großbritannien, die offiziell als Besitzer der Anwesen gelten: Bullough, a. a. O., S. 10 f.
79 Zwischen 2010 und 2014 war die Ukraine neuntgrößter Rüstungsexporteur der Welt, größter Kunde die Volksrepublik China, gefolgt von Russland und Thailand. http://books.sipri.org/files/FS/SIPRIFS1503.pdf
80 Zahlen zusammengefasst in Sakwa, a. a. O., S. 72 ff.
81 Wladimir Putin, Rede auf der Konferenz des Waldaj-Klubs, 2013
82 Wladimir Putin, Rede vor der Föderalversammlung, 18.3.2014
83 S. a.: Valery Konyshev, Alexander Sergunin: Russian Views on the Ukraine's Crisis. Valdai International Discussion Club, 2013
84 Dokumente in: The Transfer of Crimea from Soviet Russia to Soviet Ukraine 1954. The Cold War International History Project, e-Dossier Nr. 47
85 S. a.: Wilfried Jilge, Geschichtspolitik statt Völkerrecht. In: Russland-Analysen Nr. 291, 27.2.2015, S. 2–6. Interessant auch die Erinnerungen von Nikita Chrustschtschows Sohn Sergej über die Entscheidung seines Vaters, bei der es auch um den Bau von Kanälen für eine Kaskade von Wasserkraftwerken am Dnjepr ging. Sergey Khrushchev on Crimea. In: http://digitalarchive.wilsoncenter.org/document/119639.pdf?v=053cc aed8b88c16189cfe713ac4f3550
86 Dmitri Trenin: The Ukraine Crisis and the Resumption of Great-Power-Rivalry. Carnegie Moscow Center, Moskau, Juli 2014, S. 11
87 So Wladimir Putin in seiner Rede vor dem Waldaj-Forum 2014, in der er ausführlich über die Welt als Dauerkrise sprach

88 S. a.: Andrei Tsygankov: The heartland no more: Russia's weakness and Eurasia's meltdown. In: Journal of Eurasian Studies, 3/2012, S. 1–9

89 Wladimir Putin: A new integration project. In: Iswestija, 3.10.2011. Zur ebenso langwierigen wie komplizierten Geschichte: http://www.bpb.de/internationales/europa/russland/162285/analyse-die-eurasische-wirtschaftliche-integration

90 http://www.auswaertiges-amt.de/sid_82B0373024B13031E1FFC62C4 22E17FF/DE/Europa/Erweiterung_Nachbarschaft/Nachbarschaftspolitik/Oestliche%20Partnerschaft_node.html

91 Stephan Meister: Der »EuroMajdan« – ein Jahr danach. Friedrich Ebert Stiftung, Jan. 2015; s. a: Daniela Schwarzer, Constanze Stelzenmüller: What is at stake in Ukraine. Europe Policy Paper 1/2014, The German Marshall Fund of the United States, 2014

92 In Moskau schien es, als arbeite die EU gezielt gegen Russland: Da war der Versuch, sich bei Energielieferungen von Russland unabhängiger zu machen. Auch in der Zypernkrise habe man keine Rücksicht auf russische Finanzinteressen genommen.

93 »Ein bisschen frustriert, ja«. Interview mit Joschka Fischer. In: Der Spiegel, 42/2014

94 http://europa.eu/rapid/press-release_SPEECH-02-619_en.htm

95 Die Ukraine hob 2005 die Visumpflicht für EU-Bürger auf.

96 Helmut Schmidt: Die Selbstbehauptung Europas. München, 2000. Zit. in: Philipp Ther. Die neue Ordnung auf dem alten Kontinent. Eine Geschichte des neoliberalen Europa. Berlin, 2014, S. 333

97 Thomas Vogel: Überforderung und Desinteresse. Die EU, die Nachbarschaft und die Ukraine. In: Osteuropa, 9/10/2014, S. 51–65

98 Detailliert dazu EU-Vertreter in: House of Lords, European Union Committee: The EU and Russia: before and beyond the crisis in Ukraine. Februar 2015. http://www.publications.parliament.uk/pa/ld201415/ldselect/ldeucom/115/115.pdf, S. 53 ff.

99 http://www.publications.parliament.uk/pa/ld201415/ldselect/ldeucom/115/115.pdf, S. 64

100 2005 wurde ein bilateraler EU-Aktionsplan unterzeichnet, dann dümpelten die Verhandlungen über ein Assoziierungsabkommen. 2009 wurde eine Agenda zur Vorbereitung des Abkommens beschlossen. Als das ukrainische Parlament im Herbst 2013 alle notwendigen Gesetze verabschiedete, war es schon zu spät. S. a.: Kappeler, a. a. O., S. 307 sowie 334 ff.

101 So der ehemalige EU-Erweiterungskommissar Günter Verheugen am 30. November 2013: »Wir hätten ja das Abkommen leicht im vergangenen Jahr unterzeichnen können, da gab es noch gar keinen russischen Druck. … Da gab es Leute hier, die haben Frau Timoschenko als eine Märtyrerin stilisiert und dachten, sie können einen politischen Vorteil dadurch gewinnen, dass sie das Land in dieser Frage so unter Druck setzen.« Interview mit dem Deutschlandfunk: http://www.deutschlandfunk.de/ge-

scheitertes-abkommen-mit-der-ukraine-das-problem-lag-wohl.694.
de.html?dram:article_id=270613

102 http://www.publications.parliament.uk/pa/ld201415/ldselect/ldeu-com/115/115.pdf, S. 53 ff.

103 http://www.publications.parliament.uk/pa/ld201415/ldselect/ldeu-com/115/115.pdf, S. 55

104 Wladimir Putin, Rede vor dem Waldaj-Klub, 26.10.2014

105 Zit. nach: Gipfel des Scheiterns. In: Der Spiegel, 24.11.2014. Nach dem Scheitern des Abkommens erklärte Barroso: »Wir können keinerlei Vetorecht von Drittstaaten hinnehmen.« Die Zeit der »begrenzten Souveränität« von Staaten in Europa sei endgültig vorbei. In: tagesschau.de, 29.11.2013

106 S. a.: http://www.tagesspiegel.de/politik/timoschenko-gegen-die-ukraine-gericht-untersuchungshaft-fuer-timoschenko-war-rechtswidrig/8144594.html

107 So Sergej Glasjew, Putins Berater und zuständig für die Eurasische Wirtschaftsintegration: http://www.theguardian.com/world/2013/sep/22/ukraine-european-union-trade-russia

108 Kappeler, a. a. O., S. 312 f.

109 So Ministerpräsident Azarow gegenüber dem damaligen deutschen Außenminister Guido Westerwelle am 11. Oktober 2013. S. a.: Kappeler, a. a. O., S. 336

110 Zit. nach: http://www.tagesspiegel.de/politik/praesident-viktor-janukowitsch-ukraine-nicht-reif-fuer-eu-vertrag/9133192.html

111 Rund 30 Prozent der ukrainischen Exporte gingen 2014 nach Russland, rund 25 in die EU.

112 S. a.: Gipfel des Scheiterns. In: Der Spiegel, 24.11.2014

113 Blutet die »Östliche Partnerschaft« aus? In: Deutschlandfunk, 27.11.2013. http://www.deutschlandfunk.de/ukraine-blutet-die-oestliche-partnerschaft-aus.724.de.html?dram:article_id=270328

114 Gespräche der Autorin

115 EU-Gipfel endet ohne Annäherung. In: Deutschlandfunk, 29.11.2013. http://www.deutschlandfunk.de/ukraine-eu-gipfel-endet-ohne-annaeherung.1818.de.html?dram:article_id=270351

116 Zwar unterzeichnete die Ukraine im April 2014 den politischen Teil des Abkommens, im Juni 2014 zeitgleich mit Georgien und Moldowa auch den Freihandelsteil. Dessen Umsetzung wurde zunächst bis Dezember 2015 ausgesetzt: Russland konnte 2370 Fragen und Änderungsvorschläge einbringen, die in Verhandlungen geklärt werden sollen. Durch die Annexion der Krim und den Krieg im Osten der Ukraine scheint der Prozess weiterer Annäherung unsicherer denn je. Armenien und Belarus schlossen sich der Eurasischen Wirtschaftsunion an, Aserbaidschan hat bislang Abkommen über Visa-und Reiseerleichterungen unterzeichnet. Beim Gipfel der Östlichen Partnerschaft in Riga im Mai 2015 wurde bereits die

Teilnahme aller sechs Staaten der Östlichen Partnerschaft als Erfolg ge-
wertet. S. a.: Alina Inayeh, Daniela Schwarzer, Jörg Forbig (Hrsg.): Regional Repercussions of the Ukraine Crisis. European Policy Paper 3/2014.
The German Marshall Fund of the United States, 2014

117 Der rechtsnationalistische Majdan-Kommandeur Andrij Parubi organisierte die Selbstverteidigungseinheiten, populär war der Hundertschaft-
Führer Wolodymyr Parasjuk.

118 Detailliert in: Gerhard Simon: Zusammenbruch und Neubeginn. Die ukrainische Revolution und ihre Feinde. In: Osteuropa, 5–6/2014, S. 9–40

119 Der ukrainische Ministerpräsident Arsenij Jazenjuk behauptet, der russische Geheimdienst habe mit seinen Leuten die Entscheidung zur Räumung
des Majdan orchestriert. Zit. in: Der rote Platz. In: Der Spiegel, 8/2015

120 Der rote Platz. In: Der Spiegel, 8/2015

121 Noch im Sommer 2015 war der genaue Verlauf der Ereignisse jenes Tages
nicht detailliert zu rekonstruieren. Offenbar schossen bewaffnete Majdan-
Aktivisten am Morgen des 20. Februar 2014 auf Berkut-Truppen, dann
eskalierten die Ereignisse. S. a.: Der rote Platz. In: Der Spiegel, 8/2015.
Die Untersuchung der Vorfälle geschah bis Sommer 2015 bestenfalls
schleppend, der Europarat rügte Kiew dafür scharf. http://www.dw.de/
europarat-legt-untersuchung-zu-maidan-schüssen-vor/a-18352052

122 Simon, a. a. O., S. 13

123 Offen berichtete Putin später in einer Fernsehdokumentation, dass die
Kommunikation Janukowitschs und seines Gefolges zumindest während
dessen Flucht abgehört wurde. In: http://russia.tv/brand/show/brand_
id/59195

124 So die gefährliche Rede des rechtsnationalistischen Hundertschaftführers
Wolodymyr Parasjuk. S. a.: http://www.reuters.com/article/2014/02/25/
us-ukraine-crisis-hero-insight-idUSBREA1O0JT20140225. Parasjuk
kämpfte später im Osten der Ukraine, wurde im Herbst 2014 ins ukrainische Parlament gewählt, schloss sich den Abgeordneten Dmytro Jarosch
und Borislaw Bereza an, die beide zum rechtsextremen Rechten Sektor
zählen. Nur wenige Wochen nach der Wahl kam es unter Beteiligung Pa-
rasjuks zu ersten Handgreiflichkeiten im Parlament. http://www.reuters.
com/article/2014/02/25/us-ukraine-crisis-hero-insight-idUSBREA1O0
JT20140225; http://www.kyivpost.com/content/kyiv-post-plus/video-
of-first-brawl-in-verkhovna-rada-becomes-a-youtube-hit-374217.html

125 125 Wladimir Putins Interview. In: http://russia.tv/brand/show/
brand_id/59195. Auch während des Waldaj-Treffens im Herbst 2014 hatte er sich schon mit beißender Ironie über Janukowitsch geäußert.

126 S. a.: Petra Stykow: Innenpolitische Gründe der Ukraine-Krise. Gleich-
zeitige Demokratisierung und Staatsbildung als Überforderung. In: Osteuropa, 5–6/2014, S. 41–60

127 Am 14. August 2014 kamen Abgeordnete der russischen Staatsduma in
Jalta auf der Krim zu einem Treffen mit Wladimir Putin zusammen: Es

ging um die wirtschaftliche Unterstützung für die Krim. Die Wahl des Ortes war kein Zufall: In Jalta, im zauberhaften Liwadija-Palast mit seinem weiten Blick auf das Schwarze Meer, hatten sich im Februar 1945 die »Großen Drei« Kriegsalliierten Josef Stalin, Winston Churchill und Franklin Roosevelt auf die faktische Aufteilung Europas nach dem Sieg über Deutschland geeinigt. Jalta war Stalins politischer Triumph. So konnte man Putins Botschaft interpretieren: 2015 zog Russland in der Ukraine Europas Grenzen. Innerhalb dieser Grenzen würde sich Russland fortan um die eigenen Belange kümmern. http://en.kremlin.ru/events/president/news/46451. Im Februar 2015 warf Putin dem Westen vor, die Vereinbarungen von Jalta revidieren zu wollen: »Vor unseren Augen entfaltet sich eine Kampagne zur Revision der Ergebnisse des Zweiten Weltkrieges.« http://de.sputniknews.com/politik/20150204/300944914.html.

128 Unkonventionelle Kriegsführung ist keine neue Erfindung: Schon die alten Römer setzten sie ein, als sie Aufständische gegen Karthago unterstützten. Hans-Georg Ehrhart: Russlands unkonventioneller Krieg in der Ukraine: Zum Wandel kollektiver Gewalt. In: Aus Politik und Zeitgeschichte, 47–48/2014, S. 26–32

129 Walerij Gerassimow: Zennost nauki v predvidenii. In: Woenno-Promyschlennyi Kurjer, Nr. 8, 27. 2.2013

130 Zwischen 2008 und 2013 von 61 auf 85 Milliarden Dollar

131 Vor russischen Botschaftern definierte Wladimir Putin im Juli 2014 ausdrücklich auch nichtethnische Russen als Russen oder Russischsprachige. Hans-Georg Ehrhart, a. a. O., S. 29

132 Krym: Put na rodinu. In: Rossija1, 15.3.2015. http://russia.tv/brand/show/brand_id/59195

133 Ein sogenannter »Deeskalationsschlag« mit nuklearen Waffen soll demnach in der Frühphase eines konventionellen Krieges denselben beenden. Im Juni 2015 erklärte Putin in einem Interview: Nur jemand, der keinen gesunden Menschenverstand besitzt oder träumt, kann sich vorstellen, dass Russland eines Tages die Nato angreifen könnte.« Wladimir Putin in: Corriere della Sierra, 6.6.2015, dt. Übersetzung in: Welt am Sonntag, 7.6.2015. Transkript: http://en.kremlin.ru/events/president/news/49629

134 Krym: Put na rodinu. In: Rossija1, 15.3.2015. http://russia.tv/brand/show/brand_id/59195

135 Offenbar Geheimdienstchef Alexander Bortnikow, Verteidigungsminister Sergej Schoigu, der Direktor des Nationalen Sicherheitsrates Nikolaj Patruschew und Putins Stabschef Sergej Iwanow, ehemaliger KGB-Offizier, langjähriger Vertrauter Putins in verschiedenen Positionen und nach westlichen Geheimdienstanalysen Vertreter der »Ukraine-AG« im Kreml

136 Krym: Put na rodinu. In: Rossija1, 15.3.2015. http://russia.tv/brand/show/brand_id/59195

137 Die Lehren der russischen Generäle. In: Neue Zürcher Zeitung, 18.07.2014

138 Politische Beobachter in Moskau gingen davon aus, dass militärische Plä-

ne schon länger ausgearbeitet waren. Im Herbstmanöver russischer Truppen »Sapad 2013« in der russischen Exklave Kaliningrad etwa wurde auch die Verteidigung gegen einen Angriff »illegaler bewaffneter Gruppen« geübt. Kurz vor der Annexion der Krim wurden große Teile der Armee in Alarmbereitschaft versetzt, 150 000 Soldaten nahmen an einem Militärmanöver teil. S. a.: Martin Malek: Moskaus Schlachtpläne. Hintergründe zu Russlands Krieg in der Ukraine. In: Osteuropa, 9–10/2014, S. 97–117

139 Kerstin Jobst: Die Perle des Imperiums. Der russische Krim-Diskurs im Zarenreich. Konstanz, 2007

140 Gwendolyn Sasse: Die Krim – regionale Autonomie in der Ukraine. Bundesinstitut für ostwissenschaftliche und internationale Studien, Köln, 1998

141 Nach der ukrainischen Volkszählung von 2001 lebten etwa 2,4 Millionen Menschen auf der Krim: 60 Prozent Russen, 24 Prozent Ukrainer und mehr als 10 Prozent Krimtataren. Drei von vier Bewohnern der Krim sprachen Russisch. Jilge, a. a. O., S. 4

142 Während der Wirtschaftskrise 2008 allerdings nur 40 Prozent. Jilge, a. a. O., S. 5

143 Sakwa, a. a. O., S. 103

144 Möglicherweise waren sie schon in den Wochen zuvor auf die Krim gebracht worden, kamen in den Kasernen der russischen Armee und Flotte unter.

145 Offenbar wurden weitere 15 000 Mann über Kertsch auf die Krim verschifft. Die Lehren der russischen Generäle, a. a. O. Zu den völkerrechtlichen Fragen und dem Selbstbestimmungsrecht der Völker: Otto Luchterhandt: Die Krim-Krise von 2014. Staats-und völkerrechtliche Aspekte. In: Osteuropa, 5–6/ 2014, S. 61–86

146 S. a.: http://time.com/19097/putin-crimea-russia-ukraine-aksyonov/

147 Luchterhandt, a. a. O., S. 73

148 Girkins Interview im TV-Sender »Neuromir«, zit. nach: Votum über Krim unter Zwang. In: Frankfurter Allgemeine Zeitung, 27.1.2015

149 http://www.focus.de/regional/rostock/konflikte-linke-abgeordnete-als-wahlbeobachter-bei-krim-referendum-kritik_id_3694807.html

150 http://kremlin.ru/events/president/news/47173

151 Hill, a. a. O., S. 368

152 Jilge, a. a. O., S. 4

153 Die Ausnahme waren die beiden großen Titan-Fabriken des moskaunahen ukrainischen Milliardärs Dymtro Firtasch. Sie wurden nicht angetastet – möglicherweise ein Zeichen für Moskaus andauernde Unterstützung für Firtasch. S. a.: Sakwa, a. a. O., S. 111 f.

154 S. a.: Der kalte Hauch des Gestrigen. In: Der Stern, 23.12.2014; Seizing Assets in Crimea, From Shipyard to Film Studio. In: The New York Times, 10.1.2015; Reporter ohne Grenzen: Russland zerschlägt unabhängige Medienlandschaft auf der Krim, 12.3.2015; Uwe Halbach: Repression nach

der Annexion. Russlands Umgang mit den Krimtataren. In: Osteuropa, 9–10/2014, S. 179–190

155 S. a.: http://www.themoscowtimes.com/news/article/second-russian-official-in-2-days-arrested-in-crimea-over-corruption/524730.html

156 Henry Kissinger: Eine Dämonisierung Putins ist keine Politik. In: Zeitschrift für Internationale Politik und Gesellschaft, 6.3.2014. S. a.: »Nach bestem Wissen«. Interview mit Henry Kissinger. In: Der Spiegel, 46/2014

157 Zbigniew Brzezinski: Russia needs a »Finland Option« for Ukraine. In: The Financial Times, 23.2.2014

158 Im Detail: Marlene Laruelle: The three colors of Novorossya, or the Russian nationalist mythmaking of the Ukrainian crisis. In: Post-Soviet Affairs, 2015

159 Robert Kirchner, Ricardo Giucci: The Economy of the Donbas in Figures. German Advisory Group, Institute for Economic Research and Policy Consulting, Berlin/Kyiv, June 2014

160 Roderick Heather: The Iron Tsar. The Life and Times of John Hughes. Brighton, 2010

161 S. a.: Anna Veronika Wendland: Hilflos im Dunkeln. »Experten« in der Ukraine-Krise. Eine Polemik. In: Osteuropa, 9–10/2014, S. 13–33

162 http://www.bpb.de/internationales/europa/ukraine/144396/analyse-mit-der-sprachenfrage-auf-stimmenfang-zur-aktuellen-sprachgesetzgebung-in-der-ukraine?p=all

163 Gespräch mit der Autorin, s. a.: Tanya Zaharchenko: A Ukrainian Thesaurus in Russian. In: King's Review Magazine, 15.5.2015

164 Tatiana Zhurzhenko: Im Osten nichts Neues? In: Transit: Europäische Revue Nr. 45, 2014

165 Dazu gehörte etwa der PR-Fachmann Alexander Borodaj, der zeitweilig »Premierminister« der »Volksrepublik Donezk« war. Borodaj arbeitete auch für den orthodoxen, eurasianisch gesinnten Unternehmer Konstantin Malofeew, der als einer der Finanziers des Aufstandes im Donbass und auch der neuen Machthaber auf der Krim gilt.

166 Nikolay Mitrokhi: Transnationale Provokation. Russische Nationalisten und Geheimdienstler in der Ukraine. In: Osteuropa, 5–6/2014, S. 157–174. Der Autor verweist auf die Bedeutung der »eurasischen« Jugendlager und dessen Organisator Konstantin Zatulin. Zum ideologischen Netzwerk gehören auch die einschlägig bekannten russischen Politiker Dmitrij Rogosin und Sergej Glasjew. S. a. Kapitel »Ideologie«.

167 Malek, a. a. O., S. 105

168 S. a. die Beobachtungen des Osteuropa-Historikers Karl Schlögel während einer Reise von Charkiw nach Odessa: Krieg und Frieden. In: Der Spiegel, 19/2014

169 Zum Waffenarsenal auf beiden Seiten: Raising Red Flags. An examination of Arms & Munitions in the ongoing conflict in Ukraine. Armament Research Service, Research Report No. 3, Nov. 2014

170 So etwa der Fall der 52-jährigen Kosmetikerin Irina Dowgan, die hungernde ukrainische Soldaten mit Lebensmitteln versorgt hatte. Dafür wurde sie im August 2014 in Donezk an einen Pfahl gefesselt, dem Gespött, Tritten und Prügel der Bevölkerung preisgegeben. Ihr Interview in: Radio Swoboda: »Wy ne predstawljaete, kak eto straschno«, 31.8.2014

171 S. a. den Bericht von Amnesty International: https://www.amnesty. org/en/articles/news/2015/04/ukraine-new-evidence-of-summary-killings-of-captured-soldiers-must-spark-urgent-investigations/

172 Manfred Sapper, Volker Weichsel: Bedingt denkfähig. Osteuropa, 9–10/2014, S. 3 f.

173 Zur schwierigen Wahrheitsfindung über den Abschuss der MH17 am 17. Juli 2014 nahe des ukrainischen Ortes Snischne s. a.: Zwischenbericht des Dutch Safety Board: http://www.onderzoeksraad.nl/uploads/phase-docs/701/b3923acadoceprem-rapport-mh-17-en-interactief.pdf. Die Analysen bei Bellingcat: https://www.bellingcat.com/tag/mh17/; zusammenfassend auch: Wahrheit in Trümmern. In: Der Spiegel, 3/2015; die russische Darstellung etwa in: http://rt.com/news/264421-buk-missile-manufacturer-investigation/. Der endgültige Untersuchungsbericht des niederländischen Dutch Safety Board stand im Sommer 2015 noch aus. Unstrittig scheint zu sein, dass eine Boden-Luft-Rakete vom Typ Buk-M1 die Passagiermaschine traf. Die Buk-M1 wird sowohl von der russischen als auch von der ukrainischen Armee benutzt. Allerdings deuten Indizien darauf hin, dass MH17 irrtümlich von Separatisten abgeschossen wurde: Möglicherweise glaubten die Verantwortlichen, es handle sich um eine ukrainische Militärmaschine. Fotos und Videos weisen auf den Transport einer Buk-Abschussrampe am 17. Juli von Donezk nach Snischne im von Separatisten kontrollierten Gebiet hin. In den Tagen zuvor waren zwei ukrainische Kampfflugzeuge in der Region abgeschossen worden. Nur wenige Minuten nach dem Abschuss meldete Igor Girkin, damaliger Kommandierender der Separatisten der »Donezker Volksrepublik« über V Kontakte: »Wir haben Euch gewarnt, fliegt nicht durch unseren Himmel.« Angehängt ein Video, das rauchende Trümmer von MH17 zeigte. Der Eintrag wurde bald gelöscht. Die Authentizität der vom ukrainischen Geheimdienst veröffentlichten abgehörten Telefonate Strelkows konnte nicht nachgewiesen werden.

174 Detailliert: Nikolay Mitrokhin: Infiltration, Instruktion, Invasion. Russlands Krieg in der Ukraine. In: Osteuropa, 8/2014, S. 3–16

175 Mitrokhin: Infiltration, a. a. O., S. 15

176 Gespräch mit der Autorin

177 S. a. über die Gefallenen der 76. Luftlandedivision aus Pskow: Desant. In: Nowaja Gaseta, 27.8.2014. »My vsje snali, na schto idjom i tscho moschet byt«. Interview mit einem schwerverletzten russischen Panzerfahrer. In: Nowaja Gaseta, 4.3.2015. Ausführlich auch im Bericht des im Februar 2015 ermordeten russischen Oppositionspolitikers Boris Nemzow. Ilja

Jaschin, u. a.: Putin. Woijna. Moskau, Mai 2015

178 gazeta.ru, 12.2.2015

179 http://www.osce.org/ru/home/123258?download=true

180 Russischer Text: http://www.osce.org/ru/cio/140221?download=true

181 Gespräche der Autorin

182 Gespräch der Autorin mit Lew Gudkow, Direktor des Moskauer Meinungsforschungszentrums Lewada-Zentr

183 http://www.spiegel.de/politik/ausland/ukraine-alexander-sachart-
schenko-gewinnt-umstrittene-wahl-a-1000654.html

184 S. a.: Nikolay Mitrokhin: Bandenkrieg und Staatenbildung. Zur Zukunft
des Donbass. In: Osteuropa, 1–2/2015, S. 5–19

185 Bei Auseinandersetzungen zwischen nationalistischen ukrainischen und
prorussischen Fussballfans und gewaltbereiten Demonstranten flogen
am 2. Mai 2014 und Brandsätze auf das Gewerkschaftshaus, in das sich
vor allem prorussische Demonstranten gerettet hatten. Es geriet in Brand,
mindestens 42 starben. Die Polizei griff nicht ein. Der Tathergang war im
Sommer 2015 nicht abschließend geklärt – ein großer Fehler der neuen
Regierung. Zur Rolle der Kirche im Ukraine-Konflikt s. a.: http://www.
nytimes.com/2014/09/07/world/europe/evidence-grows-of-russian-
orthodox-clergys-aiding-ukraine-rebels.html?_r=0

186 Vlad Mykhnenko: Die ökonomische Bedeutung des ukrainischen Donbass. In: Ukraine-Analysen, Nr. 147, 11.3.2015, S. 2–11

187 Luk'janov, a. a. O., S. 148

188 Wladimir Putin: Rede an die Föderale Versammlung, 4.12.2014. http://
kremlin.ru/news/47173

189 Der Finanzbedarf wird in den kommenden zehn Jahren auf bis zu 100
Milliarden Dollar geschätzt. Der IWF stellte bis 2018 Kredite in Höhe von
40 Milliarden Dollar zur Verfügung. Gunter Deuber: Abschätzung langfristig erforderlicher Aufbausummen für die Ukraine. In: Ukraine-Analysen, Nr. 149, 15.4.2015, S. 2–16

Die Nato und die deutsche Wiedervereinigung –
»… nicht einen Zentimeter …«

1 Philip Zelikow, Condoleezza Rice: Sternstunde der Diplomatie. Die
deutsche Einheit und das Ende der Spaltung Europas. München, 1997, S.
302.

2 Auch für die folgenden Beschreibungen: Michail Gorbatschow: Erinnerungen. Berlin, 1995, S. 50 ff.

3 »Alles kann uns um die Ohren fliegen«. Interview mit Michail Gorbatschow. In: Der Spiegel, 3/2015

4 Andrej Angrick: Besatzungspolitik und Massenmord. Die Einsatzgruppe
D in der südlichen Sowjetunion. Hamburg, 2003, S. 361 ff. sowie S. 617 ff.

5 Gorbatschow: Erinnerungen, a. a. O., S. 54

6 http://www.rferl.org/content/putin-russia-molotov-ribbentrop-pact/
27017723.html. s. a.: http://www.nybooks.com/blogs/nyrblog/2014/
nov/10/putin-nostalgia-stalin-hitler/

7 http://en.kremlin.ru/events/president/transcripts/49455

8 Treibend bei der Rehabilitierung Stalins ist die Russische Militärhistori-
sche Gesellschaft, deren Vorsitzender 2105 der russische Kulturminister
Wladimir Medinskij war. Aber auch Dmitrij Rogosin, als stellvertretender Ministerpräsident 2015 zuständig für die Rüstungsindustrie, gehörte
der Gesellschaft in leitender Funktion an. http://histrf.ru/ru/rvio/
rvio/board-of-guardians

9 Michail Gorbatschow im November 2014 in Berlin, zit. in: http://www.
welt.de/politik/ausland/article134142744/Gorbatschow-wirft-Wes-
ten-Vertrauensbruch-vor.html

10 Umfassend ausgewertet u.a. in: Mary Elise Sarotte: 1989. The Struggle to
create post-Cold War Europe. Princeton, 2009. Mary Elise Sarotte: A
broken promise? In: Foreign Affairs, 09/10, 2014, S. 90–97. Anatolij
Tschernjaew u. a.: V Politburo ZK KPSS (1985–1991), Moskau, 2. Aufl., 2008.
Michail Gorbatschow i Germanskij Vopros. Sbornik Dokumentow.
1986–1991. Moskau, 2006. Ein Teil dieser veröffentlichten Dokumente
wurde offenbar Kürzungen unterzogen, vor allem bei persönlichen Einschätzungen handelnder Personen. Die in der Gorbatschow-Stiftung
verwahrten Originale kopierte der russische Historiker Pavel Stroilov
und schmuggelte sie nach Großbritannien. Die Autorin sah sie ein. S. a.:
Katja Gloger, Cornelia Fuchs: 20 Jahre Mauerfall: Das dachten Thatcher &
Co wirklich. In: stern.de., 4.11.2009

11 Mary Elise Sarotte: A broken promise? In: Foreign Affairs, 09/10, 2014,
S. 90-97

12 Zit in: http://articles.latimes.com/1986-10-25/news/mn-7408_1_pub-
lic-relations

13 Interview der Autorin mit Michail Gorbatschow. In: Stern Edition
1/2010, S. 66-71

14 Zit. nach: Tagebuch einer Weltmacht. In: Der Spiegel, 46/2006

15 Gorbatschow: Erinnerungen, a. a. O., S. 702

16 Interview mit Gorbatschow in: Stern Edition, a. a. O.

17 Helmut Kohl: Vom Mauerfall zur Wiedervereinigung. Meine Erinnerungen. München, Neuauflage 2014, S. 29

18 Kohl: Vom Mauerfall, a. a. O., S. 31

19 Anatolij Tschernjaew u. a.: V Politburo ZK KPSS (1985–1991), Moskau, 2.
Aufl., 2008, S. 552

20 Kohl: Vom Mauerfall, a. a. O., S. 89

21 Michail Gorbatschow: Rede vor dem Europarat, 6.7.1989, zit. nach: Perestroika, 30 years on. Doc. 21. The National Security Archive, George Washington University. Washington, 2015

22 S. a. das vertrauliche Telegramm des damaligen Moskauer US-Botschaf-

ters James Matlock an das US-Außenministerium am 11.5.1990. In: Perestroika, 30 years on. Doc. 26. The National Security Archive, George Washington University. Washington, 2015

23 S. a.: Der Preis der Einheit. In: Der Spiegel, 39/2010

24 Sarotte: 1989, a. a. O., S. 214

25 Horst Teltschik: 329 Tage. Innenansichten der Einigung. Berlin 1993, S. 42 ff. Sarotte, 1989, a. a. O., S. 70 ff.

26 Katja Gloger, Cornelia Fuchs: 20 Jahre Mauerfall: Das dachten Thatcher & Co wirklich. In: stern.de., 4.11.2009

27 Kohl: Vom Mauerfall, a. a. O., S. 21

28 S. a.: Heinrich August Winkler: Geschichte des Westens. Bd. 3. München, 2014, S. 1014 ff.; Kohl: Vom Mauerfall, a. a. O., S. 108 ff.

29 Kohl: Vom Mauerfall, a. a. O., S. 115

30 Gorbatschow in: Stern Edition, a. a. O., S. 70, ausführlicher in: Michail Gorbatschow i Germanskij Vopros, a. a. O., S. 276

31 Sarotte, 1989, a. a. O., S. 76. Schewardnadses Hitler-Vergleich findet sich in der ungekürzten Version der Dokumente, die der Historiker Pavel Stroilov im Archiv der Gorbatschow-Stiftung kopierte.

32 V Politburo KPSS, a. a. O., S. 579 ff. S. a.: Gorbatschow: Erinnerungen, a. a. O., S. 714 ff.; Kohl: Vom Mauerfall, a. a. O., S. 186 ff.

33 Kohl: Vom Mauerfall, a. a. O., S. 208

34 Rede des Bundesministers des Auswärtigen, Hans-Dietrich Genscher, bei einer Tagung der Evangelischen Akademie Tutzing, 31.1.1990, zit. nach Sarotte: 1989, a. a. O., S. 104. Bezog Genscher das Wort »Osten« nur auf das Gebiet der DDR oder auch auf andere Staaten des damals noch existierenden Warschauer Paktes? In einem Gespräch Genschers mit dem britischen Außenminister Douglas Hurd kamen beide am 6.2.1990 überein: Es sei eine Erklärung notwendig, dass die Nato nicht beabsichtige, ihr Territorium nach Osten auszudehnen. S. a.: Sarotte: Broken Promise, a. a. O., S. 91, sowie: Held des Rückzugs, in: Spiegel Online, 24.11.2014

35 Joshua Shifrinson: Put it in writing. How the West broke its promise to Moscow. In: Foreign Affairs, Snapshot, 29.10.2014

36 Zit. nach: Sarotte, 1989, a. a. O., S. 105. Genschers Zitat in: West German meets privately with Baker. In: The Washington Post, 3.2.1990. http://www.washingtonpost.com/archive/politics/1990/02/03/west-german-meets-privately-with-baker/f1682e37-285f-45fd-ad44-259748c8764f/

37 Frankreichs Staatspräsident François Mitterrand sagte offenbar bei einem Abendessen mit Helmut Kohl, man müsse feierlich erklären, dass die Nato keinen Vorteil aus der Nato-Mitgliedschaft eines vereinten Deutschland ziehe, um ihr Gebiet auszudehnen. Zit. nach: Held des Rückzugs, a. a. O.

38 James Baker: Schreiben des Außenministers Baker an Bundeskanzler Kohl, in: Deutsche Einheit. Sonderedition aus den Akten des Bundeskanzleramtes 1989/90, München 1998, Dok. Nr. 173 S. 793–94: »…with assuran-

ces that Nato's jurisdiction would not shift one inch eastward from its present position.« Das Gespräch wird auch zitiert in: Gorbatschow: Erinnerungen, a. a. O., S. 715 f.; Michail Gorbatschow i Germanskij Vopros, a. a. O., S. 334. Sarotte, 1989, a. a. O., S. 110 zitiert eine handschriftliche Notiz Bakers nach dessen Treffen mit Eduard Schewardnadse: »End result: Unified Ger. anchored in a *changed (polit.) NATO – *whose juris. would not move eastward!«

39   Gorbatschow: Erinnerungen, a. a. O., S. 716. Gorbatschow zitiert Baker folgendermaßen: »Angenommen, es kommt zur Wiedervereinigung, was würden Sie vorziehen: Ein wiedervereinigtes Deutschland, ganz selbstständig, ohne amerikanische Truppen oder ein wiedervereinigtes Deutschland, das Verbindungen zur NATO aufrechterhält, verbunden mit der Zusicherung, weder die Rechtsprechung noch die Truppen der NATO auf Territorien auszudehnen, die östlich der jetzigen NATO-Grenze liegen?«

40   Winkler, a. a. O., S. 1029. Gorbatschow: Erinnerungen, a. a. O., S. 716–17; Sarotte: Broken Promise, a. a. O. Koh: Vom Mauerfall, a. a. O., S. 203. Hans-Dietrich Genscher hatte am gleichen Tag, dem 10. Februar 1990, während einer Rede in Moskau gesagt, die Nato werde sich nicht nach Osten ausdehnen. Dies gelte ganz generell. Doch tatsächlich hatte Kohl zu diesem Zeitpunkt schon einen Brief Bushs erhalten, dessen Inhalt deutlich von Bakers Vorschlag abwich. Kohl entschied sich – offenbar aus taktischen Gründen – in seinen Gesprächen mit Gorbatschow aber zunächst Bakers Lesart zu folgen.

41   Kohl: Vom Mauerfall, a. a. O., S. 209

42   Der frühere US-Diplomat Philip Zelikow, der 1990 im Nationalen Sicherheitsrat arbeitete, schrieb 1995, es habe nie ein Versprechen gegeben, die Nato nicht nach Osten zu erweitern. Es habe sich lediglich auf das Staatsgebiet der ehemaligen DDR bezogen. Weder Genscher noch Baker noch Gorbatschow selbst hätten die Möglichkeit erwogen, die Nato könne sich nach Zentral- und Osteuropa ausdehnen. Erst im Herbst 1990 sei in Washington zum ersten Mal die Möglichkeit einer Erweiterung der Nato nach Osten besprochen worden. http://www.nytimes.com/1995/08/10/opinion/10iht-edzel.t.html

43   Zelikow, Rice, a. a. O., S. 302

44   Zelikow, Rice, a. a. O., S. 303; s. a.: Winkler, a. a. O., S. 1030: Kohl habe sich dem amerikanischen Präsidenten gebeugt

45   »We wanted to bribe the Soviets out of Germany.« Robert Gates. From the shadows: The Ultimate Insider's Story of Five Presidents and How They Won the Cold War. New York, 1996, S. 492. Zit. in Sarotte, 1989, a. a. O., S. 151

46   Michail Gorbatschow i Germanskij Vopros, a. a. O., S. 424 f.

47   Horst Teltschik, a. a. O., S. 230 sowie S. 243

48   Teltschik, a. a. O., S. 230. Kohl erwähnt die Teilnahme der Banker an der Reise in seinen Memoiren nicht. Kohl: Vom Mauerfall, a. a. O., S. 294

49 Michail Gorbatschow i Germanskij Vopros, a. a. O., S. 427 ff.

50 Teltschik, a. a. O., S. 231

51 Kohl: Vom Mauerfall, a. a. O., S. 295 f.

52 Michail Gorbatschow i Germanskij Vopros, a. a. O., S. 442

53 Michail Gorbatschow i Germanskij Vopros, a. a. O., S. 444

54 Zelikow, Rice, a. a. O., S. 367; Michail Gorbatschow i Germanskij Vopros, a. a. O., S. 437–45. In den dort publizierten Auszügen des Protokolls wird die Kreditfrage allerdings nicht erwähnt.

55 Zelikow, Rice, a. a. O., S. 368

56 Michael Beschloss, Strobe Talbot: Auf höchster Ebene. Das Ende des Kalten Krieges und die Geheimdiplomatie der Supermächte 1989–1991, Düsseldorf, 1993, S. 288 ff.

57 Beschloss, Talbot, a. a. O., S. 298

58 Robert Gates: From the Shadows, a. a. O., S. 493; zit. in: Sarotte, 1989, a. a. O., S. 167 f.

59 In den USA machten die Republikaner Druck auf ihren Präsidenten: Nach der Unabhängigkeitserklärung der Sowjetrepublik Litauen im März 1990 hatte Moskau Sanktionen gegen Litauen verhängt.

60 Beschloss, Talbot, a. a. O., S. 290

61 Michail Gorbatschow i Germanskij Vopros, a. a. O., S. 470. Eine andere Übersetzung in Kohl: Vom Mauerfall, a. a. O., S. 301

62 Michail Gorbatschow i Germanskij Vopros, a. a. O., S. 475

63 In seinen Erinnerungen erwähnt Gorbatschow die entscheidende KSZE-Episode nicht. Gorbatschow, a. a. O., S. 723. S. a.: Zelikow, Rice, a. a. O., S. 384 ff.

64 So habe es Tschernjaew 1994 in einem Gespräch mit Condoleezza Rice gesagt. Zit. in: Zelikow, Rice, a. a. O., S. 386. Über die teilweise verworrenen, widersprüchlichen Einlassungen Gorbatschows und seinen Versuch, seine faktische Zustimmung zur Nato-Mitgliedschaft Deutschlands mit Hilfe von Außenminister Schewardnadse und Deutschland-Berater Valentin Falin zurückzunehmen, s. Beschloss, Talbot, a. a. O., S. 290 ff.

65 Robert Zoellick, damals Teilnehmer an den Verhandlungen, im Juni 2015 in Berlin, Recherchen der Autorin

66 Zit. nach Beschloss, Talbott, a. a. O., S. 317

67 Zelikow, Rice, a. a. O., S. 445 ff., s. a.: Teltschik, a. a. O., S. 274 ff.

68 Sarotte, 1989, a. a. O., S. 182, unter Verweis auf Genschers Erinnerungen

69 Schreiben des Ministerpräsidenten Ryshkow an Bundeskanzler Kohl, 18. Juli 1990. In: Deutsche Einheit. Sonderedition aus den Akten des Bundeskanzleramtes 1989/90, München 1998, Dok. Nr. 361, S. 1400. Zahlen bei Sarotte, 1989, a. a. O., S. 187

70 Michail Gorbatschow i Germanskij Vopros, a. a. O., S. 554–559

71 Michail Gorbatschow i Germanskij Vopros, a. a. O., S. 564–566

72 Nahezu symbolisch eine der Anweisungen, die Gorbatschow nach seinem Besuch in Bonn auf dem Rückweg nach Moskau im November 1990

gab: »Was humanitäre Hilfspakete aus Deutschland an unsere Bevölkerung betrifft: Alle Türen sind zu öffnen. Und die Zollbehörden werden angewiesen, keine Gebühren zu verlangen.« Gorbatschow: Erinnerungen, a. a. O., S. 629

73 Interessant die Überlegungen über mögliche Optionen Gorbatschows in: Zelikow, Rice, a. a. O., S. 337 f.

74 S. a.: Valentin Falin: Politische Erinnerungen. München, 1993

75 So klagte Gorbatschow 1991 in einem Gespräch mit dem damaligen US-Außenminister James Baker: »Die Dinge verschwinden hier einfach. Wir haben für die deutsche Wiedervereinigung viel Geld erhalten. Als ich unsere Leute fragte, wo das Geld ist, sagten sie mir, niemand wisse, wo es sei.« Zit. nach: Sarotte, 1989, a. a. O., S. 212

76 Zit. nach: Schluss mit der Romantik. In: Der Spiegel 15/2014

77 Die Helden des Rückzugs. In: Hans Magnus Enzensberger: Zickzack. Frankfurt a. M., 1999

Deutschland und Russland – Enttäuschte Erwartungen

1 http://www.auswaertiges-amt.de/DE/Infoservice/Presse/Reden/2008/080304-BM-Ostpolitik.html

2 Ralf Georg Reuth, Günther Lachmann: Das erste Leben der Angela M. München, 2013, S. 66 ff.; Stefan Kornelius: Angela Merkel. Die Kanzlerin und ihre Welt. Hamburg, 2013, S. 20 ff.

3 Nach den Erinnerungen ihres damaligen Klassenlehrers Charly Horn, zit. in: Reuth, a. a. O., S. 67; Kornelius, a. a. O., S. 21f. Ausgerechnet in Moskau soll Merkel schon damals auf eine mögliche Wiedervereinigung Deutschlands angesprochen worden sein.

4 Scherz beiseite. In: Süddeutsche Zeitung, 4.3.2014

5 Geworkjan, u. a.: Aus erster Hand, a. a. O., S. 25

6 Geworkjan, u. a.: Aus erster Hand, a. a. O., S. 33

7 http://www.tvc.ru/news/show/id/67409

8 S. a.: »Nazis, Räuber, Revanchisten«: Moskaus Bild der Deutschen. In: Der Spiegel, 1/1969

9 Ljudmilla Putina in: Geworkjan u. a., a. a. O., S. 89

10 Er bezeichnete sie als »meine Freunde«, die er nicht aufgeben werde, auch wenn man in Deutschland eine Kampagne gegen ehemalige Stasi-Mitarbeiter führe, diese aus »politischen Motiven« verfolge und verhafte. Geworkjan, a. a. O., S. 88

11 S. a. S. 27 f. im Kapitel »Das System«

12 Geworkjan, u. a., a. a. O., S. 84

13 Rahr: Wladimir Putin, a. a. O.

14 S. a.: Hill, a. a. O., S. 278. Hill meint, Putin könne sich nicht in die Denkweise westlicher Politiker versetzen – weil er es nie lernte.

15 Recherchen der Autorin

16 Recherchen der Autorin

17 S. Fotos etwa in: http://www.abendzeitung-muenchen.de/inhalt.angela-merkel-und-wladimir-putin-machtspielchen-mit-hund-blumen-und-pralinen.d9f02507-2fa0-4f25-beaf-a92b990d2518.html

18 Kornelius, a. a. O., S. 195

19 Zit. nach: http://www.faz.net/aktuell/politik/ausland/merkel-in-moskau-nicht-gleich-eingeschnappt-sein-11962397.html

20 http://dip21.bundestag.de/dip21/btd/17/113/1711327.pdf

21 Zur Debatte um die Resolution und die Position der SPD: Wolfgang Eichwede: Einmischung tut not! Wider den Selbstbetrug der Putin-Freunde. In: Osteuropa, 4/2013, S. 91–100, sowie Hans-Joachim Spanger: Kooperation tut not! Wider die Blindheit der Putin-Feinde. In: Osteuropa, 7/2013, S. 169–178

22 Zit. nach: http://www.faz.net/aktuell/politik/ausland/merkel-in-moskau-nicht-gleich-eingeschnappt-sein-11962397.html

23 S. a.: Zurück im Kalten Krieg. In: Der Spiegel, 47/2014

24 Zu Chodorkowskijs Geschichte, dem Fall Yukos und Details der Freilassung s. a.: Katja Gloger: Der Preis der Freiheit. In: Der Stern, 11.12.2014. Ausführlich: Martin Sixsmith: Putin's Oil: The Yukos Affair and the Struggle for Russia. New York, 2010. Richard Sakwa: Putin and the Oligarch. The Khodorkovsky-Yukos Affair. London, 2014. Viktor Timtschenko: Chodorkowskij. Legenden, Mythen und andere Wahrheiten. München, 2012. Michail Chodorkowski (Hrsg.): Briefe aus dem Gefängnis. Dt. Ausgabe, München, 2011

25 S. a.: Stephen F. Szabo: Germany, Russia, and the Rise of Geo-Economics. London, New York, 2015

26 https://dgap.org/sites/default/files/event_downloads/dr._eckhard_cordes_das_verhaeltnis_zwischen_deutschland_und_russland_rede_in_der_dgap_09.06.2015_manuskript.pdf

27 Deutschland belegte 2013 mit 16 Milliarden Euro kumulierter Investitionen in Russland Platz sechs, weit nach Zypern, den Niederlanden, Luxemburg, China und Großbritannien. 2012 waren es 19,5 Milliarden Euro. http://www.gtai.de/GTAI/Content/DE/Trade/Fachdaten/PUB/2014/07/pub201407108000_19202_russland-in-zahlen---sommer-2014.pdf

28 http://www.bmwi.de/DE/Themen/Aussenwirtschaft/laenderinformationen,did=316538.html

29 Recherchen der Autorin

30 http://www.spiegel.de/wirtschaft/soziales/siemens-chef-bei-putin-gabriel-kritisiert-besuch-von-joe-kaeser-a-961563.html

31 https://www.kfw.de/PDF/Download-Center/Konzernthemen/Research/PDF-Dokumente-Fokus-Volkswirtschaft/Fokus-Nr.-52-April-2014.pdf

32 http://www.faz.net/aktuell/wirtschaft/pipeline-eroeffnung-nord-stream-liefert-gas-11521668.html

33 http://www.kremlin.ru/events/president/news/20603

34 So der Präsident des Bundesverbandes der Deutschen Industrie, Ulrich Grillo, im Mai 2015, s.: http://www.handelsblatt.com/unternehmen/industrie/deutsche-industrie-bdi-chef-haelt-russland-sanktionen-fuer-sinnvoll/11802396.html;

35 Gerd Koenen: Der Russland-Komplex. Die Deutschen und der Osten, 1900–1945. TB-Ausgabe, München, 2005

36 Herfried Münkler, zit. in: Die Seelenverwandten. In: Der Spiegel, 15/2014

37 In der Übersetzung von Nikolai Berdjajew.

38 Gerd Koenen: Interview im Deutschlandfunk, 17.3.2014. http://www.deutschlandfunk.de/russland-berichterstattung-die-stimmen-kommen-von-links-und.694.de.html?dram:article_id=280261

39 Dazu trug auch Stalins Äußerung von 1945 bei: »Die Hitler kommen und gehen, das deutsche Volk aber bleibt.«

40 S. a.: Orlando Figes: Hundert Jahre Revolution. Russland und das 20. Jahrhundert. Berlin, 2015

41 Bei seinem ersten Treffen mit Wladimir Putin im Januar 2000 hatte Außenminister Joschka Fischer Putins Krieg in Tschetschenien kritisiert und einen Waffenstillstand verlangt.

42 S. a.: http://www.tagesspiegel.de/wirtschaft/putin-in-berlin-vier-milliarden-mark-fuer-russland-deutsche-unternehmen-und-gazprom-unterzeichnen-investitionsabkommen/147910.html; http://www.tagesspiegel.de/berlin/putin-in-berlin-nach-dem-liebesmahl-zum-ritter-geschlagen/147820.html

43 Gerhard Schröder: Entscheidungen. Mein Leben in der Politik. Hamburg, 2007, S. 467 ff.

44 Schröder, a. a. O., S. 457

45 Gerhard Schröder: Deutsche Russland-Politik – europäische Ostpolitik. In: Die Zeit, 5.4.2001

46 Wolfrum, a. a. O., S. 401 sowie S. 402 ff.

47 Zur Diskussion um die Reformbedürftigkeit des Petersburger Dialogs: Gemma Pörzgen: Dringend reformbedürftig. Der Petersburger Dialog auf dem Prüfstand. In: Osteuropa, 10/2010, S. 59–81, sowie: Jens Siegert: Petersburger Dialog. In: Russland-Analysen Nr. 284, 24.10.2014, S. 28–36

48 In der ARD-Sendung »Beckmann« am 23.11.2004 entspann sich folgender Dialog: Beckmann: »Ist Putin ein lupenreiner Demokrat?« Gerhard Schröder: »Das sind immer so Begriffe. Ich glaube ihm das und ich bin davon überzeugt, dass er das ist. Dass in Russland nicht alles so ist, wie er sich das vorstellt und gar wie ich oder wir uns das vorstellen würden, das, glaube ich, sollte man verstehen. Dieses Land hat 75 Jahre kommunistische Herrschaft hinter sich und ich würde immer gerne die Fundamentalkritiker daran erinnern, mal darüber nachzudenken, ab wann denn bei uns alles so wunderbar gelaufen ist.«

49 Zit. nach: Wolfrum, a. a. O., S. 434 ff.

50 Gespräch Schröders mit Roxburgh, 2011, a. a. O., S. 93

51 Schröder, a. a. O., S. 469 ff.

52 Der ehemalige französische Staatspräsident schlug ein Angebot aus, für Gazprom tätig zu werden. Roxburgh, a. a. O., S. 93

53 http://www.nord-stream.com/de/wer-wir-sind/geschaeftsfuehrung/. Für Unmut und Kritik an Schröders Verhalten hatte auch die staatliche Bürgschaft für Kredite in Höhe von bis zu einer Milliarde Euro an Gazprom gesorgt, die in den letzten Monaten von Schröders Kanzlerschaft beschlossen wurde. Er habe von dem Vorgang keine Kenntnis gehabt, so Schröder.

54 Merkel warnt vor Bindung an Russland. In: Frankfurter Allgemeine Zeitung, 25.10.2004

55 Schröder, a. a. O., S. 461 ff.

56 »Wie man Frieden sichert«. Interview mit Gerhard Schröder in: Der Spiegel, 28.3.2015

57 S. a.: Gerhard Schröder: Wandel durch Verflechtung. In: Der Spiegel, 21/2007

58 Das 1994 geschlossene und 1997 in Kraft getretene Partnerschafts- und Kooperationsabkommen zwischen der EU und Russland sollte 2007 vor allem um Vereinbarungen im Energiebereich erweitert werden, die russische Energielieferungen abgesichert und europäischen Unternehmen bessere Investitionsbedingungen Russland ermöglicht hätten. Nach dem Georgienkrieg 2008 wurden die Verhandlungen ausgesetzt, später wieder aufgenommen und 2014 erneut ausgesetzt.

59 S. a.: Shevtsova: Lost in Transition, a. a. O., S. 132 ff.

60 Zit. nach: Hill, a. a. O., S. 318

61 Angela Merkel zit. nach: http://www.spiegel.de/politik/ausland/eu-russland-gipfel-offener-streit-zwischen-merkel-und-putin-a-483606.html

62 Im Vorfeld des Bukarester Gipfels hatte Bush mehrmals mit Merkel in Videokonferenzen gesprochen. Er werde sich um Merkel »kümmern«, hatte er angekündigt. Roxburgh, a. a. O., S. 223

63 In der Ukraine hatte sich eine Mehrheit der Bevölkerung gegen den Beitritt zur Nato ausgesprochen. In Georgien waren mit Abchasien und Südossetien seit 1992 zwei »frozen conflicts« ungelöst, die Russland direkten Einfluss auf Georgien sicherten. Außerdem hielt Merkel den georgischen Präsidenten Michail Saakaschwili für unberechenbar – zu Recht, wie seine Provokationen vor dem Georgienkrieg und sein erratisches Verhalten während des Krieges zeigten. Die Souveränität der Ukraine und Georgiens blieb für Merkel allerdings unantastbar. S. a.: Kornelius, a. a. O., S. 200 f.

64 Zit. nach: Roxburgh, a. a. O., S. 224

65 Recherchen der Autorin

66 Frank-Walter Steinmeier: Auf dem Weg zu einer europäischen Ostpolitik. Rede anlässlich der Podiumsdiskussion bei der Willy-Brandt-Stiftung, 4.3.2008

67 Am 5. Juni 2008 in Berlin. Detaillierter sein Vorschlag am 8. Oktober auf

der World Policy Conference in Evian. http://www.kremlin.ru/eng/
speeches/2008/10/08/2159_type82912type 82914_207457.shtml. S.:
Adam Daniel Rotfeld: Braucht Europa eine neue Sicherheitsarchitektur.
In: OSZE-Jahrbuch 2009. Hamburger Institut für Friedens-und Sicherheitspolitik, 2010, S. 25–47

68 S. a.: Andrei Zagorski: Der russische Vorschlag für einen Vertrag über europäische Sicherheit: von der Medwdew-Initiative zum Korfu-Prozess.
In: OSZE Jahrbuch 2009. Hamburger Institut für Friedens- und Sicherheitspolitik, 2010, S. 49–67, hier S. 66

69 So Dmitrij Medwedjew in einem Interview mit dem russischen Fernsehen
in Sotschi, 31.8.2008; zit. in: Margarete Klein, Solveig Richter: Russland
und die euro-atlantische Sicherheitsordnung. Defizite und Handlungs-
optionen. Stiftung für Wissenschaft und Politik, Berlin, 2011. http://
www.swp-berlin.org/fileadmin/contents/products/studien/2011_
S34_kle_rsv_ks.pdf. S.a.: Speech by Russian Minister of Foreign Affairs
Sergey Lavrov at the Foreign Ministry's MGIMO University on the Occa-
sion of the New Academic Year, 1. September 2008. www.mid.ru

70 S. a.: Klein, Richter, a. a. O.

71 S.: Adam Daniel Rotfeld: Braucht Europa eine neue Sicherheitsarchitektur. In: OSZE-Jahrbuch 2009. Hamburger Institut für Friedens- und Sicherheitspolitik, 2010, S. 25–47

72 Klein, Richter, a. a. O., S. 8

73 Karsten Voigt: Erschüttertes Vertrauen. In: IPG, Internationale Politik
und Gesellschaft, 28.10.2014

74 Bundeskanzlerin Merkel und Präsident Medwedjew schlugen in Mese-
berg ein »Europäisch-Russisches Politisches und Sicherheitspolitisches
Komitee« vor: Das »ER PSK« sollte auf Ministerebene angesiedelt sein. Der
Transnistrien-Konflikt sollte als Testfall für die Erarbeitung von Mechanismen gemeinsamen Krisenmanagements dienen.

75 S. a.: Alexey Gromyko: Russia and the EU: Common Challenges, Common Responses? In: Meeting Summary: Russia and Eurasia Programme,
The Chatham House, London, 23.2.2012

76 Rund 30 Prozent der Einwohner Transnistriens sind ethnische Russen,
ebenso viele wie Moldauer.

77 So der nicht nur auf die Ukraine gemünzte Vorschlag des russischen Außenministers Sergej Lawrow vor der UN-Vollversammlung im September 2014: Er machte die »arrogante Politik des Westens« als Ursache für
Revolutionen in der Welt aus und forderte eine UN-Deklaration über die
»Unzulässigkeit der Einmischung in innere Angelegenheiten souveräner
Staaten und die Nicht-Anerkennung von Staatsstreichen als Methode
von Regierungswechseln.« http://www.un.org/en/ga/69/meetings/
gadebate/pdf/RU_en.pdf

78 Recherchen der Autorin

79 Recherchen des Berliner Stern-Büros

80 Recherchen der Autorin

81 Zit. nach: Angela Stent: The Limits of Partnership. Erw. Neuaufl., Princeton, 2014, S. 274 ff.

82 Am 21. August 2013 waren im syrischen Bürgerkrieg hunderte Menschen nach einem Angriff mit Sarin-Gas gestorben. Die USA und Großbritannien machten das Assad-Regime dafür verantwortlich, während der Kreml von einem Angriff der Rebellen sprach. In der Debatte um mögliche Luftangriffe gegen Syrien gelang es Putin, den russischen Verbündeten Baschar al-Assad von einem Gedanken des amerikanischen Außenministers John Kerry zu überzeugen: Wenn Syrien seine chemischen Waffen vernichte, könnten Luftangriffe vermieden werden. Die russische Initiative war erfolgreich – Assad unterstellte seine chemischen Waffen internationaler Kontrolle und sicherte so seine Macht. S. a.: Stent, Neuauflage, a. a. O., S. 274 ff.

83 http://www.washingtonpost.com/blogs/in-the-loop/wp/2013/08/09/obama-putins-a-sloucher/

84 Angeblich hatte Putin Merkel eine »tschetschenische Lösung« für den Südosten der Ukraine vorgeschlagen: Durch massive finanzielle Unterstützung solle sich Poroschenko die Loyalität der »Volksrepubliken« faktisch erkaufen. Ähnlich hatte Putin 2009 den Zweiten Tschetschenienkrieg beendet. Potschemu buksowali peregowory o mirnom uregulirowanii w Donbasse. In: Vedomosti, 9.2.2015

85 S. a.: Guter Bulle, böser Bulle. In: Süddeutsche Zeitung, 26.11.2014

86 Recherchen der Autorin, s. a.: Zerkalo Nedeli, Kiew, zit. in: rosbalt.ru, 7.2.2015

87 Zum Einfluss Medwetschuks auf die ukrainische Politik sowie zu seiner umstrittenen Rolle als Pflichtverteidiger des später in einem sowjetischen Arbeitslager verstorbenen ukrainischen Dissidenten Vasyl Stus Ende der 70er Jahre s .a.: Friend of Putin Assumes Role of Negotiator in Ukrainian Conflict. In: The New York Times, 11.2.2015

88 http://www.brookings.edu/~/media/Research/Files/Reports/2015/02/ukraine-independence-russian-aggression/UkraineReport_February2015_FINAL.pdf?la=en

89 Recherchen der Autorin

90 RBK, rbc.ru, 9.2.2015

91 Die Deutschen kontrollierten den komplizierten Abstimmungsprozess mit einem einfachen, aber wirksamen Trick: Ein deutscher Diplomat saß am Computer, tippte Änderungen und Ergänzungen ein – aber erst, nachdem Staatssekretär Markus Ederer zugestimmt hatte. Recherchen der Autorin

92 S. a.: International Crisis Group: The Ukraine Crisis: Risks of Renewed Military Conflict after Minsk II, Europe Briefing No. 73, 1.4.2015

93 Herfried Münkler: Macht in der Mitte. Die neuen Aufgaben Deutschlands in Europa. Hamburg, 2015

94 Udo Ulfkotte: Gekaufte Journalisten. Wie Politiker, Geheimdienste und Hochfinanz Deutschlands Massenmedien lenken. Rottenburg, 2014

95 Berichterstattung im Ukraine-Konflikt. IP – Die Zeitschrift, Deutsche Gesellschaft für Auswärtige Politik, Nr. 3, 2015. Über die Glaubwürdigkeitskrise des Journalismus s. a.: Alles Lügen? In: Die Zeit, 25.6.2015

96 Emnid-Umfrage, zit. nach: Was würde Willy Brandt tun? In: Die Zeit, 27.11.2014

97 http://www.pewglobal.org/files/2015/06/Pew-Research-Center-Russia-Ukraine-Report-FINAL-June-10-2015.pdf

98 Ausgeführt in: Was würde Willy Brandt tun? In: Die Zeit, 27.11.2014

99 http://en.kremlin.ru/events/president/news/19822. Während des Treffens mit Putin erklärte Schmidt die EU zur faktisch unfähigen Organisation und sah seit Ende des Zweiten Weltkrieges nur zwei europäische Staatsmänner von Format, Winston Churchill und Charles de Gaulle: »Seitdem lässt die Qualität führender europäischer Politiker ständig nach.«

100 »Putins Vorgehen ist verständlich«. Interview mit Helmut Schmidt in: Die Zeit, 27.3.2014.

101 http://www.berliner-zeitung.de/politik/interview-mit-egon-bahr--merkel-ist-schroeder-dankbar-,10808018,27067294.html

102 http://www.spiegel.de/politik/ausland/egon-bahr-fuer-respektierung-der-krim-annexion-a-1005025.html

103 »Putin ist ein Realist«. Interview mit Matthias Platzeck in: Der Spiegel, 21/2014

104 http://www.spiegel.de/politik/deutschland/ukraine-krise-matthias-platzeck-will-legalisierung-krim-annexion-a-1003646.html

105 Zit. nach: Schröder macht die EU für Krim-Krise mitverantwortlich. In: Spiegel Online, 9.3.2014. Der Nato-Einsatz gegen Serbien hatte allerdings zum Ziel, den Vormarsch serbischer Truppen im Kosovo zu stoppen und eine humanitäre Katastrophe zu verhindern. Über eine humanitäre Katastrophe auf der Krim war Anfang 2014 hingegen nichts bekannt.

106 http://www.faz.net/aktuell/politik/ausland/europa/empfang-in-st-petersburg-schroeder-feiert-mit-putin-seinen-siebzigsten-nach-12914 972.html. Auch der ehemalige Erste Hamburger Bürgermeister Henning Voscherau, SPD, nahm am anschließenden Essen im kleinen Kreis mit Putin teil.

107 Wenig hilfreich auch die Teilnahme eines weiteren deutschen Politikers: Ebenfalls nach Sankt Petersburg reiste Philipp Mißfelder, der im Juli 2015 verstorbene außenpolitische Sprecher der Unions-Bundestagsfraktion. Mißfelder pflegte schon länger Kontakte in Moskau, unter anderem zum Duma-Abgeordneten Robert Schlegel, einst Pressesprecher der Putin-Jugendorganisation »Naschi«, die auch mal öffentlich Bücher verbrannt hatte. Über seine Party-Reise nach Sankt Petersburg hatte Mißfelder niemanden informiert. Er sei als »Privatmann« gereist, erklärte er. Zit. nach: Politische Geisterfahrt. In: Der Spiegel, 19/2014

108 Vertreter der Ukraine, etwa der damalige gut Deutsch sprechende Botschafter Pawlo Klimkin, wurden lange erst gar nicht in deutsche Talkshows eingeladen.

109 »Die Kanzlerin muss Putin ein Angebot machen«. Interview mit Horst Teltschik in: Die Zeit, 11.12.2014

110 http://www.zeit.de/politik/2014-12/aufruf-russland-dialog. Den ursprünglichen Text hatte der ehemalige Verteidigungsstaatssekretär Walther Stützle (SPD) geschrieben. Recherchen der Autorin

111 http://www.welt.de/debatte/kommentare/article135119551/Dieser-Russland-Aufruf-ist-ein-peinliches-Dokument.html; s. a.: Ruprecht Polenz: http://www.zeit.de/politik/deutschland/2014-12/russland-ukaine-putin-aufruf-ruprecht-polenz

112 Zit. nach: Deutsche Industrie lehnt schärfere Russland-Sanktionen ab. In: Frankfurter Allgemeine Sonntagszeitung, 22.12.2014

113 Eckhard Cordes: Deutschland und Russland – Wege aus der Vertrauenskrise. Manuskript der Rede im Rahmen der Veranstaltung 60 Jahre DGAP, 9. Juni 2015

114 S. a.: Christian Neef: Schluss mit der Romantik. In: Der Spiegel, 15/2014

115 Pew Research Center: Im Frühjahr 2015 vertrauten nur noch 28 Prozent der Befragten in Russland Angela Merkel auf der Weltbühne, 11 Prozent Barack Obama.

116 Richard Ullman: The US and the World: An Interview with George Kennan. In: The New York Review of Books, 12.8.1999

117 Durch umfangreiches Datenmaterial belegt von: Lev Gudkov, Victor Zaslavsky: Russland. Kein Weg aus dem postkommunistischen Übergang? Berlin, 2011

118 Ljudmila Ulitzkaja: Mein Land krankt. In: Der Spiegel, 34/2014

119 Ein entsprechendes Konzept hatte die SPD erarbeitet. Man zögerte, es zu veröffentlichen. Die SPD-Führung wollte bei diesem heiklen Thema den Eindruck möglicher Differenzen mit Angela Merkel vermeiden. Letztlich könne die Einigkeit Europas in der Sanktionspolitik nur durch Geschlossenheit der Großen Koalition erhalten werden. Und ein Thema im Wahlkampf 2017 sollte Russland schon gar nicht werden – auch, um mögliche Streitigkeiten in der SPD zu vermeiden. Recherchen der Autorin

120 Recherchen der Autorin

121 So Angela Merkel und Sigmar Gabriel auf dem Weltwirtschaftsforum in Davos, 23.1.2015

122 http://www.defensenews.com/story/defense/international/europe/2015/06/01/us-downplays-russian-flyover-black-sea/28328801. Zu mehreren Dutzend weiterer Zwischenfälle, darunter dem Beinahezusammenstoß einer Passagiermaschine der Fluggesellschaft SAS mit einem russischen Aufklärungsflugzeug über der Ostsee am 3. März 2014: »Russland ist kein strategischer Partner mehr«. Interview der Autorin mit Nato-Oberbefehlshaber Philip Breedlove in: stern.de, 19.11.2014, sowie:

European Leadership Network: Dangerous Brinkmanship. Close Military Encounters between Russia and the West. London, 2014

123 Die USA warfen Russland den Bruch des INF-Vertrages über die Abschaffung nuklearer Mittelstreckenraketen von 1987 vor. Russland habe zwei Waffen getestet, die den INF-Vertrag verletzten, so hochrangige US-Militärs im Herbst 2014. Westliche Experten bezweifeln dies. S. a.: Ulrich Kühn: Der Ukrainekrieg und die europäische Sicherheitsarchitektur. In: Russland-Analysen Nr. 295, 8.5.2015, S. 7–11

124 S. a.: Rückkehr der Marschflugkörper. In: Der Spiegel, 26/2015

125 Gespräche der Autorin

126 Ausführlich und überzeugend dargelegt in: Dembinski, Einhegung, a. a. O., S. 4

127 Wie etwa auf dem Nato-Gipfel in Wales Ende 2014 beschlossen. Die Nato-Russland-Grundakte von 1997 bleibt in Kraft: Sie sieht den Verzicht auf die Stationierung »substanzieller Kampftruppen« in den neuen Nato-Mitgliedsstaaten vor.

128 Angela Merkel während der Diskussion nach ihrer Rede, Beobachtungen der Autorin

129 Rede Angela Merkels auf der Sicherheitskonferenz in München. http://www.bundesregierung.de/Content/DE/Rede/2015/02/2015-02-07-merkel-sicherheitskonferenz.html